Texto de acordo com as normas do novo acordo ortográfico da língua portuguesa (Decreto Legislativo Nº54 de 1995).

Editora – Catia Mourão
Capa – Joice Dias
Diagramação – Catia Mourão
Revisão – Bruna Araújo e Neide Santos

CIP-BRASIL. CATALOGAÇÃO NA PUBLICAÇÃO
SINDICATO NACIONAL DOS EDITORES DE LIVROS, RJ

C951o

Cristina, Mônica
Olhos de aço / Mônica Cristina. - 1. ed. - Rio de Janeiro : Ler, 2022.
340 p. ; 23 cm.

ISBN 978-65-86154-56-6

1. Romance brasileiro. I. Título.

22-77515 CDD: 869.3
CDU: 82-31(81)

Meri Gleice Rodrigues de Souza - Bibliotecária - CRB-7/6439
03/05/2022 06/05/2022

Foi feito o depósito legal.
Direitos de edição:

Ler Editorial

Olhos DE AÇO

Autora do best-seller "Doutor Coração"

MÔNICA CRISTINA

1ª edição
Rio de Janeiro – Brasil

SUMÁRIO

CAPÍTULO 1

Angelina

Cory deixa as lágrimas correrem enquanto me assiste fechar a mala, as bochechas rosadas e os olhos castanhos me encaram implorando por algo que não está em minhas mãos. Ergo a mala sentindo que ela carrega o peso do mundo e das minhas incertezas.

— Vamos? — convido o garotinho abatido para deixar o quarto, não é um quarto ruim, os móveis são é claro, de segunda mão, mas é arejado, limpo, claro, nos raros dias de sol, uma luz suave repousa sobre a cama. Não sei quanta falta vou sentir, não deveria, mas talvez eu sinta.

Empurro a mala em direção à sala e depois de acomodá-la na frente da porta, sempre seguida por Cory, eu me ajoelho diante dele.

— Amanhã a professora vai pedir meu trabalho de Matemática e eu não terminei — ele me conta depois de deixar escapar um soluço.

— Tenho certeza de que sua mãe pode se sentar agora com você e terminar — digo a ele quase como uma vingança. O casal de pé, abraçado uns metros de nós, assiste a cena sem uma única palavra.

— Não terminamos o livro do Peter Pan — ele insiste e eu o abraço me forçando a ficar firme quando tudo que gostaria era me debulhar em lágrimas com ele, não acho que alguém ame Cory mais do que eu, não nessa casa. Mantenho uma força que não existe em mim, mas é necessário fingir para acalmar o coração frágil do garotinho que criei.

— Eu sei, mas pode terminar sozinho nessa noite, antes de dormir. São apenas umas cinco páginas, ou quem sabe o seu pai se senta essa noite à beira da sua cama e lê com você? — Olho para Kiefer Dobson, pai do pequeno Cory que não tem qualquer expressão no olhar, nem triste ou feliz, apenas distante e silencioso.

— Angelina, por que você quer ir embora? — Poderia dizer a verdade, eu nunca quis sair, fraca demais para pedir minha demissão da escravidão que foi viver os últimos dez anos nessa casa, mas Cory fica e eu não quero que ele cresça odiando os pais, magoado com eles.

— Você cresceu, meu anjo. Não precisa de uma babá, é um rapazinho muito forte, vai ficar bem sozinho. — Pisco para animá-lo e o pequeno tenta secar o rosto coberto por lágrimas. Ele é meu bebê, eu amo esse garotinho, e por anos, achei que ele era tudo que eu tinha, mas não é. Cory não é meu e se não tenho esse pequeno, eu não tenho nada.

— Acho que prolongar as despedidas não ajuda em nada. — Elisha se aproxima puxando Cory para longe de mim, ele se solta dela e corre de volta me abraçando. Quase caímos ao chão, o garoto está um tanto acima do peso graças à teimosia dos pais de não se preocupar com a sua alimentação.

— Tchau, eu ligo, prometo! Não chora, venho te ver em breve. — Beijo o rostinho fofo e me liberto do seu abraço apertado com algum esforço, minha garganta arde de dor enquanto eu busco conter minha raiva.

— Querido, leve ele para o quarto — Elisha pede ao marido e assisto pai e filho quase indiferentes, deixando a sala juntos. Quero acreditar que minha partida sirva ao menos para aproximá-los do garotinho, não que ache que essa gente tenha algum coração, mas acredito que ao menos Cory tem um e pode ensiná-los. — Aqui está Angelina. — Ela me estende um envelope e aceito meio sem entender.

— É uma ajuda para sua nova vida. — Abro para ver quanto ela acha que mereço pelos anos de dedicação. — É um dinheiro razoável, tenho certeza que logo vai encontrar trabalho e dá para se hospedar em algum lugar enquanto procura.

— Dez anos aqui — digo guardando o envelope na bolsa que carrego no ombro.

— Casa, alimentação, viagens que nós pagamos para você.

— Como babá, para cuidar do Cory o tempo todo.

— Terminou seus estudos, ajudamos nisso. Livros e cadernos todos por nossa conta todo esse tempo.

— Interrompi por dois anos o ensino médio, se tivesse horário e direitos trabalhistas eu teria ido à faculdade.

— Eu tinha certeza de que no fim, você iria nos mostrar sua ingratidão. Sempre disse que estávamos alimentando uma cobra dentro de casa.

— Queria ter tido coragem de ir embora antes — desabafo sabendo que não serve para nada.

— Mas não foi. Você ficou aqui até eu me sentir na obrigação de demiti-la. Não torne tudo pior, Angelina.

Ergo a mala encarando a mulher que me recebeu aqui ainda menina, prometendo cuidar de mim e me ajudar, mas nada disso foi feito.

— O remédio dele está no armário alto da cozinha, porque ele adora o sabor e pode tentar tomar sozinho.

— Sei cuidar do meu filho! E Angelina, prefiro que não ligue ou apareça, será muito melhor para que ele a esqueça de uma vez por todas.

— Não pode apagar dez anos da mente do seu filho, mas claro que sempre pode tentar. Boa tarde! — Junto coragem para dar as costas a essa casa, não vivi em muitos lugares, quinze anos na mesma casa com meus pais, depois dez anos aqui, na casa dos Dobsons, cuidando do pequeno Cory.

Agora é encarar o mundo com coragem e otimismo, o que não me parece nada fácil.

Fecho o casaco e coloco o capuz sentindo o frio do início de setembro. O céu está nublado o que não é novidade, a temperatura é de dez graus e descendo.

Caminho pela rua sem nenhum grande plano, perdida em pensamentos e direção, tentando organizar minha vida às pressas, felizmente a noite vai demorar a cair e tenho tempo de encontrar um lugar para ficar.

Arrasto a mala até a avenida e consigo um táxi para o centro da cidade, acho que posso encontrar um lugar mais barato para passar a noite. O taxista me indica um hotel limpo e barato, que recebe estudantes e executivos em viagens curtas.

Depois de me deixar na porta e carregar minha mala com muita gentileza, pago a corrida e agradeço antes de entrar no hotel, o balcão de madeira lustroso e antigo está vazio, espero por um instante, um casal desce as escadas na lateral do balcão, estão rindo de algo divertido, por volta de vinte anos, eu já cuidava como mãe do Cory aos vinte.

— Bate na sineta ou o Jason não vem — eles dizem sem esperar por resposta ou gratidão.

Toco a sineta e um homem grisalho chega lento e sem muito humor, é quase como se não estivesse feliz por receber mais um hóspede.

— Boa tarde! Eu gostaria de um quarto. — Ele olha em torno, se debruça um pouco sobre o balcão e vê a mala.

— Sozinha?

— Sim, senhor.

— Mala grande, pretende ficar muitos dias?

— Ainda não me decidi — aviso achando que isso não devia ser da sua conta.

— Cartão de crédito?

— Dinheiro.

— Vai aprontar alguma? Receber muita gente, beber todas e partir sem pagar?

— Claro que não! — aviso quase ofendida, mesmo tendo que entender que ele está certo em perguntar.

— Tudo bem, pagamento adiantado. — Abro a bolsa depois de olhar o preço da diária exposto em uma plaquinha perto do painel com as chaves dos apartamentos.

— Vou pagar por cinco dias — aviso estendendo as notas, ele me olha surpreso e ao mesmo tempo preocupado.

— Está certo, tome cuidado com dinheiro, é seguro, mas não nos responsabilizamos por perdas ou roubos no quarto.

— Sim senhor, eu não tenho muito dinheiro além desse que acabo de entregar ao senhor.

— Quarto 12. — Ele me estende a chave. — Bem-vinda!

Arrasto a mala até a beira da escada, olho para ele que não dá sinal de ajuda e depois de um suspiro, começo a luta para subir um lance de escadas carregando a mala.

O quarto é bem bonito, limpo, pequeno, mas organizado, a janela dá para a avenida em frente, uma boa vista e está cheirando a limpo. O banheiro é simples, mas também parece muito bom e quando me sentei na cama, acho macia de mais.

Eu me jogo nela encarando o teto e a lâmpada desligada, acho que à noite, a iluminação será ruim, mas tudo bem, tem um abajur e não preciso de mais do que isso. Viro a cabeça para o lado, uma televisão antiga que eu espero que funcione para me fazer companhia.

É um silêncio que me atordoa, o rosto de Cory me toma a mente e suas lágrimas me cortam o coração. Eu não tenho ideia de como é acordar e não ter que cuidar dele.

Não quero me render as lágrimas, mas eu não consigo conter e em um ataque de solidão e dor, me entrego ao choro que está preso em minha garganta há dois dias, quando os Dobsons me avisaram que eu teria que partir.

Quando as lágrimas finalmente secam e a noite já caiu, sinto o estômago reclamar.

Eu me obrigo a deixar o quarto, em frente ao pequeno hotel, um restaurante vende comida para viagem e depois de pedir a minha, volto para o quarto.

Fico tentando não pensar em nada até adormecer, não é fácil me distrair com o tanto de programas ruins na televisão e nada além de mim mesma.

Pela manhã, saio em busca de trabalho e dou sorte, uma hora na rua e uma vaga na esquina do hotel. Garçonete em tempo integral, aposto que dou conta do trabalho e o homem nem pede referências, uma conversa rápida e ele me contrata sem pensar muito.

— Começa amanhã. Vai trabalhar de segunda a sábado, das oito horas às seis e meia, acha que consegue?

— Com toda certeza. — Demonstro toda minha força de vontade e ele pisca me entregando o uniforme.

— Se der certo entrego mais um uniforme, por enquanto evite sujá-lo demais ou manchá-lo.

— Vai ficar impecável.

— Disso não tenho dúvidas. — O tom me incomoda um pouco, mas prefiro fingir que não percebi, eu realmente preciso trabalhar.

Volto para o meu quarto de hotel tão animada que se não fosse a saudade que sinto de Cory minha vida seria perfeita.

Saio bem cedo para o trabalho, a noite foi longa, parece que o hóspede do andar de cima resolveu dar uma festa e além do barulho de música, as pessoas pulavam e andavam o tempo todo até três da manhã.

— Bom dia! Foi a primeira a chegar — meu chefe diz destrancando a porta. — E como pensei, o uniforme ficou impecável.

Passo por ele com um calafrio de medo depois do olhar que recebo, ele vai abrindo tudo e acendendo luzes, eu fico de pé no meio do salão olhando para a porta ansiosa pela chegada dos outros funcionários.

— Angelina, venha comigo até o escritório. — Meu corpo treme com o chamado, eu não confio nele, engulo em seco. — Angelina?! — ele chama mais uma vez e quero correr para a rua. Um grupo entra no instante em que estou quase correndo, cozinheiro, ajudante e duas garçonetes, um alívio percorre meu corpo.

— Bom dia! — digo a eles antes de ir até o escritório do chefe, o homem não parece com a melhor das expressões. — Pois não?

— Nada importante, falamos depois — ele diz e dou meia-volta decidindo que foi a última vez que cheguei antes de todos, a partir de amanhã, fico na esquina esperando os funcionários chegarem, esse homem não me passa nenhuma confiança.

As garçonetes são estrangeiras, duas estudantes que vieram juntas para o Canadá e não têm planos de voltar. O dia corre lento, enquanto vou aprendendo a tirar pedidos e servir mesas, o homem parece nada disposto a tirar os olhos de mim; e no fim da tarde, quando a cozinha fecha, eu me apresso para sair junto com o grupo.

— Até parece que ele não gosta de dinheiro, não abre para o café, fecha antes do jantar — o cozinheiro reclama.

— Assim não paga dois turnos — o ajudante concorda vestindo a jaqueta e fechando o zíper.

Abraço a bolsa de pé diante da porta quando o senhor Cliff se aproxima para fechar a porta, seu olhar recai sobre mim, mas ele desiste de qualquer coisa que tenha em mente e começo a achar que estou louca ou vou precisar de um novo trabalho.

Eu me despeço da equipe na porta, as garotas seguem comigo. Uma delas cutuca a outra que balança a cabeça negando, outro cutucão e ela revira os olhos.

— Certo, eu falo. — Elas param diante do meu hotel, trocam olhares e minha intuição diz que vão falar sobre ele. — Evita ficar sozinha com o Cliff, ele é tarado total. — Elas trocam um olhar. — Andamos sempre juntas para evitar, mas uma garçonete que saiu no dia em que começamos fez o maior escândalo e saiu ameaçando o homem com prisão, parece que ele quis agarrá-la.

— Os meninos comentam que ele foi amante de várias garçonetes, eu não sei se ele é o tipo que tenta a sorte e desiste, mas cuidado.

— Obrigada! — digo pensando em desistir do trabalho, as garotas acenam e levo um tempo pensando no assunto antes de subir.

Abro minha bolsinha de dinheiro escondida debaixo do colchão, tenho dinheiro para mais umas duas semanas de quarto e alimentação, posso sair desse trabalho e encontrar outro.

Resolvo tentar mais uns dias enquanto pesquiso novas vagas, mas o fato é que eu estou morrendo de medo.

É minha primeira vez sozinha pelo mundo, não sei se estou pronta, mas como não sou nenhuma garotinha, eu preciso tentar.

Não demora ao homem investir, no quarto dia de trabalho, quando estão todos saindo, ele me chama em sua sala, as meninas me olham assustadas.

Ando até a sala dele com o coração sobressaltado, ele está atrás de sua mesa, a barba por fazer, olhos cheios de lascívia, é tão evidente que engulo em seco.

— Feche a porta.

— Eu estava de saída. Não pode ser amanhã? — pergunto sem me afastar da porta.

— Vou direto ao assunto. Minha esposa vai passar o fim de semana com a mãe, porque não vamos juntos lá para minha casa, quem sabe passamos um fim de semana de prazer e aconchego.

Eu nem acredito no que estou ouvindo, abro a boca e depois fecho sem saber o que dizer, ele tem um sorriso no rosto e parece certo de que vou aceitar, engulo em seco pensando que eu não preciso tanto assim do trabalho.

— Volto amanhã para trazer o uniforme e receber pelos dias trabalhados — digo dando as costas a ele.

— Burra! Eu podia te dar uma vida muito razoável e vantagens no trabalho! — ele diz alto enquanto estou saindo, as meninas são tão legais que me esperam no corredor, eu tremo tanto que elas me ajudam a deixar o restaurante e na calçada, sinto as pernas bambas.

— Foi tão... Horrível. — Não quero chorar, mas foi humilhante e eu devia voltar lá e acertá-lo com o peso de papel, mas só consigo tremer amparada pelas duas.

— Passou. Agora é só conseguir outra vaga, vai ficar bem.

Elas me acompanham até em casa, as convido para irem ao meu quarto e as duas ficam sentadas na cama enquanto vou ao banheiro tirar o uniforme e lavar o rosto.

— Vocês deviam sair também! — digo de dentro do banheiro.

— Em breve!

— Sem trabalho temos que deixar o país — a outra continua e penso que a situação delas é pior que a minha.

Elas estão de pé perto da porta quando deixo o banheiro, as duas trocam um olhar e sorriem para mim.

— Acho que você está melhor, então estamos de saída.

— Obrigada! Eu fico tão feliz de ter conhecido vocês, ainda bem que me esperaram, vou devolver as coisas amanhã e receber pelos dias, aí começo a procurar outra coisa, vou continuar aqui no hotel, se quiserem voltar.

— Claro, a gente passa um dia desses. — Elas vão embora apressadas, pelo que sei tem que pegar um ônibus para casa.

Tenho minha pior noite de sono desde que deixei a casa dos Dobsons. Deixo o quarto perto das dez horas apenas, disposta a entregar meu uniforme, receber e sair em busca de trabalho até meus pés doerem.

— Bom dia! Seu aluguel vence hoje. Vai deixar o quarto ou renovar?

— Bom dia! Vou renovar. — O velho sorri, agora eu já não o acho tão mal humorado. — No fim da tarde quando chegar do trabalho acerto tudo.

Prefiro não dizer a ele que já perdi o emprego, o homem pode achar que não sou de confiança.

Ando com passos firmes de volta ao restaurante, deve ser alguma sina minha, anos passando por tola na casa daquela família que nunca me deu valor e caio nas mãos de um idiota e canalha.

Cliff está com as portas abertas, olho para dentro antes de me atrever a entrar, o cozinheiro e seu ajudante estão limpando o balcão.

— Mudou de ideia? — A pergunta soa quase como uma súplica e balanço a cabeça negando. — Que ótimo! Nenhuma garçonete. Agora, além de cozinhar, teremos que servir mesas.

— As meninas sumiram — eles me contam e espero que tenham mesmo ido embora desse lugar para sempre. Consigo sorrir só de pensar que agora elas estão longe e esse homem insuportável vai ter que servir mesas ele mesmo.

Cliff me recebe sem dizer uma palavra, deixo o uniforme sobre a mesa e recebo um envelope com meu pagamento, me faz lembrar Elisha e minha partida triste e solitária de sua casa, mas dessa vez não sinto nada além de alívio, dou as costas ao homem e deixo o restaurante sem qualquer arrependimento.

O dia está mais frio, caminhar em busca de trabalho é mais difícil, a sorte que pensei ter encontrado logo no meu primeiro dia vai embora, ao fim da tarde e com os pés doendo, me dou conta que não será dessa vez que vou voltar com um trabalho para o hotel.

Quando atravesso a rua percebo que estou na esquina da escola de Cory, meu coração se aperta de saudade, eu podia dar uma olhadinha nele a distância.

Melhor não, viro a rua decidida a voltar para o hotel e recomeçar minha busca por trabalho amanhã.

— Angelina! — A voz de Elisha me assusta, eu me volto em busca da direção do som, ela está descendo do carro, bate a porta com força e caminha em minha direção com passos pesados cheios de fúria, me assusta a ponto de dar uns passos para trás e perder um pouco a cor. — Fique longe do meu filho ou vou chamar a polícia! — ela esbraveja ganhando atenção das pessoas que passam pela rua. — Pare de rondar a escola, eu tinha certeza que não desistiria assim tão fácil.

Quero responder, mas estou atordoada e com vergonha da cena, ela gritando e me acusando, as pessoas me olhando como se eu tivesse cometido algum crime. Balanço a cabeça em negação, quero explicar que não fiz isso, que estava passando, mas não consigo tamanha a intimidação.

Em um tipo de crise nervosa, eu apenas dou as costas a ela e corro o mais rápido que posso, enquanto lágrimas escorrem por meu rosto e embaçam minha visão, esbarro em alguém, peço desculpas sem ao menos olhar e continuo a correr e correr até estar na segurança do meu quarto com o peito ardendo e o coração aos pedaços.

Fiz tanto por eles, tanto, foi quase como escravidão e agora isso, essa maneira vil de me tratar que me despedaça como se eu não tivesse por dez anos cuidado de Cory com amor e dedicação, por dez anos ele esteve seguro comigo e ninguém duvidou e agora isso.

Seco o rosto e me enfio debaixo do chuveiro, a água morna me acalma e quando termino o banho estou cansada e com os pés doendo.

Amanhã recomeço, vou achar outro lugar para ficar, deixar essa cidade, essa gente, é claro que vamos nos cruzar pelas ruas em algum outro momento, estou perto demais deles, talvez eu mesma algum dia me sinta impelida a procurar por Cory.

O melhor é ficar longe, esquecer tudo isso, parar de pensar nele e na vida que tivemos juntos. Em como ele era lindinho nos primeiros meses e como dormia bem depois da mamadeira, esquecer o dia em que deu seus primeiros passos, Cory não é meu, nunca foi.

Ergo o colchão para pegar o dinheiro e pagar por mais uma semana enquanto procuro uma cidade, um lugar distante dele e de tudo que me lembre ele. Queria estar em uma cidadezinha bem pequena, onde ninguém me conhecesse, começar do zero já que é isso que tenho no momento. Nada!

O envelope não está, ergo mais o colchão com o coração descompassado, ansiosa e temendo ter perdido o dinheiro, ainda não encontro, me abaixo para ver embaixo da cama, também não está, arrasto o colchão, tiro totalmente da cama, vasculho minhas lembranças pensando se tirei daqui e coloquei em outro lugar, não encontro, não tem nada.

A porta não foi mexida, ninguém entrou aqui, meu ar falta, a cabeça lateja, o coração bate rápido e então eu me apresso para olhar nas gavetas, na mala e quando finalmente desisto de procurar me lembro das duas meninas aqui comigo e de como ficaram apressadas para irem embora depois que saí do banheiro, não foram trabalhar e puxando a memória me lembro de ter comentado no segundo dia que guardava o dinheiro que tinha no quarto sob o colchão. Foi depois de receber uma gorjeta boa e colocar dentro da meia. Elas riram e comentem.

— Burra! Burra! Angelina, você é uma idiota! — grito comigo mesma. Eu não podia ter confiado nelas. O quarto está revirado quando me sento no chão perdida em agonia, não tenho quase nada, talvez com o pagamento e as gorjetas que estão na bolsa dê para pagar mais uns dias nesse hotel.

Chega desse lugar, vou embora, vou pegar um trem e me arriscar bem longe daqui. Não me deixo ficar no chão perdida em culpa, dor e arrependimentos, tenho vinte e cinco anos, hora de encontrar um caminho e me arriscar.

Levo quase uma hora guardando minhas coisas e arrumando o quarto, quando tudo está pronto deixo o pequeno lugar que me abrigou por uma semana e sigo para recepção, a mala vai sacudindo e escorregando pelos degraus, pesada com tudo que juntei em dez anos. Jason está atrás do balcão e parece surpreso.

— Pensei que ficaria mais tempo. — Balanço a cabeça negando. — Bem, nesse caso boa sorte, já sabe para onde vai?

— Não — respondo devolvendo a chave do quarto nas mãos do homem que me observa com carinho, minha primeira impressão sobre ele foi péssima, mas agora acho que gosto dele. — Quero ir para bem longe, alguma cidade pequena e esquecida no mapa.

— Churchill — ele diz pendurando a chave de volta no painel. — Nasci lá, vivi até a adolescência, tinha umas seiscentas famílias na época, agora não deve chegar a mil pessoas. É lindo, pequeno, seguro. Frio como o inferno, mas pode ver o espetáculo da aurora boreal da sua janela.

— Acha que consigo um trem para lá?

— Sim. Vai viajar a noite toda, mas sim, se aproveitar essa época do ano em que os trilhos não estão congelados vai chegar pela manhã.

— Gente boa?

— Gente muito boa, gente simples, mas de ótimo coração. Ao menos quando era menino e vivia lá.

— Churchill! — repito para ele que balança a cabeça afirmando. — Obrigada, Jason! Eu vou... tentar. — Dou de ombros. É uma meta, um foco para quem está perdida.

— Boa sorte! — Ele deixa o balcão, me ajuda com a mala até um táxi, depois de acomodar a mala Jason me estende a mão e aperto com um sorriso.

— Obrigada!

— Não sei bem o que está deixando, trabalho há trinta anos naquela recepção e só o que vejo é isso, gente deixando o passado e recomeçando, boa sorte, seja lá o que está buscando, que você encontre.

— Obrigada!

O taxista é gentil em esperar que me despeça e me acomode.

— Rodoviária, por favor!

Ele dá partida e encaro as ruas de Winnipeg pronta para esquecer esse lugar, tem muita tristeza em meu coração e solidão, tem uma saudade que parece que vai me esmagar, os olhinhos de Cory nunca mais vão deixar minha mente e meu coração, mas também tem uma onda de esperança e otimismo, vai dar certo. Penso achando graça na esperança de alguém que mal tem dinheiro para a viagem, quanto mais para um recomeço.

CAPÍTULO 2

Seth

O velho me espera sentado à uma mesa elegante do melhor restaurante da cidade, não por acaso, me atrasei cerca de vinte minutos, deixá-lo desconfortável e ansioso faz parte do jogo, escolher esse restaurante frio e caro é outra jogada, nenhum dos meus passos é despretensioso, não trabalho assim.

O homem leva a taça com água a boca e sinto suas mãos trêmulas , quando está devolvendo a taça sobre a mesa é que me nota e tenta sorrir indeciso se fica ou não de pé para me receber.

Estendo a mão assim que me aproximo e ele decide por se erguer, ponto para mim, é o que eu esperava, um pouco de submissão para pressionar um pouco mais. .

— Boa tarde, senhor Arnett! — ele cumprimenta e sorrio placidamente, como se esse fosse um simples almoço entre amigos.

— Klaus, desculpe o atraso! Fiquei preso em uma reunião.

— Eu entendo — ele diz voltando ao seu lugar e me acomodo diante dele, retiro o guardanapo de pano acetinado e deixo descansando sobre o colo.

— Um drinque antes do almoço? — convido, mas ele balança a cabeça negando.

— Diabetes. Infelizmente eu fui proibido pelo médico.

— Uma pena! — Sorrio chamando o garçom, peço uma dose de uísque e enquanto espero seu retorno, encaro o homem de cabelos brancos e rosto cansado diante de mim. — Podemos pedir se quiser. — Ele balança a cabeça, um tanto angustiado, enquanto eu pego o menu e ele faz o mesmo. Quando o garçom traz meu uísque, estamos prontos para pedir, ele fica com uma salada e peço um filé suculento. — Um carnívoro inveterado.

— Ah, eu já fui assim — ele garante tentando dar um sorriso.

Levo o copo à boca e a bebida desce amarga, em seguida o sabor se espalha pela boca gerando uma pequena onda de prazer, dá para entender porque algumas pessoas simplesmente se entregam ao vício.

— Parece que teremos um inverno rigoroso. — Klaus está mesmo angustiado, de todos os assuntos que temos em comum, ele escolhe o tempo e acho bastante apropriado, não quero chegar direto no ponto em que vamos discutir a venda. Até porque sinto que essa inquietude disfarçada é porque ele tem a intenção de me dizer não.

Desavisado, ele não conhece minha fama? Seth Arnett não aceita não como resposta. Eu simplesmente não sei perder.

— O que é sempre complicado para os negócios, ano passado ficamos duas semanas sem produzir por conta de uma nevasca que destruiu o teto de uma das minhas instalações.

— Grandes perdas financeiras — ele comenta depois de mais um gole de água. Por uns minutos enquanto esperamos a comida, falamos sobre o tempo e tolices sociais.

O garçom nos serve e quando ficamos sozinhos mais uma vez, enquanto arrumo o guardanapo de linho no colo, aproveito para puxar mais um assunto corriqueiro.

— Soube que seus netos estão na cidade.

— Ah! Sim, vieram os dois de volta para casa, formados. Anos em Yale, nosso orgulho. — Os olhos do homem brilham.

—Tenho certeza que sim.

— Um médico e um arquiteto.

— Nenhum administrador? — comento em um pequeno cutucão.

— Não, nenhum deles quis seguir meus passos ou os do pai.

— Uma pena, seu genro é um grande engenheiro. — Levo um pedaço do filé mal passado a boca, ele corta uma folha de alface e prende a um pedacinho de tomate.

— Fiquei bastante contente quando minha filha se apaixonou pelo nosso engenheiro mais promissor, logo ele se tornou chefe, ela preferiu o mundo da educação, então, ao menos ele me ajudou a tocar a empresa todos esses anos.

— Claro, bastante esperto!

— Eles são felizes ainda hoje, vinte e oito anos de casados — ele explica nada contente com minha insinuação mordaz. Geralmente não me meto na vida alheia, mas até isso é sobre esse negócio, ele não tem um substituto, não tem um herdeiro disposto a seguir seus passos e gerir a empresa.

— Foi mais ou menos o tempo que o casamento dos meus pais durou — digo a ele que prefere não responder. — Conte-me, sua esposa, como está?

— Ela está muito bem, às voltas com essa minha nova fase, passa os dias a me pressionar. Quando chegar vou ter que contar a ela o que comemos e ela ainda vai desconfiar que acaso não resisti a uma dose de uísque, mas gosto demais da vida para me entregar a esses pequenos e furtivos prazeres.

— Um homem bastante sábio — digo voltando a atenção ao meu prato.

— Vivido, ter o dobro da sua idade facilita as coisas. Algum dia terá minha sabedoria. — agora sou eu a ser cutucado por ele e meneio a cabeça sem concordar ou revidar. — Conte-me sobre o seu pai, como está o Stanley?

— Vivendo em Michigan com a nova esposa, ele está muito focado na empresa, dirige tudo de lá.

— Não por muito tempo pelo que andei ouvindo, aliás, dizem que ele já não lidera realmente nada, não com você solto por aí. — Ele tenta brincar e sorrio.

— Meu pai ainda tem muito que me ensinar, eu não dou longos passos sem sua aprovação.

— Vejo que é muito fiel a ele.

— Eu sei que deve ter ouvido por aí que estou prestes a passar a perna nele, esse tipo de fofoca já existe há anos, para ser honesto, está longe da verdade, meu pai deseja que eu assuma a empresa como o CEO há mais de cinco anos, eu é que estou sempre a recusar, mesmo o nosso conselho tem me feito pedidos constantes.

— Um executivo muito despretensioso. — Ele usa um tom irônico que não combina com o semblante generoso e simpático.

— Nem mesmo eu me descreveria assim, embora entenda a ironia, nunca fingi ser modesto, sou bom no que faço e tenho grandes planos, mas meu pai ainda é muito melhor.

— Você admira muito seu pai.

— Ele é um homem visionário e respeitado no mercado. Começou quase do zero, um pequeno e insignificante chão de fábrica. Hoje um império.

— Sem dúvidas — ele diz voltando a sua salada, ficamos um instante em silêncio, envio uma mensagem a Viviane, ela trabalha comigo há cinco anos, desde a partida do meu pai para os Estados Unidos.

Me prolongo no celular por uns instantes, tudo parte do show, depois deixo o aparelho ao meu lado.

— Desculpe, mas é impossível ter um almoço tranquilo sem ser interrompido. Mastigo o último pedaço de carne ignorando os acompanhamentos, descanso os talheres e deixo o guardanapo sobre a mesa indicando o fim do almoço, ele me copia desistindo da salada, sinto um pouco de pena, dá para ver que embora esteja determinado, ele odeia a comida. Tomo mais um gole do uísque e ele bebe água. Hora de finalizar a reunião.

— E então, Klaus, pronto para me vender sua empresa?

— Não tenho planos de vender, Seth. — Ele tenta parecer firme. — Sei que somos insignificantes e não competimos com você, mas minha pequena fábrica criou minha filha e netos, sustentou minha família, não cresci como seu pai, nem poderia disputando o mercado com ele, seu pai sempre foi um lobo, mas gosto do que faço e tenho meus clientes fiéis, além dos meus funcionários, homens e mulheres que dependem do emprego para sobreviver. — Dá até pena de ele acreditar que tem mesmo clientes fiéis.

— Ofereci muito mais do que vale, para uma velhice tranquila e despreocupada.

— Não entendo porque quer tanto minha empresa. Não fazemos frente a você, me explica, Seth. Por que quer comprar a KV indústria?

— Não me importo com seus funcionários destreinados, nem ligo para suas máquinas antigas, mas quero o espaço e quero controle total do mercado, quero ser a única opção.

— Um plano de dominação — ele provoca rindo. — Fico pensando nos americanos, sabe que lá vai encontrar inimigos à altura que não vão aceitar essa sua ideia de monopólio.

— Por isso o lobo está lá — digo me encostando à cadeira e olhando em seus olhos. — Não se preocupe mais com isso, apenas aceite minha oferta e siga em frente com dignidade.

— Declino! — ele diz, afastando a cadeira decidido a deixar a mesa em algum tipo de saída triunfal. Que grande tolo!

— Você não tem mais clientes, Klaus! — O homem paralisa, volta a se sentar. — Ofereço uma saída honrosa, seus funcionários não serão demitidos, vou mandar treinamento adequado para as máquinas modernas que pretendo instalar na minha nova fábrica. — Me aproximo mais da mesa para encará-lo nos olhos, quero que ele veja em meu rosto que acabou para ele. — Se você se recusar a vender, não dura muito tempo, dei uma boa olhada no seu balanço, sem os clientes, sua empresa vai falir e os funcionários que tanto se preocupa estarão todos demitidos.

— Quanto pagou a eles para me traírem?

— Não é traição, Klaus, é o mundo dos negócios. As coisas são assim, é tão básico que até me assusta não ter percebido que eu não aceitaria "não" como resposta.

— Olhos de aço — ele diz sem esconder sua raiva. — Gelados como o inverno. É como o chamam, não é mesmo? O homem dos olhos de aço. Da primeira vez que nos vimos eu achei que tinha a ver com esse tom cinza dos seus olhos, mas não. Isso é sobre a frieza e falta de qualquer emoção ou empatia, um devorador de almas sem compaixão que atropela tudo que está em seu caminho.

— Klaus! Não perca seu tempo tentando me atingir, tenho muito trabalho pela frente e você uma aposentadoria longa e reconfortante. Vamos apenas seguir em frente.

— Poderia desejar que alguma alma caridosa surja para tocar seu coração, mas não acho que essa alma exista, é uma pena, você não passa de uma nevasca. Envie seus homens com o contrato e o dinheiro — ele diz afastando a cadeira e me deixando a sorrir. Levo o copo a boca, dou mais um gole na bebida antes de fazer um sinal para o garçom.

— Eu venci! — digo a mim mesmo. Depois de pagar a conta com uma boa gorjeta para comemorar, dirijo de volta ao escritório, as coisas aqui em Toronto estão cada dia melhores e tenho certeza que meu pai vai conseguir o que queremos na América.

Deixo o carro no estacionamento e subo pelo elevador privativo até a cobertura. Viviane ergue os olhos dos papéis que analisa sobre sua mesa.

— Chame o jurídico para uma reunião em trinta minutos — aviso passando por ela e me fechando em minha sala, depois de me acomodar atrás da mesa, telefono ao meu pai. Ele vai gostar de saber que consegui.

— Seth! — Sua voz soa leve.

—Oi, pai. Fechamos! KV é nossa, o jurídico vai preparar todo plano de transição com o Klaus.

— Não tinha dúvidas de que conseguiria — meu pai diz com orgulho em sua voz.

— Não foi tão simples, mas deu certo e vamos pagar um bom preço.

— Não achei que o Klaus aceitaria — ele confessa.

— Sempre sagaz. Ele não aceitou de primeira, tive que persuadi-lo, eu já imaginava isso, falei com alguns de seus clientes, acho que fomos muito generosos, eu poderia ser mais paciente e esperá-lo falir, pagaria metade do que vale.

— Fez o certo, Klaus é um homem honrado, Seth. — Suspiro pensando que meu pai anda muito sentimental depois do casamento. — Como você está?

— Vou me reunir com o jurídico, organizar a transição, depois tenho uma partida de golfe.

— Que também é trabalho, estou certo?

— Sim, pai. Você está certo. — Giro a cadeira para olhar a vista, céu cinza e carregado, tenho que admitir que gosto dessa paisagem. Nunca fui homem de céu azul e dias quentes.

— Aconselho um pouco de diversão também. Clareia a mente.

— Liguei para a Kimberly, vamos passar o fim de semana juntos em algum lugar quente, mulheres adoram sol.

— Tem saído com ela repetidas vezes. — Ele constata prestes a fazer a pergunta. — Estão compromissados?

— Não! — respondo rindo. — Ela está se mudando para Nova York, Quer levar uma vida mais agitada. Eu não sei, coisas da cabeça dela.

— Acho que é mais um recado — meu pai diz tranquilo. — Talvez Kimberly esteja acenando com a possibilidade de partir se não impedi-la.

— Nesse caso é ainda mais tolo, não gosto de ser pressionado, pai.

— Pode ser, mas ter uma esposa é bom.

— Para você que não consegue viver sem ser casado, eu vivo muito bem sozinho.

— Um herdeiro não seria má ideia, uma casa com jardim para umas festas, uma companhia para fazer vista, noites quentes. Tem vantagens, a principal é um herdeiro, quer que algum dia alguém compre seu império porque não tem quem o substitua?

— Um dia, pai, não ainda. Kimberly é boa companhia, mas não acho que seria capaz de dormir e acordar com ela todos os dias da minha vida. — Faço uma careta.

— Ninguém está falando da vida toda, um contrato bem estipulado com recompensas a cada ano de casamento. Uns anos juntos como todo casamento hoje em dia. Não vai afetar sua liberdade tanto assim.

— Quem quer enganar? — brinco com ele. — Passou vinte e sete anos casado com a minha mãe e já está há seis com a Francine.

— Eu digo que adoro a vida de casado. Não passei nem um ano solteiro entre sua mãe e a Francine e odiei.

— Eu adoro, e tenho uma reunião agora. Mande lembranças minhas à Francine.

— Sua madrasta vai ficar muito feliz. — Nós dois rimos, ela tem exatamente a minha idade, nos damos bem com alguma distância, mas chamar de madrasta é apenas uma piada para meu pai. — Antes de desligar, conte-me um pouco sobre Samantha.

— Pelo que sei, minha mãe está muito bem. Como sempre diz, produzindo muito — digo sem saber dar mais detalhes. — Tem uns meses que não a visito.

— Pois devia. Sua mãe está muito sozinha. — Os dois terminaram o casamento em harmonia e civilidade, mamãe até foi ao casamento dele com Francine o que foi uma sorte, odiaria viver entre os dois.

— Ela que escolheu ir viver naquele fim de mundo. Lá só tem neve e ursos polares.

— Você tem meios de visitá-la mais vezes. Faça isso. — O tom é de uma ordem e eu sei que agora ele vai ficar no meu pé até eu sair daqui e ir visitar minha mãe.

— Irei em breve — aviso só para tirá-lo do meu pé.

— Boa reunião! Ligue-me amanhã, quero organizar umas coisas importantes para nossa estratégia de *marketing*. Estamos prestes a fechar com a equipe de Fórmula 1 e quero tornar isso grande.

— Gigante! Se nossas peças estão em carros de Fórmula 1 então elas são as melhores. É como as pessoas verão tudo isso.

— Exatamente, vou precisar ir até Toronto para uma reunião com vocês em breve. Preciso que fique pronto, Seth.

— Estou sempre pronto para as reuniões, pai.

— Pronto para assumir a empresa, depois dessa transição quero deixar a presidência para você. Preciso que assuma definitivamente, gosto de viver aqui e um cargo de diretor comercial está ótimo para mim, vou fazer o que gosto e sem o peso da presidência.

— Eu... Eu não sei, pai, acho que é cedo para pensar nessa transição. Tem muito a me ensinar ainda.

— Vá visitar sua mãe, Seth — ele diz antes de desligar sem aviso e suspiro, pensando naquele lugar perdido e chato, em que minha mãe decidiu viver.

— Com licença, senhor Arnett, já estão todos à sua espera na sala de reuniões.

— Obrigado, Viviane! — aviso sem desviar meus olhos do céu pesado. Que esperem, preciso pensar um instante sobre tudo isso que meu pai quer.

CAPÍTULO 3

Angelina

O vento me atinge em cheio assim que deixo o trem no início da cidade. Escuto um instante o silêncio de uma cidade tão tranquila que parece fantasma. As ondas bravias do oceano em frente são tudo que posso ouvir. A baía de Hudson limita todo povoado a direita.

Talvez eu tenha ido literalmente longe demais. Uma cidade como essa deve estar toda organizada, não acho que vá encontrar um emprego na primeira esquina e o que me sobra de dinheiro deve dar uma ou duas refeições e nenhum quarto.

Não é um lugar que posso dormir ao relento. O que diabos eu tenho na cabeça?

Arrasto a mala pela rua principal sem saber direito o que fazer, não vim parar aqui à toa, talvez seja a mão do destino.

"Tolice, você não acredita nisso".

Meu corpo está começando a ficar gelado, dormi toda a viagem e estava muito aconchegando no trem, mas agora o vento frio entra por minhas narinas fazendo arder meu peito.

Apresso meu passo até um pequeno mercado, parece que os ursos polares são de algum modo o ponto alto da cidade, tem fotos e miniaturas deles em todo canto. Um arrepio percorre meu corpo, não sei se estou disposta a dar de cara com um desses.

Ao lado do pequeno mercado, uma taverna que deve estar aquecida e não penso muito, apenas arrasto minha mala para dentro.

— Aqui está, senhora Arnett, separamos a melhor fatia. — O homem atrás do balcão entrega um pacote a uma senhora de cabelos grisalhos que sorri.

— Obrigada! Não vamos deixar o John saber que você me entrega esses presuntos — ela diz com um sorriso no rosto enquanto agradeço o calor e esfrego as mãos. Os dois parecem me notar.

— Uma garota solitária em busca de aventuras, veio conhecer um urso polar de perto. Acertei? — O homem me questiona atrás do balcão.

— Errou — a senhora responde enquanto guarda seu pacote que agora sei que é um presunto na sacola. Será que é proibido comer presunto e estou presenciando uma operação ilegal? Tráfico de presunto?

— Gib, duas xícaras de chocolate quente. — Ela puxa uma cadeira em uma mesinha de madeira rústica e me convida. Sorrio agradecida. Eu preciso desse chocolate quente mais do que de oxigênio. Tomaria uma xícara com o diabo se ele me convidasse.

Eu me acomodo na outra cadeira encostando minha mala ao meu lado, volto a esfregar as mãos e ela sorri para mim.

— Também levei umas semanas para me acostumar com esse frio todo e olha que vim de Toronto, não é como se não conhecesse um dia realmente frio.

— É que estamos em setembro. Não esperava tanto frio e garoa.

— Menos trinta graus, anjo. É o que chamamos de dia frio por aqui. Hoje está ótimo! — Ela sorri para mim. — Ao menos vai poder assistir os ursos polares revirarem seu lixo.

— Isso é sério? — pergunto meio apavorada.

— Totalmente. Você se acostuma. — Ela me estende a mão sobre a mesa. — Samantha Arnett. — Aperto sua mão quentinha e já me sinto melhor.

— Angelina Page.

— Mãos geladas, Angelina — ela brinca e no instante seguinte, o senhor coloca as xícaras sobre a mesa.

— Problema de mãos geladas resolvido — ele avisa com um sorriso simpático. — Se precisarem estou nos fundos, tenho que olhar o meu caldo verde, daqui a pouco isso aqui estará lotado. — O homem se afasta e sobramos nós duas sentadas frente a frente, descanso minhas mãos em torno da xícara para aquecê-las.

— Não está de férias atrás de aventuras, não é mesmo? — Balanço a cabeça negando. — Logo vi. Fugindo?

— Ah! Não! Eu não sou uma criminosa ou coisa assim — suspiro. — Não diria se fosse de qualquer modo. — comento um tanto desolada, talvez isso de procurar uma chance no fim do mundo depois da última curva não tenha sido muito esperto.

— Tenho bons olhos. Posso ver que não é isso. Não são apenas criminosos que fogem. Acho que eu mesma fugi quando vim para esse lugar inóspito.

— Nesse caso, talvez seja isso — digo levando a xícara aos lábios. O líquido grosso desce espalhando calor e doçura. É instantânea a sensação de bem estar que me provoca, ela nota e sorri.

— Nada como uma xícara de chocolate quente, não é mesmo?

— Sim. — Penso em Cory e sinto a dor atravessar meu coração. — Cory adorava chocolate quente com chantilly, eu sempre preparava nas noites em que os pais saiam e sobrávamos só nós dois.

— Quer contar sobre o Cory? — Balanço a cabeça negando.

— Fui babá dele, agora estou buscando emprego, qualquer coisa, menos alimentar urso polar. — Ela ri, é uma mulher bonita, com um rosto acolhedor e olhos brilhantes. Sua jaqueta está suja de tinta colorida, azul, vermelho, umas gotinhas de verde.

— Não sei se está no lugar certo. Não temos muitas vagas por aqui, embora a cidade esteja crescendo.

— É, eu não fui muito esperta. — Tomo mais do líquido quente, ela finalmente toma um gole. — Acha que tem algum trem voltando ainda hoje?

— Para onde? — Samantha pergunta e dou de ombros.

— Qualquer lugar. O dinheiro que tenho não é o bastante para tentar a sorte aqui. Ainda que consiga pagar um quarto, se amanhã não achar nada... — Deixo a conversa morrer, é constrangedor demais me ver nessa situação.

— Estou aqui pensando, moro sozinha, aqui nos limites da cidade, da para ver a baía e a casa é confortável e grande demais, sou artista, pintura, escultura, o que meus instintos escolherem, odeio resolver as coisas triviais, esqueço de olhar e-mails, nunca sei o que falta na dispensa, raramente me alimento bem, quem sabe aceita a vaga de minha assistente?

— É sério? — Meu coração falha pela esperança, depois acelera, ela tem olhos tão generosos, um sorriso bonito, parece confiável, mas eu não sei se sou mesmo boa nisso. Confiei em muitas pessoas erradas ao longo da minha vida.

— Sim. Eu entendo se não tiver confiança, é um tiro no escuro para nós duas, somos estranhas, corre risco na minha casa e eu corro risco em recebê-la, mas olho para você e vejo uma boa moça precisando de apoio e eu posso ser esse apoio. Então, se disser não, te dou dinheiro para passar a noite no hotel e a passagem para algum lugar amanhã, se disser sim, me ajuda com essa sacola pesada e vamos para casa porque será uma noite fria.

— Eu nem sei o que dizer. — É maravilhoso, uma chance e eu tenho que me prender a ela, posso aceitar o hotel e a passagem, mas e depois? Para onde? Viver como?

— Diga sim ou não. — Encaro o rosto bonito diante de mim e penso um longo momento. São olhos de amor e amizade, ela não vai me fazer mal, por mais que eu não seja boa em julgamentos, eu sei que ela não me fará mal.

— Antes. Presenciei o tráfico de presunto? — O riso dela se espalha e contagia, nem me lembro qual foi a última vez que alguém rio assim.

— Não, querida. — Ela se aproxima mais de mim, se inclinando sobre a mesa. — John é o vizinho, dono do pequeno mercado — ela sussurra como se ele pudesse ouvir. — Compro tudo com ele, mas o Gibson consegue sempre um presunto importado incrível e eu compro dele, é um segredo, John é ciumento e possessivo e não queremos magoá-lo. Segredo guardado?

— Para sempre! — prometo de modo solene.

— Ótimo! Agora me diga, sim ou não?

— Sim. Eu não sei como agradecer, talvez a senhora nem seja gente, seja um tipo de anjo.

— Correndo o risco de decepcioná-la, preciso garantir que não sou um anjo. — Ela fica de pé. — Gib?! — O homem surge quase que automaticamente. — Coloca o chocolate na minha conta, estamos de saída.

— Vai hospedar a mocinha?

— Angelina e, sim, ela vai ser minha assistente — Samantha comunica de modo formal.

— Ok! Se precisar, você sabe, estamos sempre de olhos abertos e temos bons ouvidos.

É um aviso que eu entendo e admiro, que bom que as pessoas nesse lugar cuidam umas das outras, como não tenho qualquer intenção ruim, suas palavras não me atingem realmente. Samantha sorri agradecida e divertida, pego a sacola e a alça da minha mala.

— Muito peso para você, querida! Eu disse assistente, não escrava. Levo a sacola e, você, a mala. — Samantha toma a sacola da minha mão e deixamos juntas o estabelecimento. Uma rajada de vento congelante me acerta o rosto, ela parece não reagir, mas meu corpo estremece com o frio. — Vai se acostumar.

Seguimos juntas pela rua larga e fria, poucas pessoas caminham, a maioria parece estar protegida em suas casas.

— O hotel está sempre cheio de turistas, eles vem pelos ursos, outros em busca da aurora boreal.

— Deve ser um belo espetáculo.

— Magnífico. Inspirador. — Ela me aponta uma caminhonete preta estacionada diante do mercado, noto que dentro da caçamba estão acomodadas meia dúzia de sacolas. — Vim fazer compras e pegar umas encomendas, minhas tintas vem de longe.

Nós nos acomodamos no interior do carro e logo que ela liga o motor, um ar quentinho apaga o frio mais uma vez, esfrego as mãos.

Ela dirige uns quilômetros em direção a baía, o conglomerado de casas e movimento dá lugar a uma estradinha sem nada além de pouca vegetação e algum gelo.

Um casarão surge solitário, algumas casas estão por perto, mas não se pode chamar exatamente de vizinhos, a baía de Hudson com sua praia tranquila e gelada se estende gloriosa por uma faixa de areia praticamente congelada.

— Eu sei, outro dia bateram em minha porta achando que era um hotel. — Ela ri de si mesma. — Gosto de espaço e é uma propriedade que está em minha família há séculos.

— É linda!

A casa tem como todas da região, uma escadinha que leva a uma varanda, grandes janelas, em dois andares de uma bucólica paisagem.

Ela estaciona na garagem lateral. Deixamos o carro e levo a mala até a varanda, volto para ajudá-la com as sacolas e uns minutos depois ela está abrindo a porta da frente.

— Quero que saiba que nos dias mais frios, ficamos meio que ilhadas aqui, a estrada fica coberta por neve e gelo, impossível mesmo com correntes nas rodas, mas eu não ligo muito, são dias bem produtivos.

Eu não sei bem o que pensar, mas no momento, não tenho qualquer perspectiva, então apenas aceito em um balançar de cabeça e um falso sorriso.

Assim que entramos, um miado longo e doce ganha minha atenção, corro os olhos pelo ambiente bem decorado e aconchegante de uma sala decorada com classe e objetos retrô.

Elisha amaria essa decoração. Parece estar aqui há pelo menos um século. O miado soa mais alto e um lindo gato preto com olhos verdes surge elegante em um andar lânguido a se enroscar em minhas pernas como se precisasse de carinho.

— Angus gostou de você — ela diz seguindo em frente com as sacolas, eu faço o mesmo e o gato dispara na frente sabendo que vai ganhar comida.

Passamos por uma sala íntima, um tapete magnífico e um sofá confortável diante de uma lareira, quadros e objetos de arte compõe o ambiente, depois outra sala, com televisão e uma estante que pega toda uma parede com livros e discos de vinil.

A sala de jantar em madeira maciça é composta por móveis tão antigos quanto os da sala principal, um abajur de cristal desce sobre o centro da mesa e um aparador descansa uma coleção de porta-retratos. A cozinha vem em seguida e é moderna, ampla e aconchegante. Deixo as sacolas no chão sem saber bem o que fazer.

— Sua casa é linda! — digo para ganhar um sorriso enquanto ela vasculha as sacolas e Angus mia sobre o balcão.

— Obrigada! — Ela sorri. — Aqui. — Samantha abre uma lata de atum e deixa sobre o balcão diante do gato. — Seu grande espertinho. Nunca se esqueça de trazer o atum dele, toda vez que saio ele ganha uma lata de atum, o danadinho aprendeu direitinho.

— Vou me lembrar disso, ele é lindo!

— Muito carinhoso, acho que ter você aqui vai ser muito bom, tem meses que meu [1]*marchand* insiste para fazer uma exposição e, por conta do Angus, eu recuso.

— Não pode levá-lo com você?

— Gatos não são como cãezinhos de estimação, eles são mais apegados a casa do que as pessoas, ele gosta de viver aqui e sofreria muito em uma viagem e depois um local novo. Quando se adaptasse, seria hora de voltar.

— É, não parece nada fácil.

---

[1]Negociante que compra e/ou vende obras de arte, especialista em quadros.

— Mas você com toda certeza vai se acostumar com ele e vou poder viajar por uns dias, mas claro, apenas se não se importar de ficar sozinha aqui.

Eu me importo e muito, acho que todo esse silêncio e afastamento me deixariam apavorada, mas sorrio balançando a cabeça em um sim pouco sincero.

— Depois organizamos isso, vou te mostrar a casa e o seu quarto. Vem comigo. — Angus fica sobre o balcão comendo seu atum. Arrasto a mala enquanto sigo Samantha. — Acho que já deu uma boa olhada por aí.

— Sim — admito sem querer parecer intrometida.

— Aqui em baixo, cozinha, sala de jantar, uma sala de televisão e leitura, a sala da lareira, eu costumo ficar aqui ao anoitecer, com uma caneca de chocolate quente, o fogo e um bom livro.

— Deve ser maravilhoso — digo me imaginando sob o calor do fogo em uma manta com um bom livro.

— Essa sala principal tem essa decoração desde o tempo dos meus avós, quando me mudei definitivamente para cá, modernizei muitas coisas, mas quis guardar as memórias da minha infância mantendo tudo como era.

— É lindo! Tem muita classe, os móveis são muito bem conservados.

— Vamos subir, quer ajuda com a mala?

— Não, obrigada! — digo pensando que seria um absurdo ela carregar minha mala. No meio da escada, na parede lateral, um belíssimo quadro da baía em uma nevasca, é talvez um tanto triste, meio perturbador, mas é também incrível.

— Fiz não tem muito tempo. Inspirada em meu filho.

Que estranho pintar algo tão melancólico pensando no filho!

— É lindo e... perturbador. — Ela sorri para mim e seguimos.

— Meu atelier! — Ela abre as portas duplas de madeira, do lado de dentro, um pequeno paraíso da arte, esculturas, boa iluminação, com grandes janelas do chão ao teto, uma bancada com matérias, panos cobrindo cavaletes com obras talvez em andamento, um quadro começado com umas pinceladas de tinta próximo a luz de uma das grandes janelas, uma estante com livros de arte, banco alto e um sofá com muitas manchinhas de tinta.

— Tem uma linda vista e tudo é... instigante.

— Sim, é meu lugar favorito e vou me perder aqui por horas e horas, dias talvez, não vou descer para o jantar, amanhecer aqui vez por outra, não se preocupe, me traga uma xícara de chá e uns biscoitos de vez em quando, uma taça de vinho, mas não pense que estou infeliz ou depressiva, acredite, vou estar apenas mergulhada em meu trabalho.

— Um trabalho tão inacreditável. Fico sempre emocionada com todo tipo de arte, nunca pensei conhecer um artista pessoalmente.

— Que bom que a arte te emociona. — Ela sorri para mim. — Nem todos compreendem. Vamos?

— Claro! — Deixamos a sala.

— Não é um tipo de santuário que não pode entrar, por favor, venha me ver trabalhar sempre que quiser. Esse é meu quarto. — Ela apenas aponta a porta. — Uma saleta meio inútil. — Samantha ri. — Uso como escritório quando tenho que resolver coisas de trabalho, mas eu sou o tipo que sempre deixa essas coisas para depois e depois. Quarto de hóspedes, essas duas portas, escolha um. Aqui. — Ela mesma escolhe. — Esse tem vista para a baía. Seu quarto. — Fico surpresa por descobrir que tenho um quarto junto aos moradores, pensei que ela me daria um quarto de empregados talvez no andar de baixo ou mesmo fora da casa, na garagem deu para ver alguns cômodos conjugados, talvez fosse a casa dos empregados no passado.

— Samantha, é lindo! Tem certeza?

— Claro. Seu banheiro é pequeno, mas tudo aqui é confortável. O quarto da frente é maior, mas não tem essa vista. Pode trocar se...

— Não! — aviso rápido. — Amei esse quarto.

Eu nem sei como agradecer, é um lugar lindo, aconchegante, o rosa pastel cria um ambiente aconchegante, temperado pela poltrona de veludo verde e a madeira escura do piso.

— Nesse caso, é o seu quarto. Deixe a mala e vamos conhecer o resto. — Sigo com ela pelo corredor, passadeiras e quadros decoram o corredor. — Dois outros quartos de hóspede e esse aqui no fim do corredor é o do meu filho.

Tinha a impressão que ela me disse que morava sozinha, Samantha abre a porta e o quarto está impecável, mas vazio. A decoração lembra um pouco o quadro nas escadas.

— Um sóbrio e minimalista quarto de hotel — ela diz nada satisfeita. As paredes são de um cinza claro, madeira clara no piso, cortinas pesadas para aplacar a luz de duas grandes janelas, alguns poucos objetos de decoração, as roupas de cama em branco, preto e cinza, parecem dar alguma vida a neutralidade do ambiente.

Deixamos o quarto, e eu preciso perguntar a ela se ele mora mesmo aqui, se vai me aceitar, não tenho certeza se gosto da ideia ou não, mas fico travada, tanta generosidade, não posso ficar interrogando a mulher.

— Não está curiosa sobre ele? — ela me pergunta enquanto descemos as escadas.

— Um pouco — admito quando chegamos a sala e seguimos de volta para cozinha, Angus está dormindo em um sofá enrolado em si mesmo, ignorando tudo em torno. Samantha vai até a janela e aponta a garagem. — Temos um gerador na garagem, alguns materiais em um tipo de despensa, óleo, descongelante, sal, essas coisas todas que se precisam quando se vive em um lugar como esse. Madeira para a lareira, e uma pequena estufa onde planto algumas hortaliças e umas flores. Levei quase um ano para aprender a cultivar, mas estou indo bem. É bom manter sempre bem fechado. Ursos polares. — Ela me lembra e um arrepio me percorre o corpo. — Uma taça de vinho?

— Não sei, eu não costumo beber.

— Uma taça de vinho leve e vamos conversar, conto do meu filho e você do seu passado. O que acha?

— Acho que sim. — Dou de ombros. — Ela nos serve, se acomoda em um dos bancos da cozinha, me aponta um porta-retratos na sala de jantar.

— Meu filho, Seth!

Ando até lá com a taça na mão, dou um gole no vinho e é mesmo suave e doce, aquece e tranquiliza, parece bom. Encaro a foto de Samantha e um homem jovem ao seu lado, não deve ter mais que um ou dois anos, ela não mudou nada, nem mesmo o corte de cabelo, ele é realmente bonito, me aproximo impressionada com os olhos dele em um tom de cinza que nunca vi antes, não sei bem o que pensar, não diz muito, é esteticamente um homem lindo, mas não sei dizer mais nada sobre ele, frio talvez, mas pode ser apenas a foto e os olhos cinza. Volto para junto dela ainda impressionada com a foto e de novo pensando no quadro, talvez por conta dos olhos ela pintou aquele quadro de uma nevasca pensando nele.

— Muito bonito. Seth! — repito o nome. — Como o deus egípcio?

— Sim. — Ela revira os olhos. — Como o deus do caos e da tempestade, ideia do pai dele. Acho que o nome influenciou um pouco. Seth é terrivelmente distante. Um tanto frio.

— Seth também se tornou o Deus do equilíbrio — rebato e Samantha sorri para mim erguendo uma sobrancelha.

— Gosta de mitologia?

— Gosto, leio um pouco, mas não sei muito.

— Acho que sabe mais do que quer admitir, está insegura. — Ela toma mais um gole de vinho. — Depois falamos de mim e do meu filho, que tal falarmos um pouco de você?

— Nada demais. — Dou de ombros, mais um gole no vinho e meu corpo parece relaxar um pouco mais. Ela deixa seu lugar para pegar queijos sobre uma bancada, volta e depois de cortar umas fatias me olha esperando por saber mais sobre mim. Confio em Samantha, ela me recebeu e merece saber como é que vim parar aqui sozinha. — Sempre vivi em Winnipeg, bons pais, vida simples, mamãe faleceu quando eu fiz quatorze anos e eu e o papai seguimos, eu estava no colégio e ele trabalhava na construção civil, quando fiz quinze anos, terminada uma grande obra, o papai foi chamado para trabalhar no exterior. Ficaria por volta de dois anos fora. Se tudo desse certo, melhoraria muito nossa vida, mas era um risco e ele não queria me levar, mas tinha ficado muito amigo do engenheiro chefe da obra, um homem recém casado e a esposa estava grávida e meio depressiva, ele disse que eu podia ficar com eles, papai aceitou.

— Deixou você?! — Ela parece surpresa.

— Pareceu razoável para ele, era um casal jovem, ela era decoradora e ele engenheiro, eu já os conhecia de um jantar ou dois com os funcionários durante a obra. Acho que não entendi bem o que era ficar com estranhos e sem o meu pai. Então, acertou-se tudo e eu fui, seria uma ajuda para ela quando o bebê nascesse, meu pai logo partiu e fiquei com eles. Terminei aquele ano escolar enquanto ela ainda estava grávida. Elisha passava muito mal, o marido ficava o dia todo fora, então fui assumindo as coisas da casa.

— Uma menina. — Ela balança a cabeça em negação. Agora faz todo sentido sua indignação, na época eu achava tudo muito certo.

— Cory nasceu tão gorduchinho e lindo. Um anjo, mas ela ainda estava depressiva e mal chegava perto dele, Kiefer me consultou se eu me importaria de interromper minha educação por uns meses para ajudar. Ele providenciaria para que eu me educasse uns meses em casa e disse que tudo bem.

— Não voltou mais a escola?

— Voltei! — Ela parece aliviada. — Quando ele fez um ano eu voltei e conclui o colégio. Falava todos os dias com o meu pai, ele não estava muito feliz, mas renovou o contrato. O Cory se apegava cada vez mais a mim e eu a ele, eu cuidava da casa e dele e o casal trabalhava, ela era uma grande decoradora e por um tempo eu até queria ser igual a ela.

— Talvez porque fosse sua única referência.

— Acho que sim. Eu gostava tanto dele e ela era tão negligente, só conseguia pensar naquele menininho abandonado, o pai sempre fora, às vezes viajando por semanas, fui ficando, meu pai resolveu ficar mais um ano quando eu fiz dezoito anos, me convidou para ir morar com ele.

— Não foi — ela suspira já sabendo a resposta, nego em um balançar de cabeça.

— Me pediram seis meses para arrumar alguém e nunca aconteceu. No terceiro mês meu pai decidiu voltar porque estava se sentindo meio doente e então eles me propuseram ser oficialmente a babá do Cory e continuar morando com eles, mas com liberdade para cuidar do meu pai e foi assim que eu fiz, o dinheiro que o papai ganhou naqueles anos fora gastamos com tratamentos, me dividia com o Cory e meu pai, foi um tempo difícil, cheguei a levá-lo comigo para o hospital porque Elisha estava em reuniões de trabalho e não podia faltar.

— Seu pai se recuperou?

— Não. Ele se foi depois de um ano e meio de luta. Não tinha sobrado muito, mas guardei depois dos gastos com o funeral, continuei com os Dobson, cuidando do Cory, eles passaram por uma crise financeira quando eu tinha uns vinte anos, não me pagavam e eu acabei usando minhas economias.

— Mas continuou como babá.

— Sei que vai me achar uma tola, mas naquele momento da minha vida, eu não me via como a babá do Cory, eu me via como parte daquela família e em especial, eu me via meio como a mãe dele. Somos... Éramos muito ligados. — A saudade dele toma meu coração de um modo devastador, tenho tentando não pensar no garotinho que amo como se fosse meu, mas dói cada vez que me dou conta que ele saiu para sempre da minha vida.

— Nunca mais recebeu pelo trabalho? — Balanço a cabeça negando.

— Meio que compravam o que eu precisava, tinha casa, comida, o Cory, eu acho que fui me acomodando e sempre que pensava em minha vida estagnada eu olhava para aquele rostinho lindo e o quanto ele precisava de mim e o tempo me engoliu. Não sei se pode entender isso, dez anos, deixei que se passassem dez anos.

— Acredite em mim, Angelina, eu sei exatamente do que está falando. Finalmente pediu demissão?

— Não. — Sinto até vergonha de contar. — No fundo, eu sei que envelheceria naquela vida se não fosse... o casal me demitir. Cory tem agora dez anos. Não precisa mais de mim como antes, estuda até às quatro, depois vai direto para seus cursos, natação, judô, chega sempre depois das seis e a mãe e o pai já estão em casa, eles me demitiram, me deram um dinheiro e me pediram para partir e não voltar e nem procurar o Cory, para ele se acostumar sem mim.

— Que gente cruel, Angelina! Com você, com a criança. Não acredito que passou por isso.

— Dói ainda hoje, pela minha burrice, saudade, raiva, tanta coisa, muita vergonha também. Acabei sem uma vida, não saia muito da casa, só mesmo com ele, não cultivei muitos amigos, não namorei, viajei, só nas férias de família, como a babá. Aproveitando a piscina infantil e o *playground* de hotéis por aí.

— Sinto muito!

— Sou tão estúpida que uma semana sozinha e fui assaltada, levaram todo dinheiro que eu tinha, convidei duas supostas amigas para entrarem no meu quarto, eu as deixei sozinhas uns minutos e depois... elas levaram todo meu dinheiro. O que tinha comprei essa passagem e acabei aqui e quando cheguei, se você não fosse um tipo de anjo estaria dormindo ao relento.

— Não diga isso, é uma troca, vai trabalhar para mim e ganhar um salário para isso.

— Eu me sinto tão assustada e solitária, incapaz de fazer qualquer coisa por mim mesma. Perdi toda minha vida e com vinte e cinco anos, me sinto a garotinha que o papai deixou com estranhos.

— Essa gente merecia um processo por mantê-la como escrava. Ao menos tratavam você bem? — Baixo os olhos pensando em como Elisha estava sempre gritando em algum tipo de crise e como Kiefer era grosseiro e distante. — Isso é odioso! — ela diz percebendo que meu silêncio fala por mim.

— No momento eu não sei bem o que quero ou como viver sozinha, mas vou aprender a ter uma vida.

— Claro que vai e agora vai me ajudar a guardar essas sacolas e o meu presunto maravilhoso, vou preparar uns sanduíches e depois você vai para o seu quarto descansar, amanhã pela manhã decidimos o resto, o que acha?

— Obrigada, Samantha! Realmente, muito obrigada! — Ela sorri para mim e me lembro dos olhos frios do filho, ele não tem nada da mãe. Ainda não sei se ele mora aqui ou não, mas parece que não vou descobrir mais detalhes hoje.

CAPÍTULO 4

Seth

O avião levanta voo e aproveito para me acomodar e fechar meus olhos, um fim de semana em Nassau com ótima companhia e pouco trabalho, o problema é o sol infernal e o calor que nunca chega ao fim, piscina, drinks e gente bronzeada e feliz.

Gente feliz é tão barulhenta. Pessoas tristes são infinitamente mais agradáveis, as introspectivas são o meu melhor tipo de gente.

— Eu não acredito que você vai dormir — Kimberly reclama me fazendo olhar para ela.

— São quase dez da noite de uma segunda-feira em que eu devia ter trabalhado o dia todo, mas você me convenceu a aproveitar o dia em uma piscina e depois comendo frutos do mar regados a areia e ainda tomamos um drink com um casal de bêbados que eu espero jamais voltar a ver.

— Eles estavam em lua de mel, foram muito divertidos — ela responde rindo. — Vamos, Seth, não foi assim tão ruim, está corado.

— Eu vou dormir, Kimberly — decido me ajeitando mais uma vez na poltrona e fechando os olhos.

— Não sei se vamos nos ver de novo, Seth. — Suspiro voltando a olhar para ela.

— Sonhou que o avião iria cair ou coisa do gênero?

— Não, Seth! Que horror!

— Então eu não vejo como isso possa ser uma despedida.

— Minhas malas estão prontas, estou de partida para Nova York, esqueceu?

— Na verdade, sim — admito. — O que não quer dizer muito, estou sempre viajando por aí e você deixa família em Toronto, deve voltar em algum momento.

— Você me impressiona — ela diz um tanto indignada.

— Eu sei que vai me dizer o porquê. Então vá em frente. — Desisto de aproveitar a viagem para dormir. Vamos discutir uma relação que nunca existiu e depois meu pai não entende porque eu não quero me casar.

— Saímos juntos tantas vezes, viajamos juntos, dormimos e acordamos na mesma cama um fim de semana inteiro, acompanhei você a jantares e conheceu minha família.

— Não foi assim — reclamo. — Estávamos na mesma festa e nos apresentou, não estava planejado e eu... — Ela ergue uma sobrancelha e sorrio. — Continue. — Desisto sabendo que argumentar vai apenas tornar a conversa interminável.

— Desisto, não tem mais nada a ser dito. — Não me movo, eu sei que não acabou, espero paciente por uns minutos. — Você é tão egoísta!

— Talvez eu seja, mas não engano ninguém fingindo ser algo que não sou.

— Grande porcaria! — Ela cospe as palavras, irritada. — Estou indo embora, Seth. Indo embora para sempre. Sabe que foi um fim de semana de despedida e não teve a decência de me pedir para ficar, não fez qualquer movimento para mudar isso, está feliz que vai se livrar de mim?

— Kimberly, você me contou há umas semanas que estava partindo para uma nova vida e eu disse: puxa, parabéns! Isso esclarece as coisas, não? Eu não disse nada e nem diria, é a sua vida e suas escolhas, o que posso fazer?

— Lutar por mim!

— Onde foi que nossa amizade virou um filme romântico? Lutar por você, Kim?

— Você tem razão, só eu estava vivendo um romance, você estava só se divertindo.

— Não gosto de amarras, Kim. — Bem que meu pai disse que era um tipo de armadilha para me pressionar. — Era isso que mais nos unia, gostávamos de viver sem compromissos, sem cobranças, não quero isso para minha vida, nesse momento, estou focado no trabalho e deixei isso claro, não sou o tipo que se apaixona e eu jamais faria algo como... Aliás, eu nem sei o que significa lutar por alguém. Como é que se faz isso?

A ideia parece tão absolutamente problemática, me cansa só de pensar a respeito.

— Tenho fé que vai aprender — ela diz fechando o semblante, cruza os braços no peito e leva os fones ao ouvido, sou ignorado, depois de esperar uns minutos e descobrir que a jogada nova não é discutir e sim me ignorar, aproveito para dormir um pouco.

Acordo com o aviso de pouso, fecho cinto e me acomodo melhor no assento, ela ainda está me odiando profundamente, assiste um filme qualquer e quando finalmente estamos em terra firme, se solta do cinto e fica de pé levando a bolsa.

— Tenha uma ótima vida, Seth Arnett, com seus milhões e essa sua empresa ridícula!

— Kim, é tarde, meu motorista vai deixar você em casa. Não precisa tudo isso.

— Não quero ficar mais nem um minuto perto de você — ela avisa começando a deixar o avião. Paciência, Seth! Paciência! Digo a mim mesmo enquanto eu a sigo pelo corredor estreito.

— Kim, me espera, se não quer ir comigo, eu entendo, meu motorista vai levá-la e tomo um táxi.

— Ótimo! — Ela se vira bruscamente me encarando enquanto as pessoas ficam presas sem poder descer a espera da pequena crise. Uma plateia é tudo que preciso para encerrar a noite. — Vou adorar criar esse incômodo ao grande empresário com olhos de aço, o malvado Seth Arnett que se dane, você pode se orgulhar de ser frio, mas é também um grande babaca.

— Pode continuar a cena fora do avião? Estamos atrapalhando as pessoas.

— Vá para... — Ela trava os lábios, se vira furiosa e desaparece no meio do fluxo de passageiros deixando o avião. Até que foi um fim de semana agradável, podia ter terminado melhor.

Por que as pessoas ficam buscando nos outros o que eles não têm para oferecer? Por que insistir em mudar alguém? Sou como sou e não menti, ela quis se envolver comigo e agora fica assim furiosa quando se dá conta de que eu não vou mudar e que ela gastou seu tempo tentando. Uma frustração que ela não precisava para a própria vida, era só ter me deixado falando sozinho uns meses atrás. Teríamos evitado tanto constrangimento.

O táxi me deixa na frente do edifício e me ajuda com a mala, depois de pagar a corrida, atravesso o hall puxando a mala, o porteiro meneia a cabeça em um cumprimento mudo, ergo a mão em um aceno desanimado e perdido no meio do caminho. Aperto o botão para esperar o elevador, estou no meio de tantos processos importantes, a aquisição da nova empresa, fechar com a Fórmula 1 e os engenheiros estão perto de conseguir uma inovação que vai mudar tudo no mercado. Segredos industriais e negociações de milhões de dólares e Kimberly quer que eu pense em convencê-la a não ir para onde ela quer ir e viver a vida que ela quer viver para simplesmente ser infeliz ao meu lado. Eu não sou nada bom em entender mulheres. Isso é um fato.

As portas do elevador se abrem, um vizinho qualquer sorri para mim deixando o elevador, arrasto minha mala para dentro ignorando o sorriso. Aperto a cobertura e as portas se fecham, preciso de um bom banho para tirar esse sal todo e essa areia, eu odeio areia, asfaltaria todas as praias do planeta sem nem titubear, não importa o quanto você tente, quando está em um lugar como esse, não tem como ficar limpo, elas entram na alma, nos aparelhos tecnológicos, é o inferno.

A porta se abre e arrasto a mala até a sala. Amanhã Thea cuida disso, sigo para meu quarto sem me preocupar em acender luzes, depois de um banho e mesmo tendo mil coisas para fazer, prefiro cair na cama e dormir, férias cansam mais que dias de trabalho.

Acordo com o barulho do aspirador ligado em alguma parte qualquer do apartamento, tateio até achar o celular, oito da manhã. Salto da cama chocado com meu atraso, nunca durmo até tão tarde, às oito da manhã já estou no trabalho quase todos os dias.

— Merda! — Não vai dar tempo de me exercitar ou ler o jornal, muito menos tomar café da manhã, o barulho do aspirador continua mesmo depois do banho enquanto me visto e acerto o nó da gravata. Pego minha pasta e o celular, as chaves do carro e deixo o quarto apressado. — Thea, eu... — Ela me ignora enquanto continua a passar a droga do aspirador em cada pequeno cantinho do sofá da sala principal. — Thea? — Silêncio. Toco seu ombro para despertá-la. — Thea!

A mulher dá um salto para o lado, só o que me falta é matar alguém de susto, o dia realmente começa complicado. Ela leva uma das mãos ao peito, a boca escancarada e os olhos esbugalhados como se estivesse diante de um fantasma, leva um segundo para se acalmar e então desligar o aspirador, o silêncio me inspira, tranquiliza.

— Que diabos faz aqui? Pensei que o apartamento estava sendo invadido.

— Moro aqui, Thea.

— Eu sei, mas essa hora já está no trabalho.

— Perdi a hora.

— Fim de semana agitado, tem mulher aí no quarto? — Nunca soube direito porque Thea ainda trabalha para mim, ela é irritantemente intrometida e faladeira, amiga da minha mãe que passa seus dias levando informações privilegiadas a ela em algum tipo de acordo secreto.

— Não! — aviso de modo lacônico. — Lave todas as roupas da mala, lave a mala, aspire com esse seu negócio barulhento.

— Amanhã meu neto terá que vir comigo — ela avisa enquanto caminho para o elevador.

— Não!

— Eu não tenho com quem deixá-lo.

— Nem pensar — aviso apertando o botão do elevador. — Ele vai mexer nas minhas coisas e bagunçar tudo.

— Eu arrumo, é meu trabalho. A mãe dele tem uma consulta médica e eu vou precisar cuidar do pequeno.

— Não tenho nada com isso — aviso quando a porta do elevador se abre. — Até quinta, Thea, fique em casa amanhã.

As portas do elevador se fecham com o sorriso vitorioso de Thea abraçada ao aspirador.

Vivianne me olha surpresa quando passo por ela em direção a minha sala, antes que me acomode em minha cadeira ela está atrás de mim com listas de coisas para fazer e mais trabalho.

A manhã corre e depois a tarde e mal consigo respirar, uma reunião começa perto das sete, às nove finalmente o dia parece acabar com o fim da reunião, as pessoas correm para suas casas, quando chego ao estacionamento, só tem meu carro, paro em um restaurante no caminho, o frio começa a ficar mais intenso e nem chegamos oficialmente ao outono.

Enquanto me arrumo para me deitar e assistir algum telejornal antes de dormir, me lembro do pedido do meu pai. Se eu fosse esperto, iria visitar minha mãe agora, antes do frio congelar toda aquela região.

Infelizmente, eu não posso deixar a empresa agora. Talvez no final de outubro eu consiga organizar tudo para passar uns dias em Churchill, é tão longe e tão complicado que nem dá para ir e vir em um fim de semana.

Olho para a parede lateral onde um enorme quadro feito por ela decora meu quarto. Ela tem muito talento, não se pode negar. Ainda não entendo porque ela decidiu viver tão longe.

Aqui teria muito mais condições de expandir seu trabalho, mas preferiu se excluir e viver naquele remoto pedaço de terra. Quando eu era criança até que gostava das férias por lá, fomos duas ou três vezes, o casarão meio abandonado, a ideia dos ursos polares e o espetáculo das luzes em noites de verão ou inverno era emocionante. Até me fingia de caçador de ursos e me aventurava em alguma caçada em torno da casa, enfiado em botas de neve e casacos pesados, enquanto meus pais tomavam vinho e conversavam coisas chatas na frente da lareira.

Depois a empresa cresceu tanto que nunca mais sobrou tempo para voltar e só retornei aquela casa quando minha mãe teve a brilhante ideia de ir morar lá.

Jurava que voltaria na primeira nevasca, mas não, ela se encontrou vivendo naquele lugar e está feliz.

Pego o controle remoto e ligo no telejornal. Ela podia ao menos se acostumar a vir mais vezes a Toronto, assim eu não precisaria nunca mais voltar àquela terra esquecida, mas não, ela se recusa a vir e só me resta viajar por horas para encontrá-la e acabar dias e dias preso naquele lugar.

Claro que como muito melhor, durmo melhor e tenho que admitir que nos damos bem, são boas conversas, algum tempo para um livro e até consigo trabalhar um pouco, mas retornar sempre deixa claro que não devia ter ido, são pilhas de trabalho acumulado e um milhão de pequenos problemas para resolver.

Como se isso não fosse o bastante, meu pai quer deixar a presidência, é claro que sempre sonhei em substituí-lo e me esforço para estar a sua altura, mas não é fácil assumir tudo e ocupar seu lugar.

Aproveito o intervalo do telejornal para telefonar para minha mãe, sei que ela tem seus costumes e gosta de dormir tarde e acordar muito cedo.

— Boa noite, mãe! Muito tarde?

— Não, de jeito nenhum, estou ainda no atelier, comecei uma tela nova. Estou bem empolgada.

— Que bom. E a vida, tudo bem?

—Tudo ótimo! E você, como está?

— Bem, estou trabalhando muito como sempre. — Escuto a música suave que soa baixinho por trás de nossa conversa. Ela gosta de pintar ouvindo música clássica.

— Ainda vai se arrepender de tanto trabalho, o tempo passa em um piscar de olhos e quando se der conta, se passaram trinta anos e não fez muito por si mesmo.

— Trabalhar é fazer algo por mim, mãe, sabe que eu amo o que faço. — Posso até ver seus olhos revirarem como se eu tivesse dito alguma idiotice.

— Falo de vida pessoal, amor, risos...

— Tolice! Não tenho planos para viver desse modo, é enfadonho só de pensar. Gosto de liberdade.

— Liberdade para mergulhar no trabalho e ser escravo dele.

— E não é também escrava da sua arte? Não é ela a ocupar suas horas, seus planos e pensamentos?

— Com espaço para apreciar o tempo e conversas com amigos, minha arte é meu alimento, mas não é a única coisa a me mover, sobreviveria sem ela.

— Ok! Entendi. — É inútil, jamais chegaremos a um denominador comum.

— Com preguiça de continuar a discussão? — ela brinca e seu riso é sempre contagiante, me faz sorrir. — Odeio quando está assim apático e logo desiste de me combater.

— Foi um dia complexo, acordei atrasado e logo tudo atrasou, mas tenho certeza que sabe disso, Thea não deixa passar uma.

— Que absurdo! Acha que ela fica me contando tudo que acontece em sua casa? Temos vida além de você, centro do universo! — Volto a sorrir. — Não tinha nada demais deixar o netinho dela ir com ela ao trabalho.

— Sabia! — Agora sou eu a rir. Thea foi contratada por minha mãe logo depois que montei meu apartamento, tem pelo menos uns dez anos que trabalha comigo e virou amiga da minha mãe e sua espiã.

— Vamos ao que importa. Quando vem me ver?

— Estou tentando, mãe, é sério, mas não posso deixar tudo e me enfiar no fim do mundo, você podia vir passar uma temporada aqui. Pode ficar aqui em casa. O que acha?

— Está mesmo desesperado para não vir. — Ela me provoca. — Me convidar para ficar na sua casa é puro desespero.

— Então seja generosa com seu filho desesperado e não me obrigue a ir encontrá-la.

— Não posso deixar Angus por enquanto, sinto muito, mas tenho planos de ir em algum momento. Agora que contratei uma assistente para morar aqui comigo talvez consiga viajar.

— Tem alguém morando com você?

— Uma moça que chegou hoje a cidade e eu...

— Colocou uma desconhecida em sua casa! — Eu podia voar até lá agora mesmo se tivesse como.

— Sei o que eu faço! E não é da sua conta, Seth! — ela diz em um tom duro que me obriga a respirar e me acalmar. — Espero você aqui em casa quando puder. Amo você!

— Tem reunião do conselho na sexta, vai estar virtualmente presente?

— Que jeito?! — ela reclama. — Mas não se atreva a pedir ao seu pai para intervir, é uma boa pessoa e vai me ajudar muito aqui em casa.

— Faça como quiser, mãe.

— Eu sempre faço! — ela completa. — Boa noite! — Minha mãe desliga, nem sempre nossas conversas acabam bem. Claro que vou pedir ao meu pai para conversar com ela, estranhamente os dois se dão muito bem e sempre trocam conselhos. Minha mãe ajudou meu pai a construir tudo que tem e é membro importante do conselho, sua voz tem muito peso, mas contratar uma desconhecida para viver com ela é perigoso e irresponsável.

Perco a vontade de ver televisão, desligo e me acomodo para dormir. Ela só quer me chamar atenção, seu plano é me fazer ir até ela e quando eu chegar, não vai ter ninguém além daquele gato mimado e os ursos a rondarem o lugar.

Tracy está em minha sala quando chego pela manhã, oito e quinze e ela me aguarda lendo qualquer coisa em seu celular, ergue a cabeça e sorri para mim quando me vê entrando.

A melhor e mais preparada advogada jurídica desse país, nos conhecemos ainda na faculdade e Tracy veio comigo depois de formada, aqui construiu sua carreira e se tornou peça chave na empresa. Temos uma ótima relação profissional e talvez ela seja o mais perto que tenho de um amigo.

— Bom dia! — digo colocando a pasta sobre a mesa e me acomodando em meu lugar. Ela boceja e se espreguiça, os cabelos bem penteados e platinados favorecem os grandes olhos azuis e o terno branco deixa o corpo bem desenhado, nunca tivemos nada, nem mesmo ameaçamos, mas é impossível não prestar atenção em sua beleza estonteante.

— Não sei para quem — ela reclama deixando seu celular sobre a mesa.

— Noite ruim?

— Por que diabos fui pedir Winnie em casamento?

— Porque estavam bêbadas em Paris?

— Bem lembrado! — Ela suspira. — Marcamos para daqui um ano e ela só fala disso, se soubesse que seria tão difícil organizar eu não teria pedido.

— Desfaça o pedido — digo enquanto espero o computador ligar.

— Aí perco a namorada. Eu nem sei por que estou falando sobre isso com você, nem mesmo tem um coração.

— Pois é! — concordo com ela. — Que tal falarmos de trabalho? O que faz aqui logo cedo?

— O contrato com a KV, Klaus exige uma cláusula bastante complexa. Quer estabilidade de pelo menos dois anos para todos os seus funcionários e isso inclui o seu genro.

— Dois anos? — pergunto um tanto indignado, talvez alguns deles ainda sejam bem aproveitados depois do treinamento, mas é certo que um ou outro será demitido e principalmente o genro, não é bom ter alguém tão influente junto aos funcionários, a diretoria e o alto escalão precisa ser trocado. Balanço a cabeça negando.

— Isso ou ele transforma a empresa em uma cooperativa e entrega nas mãos dos funcionários. — Ela ergue uma sobrancelha sabendo que estamos em uma sinuca.

— Velho esperto! — Eu me encosto à minha cadeira, giro encarando o céu cinza e pesado, penso por um momento. Meu pai conta com isso, os planos estavam todos acertados, mas dois anos de estabilidade e manter mesmo o alto escalão vai sair caro e será um transtorno que não estava nos planos. Volto para Tracy, ela aguarda calmamente.

— O que eu faço?

— Aceite — determino. — Tome precauções para que não conste em quais termos vamos manter esses funcionários, assim que tudo estiver acertado, quando colocarmos as mãos na empresa, transferimos para outro lugar todos os que não são bem-vindos à equipe e aí é com eles, ou aceitam as transferências, ou se demitem.

— O tipo de coisa que faria Winnie me acusar de insensível e fria.

— Concordo com sua noiva e é por isso que está aqui — lembro Tracy que fica de pé levando seus papéis e o celular. — Tente correr com isso, quero terminar a semana comemorando a aquisição.

— Vou tentar, o Klaus fica fazendo corpo mole, ele sabe que perdeu, mas quer nos enfraquecer e perturbar, uma vingancinha. — Ela ri.

— Não o condeno, faria dez vezes pior.

— Ah, você faria — ela diz antes de deixar minha sala.

Quando toda transição tiver terminado eu vou estar consumido e esgotado, Klaus vai contaminar todos os funcionários com sua revolta e não será o único a oferecer resistência, parece que terei que cuidar de tudo isso pessoalmente, a visita a minha mãe acaba de pular para novembro.

CAPÍTULO 5

Angelina

Angus me recebe com um longo miado, me ajoelho para afagar seus pelos escuros e brilhantes. Os olhos grandes me encaram carinhosos, ele é tão gentil, curva a cabeça agradecendo o carinho e pedindo mais.

— Bom dia, Angus! Que lindo! — Foi uma noite de sono tão aconchegante e confortável, depois de me despedir de Samantha e me trancar no quarto, achei que teria medo, estranharia a cama e passaria a noite assustada, mas não. Eu apenas me aconcheguei entre as cobertas em um quarto aquecido e confortável e apaguei.

Essa noite vou me lembrar de fechar bem as cortinas, o dia clareou cedo e despertei com a luz nos olhos.

Angus vem mais perto, ronrona enquanto afago seu corpo elegante e os pelos longos aquecem minha mão.

— Você gosta dos meus afagos? Acho que está é tentando me convencer a alimentá-lo, não é pequeno? Sua mãe ainda não me explicou sua alimentação.

— Vou explicar agora mesmo! — Samantha surge em um vestido longo e colorido, um tanto leve para um lugar como esse. — Bom dia!

— Bom dia! — cumprimento tentando sorrir.

— Dormiu bem? — ela questiona enquanto Angus me deixa disparando para cozinha. — Ele bem sabe que é hora do café da manhã. Vamos? — balanço a cabeça concordando, meu estômago reclamando de fome.

— Dormi feito um anjo, não esperava dormir tão bem. Eu sempre acordo muito cedo, gosto do dia.

— E eu da noite — ela diz abrindo o armário sobre a pia. — Aqui fica o pote de ração, é só colocar uma medida no potinho dele e trocar a água por uma nova. O resto é com ele. — Samantha serve Angus. — Angelina, tem algo realmente importante e foi um dos motivos para eu ter pulado tão cedo da cama.

— Claro! — digo prestando total atenção.

— Eu preciso que tome cuidado com portas e janelas para ele não fugir, principalmente em dias muito frios. Uma vez ele fugiu em meio a uma nevasca e por sorte eu o peguei aqui na varanda, mergulhado em um metro e meio de neve, miando apavorado. Ele é curioso e atrevido, mas é um gato totalmente domesticado, ele não sabe se virar lá fora e em especial no frio.

— Não se preocupe, eu não vou me esquecer disso. — Nem posso imaginar o gatinho perdido lá fora no meio do frio e podendo acabar na boca de um urso polar.

— Perfeito! Eu pretendia ficar mais uma horinha na cama, mas pensei que talvez você achasse boa ideia abrir para ele. — Balanço a cabeça negando com veemência. — Sobre os ursos polares, não se preocupe, se não atiçá-los eles não vão atacar ou coisa do gênero, normalmente eles correm para longe se percebem a presença humana, mas pode ser que saia no quintal e um deles esteja por aí passeando, apenas se afaste lentamente e não fique muito longe de casa.

— Isso me assusta um pouco.

— Não precisa. A vida é mais aqui dentro, vai enjoar da minha companhia, quando saímos usamos o carro, é seguro, no centro eles não frequentam, a menos que seja uma dessas nevascas que fecham o comércio. Aí é tudo deles.

— Entendi. Já encontrou algum urso? — pergunto por pura curiosidade.

— Tenho umas boas histórias, mas por aqui todo mundo tem — ela avisa começando a servir a mesa do café da manhã.

— Como vai ser meu trabalho?

— Basicamente você prepara refeições, me ajuda com Angus, vai ao centro se precisarmos de algo e vou te ensinar um pouco sobre meu trabalho e meus negócios para resolver coisas com o banco ou com Vivianne que é a secretária da empresa e que cuida de tudo para mim.

— Está bem.

— Não é nada demais, vai aprender fácil. Gosta de cozinhar?

— Sim, eu sei fazer qualquer coisa em uma casa. Também não tenho dificuldades com coisas como bancos e agendas.

— Ótimo. Agora vamos tomar café. — Ela me dá dicas de onde estão as coisas e como devo proceder e tento anotar tudo na cabeça, não quero deixar nada a desejar, o que essa mulher fez por mim é coisa de anjo e serei eternamente grata.

Nós nos acomodamos em torno da grande mesa de jantar, noto sua elegância e me comprometo comigo mesma de usar de elegância para servir as refeições e isso posso fazer sem dificuldades. Elisha sempre foi muito elegante, aprendi muito com ela sobre decoração e todos os requintes e mistérios de receber bem, servir mesas e decorar ambientes. Muito porque ela me ensinou, mas também por ter observado seus modos.

— Depois do café vou para meu atelier, você fica fazendo um reconhecimento de área, o que acha?

— Tem certeza? Mexer nas suas coisas?

— Sim, meu anjo. — Ela sorri, despreocupada. — Não vai encontrar nenhum segredo, é uma vida simples que levo aqui.

— Uma vida muito boa — digo pensando que embora ela pareça solitária, acho que Samantha é feliz. — Talvez um pouco solitária. — Olho para a foto do filho no aparador ao lado da mesa de jantar. Olhos lindos, rosto firme e definido, traços fortes, mas tem qualquer coisa de misterioso nesse homem.

— Ele te intriga? — ela pergunta percebendo meu olhar.

— É... Eu não sei explicar — admito envergonhada. — Magnetismo talvez. — O sorriso dela se amplia e Samantha dá um longo suspiro, leva sua xícara aos lábios e depois repousa sobre o pires.

— Eu estudava história da arte quando conheci o Stanley, o pai dele tinha uma pequena fábrica de peças, começamos a namorar e com uns seis meses de namoro o pai dele morreu, Stan teve que assumir a empresa. Faltava pouco para a formatura, ele conseguiu se formar, mas estava bem abalado e eu era tão apaixonada por ele.

— Gosto de histórias de amor. — Ela torce o nariz e depois sorri.

— Eu o apoiei, casamos e fui ajudá-lo a administrar a fábrica e crescemos tão rápido, assustadoramente rápido. Eu era como uma primeira dama, organizava jantares, recebia pessoas, decorava a casa e quando estava pronta, nossa vida dava um outro salto e lá estava eu envolvida em novas decorações, pessoas ainda mais influentes e mais festas e eventos, começamos a viajar pelo mundo em busca de negócios, tive o Seth em meio a essa explosão de crescimento.

— Ficou feliz?

— Muito. Stan, nem se fala, ele tinha o herdeiro para o reino que estava erguendo, mas esse reino exigia tudo dele e ele gostava, fomos nos afastando e o amor foi acabando. Não soubemos lidar com essa mudança de vida.

— Que pena! — digo realmente sentida. É uma vida interessante, eu gostaria de receber pessoas, decorar e organizar eventos, me sentir viva, fazer parte de algo grande. Gostava de ver Elisha e o marido recebendo pessoas ou se arrumando para as festas, gostava de como levava horas escolhendo cada pequeno detalhe, só me ressentia que nos momentos de calmaria em que ela podia se dedicar por completo ao Cory, ela simplesmente o esquecia.

— Não pense que enxerguei essa transformação na nossa história, ou ele, nenhum dos dois viu acontecer. Eu me anulei pela empresa e a criação do Seth, enquanto ele fazia o que amava, eu apenas ajudava.

— Não pintava na época?

— Não. — Samantha encara as peças de chá sobre a mesa, parece mergulhada em lembranças. — Tinha como um hobby, mesmo assim não sobrava tempo e fazia um quadro há cada ano e nem isso, alguns ficavam jogados em um canto, pelo meio e sem significado algum.

— Era arte mesmo assim. — Ela ergue uma sobrancelha e meneia a cabeça.

— É. Talvez esteja certa, era a arte que me representava naquele tempo. Trabalhos incompletos.

— Você não era feliz?

— Pergunta difícil de responder. Eu não sei, acho que sim, as pessoas supervalorizam a felicidade e ela não é uma constante. Era feliz com meu filho crescendo saudável, era feliz assistindo a empresa deslanchar e crescer de modo astronômico. Se a pessoa faz o que gosta, então tudo bem, acontece que eu não queria aquela vida e eu nem sabia disso.

— Como descobriu?

— Acho que foi quando o Seth foi para faculdade e ele não era mais um problema. — Sorrio pensando que o garoto não devia ser fácil. — Seth era um menino levado, me ocupava muito ser mãe dele, ser esposa, ser do conselho da empresa e receber pessoas, viajar com meu marido, organizar eventos e me aproximar das pessoas que eram interessantes para a empresa.

— Quando ele se foi pode olhar para si mesma.

— Exatamente. — Embora preste atenção no que ela me conta, não consigo me afastar das panquecas com calda que estão deliciosas.

— O casamento acabou? — ela afirma e sinto pena. — Não quis lutar?

— Acho que não era amor, ou foi e acabou, mas nenhum dos dois quis lutar. Muita gente insinuou que foi traição, mas não, Stan era fiel, realmente fiel e acredite, ele era bem cobiçado, bonito como meu filho, rico e jovem.

— Mas nunca traiu. — Sorrio achando tudo bonito e um pouco triste.

— Nunca, era bom pai, embora tenha jogado todas as expectativas sobre os ombros do Seth, ele ama o filho e sempre foi presente na medida do possível, sempre voltou para casa depois do trabalho, sempre me ligando para dizer onde estava e que horas chegaria e as viagens sempre procurávamos fazer juntos.

— Acho que eu não entendo — admito pensando neles como pessoas felizes, um marido que te ama, um filho querido e saudável, a construção de uma empresa, a felicidade é diferente para cada pessoa, para mim seria quase como o paraíso. Para Samantha não era o bastante.

— Stanley também não entendeu quando pedi o divórcio, mas não fez nada para me impedir, não propôs tentar, aceitou, nos separamos e eu resolvi investir em mim, vim para essa casa que sempre foi minha.

— Ao menos não teve briga — digo levando o último gole de bebida quente a boca.

— Nenhuma. Nem um ano depois ele estava se casando de novo e eu fui ao casamento. Estranhamente, tudo que ele não podia me dar que era um pouco do seu tempo, ele luta para oferecer a ela. Ironia.

— Você se ressente disso?

— Sabe que não! Só deixa claro que não havia mais amor de nenhum dos lados. — Ela suspira.

— Estou sendo muito invasiva? — Decido perguntar antes de mais uma pergunta, ela balança a cabeça em negação, sorri para mim de modo tranquilo, sinto que nada abala Samantha, ela é tão delicada e gentil.

— De jeito nenhum. Moro sozinha, fico dias sem falar com ninguém além do Angus, estou adorando essa conversa — Samantha me garante.

— Também estou gostando muito de conversar. Sua história é bonita.

— Eu concordo plenamente, é uma história de vitória, eu tomei as rédeas da minha vida e mudei tudo de lugar.

— Seth mora aqui? — Não consigo evitar a pergunta, não consigo desviar meus olhos da foto do homem de olhos cinza que parece tão distante.

— Seria realmente engraçado. — Ela ri enquanto balança a cabeça negando. — Seth odeia esse lugar, acha muito afastado do mundo. Eu não posso discordar dele, claro que sempre vou ser grata e estou disposta a construir uma vida para mim aqui, mas é um lugar perdido no mundo.

— Entendo. — Deixo a palavra solta no ar porque é decisão dela me falar ou não mais sobre ele. Samantha se levanta e vai até a foto, volta com ela e não se senta na cabeceira da mesa, vem se sentar ao meu lado, toca a foto como se fizesse um carinho no rosto do filho.

— Sinto tanta pena. — É algo triste para se sentir sobre um filho. — Ele tem um coração bom e justo, mas se desconectou dele, usa uma capa de frieza e indiferença sobre tudo que seja emoção, não ama, não odeia, só trabalha.

— Como o pai?

— Ele me ama, eu sei que sim, mas a relação com o pai é muito mais forte, ele persegue uma imagem que criou do próprio pai, quer ser como ele, quer honrar o pai e as conquistas dele.

— Você também é responsável pela conquista, disse que lutaram juntos.

— Mas Stan ficou com as glórias e Seth só vê isso, meu ex ficava sempre se autoelogiando e mostrando para o filho suas vitórias e o que estava construindo para ele. Seth cresceu com essa fixação e eu tenho que admitir, ele é terrivelmente bom no que faz.

— Isso é bom — digo sorrindo enquanto sinto um orgulho que nem mesmo tenho direito de sentir, mas ver alguém focado no que faz e saber que ele é bom e que está conseguindo é algo que admiro, talvez porque minha vida seja tão diferente disso.

— A vida não é só trabalho e dinheiro, existem tantas outras coisas e ele não conhece nenhuma delas.

— Quantos anos ele tem?

— Trinta e três anos, eu sei que ainda dá muito tempo. Olhos de aço! — ela diz quase para si mesma. — Conhecido como olhos de aço, ele é uma muralha quando se trata do trabalho, um trator, o resto não existe. — Posso ver como isso a faz triste e talvez ela esteja totalmente certa. — Algum dia — ela diz apontando a foto de modo firme. — Esse colosso vai desmoronar e alguém vai colocá-lo de joelhos. — É quase como uma profecia, posso ver que ela até gosta do plano. — Não pense que vou ficar triste.

— Posso ver que não.

— Seth precisa disso para reencontrar o próprio coração. Ele tem, eu juro. — Ela ri. — Ainda bate naquele peito e se ele caça desesperadamente ser como o pai, algum dia, ele vai se conectar com a parte Samantha que mora nele e buscar um pouco mais de amor e descanso.

—Todo mundo busca amor.

— Não Seth Arnett. — Ela volta a olhar para a foto do filho e sorri. — Mas ele vai encontrar. Tinha um menininho que morava aqui dentro e era gentil e feliz, eu o quero de volta e acredite. Stan também quer.

O modo como fala dele me deixa mais confusa, me assusta pensar nele, ao mesmo tempo em que me hipnotiza, não consigo pensar em alguém criado por essa mulher que não seja generoso e gentil, mas eu me engano, sou boa nisso, em me enganar com as pessoas.

— Espero que sim — digo de todo coração, porque Samantha merece ter esse presente.

— Agora querida, Angelina. Eu vou trabalhar no meu novo quadro, a sua chegada é um presente que me inspirou.

— Sim senhora, eu cozinho?

— Acho bom, porque hoje é um desses dias em que fico reclusa trabalhando, está em casa.

— Obrigada!

—Ah! E me chame de Samantha, ou Sam, como os mais íntimos, não precisamos de formalidades, não é mesmo?

— Sim senhora. — Ela solta uma de suas longas gargalhadas.

— Vou começar a chamá-la de senhorita.

Balanço a cabeça negando, ela continua a rir enquanto se afasta me deixando sozinha, meus olhos correm em direção a foto do filho deixada sobre a mesa, pego para olhar mais de perto, fico um longo momento observando os olhos de aço. Lindos e frios olhos de um cinza que jamais vi.

Angus passa por mim indo se deitar no parapeito da janela, em um leve salto cheio de elegância, ele se acomoda observando a paisagem, eu coloco a foto no lugar para me entreter com o trabalho.

Não é difícil me acostumar com a rotina, é um trabalho bastante simples e descubro que Samantha é generosa, divertida e adora conversar. Sempre que termino todos os meus afazeres, gosto de ir me acomodar em seu atelier por uma hora ou duas, conversamos e tomamos chá, assisto ela pintar, preparar suas tintas, mexer com argila moldando peças e me contando sobre sua vida e o passado.

As semanas vão se passando e quando recebo meu primeiro salário, aproveito para comprar um casaco e botas para caminhar no gelo, os dias ficam cada vez mais gelados, anoitece mais cedo a cada dia, o inverno começa se aproximar e com ele, nuvens pesadas e um frio intenso que mesmo morando em um lugar gelado, jamais vi.

Felizmente saímos pouco, Sammy é o entregador que costuma fazer as entregas é um jovem engraçado e generoso, está apaixonado pela gerente da loja de *souvenirs* e fica sempre uns minutos na cozinha me contando suas aventuras a cada entrega.

É divertido porque ele tem medo de gatos e Angus faz questão de ficar passando por perto toda vez que ele vem fazer entregas.

Às vezes, escuto Samantha conversar ao telefone com o filho ou com o ex-marido e percebo a falta que ela sente deles.

— Angie! — Escuto Samantha descer as escadas correndo no meio da manhã, corro a seu encontro com medo de algo ter acontecido.

— Seth está vindo passar uns dias aqui. — Os olhos dela brilham feito diamantes, tamanha sua felicidade. Meu coração reage de um modo louco, dispara de ansiedade, medo, um mundo de emoções que eu nem sei explicar.

— Que bom! — digo sem qualquer certeza. Se ele for assim frio e difícil, talvez me odeie e quem sabe o quanto ele é influente sobre as decisões de Samantha. — Sam, você disse que iria encontrar seu marchand em Toronto e organizar uma exposição. Vai desistir?

— Não posso. Fico uns dias aqui com o Seth, depois eu o convenço a passar mais uns dias, com você aqui será bom, pode cuidar dele como tem cuidado de mim e ele descansa, lê, come melhor e dorme um pouco, fico apenas um fim de semana fora, ele pode me esperar aqui.

Ela me dá as costas e mal consigo me mover pensando em ficar sozinha com seu filho por dois dias.

— Vamos Angie, quero trocar lençóis, colocar umas flores no quarto dele, deixar tudo impecável, ele vai odiar as flores, mas vai ser divertido.

— Claro, eu ajudo!

— Pensei em preparar um jantar desses que você faz e a mesa você decora, ele podia ter avisado que estava a caminho, mas não, deixou para avisar só agora, quando já está quase chegando.

— Ele vem como? De avião direto?

— Sim, depois pega um helicóptero. Meu filho é cheio de pressa, não viria de trem jamais.

— Entendo. Nem precisa, não é?

Ela não me escuta mais, fica quase uma hora organizando o quarto dele, me ajuda com a arrumação de toda a casa e cozinhamos juntas. O céu ainda está claro quando ela calcula que Seth Arnett está chegando.

— Enquanto decora a mesa de jantar eu vou me trocar — ela diz me deixando sozinha diante de um arranjo de flores na sala de jantar.

Samantha merece que eu faça meu melhor e me dedico com todo carinho ao arranjo, talvez nesses dias com ele aqui eu deva me afastar um pouco, ela insistiu que eu devia jantar com eles, tem três lugares postos, mas nos outros dias, vou tentar deixá-los sozinhos o máximo que posso, ele deve preferir.

O arranjo fica mesmo bonito, as flores combinam com a textura da toalha e os guardanapos de linho têm detalhes parecidos, sorrio admirando meu trabalho.

— Jurava que essa história de assistente era uma mentira. — A voz grave soa tão próxima que me assusta não ter percebido sua chegada, ergo meus olhos para o homem de pé no meio da sala de jantar.

Olhos de aço como me foi dito, me encaram vazios de emoção, lindos olhos que me observam sem qualquer cerimônia e o modo ostensivo de me encarar me provoca uma mistura de emoções. Acho que é o homem mais bonito que já vi, eu sabia que era, a foto deixa a desejar quando se olha para ele assim de perto. Seth Arnett não demonstra nada enquanto me olha dos pés a cabeça me estudando descaradamente e o hipnotismos da foto se repete, quero reagir e desviar meus olhos, mas eu simplesmente não consigo.

CAPÍTULO 6

Seth

Não é uma viagem, é um calvário chegar a Churchill, são oito horas de voo e raramente encontro um voo sem escalas ou conexões, minha mãe escolheu a dedo morar no fim do planeta terra. Posso ir de carro até Michigan encontrar meu pai e mesmo assim chegaria mais rápido, mesmo ir para as Bahamas é mais rápido.

Quando deixo o avião é um aeroporto tão pequeno que parece uma garagem, o frio me acerta em cheio e essa deve ser a única coisa boa, sorrio puxando a mala para dentro do aeroporto, atravesso o saguão e quando passo pela pele de urso polar exposta em um tipo de quadro de vidro e madeira me sinto viajando para algum filme ruim.

Um carro me espera no aeroporto, devia ter pedido para ela vir me buscar, mas sempre penso nessas estradas lisas e perigosas desse lugar estúpido.

O motorista é da cidade, sempre me apanha no aeroporto a pedido da minha mãe. Depois da terceira ou quarta vez, ele entendeu que não sou de muita conversa e apenas faz um movimento com a cabeça me cumprimentando, não desce do carro, coloco a mala no banco de trás e me acomodo ao seu lado no banco da frente. Coloco o cinto e pego meu celular buscando sinal.

Uns minutos pela estrada vazia e estamos estacionando na frente da casa da minha mãe. Tudo parece como sempre, aqui as coisas demoram a mudar, Toronto está sempre mudando, o tempo todo uma nova construção, a cidade sempre a crescer em sua mistura com a natureza e isso é algo que se vê pouco no mundo. Interação entre o moderno e o natural. Quase todo dia patos selvagens decidem atravessar alguma avenida do centro e lá se vai uma interminável fila de carro a esperar a travessia.

— Obrigado! — digo depois de saltar e pegar a mala.

— Lembranças a Samantha. — Ele acena e parte um tanto apressado. Subo os degraus trazendo a mala na mão, a neve já toma toda propriedade e o cinza e branco é toda decoração que se pode ver em torno.

Abro a porta da sala, ela nunca tranca, se o infeliz de um bandido chegar até aqui, uma porta trancada não será mesmo um problema, o vizinho mais próximo está a pelo menos um quilômetro daqui. Quem ouviria um pedido de ajuda? Ela não pensa nessas coisas e só nos causa preocupação vivendo tão solitária.

Não tem ninguém na sala e arrasto a mala olhando tudo em busca dela, escuto barulho na sala de jantar, aposto que está montando uma mesa de jantar para me esperar, ela sempre capricha em tudo quando chego, uma tolice, mas deve ser coisa de mãe.

Paro no meio da sala de jantar e abro e fecho a boca quando me dou conta que não é minha mãe. Uma mulher linda e jovial está distraída e apaixonada por um arranjo de flores que organiza sobre a mesa, o modo como olha para as flores e o jeito cuidadoso com que se dedica a deixar o vaso harmonioso me chama atenção.

Usa jeans, uma blusa de lã colorida e os cabelos estão presos em um rabo de cavalo que deixam o rosto à mostra em cada detalhe, é um lindo rosto de traços delicados e marcantes, a boca se dobra em um leve sorriso, um sorriso que tem dono, o vaso agora pronto que ela passa a admirar junto com o resto da decoração da mesa, podia levar a casa toda e ela não notaria, tão absorta em seus próprios pensamentos. Linda, absurdamente linda, um tipo de armadilha de minha mãe, só pode ser.

— Jurava que essa história de assistente era uma mentira. — A moça ergue os olhos em um leve susto, o rosto fica mais à mostra e agora posso ver cada detalhe da beleza angelical, ela fixa seus olhos em mim, mal pisca, não diz nada, não reage a minha presença e não duvido que saiba quem eu sou, mas podia ao menos reagir com um cumprimento ou informação.

"Boa noite, você deve ser Seth Arnett? Sua mão está lá em cima atirando tinta branca em um quadro inspirada nas belezas de Churchill."

Nada, só os olhos fixos em mim, determinados a esperar por uma palavra minha. Não vai ter, eu não perco nem as grandes guerras, porque perderia essa pequena batalha?

São lindos olhos, escuros, e cheios de perguntas, jovem e bonita, posso apostar um braço que é solteira e minha mãe ultrapassou todos os limites do racional e resolveu apelar para quem sabe me enfiar em um relacionamento.

É a cara dela, mamãe vive de idealizar romances, não fosse isso, ainda estaria casada com meu pai, mas ela sempre quis mais. A moça ainda me encara de modo intenso e eu devolvo o olhar na mesma intensidade.

— Filho! — Minha mãe surge para deixar a pequena batalha empatada, nós dois olhamos para ela ao mesmo tempo. — Seth. — Ela me abraça cheia de saudade, um de seus abraços afetuosos que sempre me amassa o terno, despenteia o cabelo e me obriga a uma libertação forçada.

— Oi, mãe — digo quando me liberto do seu abraço, ela parece ótima, impecável em um conjunto de veludo preto.

— Que bom que chegou! Fez boa viagem?

— Não! — respondo de modo honesto, ela aperta minha mão, não importa muito o que digo, ela está sempre a me sorrir e me encarar com seus olhos repletos de amor. Sua mão fica presa a minha enquanto ela sorri para mim de modo doce.

— Acho que já conheceu Angelina — ela diz desviando seus olhos dos meus para encarar a moça bonita que nos assiste ainda muda. Começo a ficar curioso para conhecer o tom de sua voz.

— Na verdade...

— Angelina, esse é o Seth.

— Boa noite! — ela diz de modo distante e tímido.

— Boa noite! — respondo desviando meus olhos de volta para minha mãe. — Mãe, eu preciso desfazer a mala e tomar um banho, tenho que ligar para a empresa e resolver umas coisas e já são mais de...

— Pensei que tinha vindo em férias. — Mamãe me interrompe enquanto tento deixar a sala de jantar com minha mala e ela me segue. — Angelina, já voltamos para o jantar, meia hora. Seth tem meia hora apenas.

— Mãe, eu viajei oito horas, preciso de mais do que meia hora para resolver...

— Você está me enrolando — ela brinca quando chegamos à escada. — Gostou da decoração da casa? Mudei umas coisinhas, reparou nos vasos?

— Não. Eu não reparei, mas está tudo como sempre.

Passo pelo quadro e espero que diga que foi em minha homenagem, mas parece que dessa vez as coisas estão realmente diferentes, ela ignora a pintura.

— Troquei seus lençóis, arrumei tudo — ela diz enquanto atravessamos o corredor. — Esse é o quarto da Angelina. — Mamãe me aponta uma das portas. Abro a porta do meu quarto e ela entra na frente. — O que achou?

— Está ótimo, mãe — digo sem prestar atenção, eu não ligo para nada disso. — Puxa, tem flores!

— Cultivadas na minha estufa.

— E onde mais nessa terra perdida e congelada — digo tirando o casaco.

— Vou pendurar o casaco e...

— Mamãe, eu só preciso de uns minutos para um banho.

— Gostou da Angelina? Ela é tão eficiente e uma ótima companhia, não achou ela linda?

— Não achei nada — digo olhando diretamente para minha mãe. — Como foi que essa moça acabou aqui, mãe?

— Ela chegou na cidade em busca de trabalho, eu a conheci na taverna do Gib e a trouxe comigo, ela estava tão...

— Encontrou uma estranha em uma taverna e trouxe para casa? Essa casa perdida em lugar nenhum, com vizinhos a quilômetros de distância?

— Colocando assim parece mesmo estranho. — Minha mãe é obrigada a admitir.

— Porque é muito estranho! Aliás, é perigoso também.

— Viu o rostinho dela? Seth, como alguém pode duvidar do caráter de Angelina? Ela é uma flor. Um anjo!

— Não é possível que uma mulher vivida como você pode mesmo acreditar em carinhas de anjo.

— Você precisa tomar banho, vou te deixar em paz.

— Mãe! Espera! Eu ainda não acabei...

— Não demora, a comida vai esfriar. — Ela fecha a porta e suspiro vencido. Está aí quem sempre me vence em qualquer disputa.

Rostinho de anjo, quando isso é sinal de alguma coisa? Sim ela tem o rosto delicado que lembra um anjo, mas não quer dizer que seja. Desfaço a mala e tomo banho, visto algo quente e confortável, depois de uns telefonemas para Vivianne e o diretor comercial, eu estou pronto para enfrentar um jantar em família. Deixo o celular no quarto, meu pai insistiu que eu tinha que vir passar uns dias com ela e ele tem razão, minha mãe não pode mais ficar tão sozinha, depois de colocar uma estranha dentro de casa, eu preciso prestar mais atenção nela.

Com sorte, antes do fim dessas férias forçadas, eu a convenço a voltar comigo para Toronto, ela tem um apartamento montado na cidade. Uma casa confortável em Montreal, mas prefere esse fim de mundo cercado de ursos. Quem vive tranquilamente com ursos polares a andar por aí?

O riso de minha mãe misturado a outro riso chega a mim antes mesmo de entrar na sala de jantar, as duas param de rir quando chego. Ainda consigo pegar o resto de um sorriso no rosto de Angelina e o ar de anjo fica ainda mais evidente quando sorri. Definitivamente ela já deve ter se dado conta disso e aposto que usa para conseguir o que quer, como agora, que mora nessa casa confortável com uma senhora rica e muito generosa.

O gato salta em uma cadeira, é outro esperto morador dessa casa, a vida da minha mãe gira em torno dele, não pode viajar por causa dele, o gato se enrola relaxando na cadeira, me ignora completamente e esse é um acordo antigo que temos, ele finge que não existo e eu o ignoro completamente, somos bons nisso.

— Finalmente! — Mamãe reclama. — Angelina cozinhou com muito capricho.

— Estive ocupado, mas é cedo ainda.

— Não para nós, às seis da tarde já estamos jantando.

— Seis da tarde ainda nem consegui sair do escritório, mãe — digo recebendo a garrafa de vinho de suas mãos.

— Abre querido. Angelina, é um jantar especial, vai tomar uma taça. Angelina não bebe — ela me conta como se isso tivesse alguma importância, eu ignoro a informação.

— Como estão as coisas, mãe? Tem conseguido produzir bastante?

— Muito. Nem imagina, George quer organizar uma exposição.

— Escute seu *marchand* — digo terminando de abrir a garrafa. — Sua taça. — Pego sua taça e encho, faço o mesmo com a de Angelina, que está muda até o momento.

— Obrigada! — ela responde em um fio de voz suave.

— Estou pensando em dar um pulo a Toronto — minha mãe conta. — Pensei em ir na sexta, acertar tudo com o George e voltar no domingo, vamos ter mais uma semana juntos. O que acha?

— Quer ir para Toronto quando venho visitá-la? Não entendo, porque não me disse e nós podíamos nos encontrar lá.

— Por isso não disse, queria que viesse, temos a semana toda juntos, viajo dois dias e volto para mais uma semana juntos.

— Isso não pode ser sério — resmungo antes de um gole de vinho, ela só pode querer me enlouquecer. O que espera que eu faça nesse fim de mundo sem ela? Se vim apenas para vê-la.

— Claro que é! — Ela pisca me servindo o prato. — Ainda gosta de Maple nas panquecas pela manhã?

— Mãe, você fala como se não me visse há anos. São só alguns meses, continuo com os mesmos hábitos.

— Faz treze meses que não vem me ver.

É meio chocante, porque não percebi que se passaram tantos meses, tão ocupado com o trabalho que não vi o tempo passar.

— Surpreso? — Ela sorri. — Culpado?

— Nem um pouco, mãe, poderia ter ido me ver — respondo sabendo que seria muito mais fácil para ela ir para Toronto do que me fazer vir para Churchill.

— Também trabalho — ela diz piscando em um tipo de vitória anunciada.

— É, eu sei. — A moça come ao nosso lado, silenciosa e distante, tantas coisas que quero conversar com minha mãe, mas não na frente de uma estranha que eu nem sei como chegou aqui ou por quê. Seria uma boa hora para descobrir mais sobre ela e seus planos, acontece que ela deve estar esperando justamente isso, vai estar armada com respostas prontas, vou deixar para outro momento.

— Como está seu pai?

— Bem, ele está empenhado em uma parceira nos Estados Unidos, mas você já sabe disso, esteve em todas as reuniões do conselho. Depois conversamos sobre isso.

— Angelina é minha assistente, Seth. Divido tudo com ela. — Isso me irrita tão profundamente que nem consigo explicar. Minha mãe não é assim inocente, ela sabe que lidamos com muito dinheiro, que temos muitos inimigos no mercado, gente capaz de contratar espionagem, mas ela simplesmente divide tudo com uma completa estranha.

— Tenho certeza que minha mãe deve ter dito em algum momento que as coisas ditas nos conselhos da empresa não devem ser replicadas em nenhum lugar — digo olhando diretamente para Angelina, primeiro ela se assusta, arregala os olhos e depois parece ficar nervosa e eu não sei se existe alguém assim, tão delicada.

— Ela... Ela não disse nada. — Angelina busca conforto nos olhos de minha mãe. — Mas não precisaria, porque eu... eu nunca diria nada do que escuto aqui, e mesmo que quisesse dizer, eu não... eu não tenho amigos.

— Pobrezinha! — Não consigo evitar o sarcasmo.

— O que está achando da comida? — Minha mãe pergunta para desviar o assunto. Ela já foi melhor que isso. Angelina volta seus olhos para o prato.

— Está ótima, mãe!

— E sua madrasta? — Olho para minha mãe completamente surpreso porque ela nunca diz madrasta.

— Francine está bem, eu acho. — Não é como se ela fosse minha amiga ou coisa do gênero, é a esposa do meu pai, nos falamos quando os visito, somos cordiais e acho que isso é tudo. — Eles estão chegando em Toronto, papai vai passar essas duas semanas por lá.

— Acho uma ótima ideia, assim você fica essas duas semanas bastante relaxado, principalmente se tudo der certo como seu pai quer.

— Falamos sobre isso depois do jantar — digo olhando diretamente para Angelina.

— Sua mãe contou que você será o próximo CEO da sua empresa, mas ela acha que você já é — a garota me explica, não sei se para provar que sou um idiota querendo proteger assuntos que minha mãe já abri para quem quiser ouvir ou se por ingenuidade, quem sabe ela queira puxar conversa, não acho que tenhamos muito assunto em comum e esse em especial, não é algo que eu vá discutir com ela.

Tomo mais um gole de vinho, sua taça está ainda intocada, mamãe já encheu a segunda taça de vinho, pelo visto ela está comemorando.

— Eu disse que está relutando — mamãe explica. Fecho meus olhos um instante, busco me tranquilizar.

— Muitas visitas de ursos polares? — Dessa vez sou eu a mudar o rumo da conversa e minha mãe gargalha, respeitei quando ela fez isso, porque ela não pode simplesmente fazer o mesmo?

— Faz tempo que não aparecem, mas Angie está cheia de medo de dar de cara com um. Se lembra de quando era pequeno e deu de cara com um urso polar na nossa garagem?

— Que o papai deixou aberta como sempre — reclamo tomando mais vinho. Nunca vou me esquecer daquele susto. Mamãe espera um instante na esperança que eu conte a Angelina essa história, mas obviamente eu não tenho intenção nenhuma e depois de revirar os olhos em uma condenação descarada, ela resolve contar.

— Seth tinha uns oito anos, viemos passar uns dias aqui, Stan queria uns dias de folga, era inverno, tinha neve alta e a garagem acabou ficando aberta, tínhamos saído um dia antes para ir ao mercado, nevou muito e não deu mais para fechar a garagem, Seth se lembrou de um brinquedo que tinha deixado no carro, saiu sem avisar e quando entrou na garagem, um urso polar estava lá.

— Que assustador. — Angelina parece realmente tensa com a história, normalmente as pessoas riem quando ela conta.

— O urso de um lado, Seth do outro. Eu tinha dito que ele não devia correr, então Seth entrou no carro, por sorte o carro estava destrancado. O bicho não ia embora e depois de mais ou menos uma hora, notamos sua ausência. Stan saiu para procurá-lo, quando ele viu o pai pelo vidro do carro deixando a casa, enfiou a mão na buzina, o urso correu e no fim ele ainda salvou o pai.

— Garotinhos são muito impulsivos, é preciso toda atenção. — Olho para Angelina e dá para notar que por alguma razão, essa história a atinge em algum lugar específico, ela realmente sente e eu não sei porque, mas isso mexe com ela, os olhos mudam, eu sempre presto atenção nos olhos das pessoas, no que eles dizem e os dela dizem algo e não parece ser algo muito bom, ao menos não para ela.

— Seth era terrível — mamãe continua. Não acredito que vamos para a seção memórias de infância. — Stan era muito permissivo.

O assunto se perde, ninguém aprofunda, acho que mamãe também nota que essa história atingiu Angelina e ela mesma decide deixar o tema morrer e por uns minutos, nos concentramos em comer.

— Tenho daquele presunto que você ama. — Ela parece se lembrar. Amanhã vamos fazer algo com ele.

— Pode ser. O que mais podemos fazer nesse lugar? — Angus fica de pé, se estica longamente. Angelina sorri para o gato que persuadido pelo olhar, salta para seu colo.

— Você é bem esperto, eu sei o que quer. — Ela conversa com o bichano exatamente como minha mãe faz. — Já vai ganhar seu jantar. Depois vai poder se aquecer na lareira. — Como que esquecida da nossa animosidade, ela me olha com olhos aquecidos. — Ele adora comer e dormir uma horinha na frente da lareira. — A voz se perde, o calor dos olhos desaparece, o leve sorriso se desfaz, quero deixar de olhar para ela, mas não pareço capaz, é Angelina a desviar seus olhos, afaga os pelos do gato e descanso os talheres colocando fim ao jantar.

— Acho que realmente estava muito bom — mamãe diz com um leve sorriso a brincar em seus lábios. — Que acha de mais uma taça de vinho na lareira?

— Acho que vai atiçar o fogo! — digo a ela afastando minha cadeira.

— Você entendeu. — Ela faz careta. — Vou ajudar a Angie e...

— De jeito nenhum, Sam! Cuido disso. — A garota reage imediatamente. — Depois vou me recolher.

— Certo, vou aceitar, mas só porque o meu filho acaba de chegar. Amanhã ajudo. — Minha mãe pega sua taça. — Vamos?

Eu a acompanho, escuto o barulho da louça sendo recolhida enquanto nos acomodamos na sala, ela no sofá, com as pernas encolhidas sobre o estofado e uma manta a lhe cobrir, eu na poltrona mais próximo do fogo, gosto de ficar aqui e ler até mais tarde.

— Filho? — O tom é de quem vai tentar me manipular e fico em alerta. — Angelina tem uma história difícil, ela...

— Mãe, as histórias da sua assistente não me interessam.

— É que isso vai ajudá-lo...

— O que acha do plano do meu pai de deixar a presidência? — Mudo de assunto deixando claro que não quero ouvir as lamúrias de sua assistente. Principalmente porque eu duvido que vá acreditar em alguma coisa.

— Pode fugir o quanto quiser, mas em algum momento, vamos falar sobre Angelina, ela tem sido meu apoio e companhia, são praticamente dois meses que ela vive aqui e me faz bem, estou mais feliz, inspirada. Angelina é atenciosa e gentil, muito prestativa e goste você ou não, ela vai ficar.

— Eu sei que vai, você sempre faz do seu jeito.

— E você do seu. Como seu pai costuma dizer. Você tem a minha teimosia. — Minha mãe sorri, os dois costumam jogar as responsabilidades sobre meus defeitos de um para o outro. Minha mãe tem olhos determinados, está claro que essa mulher operou milagres e minha mãe não está disposta a abrir mão dela, gostaria muito de confiar em seu julgamento, mas eu não posso. — Falamos da empresa outro dia. Que série anda assistindo?

— Nenhuma — digo para ver sua decepção.

— Estou acompanhando uma ótima. — Ela começa a contar sobre sua nova série favorita, acabamos em uma discussão sobre política e gosto de ver suas defesas apaixonadas, tudo que Samantha faz é com muita paixão, jamais vou entender porque diabos ela se separou do meu pai.

Angelina passa pelo corredor, ela é mesmo muito bonita. Odeio estar curioso sobre ela.

CAPÍTULO 7

Angelina

O dia amanhece cinza como todos os outros, antes mesmo de abrir os olhos é de Seth meus pensamentos, ele é bonito demais, misterioso e gelado como Churchill, eu não levei muito a sério quando ela me disse, fiquei curiosa sobre o quadro que ela pintou inspirada em Seth, mas achei que fosse um tipo de brincadeira, não é. Seth Arnett é uma geleira.

Foi o jantar mais constrangedor da minha vida, mesmo depois de anos na casa dos Dobsons, sendo tratada como quase uma estranha, eu não me sentia assim tão vazia e desnuda.

Ele parece buscar minha alma, a cada olhar meu corpo congela e depois aquece, é muito confuso me sentir atraída e ao mesmo tempo assustada.

Afasto as cobertas e Angus mia ao pé da cama. O gato parece ter se afeiçoado a mim de um modo que eu nem consigo explicar. Vive me perseguindo pela casa, gosta de dormir em meu quarto e me acorda se durmo um pouco mais pela manhã.

— Com fome, Angus? — pergunto deixando a cama e indo direto para o banho. São quase oito da manhã quando chego à cozinha, normalmente Sam não deixa o quarto antes de dez da manhã, de certo o filho em férias deve fazer o mesmo.

Preparo o café da manhã e quando estou montando a mesa dou de cara com Seth me assistindo sem nem mesmo um bom dia.

— Bom dia, eu não imaginei que levantasse tão cedo, estou colocando a mesa do café, cinco minutos e...

— Já tomei café, estou voltando de uma caminhada — ele diz para minha surpresa. Quem sai para uma caminhada às seis da manhã no outono de Churchill? Está menos dois graus lá fora e deve ter esquentado um pouco.

— Panquecas! — digo meio sem saber como falar com ele, seu juntar de sobrancelhas demonstra sua confusão, ele acaba de me avisar que já tomou café e eu só consigo balbuciar *"panquecas"*. — Eu fiz panquecas! — repito porque sou uma idiota.

— Parabéns! — ele diz girando nos calcanhares e deixando a sala de jantar.

Decido me manter distante, está claro que ele não me tolera e talvez eu entenda, estou de intrusa na casa dele, com sua mãe e ela foi bastante inconsequente em me trazer para dentro de sua casa. Eu não acho que faria o mesmo. Medrosa como sou, jamais correria esse risco, principalmente com a minha total incapacidade de reconhecer o caráter das pessoas.

Como uma panqueca em pé na cozinha, com Angus me encarando na inútil tentativa de ganhar um pedacinho.

— Não me olhe assim, sabe que eu não posso te dar isso, você tem a sua comida e já comeu, quer ter problemas com sua mãe?

— Irmão de um gato! — Seth entra na cozinha trazendo duas taças vazias de vinho. — Não me faltava mesmo mais nada. — Ele coloca as taças dentro da pia.

— Eu estou indo arrumar a sala, não precisava....

— Quem é você? — Ele me corta, a pergunta me pega desprevenida, o que era seu plano, está bem claro, os olhos vazios me encaram firmes e sem emoção. Uma sobrancelha erguida me desafia, os braços se cruzam no peito a espera de minha resposta, sua postura deixa claro que ele não está disposto a me ouvir, não importa o que eu diga, ele não vai aceitar, ele não quer a verdade, quer confirmar suas opiniões e eu sei que elas são as piores possíveis.

— Angelina Page, assistente da sua mãe — respondo recebendo um sorriso cheio de cinismo e beleza, diabolicamente bonito. Ele sabe disso, ele usa até mesmo isso.

— Quem é você, Angelina? O que veio buscar aqui?

— Trabalho, paz, esperança. Encontrei! — O riso agora é real e se espalha mudando a expressão do seu rosto, ainda é uma pedra de gelo, mas agora cheia de sarcasmo.

— Veio ao fim do mundo, uma vila com mil habitantes em busca de trabalho? Parece meio estúpido.

— Eu tenho um trabalho, não foi tão estúpido assim — digo sem querer desafiá-lo, mas precisando me defender.

— Minha mãe é uma ótima pessoa, mas é totalmente inocente, ela acredita na humanidade.

— Deve ser a coisa que mais admiro nela.

— É a coisa que mais me preocupa nela — ele rebate. — Parece que ela está sozinha aqui, que não tem quem olhe por ela e que você está livre para agir, mas não está.

— Nunca quis fazer mal a ela, a ninguém, sua mãe foi generosa comigo, tem dois meses que estou aqui, se quisesse fazer algo, já teria feito.

— Não sei, eu não sei quais os seus planos, quem sabe quer tentar roubar e...

— Eu nunca fiquei com nada que não me pertencia, não pode me acusar de algo assim, se quer que eu vá embora, não tem problema, eu arrumo minhas coisas e vou agora mesmo, mas eu não sou nada disso que está pensando.

— Não estou pensando nada — ele diz sem qualquer alteração enquanto eu estou morrendo por dentro. — Não pode me deixar como vilão só porque me preocupo com minha mãe.

— Acho que não se importa muito com isso. — Os olhos dele são puro fel. — Não! — Eu quase grito. — Não, eu não disse que não se importa com sua mãe, eu disse que não se importa em ser vilão, eu nem devia ter aberto minha boca.

— Gosto de pessoas que dizem o que pensam, e está certa, eu não ligo de ser o vilão, mas nesse caso, não é isso que importa, quero garantir que quando partir, minha mãe estará em segurança.

— Que filho preocupado! — Samantha diz entrando na cozinha. Ela beija o rosto de Seth, precisa ficar nas pontas dos pés porque ele não faz muito esforço para ser beijado, ainda está em posição de ataque. — Gosto de vê-los assim, conversando — ela diz tocando meu braço quando passa por mim e vai direto para o armário pegar uma xícara. — Sabia que meu filho iria encher você de recomendações sobre cuidar de mim — Samantha diz muito longe da verdade. — Não lhe dê ouvidos, sou capaz de me cuidar.

Ela pisca passando por nós e indo para sala de jantar, ele ainda me olha um longo momento, mas não parece disposto a desfazer o mal entendido e segue a mãe, eu faço o mesmo, mas apenas porque quero saber se ela precisa de alguma coisa.

— Precisa de algo? Quer que aqueça...

— Quero que os dois se sentem aqui comigo. — Samantha me interrompe. — Adorei saber que estão interagindo. Vai cuidar bem do meu filho esse fim de semana, não é mesmo, Angie?

— Eu... eu... — Que situação mais constrangedora, não quero me sentar, não quero responder, eu só quero sumir. — Vou fazer o melhor que posso para atendê-lo.

— Ouviu, Seth? Seja gentil e menos exigente — Samantha continua alheia ao pequeno embate.

— Eu vou terminar a limpeza e deixá-los aqui — digo me afastando.

— Ela é muito eficiente. — Ainda escuto Samantha dizer quando deixo a sala de jantar quase correndo.

Pego produtos de limpeza, panos e sigo para o andar de cima, vou direto para o atelier, depois que Samantha entra não consigo mais arrumar nada.

Eu nunca conheci nenhum outro artista pessoalmente, mas se todos forem bagunceiros igual a ela deve ser um caos reuni-los. Ela deixa tudo fora do lugar, junta copos por todo canto, livros e fotografias espalhadas, documentos misturados a tinta e levo meia hora organizando para que ela consiga continuar seu trabalho quando subir, abro bem as cortinas, tem uma luz linda sobre a tela no cavalete, a obra começa a ganhar vida e passo uns instantes encantada com a cor que ela está usando, é tanta vida e amor em seu trabalho.

Deixo sua sala e decido arrumar o quarto dele, é meu trabalho, quando somos apenas eu e Samantha, nem parece trabalho, somos amigas, gosto de estar aqui, cuidar de seus documentos, cozinhar e trazer um chá para ela no meio do dia, um chocolate quente, conversar, arrumar suas bagunças é praticamente uma forma de agradecer a vida que ela está me proporcionando, mas com seu filho aqui eu me sinto pela primeira vez como uma empregada da casa.

Não tem nenhuma vergonha nisso, demorei a entender que sempre foi esse meu trabalho e começou cedo, com quinze eu já era uma babá e empregada doméstica, não que tenha sido esse o acordo, mas foi como tudo se deu.

O quarto dele é impecável. Assim que entro fico chocada, achei que ao menos a cama estaria desfeita, mas não tem absolutamente nada fora do lugar.

O quarto está exatamente como deixei antes dele chegar. Cama forrada, roupas no armário, a pasta e a mala no *closet*, toalhas penduradas, a bancada com seus produtos de higiene no lugar.

— Não estava acostumado com alguém fazendo esse trabalho por aqui — ele diz surgindo atrás de mim. Ele vai sempre fazer essas entradas marcadas? É angustiante, eu fico tensa, sem direção, confusa e agindo feito uma idiota. — Minha mãe sempre viveu aqui sozinha e quando estou aqui cuido das minhas coisas.

— Entendi. Se for um problema eu não entro mais, eu não quis invadir, não mexi em nada, eu...

— Não trouxe nada misterioso, não vai encontrar segredos industriais ou coisa do tipo, pode frequentar o quarto quando quiser.

Que frase mal colocada, meu rosto queima, ele percebe e ri do meu constrangimento. Claro que ele não disse o que acho que disse, e claro que está estampado no meu rosto o que eu pensei. Quero abrir um buraco e me enfiar,

Feito uma pateta, eu começo a recolher meus materiais, espanador, panos, produtos de limpeza, eles vão caindo e eu vou juntando e finalmente consigo recolher tudo.

— Com licença, eu vou continuar.

Passo por ele ainda ouvindo o seu riso, eu espero não voltar a vê-lo ao menos hoje.

Não é o que acontece, quando termino toda a arrumação, vou guardar os papéis que ela deixou espalhados, são balanços de suas aplicações, papéis da empresa, documentos da casa e contas.

Samantha não é organizada e cada vez que precisa mexer nisso deixa tudo bagunçado.

Uma leve batida na porta aberta me faz erguer os olhos. Seth vai me perseguir, é isso, o plano dele é tão simples e tão rápido de ser executado, ele vai me perseguir e constranger até que eu peça para ir embora o que deve acontecer antes do fim do dia.

— Posso? — ele pergunta e noto qualquer coisa de diferente em seus olhos. Não é calor ou carinho, mas talvez algum tipo de paz. Eu não estou vendo tudo isso em seus olhos, eu estou é sonhando com isso e fico imaginando coisas. — Ela não tem o menor talento para organização — ele diz folheando os papéis que estou tentando organizar. — É estranho que ainda faça parte do conselho e mais ainda que seja sempre a pessoa mais sensata e com as melhores ideias.

— Samantha é muito inteligente e sensível. Uma grande artista.

— Eu sei — ele diz balançando a cabeça enquanto continua a folhear os papéis. — Tem acesso a tudo isso? Temo perguntar se ela já te deu as senhas dos bancos.

— Não, ela não fez isso — aviso para tranquilizá-lo. — Só arquivo ou aviso a Vivianne sobre contas e cartões que ela usa.

— Você fala com a Vivianne? — Ele parece surpreso, talvez esteja descobrindo que não tem controle sobre tudo e para alguém como ele, isso deve ser péssimo.

— Sim, ela é quem cuida de tudo. Faz a ponte entre sua mãe e a contabilidade.

— Entendi. Me pergunto quantos espiões minha mãe tem espalhados em torno da minha vida. — Ele parece falar mais para si mesmo e decido não responder. — Enquanto eu estiver aqui cuido disso. Acho que será bom organizar tudo, ela nem deve saber quanto dinheiro tem. Vendeu dois quadros por uma pequena fortuna, aposto que estão na conta bancária criando teias de aranha.

— Investidos — digo porque sei e ajudei Samantha a cuidar disso, de algum modo ele vai saber, então que saiba por mim.

— Deixe-me adivinhar, ela te contou tudo sobre como investiu?

— Não — respondo com honestidade. — Ela deixou na conta e eu conversei com o gerente do banco e com o chefe do departamento financeiro da empresa e ele me indicou o investimento certo, então falei de novo com o gerente e ele investiu para a sua mãe, claro que ela aprovou.

— Quanto foi a sua porcentagem?

— Nenhum centavo! — Ergo meu queixo, ofendida. Ele pode não ser nenhum príncipe, mas não pode ficar me acusando de ladra assim.

— Então você não é uma golpista, só é pouco inteligente. — Acho que é melhor ser burra que golpista. Fico na dúvida. — Todo mundo que faz esse tipo de transação recebe por isso, não é errado, aliás, é uma profissão.

— Não a minha, só fiz o que a sua mãe pediu. Vou deixar você trabalhar e vou cuidar do serviço doméstico. — Isso deve deixá-lo feliz. Quando tento passar ele segura meu braço e é assustador como um arrepio percorre todo meu corpo, é quase como levar um choque, não sei se acontece com ele, mas pela rapidez com que me solta, parece ter levado a mesma descarga elétrica.

— Ela gosta de você, Angelina — ele diz olhando fixamente para os meus olhos. — Não magoe minha mãe.

— Eu não me lembro de ter conhecido alguém igual a ela, nunca encontrei na vida alguém que simplesmente quisesse me ajudar, nunca me senti tão bem acolhida e respeitada. — Um nó se forma em minha garganta, não quero chorar na frente da insensibilidade dele, não quero ser acusada de jogar com emoções, mas é difícil não pensar em tudo que vivi e em como Samantha me salvou. Engulo o choro. — Sua mãe me salvou, sou grata e sempre vou ser. Com licença senhor Arnett.

— Meu pai é o senhor Arnett, eu sou apenas Seth. — Ele usa um tom definitivo e balanço a cabeça em um sim mudo antes de deixar a sala.

Não o vejo mais pelo resto do dia, passo pela sala íntima e sei que ele está lá com um livro diante da lareira.

Penso em levar chá para ele quando no meio da tarde faço uma xícara para Samantha, mas eu não sei se ele quer ser interrompido, então apenas preparo a bandeja e subo para o atelier.

— Sam, eu trouxe um chá.

— Eu entrei na taverna aquele dia em busca de um presunto e acabei trazendo um anjo para casa — ela me diz sorrindo, deixa o pincel e aceita a xícara, leva um biscoito a boca e se senta no banco alto encarando seu trabalho enquanto mastiga e toma um gole do chá, tem uma marca de tinta em sua bochecha e umas gotinhas nos cabelos presos em um quase coque.

— Está ficando lindo! — digo encarando seu trabalho. — Tem mais cor nesse do que tinha em todos os outros.

— Porque agora tem mais cor em minha vida — ela conta desviando os olhos do trabalho para olhar para mim. — Você está aqui e o Seth também. Quando chegou, eu não precisava de uma assistente, mas agora eu sei que não podia ter ficado todos esses anos aqui sozinha. Obrigada por estar comigo, Angelina!

— É bom ouvir isso, especialmente hoje.

— Eu disse que ele era uma pedra de gelo — ela se explica. — Não sei bem como aconteceu, mas talvez quando ele começou a trabalhar, ou antes, na faculdade, querendo ser o pai.

— Está tudo bem — minto, não está nada bem, me machuca tudo que ele me acusa, não sei se sou sensível demais, se passei coisas demais ou se é apenas por ser ele e me sentir atraída quando nem devia e tudo se mistura dentro de mim.

— Ele vai confiar em você, eu imaginei que criaria problemas ao chegar, mas basta alguma astúcia e ele vai reconhecer em seus olhos como é doce e honesta.

— Obrigada! — digo emocionada, desde que Seth chegou eu guardo uma crise de choro e Samantha não está ajudando dizendo coisas lindas, já sinto as lágrimas encherem meus olhos.

— Sente muita falta do seu garotinho, não é?

— Não posso mais falar dele, Sam, eu me sinto morrendo toda vez que penso nele.

— Não vamos falar — ela diz tomando mais um gole do chá. — Gosta daqui?

— Muito!

— Se um dia eu partir, você vai comigo?

— Se me convidar! — Tento sorrir, ela toma mais chá.

— Temo de deixar meu filho tão longe esteja destruindo ainda mais sua vida. O pai gosta de como ele é, da máquina que ele se tornou, ele pede que venha me ver, mas no fundo, só faz o que acha certo diante da sociedade, mas não é o que quer, ele quer a máquina, quer o sucesso e a determinação de Seth.

— Entendo. — Não, eu não entendo muito, não entendo nada dessa família, não sei se eles se amam, não sei se eles se odeiam.

— Stan é um bom pai, mas está apaixonado e isso está nublando sua visão, ele só quer mais tempo para si e o Seth precisa assumir as empresas para isso, Stan quer que eu o convença que está pronto.

— E quer fazer isso?

— Ele está pronto — ela diz deixando a xícara sobre a bandeja. — Seria bom que ele parasse de perseguir a perfeição e assumisse logo a presidência, assim ele começaria a ser, ao invés de ficar se preparando eternamente, quem sabe assim ele se encontra.

— Nesse caso vai aconselhá-lo a aceitar.

— Talvez, quero ver como as coisas aqui... Eu estou pensando, tenho meus planos. — Ela pisca me deixando confusa com os tais planos, temo perguntar e apenas suspiro.

— Estive pensando... Ele não gosta de mim, talvez eu possa ficar mais distante esses dias, não preciso ficar à mesa nas refeições e...

— Não admitiria isso, Angie. — Ela me corta. — Nem quero ouvir sobre isso.

— Sim, senhora! — Ela se volta um tanto surpresa.

— Seth fez você regredir.

Sim, ele fez isso, eu não sei direito quem eu sou, estou com medo dele, do que sinto por ele, de como ele mexe comigo e não devia, porque nem mesmo merece, eu não sei mais onde é meu lugar, estou angustiada e cheia de saudade do Cory, porque assistir mãe e filho me faz lembrar do garotinho que me tiraram e eu nem mesmo sei como está.

Dou de ombros sem conseguir conter a vontade de chorar, Samantha vem até mim e me abraça, ela é essa pessoa carinhosa e atenta, sinto o carinho de suas mãos em meus cabelos e apenas choro.

— Acho que pode tirar o resto do dia para você, colocar os pés para cima e ler um livro no seu quarto, me deu uma louca vontade de cozinhar e vou descer e preparar o jantar, amanhã a vida recomeça, o que acha?

— Obrigada! — digo a ela tentando conter meu choro, ela me afasta, seca meus olhos.

— Respira fundo. — Faço o que me pede. — Você é tão linda, sabe disso? — Nego e ela ri. — Pois você é? — Samantha traz meu rosto até seus lábios e beija minha testa. — Vá descansar, até amanhã, senhorita Page.

Sorrio secando as lágrimas, deixo seu ateliê sem conseguir falar, corro para meu quarto feliz por ter um tempo só para mim.

Eu os escuto jantando juntos, escuto o barulho nas escadas e o silêncio que se faz na casa, então desço para tomar um copo de leite morno e comer uns biscoitos, umas horas sozinha me fez algum bem, é como ter colocado tudo no seu devido lugar. Estou me sentindo mais forte e menos assustada, até acho que vai tudo por terra assim que cruzar com ele de novo, mas precisava de um pouco de solidão.

Pela manhã, deixo a cama muito mais cedo, estou na cozinha quando ele surge bem agasalhado.

— Melhorou da enxaqueca? — Parece que Samantha andou mentindo e eu a amo ainda mais por isso.

— Sim, obrigada! — Ele vai até a janela e encara a manhã fria.

— Menos cinco, até que não está tão ruim. Acho que será um inverno dos bons. — Cada um com seus gostos. Eu diria um inverno dos ruins. — Quer dar um passeio? Vamos, coloque casacos e luvas.

O que deu nesse homem? Não basta me atormentar e duvidar de tudo que digo, agora ele quer me matar congelada também?

— Aposto que nunca saiu por aí, não quer dar uma volta na praia? — Os ursos polares dão voltas na praia, eu só fujo deles.

— Agora?

— Não. Quando colocar um casaco e botas, luvas também. — Está tudo ao lado da porta da cozinha, meu casaco, com as luvas nos bolsos e as botas atrás da porta, junto com as coisas de Samantha, faço a tolice de olhar na direção das minhas coisas, ele acompanha meus olhos. — Ótimo, tudo aqui. Vamos! — Seco as mãos, a água da pia estava tão quentinha. Não tenho essa tolerância que ele espera que eu tenha, só porque sou tão canadense quanto ele não quer dizer que suporto frio como ele. Eu não sou conhecida como olhos de aço, não me chamam por aí de geleira.

Seth me estende o casaco e eu aceito, como se não bastasse o frio, ainda tem a sua companhia, nem nos damos bem, ele só pode mesmo ter um plano. Visto o casaco e as luvas, e enfio os pés dentro das botas pesadas e quentes, estou pronta para congelar ou ser devorada por um urso polar.

Ele abre a porta e o vento frio invade a cozinha, meu coração sobressalta quando sua mão enluvada toca meu braço em um convite, coloco o capuz do casaco cobrindo a cabeça e protegendo as orelhas e saio na frente.

— O ruim do urso polar é que ele se confunde com a neve e quando você vê... — Ele não termina a frase e engulo em seco, evito seus olhos, eles nunca dizem nada mesmo. São olhos de aço frios como o gelo que nos cerca.

CAPÍTULO 8

Seth

O frio nos acerta no instante em que cruzamos a porta, posso ver o medo estampado nos olhos escuros, claro que jamais colocaria ela ou qualquer pessoa em risco real, mas o medo sempre é mais revelador que qualquer outra coisa.

No medo as pessoas se mostram como são realmente. Um passeio próximo da casa em plena rota de urso polar parece ser interessante para arrancar dela alguma verdade.

Gibson é um traidor, está claro que confiei na pessoa errada para cuidar da minha mãe, se ele estivesse mesmo de olho nela, teria me avisado que ela abrigou uma estranha no instante em que minha mãe saiu da taverna com Angelina. Eu devia parar de enviar aquela droga de presunto milionário para ele vender para ela pela metade do preço que vale.

— Acho tão estranho nunca trancar a porta — ela diz olhando para a porta da cozinha quando nos afastamos.

— Estranho é cruzar com um urso polar e não ter como se abrigar por conta de uma porta trancada — explico para os olhos mais assustados que já vi.

— Então é por isso que ninguém tranca portas em Churchill?

— Sim. Estamos em outubro, é a época em que turistas enchem a cidade em busca de assistir os ursos. — Seguimos pisando com dificuldade no gelo misturado à neve. Meus olhos correm a região em busca de algum possível visitante indesejado, estar próximo da baía os atrai em busca de alimentação. — Gibson frequenta a casa?

— O moço da taverna? — Ela me pergunta um tanto surpresa, as mãos enfiadas dentro do casaco e as costas curvadas para evitar o vento.

— Sim. Ele vem ver minha mãe?

— Acha que eles têm alguma coisa? Quer que eu... entregue sua mãe? — Eu nunca tinha pensado na minha mãe com alguém, mas a ideia não é impossível.

— Eles têm um relacionamento? — Devolvo em uma pergunta carregada de surpresa.

— Não! Eu... eu não diria de qualquer modo, isso seria entre vocês, tem certeza que não tem nenhum urso por aqui?

— Tenho. Ele frequenta ou não?

— Não. Nós fomos lá umas três vezes nesse tempo que estou aqui e ele veio... Bem, ele nunca veio, vem o Sammy fazer entrega e só.

— Quem é Sammy?

— O entregador! — ela responde dando de ombros. Talvez ele seja o informante, seria um bom plano para não levantar suspeitas, minha mãe me arrancaria a alma pelas narinas se soubesse que fico bisbilhotando sua vida. Devi arrancar a alma do meu pai, a ideia foi dele. — Ursos polares são muito rápidos? Acha que corremos mais que eles?

— Não sei, mas não preciso correr mais do que eles, só preciso correr mais do que você — provoco para ver sua expressão em um misto de medo e raiva.

— Essa piada é bem ruim. — Eu sei disso e evito seus olhos encarando a imensidão branca. — A ideia de estarmos aqui fora é ainda pior.

Uma [2]Tundra passa por nós repleta de turistas, é o tempo em que as pessoas de Churchill mais esperam, a temporada de ursos movimenta a economia da região.

— A Tundra acaba de passar seguindo para o Norte, o guia com toda certeza sabe que está tudo bem, passou rápido, se tivessem ursos aqui passaria lentamente para eles observarem.

— É disso que eu estou falando — ela diz diminuindo o passo e encarando o carro que se afasta. — Desenvolveram um veículo próprio para andar sobre o gelo e apreciar os ursos, é nele que devíamos estar.

— Tolice, não vamos nos meter no meio dos ursos, só estamos dando uma volta em torno da casa.

— Isso é um teste? — ela me pergunta.

— Um passeio. — É metade da verdade, ela está mais certa do que errada. — Gosta tanto de tudo aqui, escolheu a cidade, vive com minha mãe, como é que fez essa escolha se tem tanto medo de sair aqui fora?

— Não tinha detalhes quando vim, não esperava que fosse tão afastado, que tivesse mesmo ursos caminhando por entre as casas, não sabia que era tão frio. Eu não tinha ideia.

— Que pena. Então se caiu no lugar errado, por que ficou?

— Não importa o que eu diga — ela responde com os olhos em torno dela sem relaxar um só instante. — Você tem a sua verdade.

— Em geral eu sou bom em ler pessoas.

— Em geral eu sou péssima! — Angelina se volta para me olhar de frente. — Não quero fazer mal a ninguém, fiquei porque não tinha escolha, eu não tinha um centavo no bolso, eu não tinha casa ou família, sua mãe me estendeu a mão e aceitei, é isso. Apenas isso, pode me odiar, pode me mandar embora, pode fazer o que quiser, mas não vai encontrar outra versão, essa é a única verdade e eu vou voltar para casa porque estou com medo de ser devorada por um urso e corro muito menos que você!

---

[2]Picape topo de linha da marca japonesa **Toyota**.

Antes que eu perceba seus planos, Angelina corre para o lado oposto, não é nada inteligente correr assim, muito menos aqui e na direção contrária a casa. Ursos polares fazem buracos no gelo para se esconderem a espera da presa e ela está correndo bem para onde o gelo está mais alto.

— Angelina, não! — É estúpido demais correr assim. Só tem uma coisa a fazer, correr atrás dela e tentar tirá-la do perigo. Enquanto a persigo, corro os olhos pela planície gelada, um urso adulto corre uns cem metros de nós, somos sua presa e ele está decidido a tentar a sorte, não correríamos esse risco se ela não tivesse desembestado a correr, naturalmente o urso entendeu a mensagem e está focado. — Angelina!

— Me deixa! — ela grita me fazendo apertar a corrida enquanto ela patina em uma parte mais lisa do terreno. Uma cabana de segurança criada pelos guias não está tão longe, ela fica na direção da nossa casa, é só resgatar Angelina e correr uns três metros, o urso se aproxima, mas não a ponto de ser um risco.

Eu passo meu braço por sua cintura e a puxo para longe do terreno escorregadio, não dá tempo para conversa, ainda que os olhos apavorados me implorem ajuda e respostas, prendo minha mão a dela e corro em direção ao abrigo.

— Entra! — Eu a empurro para dentro e fecho a porta, ela está sem ar e o rosto vermelho denuncia o esforço da corrida. — Um urso! — conto a ela que parece surpresa.

— Disse que eles estavam ao Norte.

— Somos o Norte! — Dou de ombros. — Correu, não devia correr, ele nem nos notaria, estava seguindo o caminho dele longe, mas você saiu correndo, ele entendeu o recado.

— Que lugar é esse?

— Só uma cabana de segurança, madeira e janelas, dá para observá-los e se proteger um pouco em emergências — explico quando ela olha em torno sem encontrar nada além de uma mesa e duas cadeiras, está frio aqui, mas o bicho não deve demorar a se afastar assim que perceber que não estamos mais disponíveis.

Ainda tremendo de susto, ela se aproxima da janela passa a mão com a luva na vidraça em busca de enxergar qualquer coisa.

— Está apenas querendo me assustar? Não tem urso nenhum por aqui. — Assim que termina a frase, ele se ergue diante da janela. O grito dela apenas o atiça, Angelina salta para meus braços em um ataque de medo que posso compreender perfeitamente, são dois metros e meio e oitocentos quilos.

— Shiu! — digo envolvendo seu corpo. — Silêncio, ele vai nos esquecer se parar de gritar.

Ela leva um instante para se dar conta que está agarrada a gola do meu casaco e escondida quase dentro da minha blusa, se afasta ainda mais corada.

— Desculpe — ela sussurra e meneio a cabeça, não é nada demais. Me aproximo da janela para observá-lo, escuto as patas pesadas a passear em torno da cabana, eles são antes de tudo muito curiosos, famintos e curiosos.

Vai levar um tempo até que desista de explorar a região. Meu celular está comigo, posso ligar para virem resgatá-lo, é como eles fazem com ursos que saem muito da rota e se aproximam da cidade, mas nesse caso, ele não está fora da rota, nós é que estamos em seu caminho.

— Eles ficam próximos do mar porque se alimentam aqui. Quando o mar congela voltam para o ártico. É a época de eles andarem por essas bandas, outubro e novembro. Se o mar não congelar, como têm acontecido mais vezes do que deveria por conta do aquecimento global, então eles ficam.

Ela se aproxima de mim, ficamos olhando enquanto ele rola no gelo distraído.

— Ele está brincando? — ela me pergunta curiosa.

— Se refrescando. Acredite, ele está com calor. Pelos grossos, muita gordura. Criatura magnífica — digo sempre impressionado. — O maior carnívoro da terra. Grandes nadadores.

— Ele é lindo e assustador — Angelina diz hipnotizada pelo animal uns metros de nós. — Não tinha visto nenhum desde que cheguei.

— Animais solitários, vagam por aí sozinhos, quilômetros e quilômetros de território.

— Nunca pensei muito sobre eles, são lindos. Perdidos por aí se confundindo com o gelo. Por isso andam sozinhos?

— Talvez, é a natureza deles, mas no período de gestação da fêmea, o macho a acompanha o tempo todo.

— Da para entender porque vem gente do mundo todo para vê-los — ela diz encantada e agora menos assustada.

— O que não dá para aceitar é que eles estejam em perigo de extinção.

— Destruímos tudo que nos cerca — ela comenta com tristeza nos olhos e também na voz.

Ficamos em silêncio, ela perdida de encantamento pelo grande urso que parece muito confortável a nossa espera. Repouso meus olhos sobre ela, queria deixá-la com medo, era esse o plano, pensei que desse modo, ela se revelaria e foi o que aconteceu, não tem nenhuma trama diabólica, não tem planos de se apoderar de nada.

Angelina é apenas uma mulher solitária, que está fazendo muito bem a minha mãe, mais do que eu ou qualquer outra pessoa faria.

Não é fácil de admitir, mas eu me enganei sobre ela. Não me sinto culpado, é assim que o mundo é, tem pessoas más, tem sempre alguém querendo te derrubar, tomar o que é seu, destruir e invejar. Ou você percebe a tempo, ou acaba muito mal. Desconfiar de alguém não é pecado, fiz o que tinha que fazer, busquei a verdade e é isso. A verdade é que ela precisa de apoio e minha mãe é o tipo de pessoa que faz isso.

— Acha que ele ainda vai demorar?

— Parece que ele está disposto a esperar. Só nos resta vencê-lo pelo cansaço.

— Você os admira — ela diz encontrando meus olhos, fico meio surpreso com a observação. — Pensei que odiava animais. — Parece que não fui o único a tirar conclusões, mas claro que vou ser o único a ser criticado por isso. — Está sempre ignorando Angus.

— O gato é diferente, é uma disputa territorial. — Ela acha graça, mas não é engraçado, é mesmo assim que vivemos, disputando terreno, o gato tem uns dez pontos de vantagem é claro.

— Entendi. Cory amaria assistir a esse urso.

Os olhos dela se perdem de novo no urso, eu me afasto um pouco da janela para olhar pela outra janela, tem uma porta que se abre em direção a casa, se esfriar demais ou o urso demorar muito, posso correr até a garagem e voltar de carro para buscar Angelina.

— Cory é o garotinho que eu cuidei por alguns anos. — Ela decide me contar, acho que não esperava que ela estivesse falando de uma criança, olho para ela esperando que continue, ela parece disposta a falar dele. Angelina fica muda a me olhar, precisa de um incentivo.

— Deixou o emprego? — Ela balança a cabeça, afirmando.

— Fui demitida, cuidei dele desde que nasceu. — Dá para ver que isso machuca, ela está mesmo infeliz. A vida é cheia dessas coisas.

— Por que te demitiram?

— Ele cresceu. Não precisa mais de mim. — Ela volta a observar o urso.

Tento fazer uns cálculos mentais, uma criança que ela criou desde o nascimento e não precisa mais dela, com quantos anos ela começou a trabalhar?

— Parece que começou cedo.

— Aos quinze — ela conta e realmente não é idade para alguém trabalhar cuidando de um bebê. — Ele está indo embora. — Eu me aproximo, o urso corre para longe, vai se misturando a paisagem, sumindo até que tudo que reste seja o branco infinito. — Tudo tão vazio, silencioso e morto — ela diz quase triste.

— Um olhar limitado — digo admirando o branco quase imaculado que nos cerca. — Tem muita vida nesse infinito gelado. — Ela me olha interessada, tem um rosto tão delicado e olhos bonitos. — Acho que podemos ir.

Eu me afasto dela, caminho para a porta e destranco, ela ainda parece indecisa.

— Não me esqueci que você só precisa correr mais do que eu.

— Foi isso que fiz quando o urso te perseguia? — Ela balança a cabeça em negação.

— Ele iria me devorar e eu nem saberia de onde ele veio — Angelina admite. — Desculpe, eu nem agradeci. Obrigada, Seth!

— Vem. Foi uma ideia ruim trazer você para uma incursão ao quintal de casa.

Ela fica levemente constrangida e caminhamos de volta a casa, passos lentos por conta do terreno ruim, silenciosos a princípio.

— Samantha ainda nem acordou e eu já fugi de um urso polar.

— Que nem teria te notado se não tivesse corrido. — Eu lembro talvez para não ter de lidar com a culpa por ter provocado essa situação perigosa. — Já assistiu a aurora boreal?

— Não. — Olho para ela e posso ver os olhos brilharem em um tipo de cintilar. — Dizem que é um dos melhores lugares do mundo para ver a aurora boreal.

— O melhor — respondo me lembrando dos belos espetáculos que assisti aqui desde a infância.

A casa está silenciosa quando entramos, Angelina se apressa em tirar as botas e as luvas, pendura seu casaco e esfrega as mãos buscando se aquecer, eu não tenho tanta pressa.

— Bom dia! — Mamãe surge na sala assim que tiro meu casaco. — Estava na rua? Seth eu nunca vi ninguém tão bem disposto pela manhã.

— Uma xícara de chocolate quente? — Angelina pergunta já ligando o fogão.

— Aceito.

— Eu também aceito. Angelina, você estava lá fora? — Mamãe pergunta percebendo o rosto corado pelo frio.

— Sim, eu fui... dar uma volta com o Seth. — Os olhos da minha mãe recaem sobre mim inquisidores.

— Dois meses aqui e nunca saiu, achei que ela gostaria.

— Saímos várias vezes, Seth — mamãe rebate.

— Foi bom, vimos um urso polar, ele também nos viu — Angelina conta a mamãe enquanto aproveito para uma saída estratégica, me acomodo na sala com meu livro enquanto eu a escuto contar sobre o urso e a correria. Pelo riso de minha mãe, ela parece gostar da aventura mais do que deveria.

Não demora e minha mãe entra na sala com minha xícara e a sua, se acomoda no sofá perto de mim e penso se Angelina vai se juntar a nós.

— Angelina foi fazer seu trabalho — minha mãe me conta como se lesse meus pensamentos. — Cuidado.

— Com o quê?

— Tentei contar a história dela, não quis me dar ouvidos. Tem sua própria versão, tudo bem, mas ela é alguém frágil e está em um momento complicado.

— Já sei que ela é uma boa pessoa e não desconfio de suas intenções, podemos mudar de pauta. Está sempre me acusando de alguma coisa.

— Não estou fazendo isso, é só que vou passar dois dias fora e eu espero que não seja um carrasco com ela, as pessoas duvidam, mas acho que tem um coração aí nesse peito, até no congelante ártico existe vida sob as camadas de gelo, deve ter qualquer coisa aí dentro — ela diz em um sorriso de mãe que pode dizer qualquer coisa.

— Há controvérsias.

— Angelina faz o melhor chocolate quente de Churchill.

— Não é como se ela tivesse tanta concorrência.

— Talvez. — Ela suspira. — Veio me ver?

— O quê? — pergunto não entendendo sua pergunta.

— Veio apenas visitar sua mãe ou quer me dizer algo?

— Vim te ver, é óbvio. — Os olhos de Angelina me assaltam a mente sem que eu esteja preparado para a lembrança do seu medo quando eu a enlacei no meio de sua corrida.

— Onde está? Parece ter saído do ar. — Pisco retornando a realidade e focando na conversa.

— Lembrei de umas coisas para resolver no trabalho. Claro que além de te ver eu gostaria de conversa sobre...

— A presidência — ela completa e balanço a cabeça concordando.

— Quer a opinião da sua mãe ou a opinião da mulher que é membro do conselho da Arnett?

— Separa assim as coisas?

— Sim. Você não separa, não é? Tudo na sua vida é o trabalho.

— Aquele quadro na escada, aquele que diz que foi inspirado em mim, é trabalho e também sua vida.

— Não, aquele quadro é só minha vida, não está à venda. — É difícil discutir com ela, eu não me sinto na obrigação de esclarecer e deixo que vença mais essa batalha. — Sei separar as coisas. — Tomo um gole do chocolate concordando sobre o sabor, é mesmo muito bom.

— Não quero que meu pai deixe a empresa.

— Ele nunca vai deixar a empresa, apenas entregar o lugar dele a você. Foi para isso que ele construiu tudo, era só nisso que ele pensava, em deixar tudo isso a você. Seu pai apenas preparou o terreno, esse sempre foi o plano dele.

— Não sei se posso ser assim [3]diligente.

— Você é, Seth, está pronto.

— Acha que devo aceitar?

— Como conselheira eu digo que está pronto e que essa transição será importante para a empresa, o mercado espera por isso e vai reagir bem, você é jovem e cheio de planos. É isso que eles esperam de você.

— Mas... — Sempre tem um "mas" e ela me sorri, deixa a caneca sobre o móvel, encolhe as pernas no sofá e joga a manta sobre as elas.

— Mas como mãe eu gostaria que nunca tivesse que assumir isso. É meu filho e claro que eu não quero que tenha uma vida como a do seu pai.

— É a vida que eu quero.

— É a vida que pensa querer. Seu pai tinha a mim e a você, ele tinha suas certezas e você está sozinho, focado em uma vida solitária porque acha que não existe outra maneira.

— Gosto disso, da minha independência e espaço, eu não quero uma mulher na minha vida, mãe. Eu quero seguir em frente e focar nos outros objetivos, tem pessoas que simplesmente não querem isso.

— Tem mesmo, mas eu ainda acredito em você e no seu coração.

---

[3]Que tem ou denota diligência; ativo, aplicado, zeloso, cuidadoso.

— Podemos mudar de assunto? Acha que devo aceitar? Acha que posso corresponder ao que meu pai espera de mim?

— Seu pai espera demais de você e você faz questão demais de atender a essas expectativas.

— Acho que vou aceitar. — Ela não acredita, mas sua opinião é importante. Ela entende da empresa e se acha que posso dar conta, é isso que vou fazer, tirar tudo do caminho, aceitar ser o novo CEO da Arnett e focar em realizar os planos que tenho para a empresa.

— Mas você precisa ficar aqui esses dias e descansar um pouco. Sei que depois que assumir esse lugar, vai esquecer de tudo. Trabalhar feito um maluco.

— Vou ficar, ainda vamos voltar a esse assunto. — Ela suspira, me dá um sorriso suave e enigmático.

— Muitas vezes. Vou trabalhar um pouco, não perturbe a Angelina — mamãe alerta antes de me deixar.

Angelina não devia mesmo ocupar tanto assim minha mente, é ela a me perturbar, não eu. Distância é o melhor remédio, a questão é, como ficar distante dela se estamos os dois nessa casa afastada de tudo e todos?

CAPÍTULO 9

Angelina

Acho que nunca vivi nada como o que aconteceu ontem. Perseguida por um urso polar, meu coração dispara só de lembrar e o mais estranho é que não é de uma maneira ruim, acho que nunca me senti tão viva quanto naquele instante em que ele me puxou de encontro a seu corpo e me tirou do perigo que eu nem mesmo tinha percebido estar correndo.

Depois o tempo com ele na cabana, a conversa meio confusa, mas tão esclarecedora, sinto que ele mudou um pouco. Ainda são os mesmos olhos, mas talvez eu veja mais indiferença do que raiva em seu olhar.

Seth me confunde, eu sinto coisas perto dele e sei que talvez seja apenas atração, ele é um homem lindo e eu não convivi muito com homens bonitos, nem com homens de modo geral, minha vida sempre foi o Cory.

Atração é algo que sinto, mas também sinto medo, timidez, raiva às vezes, ele me embaralha toda e ainda me faz sentir uma tola, porque eu não devia sentir nada disso, ele não liga a mínima para mim.

Acho que Seth Arnett não liga a mínima para ninguém. Posso estar sendo leviana, mas é o que parece.

Depois de tudo, eu voltei a ser invisível, ao que parece, a aventura que dividimos não nos aproximou em nada, acordei e ele já tinha saído sozinho para caminhar, retornou e ficou trabalhando um pouco e depois fez companhia para a mãe. Foi um almoço quase silencioso, o pouco que se conversou à mesa foi sobre trivialidades; como o tempo e a comida.

Não o vi por toda a tarde, talvez descansando em seu quarto. Samantha está feliz em ter o filho por perto e só fala sobre ele, isso sempre me confunde ainda mais, o Seth das lembranças dela era um garoto alegre e espontâneo, quem sabe é só o olhar de uma mãe?

Seco o último talher e a cozinha do jantar está limpa, a casa está silenciosa e eu me recolho sendo seguida por Angus, depois de um banho me encolho na cama enrolada em uma deliciosa coberta de pelos e apago quase que instantaneamente.

Acordo com Angus me lambendo com sua língua áspera, abro os olhos e o gato mia enquanto usa a patinha para empurrar meu rosto, os grandes olhos verdes me observam.

— Ele está certo sobre você, Angus. É preciso disputar território, você é muito mimado. São seis da manhã.

O dia está gelado, nevou essa noite, ainda não estamos no inverno realmente, mas em Churchill isso não significa muito. Como será o verão por aqui?

Seth parece ter sucumbido a preguiça de um passeio matinal em uma manhã tão gelada. Samantha chega para o café da manhã antes dele.

— Bom dia! — Ela parece exuberante e muito mais animada que qualquer outro dia.

— Bom dia! — Sorrio em resposta. — Parece animada.

— Viajo amanhã — ela me lembra e meu coração se aperta um pouco, acho que dá para notar porque ela faz um biquinho engraçado e me puxa para um abraço. Sam é o tipo de pessoa que oferece abraços e beijinhos, afagos em momentos difíceis. — Vai ficar bem.

— Eu sei — minto apenas para não acabar com o seu bom humor.

— Seth ainda não voltou?

— Acho que não saiu. O casaco dele está pendurado. — Aponto para os casacos atrás da porta da cozinha. Não sei nas outras casas, mas aqui entramos e saímos pela cozinha no dia a dia.

— Com esse frio, é de se esperar. — Ela vai até a janela. — O céu está limpo.

— O que não significa muito, está gelado lá fora. — Ela me olha um momento, pensativa.

— Você não tem muita resistência ao frio, eu já notei.

— Não, eu sei que é estranho, mas eu realmente fico atordoada e minha mente parece que para de trabalhar, não tenho qualquer resistência, se estou com frio, estou só com frio, não consigo me concentrar em mais nada.

— Eu adorei passar umas semanas no verão do Caribe na minha adolescência, mas logo percebi que gosto mesmo é do inverno.

— Seth puxou a você.

— Com certeza! Stan gosta de calor, piscina e drinks! — Ela parece se lembrar de coisas do passado. — Vai me ajudar a fazer uma mala?

— Claro!

— Quero levar um ou dois vestidos bonitos, tenho que jantar com algumas pessoas e preciso estar bem bonita.

— É uma mulher bonita, Samantha.

— Você é um anjo gentil. — Ela aperta minha mão e nos acomodamos para o café da manhã. — Também quero deixar tudo organizado, vou fazer um pedido no mercado, abastecer a despensa. Sammy pode vir entregar.

— Temos muita coisa — eu aviso caso ela não saiba. Samantha não tem se preocupado com nada disso nas últimas semanas, mesmo antes do filho chegar, ela já deixava tudo sob a minha responsabilidade.

— Eu sei, Angie, mas os dias difíceis estão próximos, sempre pode haver uma tempestade e podemos ficar ilhadas uns dias, quero que tudo fique pronto para essa emergência.

— Ah! — Deixo meus pensamentos me levarem a lugares assustadores. Aqui, nessa pequena parte do mundo, a natureza é protagonista, vive-se em função de suas exigências, é diferente do mundo que conheço. Por essas bandas, não importa quanta tecnologia exista, ainda se mantém hábitos de séculos passados, fogo para aquecer, estocar comida, se desconectar do mundo.

Eu queria ser como Samantha às vezes, forte, destemida, cheia de convicções e foco, mas eu ainda não sei direito lidar com meus sentimentos, não sei muito bem o que espero para o meu futuro e tudo me assusta um pouco.

— Bom dia! — Seth surge rapidamente, parece apenas passar por nós e não para indo direto para cozinha.

— Seth, vai comer conosco? — Sam pergunta virando o pescoço em direção a porta como se assim, ele pudesse ouvi-la melhor.

— Não, mamãe — ele responde remexendo a louça. — Vou ficar um tempo no quarto, estou... descansando. — Ela balança a cabeça de modo negativo, depois sorri enigmática.

— Alguém está fugindo — Samantha diz cheia de mistérios.

Ele passa em frente à porta com uma bandeja, ela sorri enquanto fico me sentindo culpada, será que ele quer ficar mesmo longe e será que eu sou a culpada?

— Angie, pegue papel e caneta, vamos fazer nossa lista de compras. — Samantha está mesmo feliz que vai viajar, eu sempre achei que ela odiava essas viagens.

Passamos o dia correndo pela casa, arrumando uma mala com roupas limpas e passadas pouco antes de serem arrumadas na mala, documentos e quadros são organizados, eu ajudo Samantha enquanto Seth fica responsável por embalar quatro quadros que ela quer levar.

Ele leva muito tempo realizando um trabalho impecável, os quadros terminam bem protegidos e ele mesmo coloca no carro junto com a mala da mãe.

Jantamos juntos, Samantha faz questão porque tem coisas que quer organizar conosco.

— Bem, tecnicamente, fico três dias fora. Vou sexta e volto domingo, devo chegar no fim da tarde, se não conseguir mudar a passagem para segunda-feira.

— Só aí já são quatro dias — Seth comenta.

— Menino bom de matemática! — ela o provoca. — Por isso eu disse tecnicamente.

— Mesmo assim não faz sentido, mãe.

— Posso continuar?

— Vá em frente — ele diz cortando sua carne.

— Angelina cuida da casa e das refeições. Seth, você lava a louça do jantar ao menos — ela exige, mas ele não parece interessado, continua a comer enquanto Samantha faz seus planos. — Angus nunca ficou sem mim tantos dias, por favor, deem atenção a ele. — Ela olha diretamente para mim. — Ele pode comer um pouco mais de atum nesses dias se ficar muito manhoso.

— Quanta esperança, esse bicho nem vai notar sua ausência, só liga para si mesmo — Seth desdenha.

— O que demonstra que não tive muita sorte com meus filhos.

— *Touché*! — ele responde à mãe que sorri, vitoriosa.

— Seth me leva ao aeroporto e quando eu estiver chegando, vou estar sem os quadros, então posso pedir uma carona ao Gib.

— Ligue e eu vou buscá-la — Seth promete.

— Ou isso. Seth, não deixe Angelina se matar de trabalhar, se me distraio muito, ela sai por aí lavando vidraças e sei lá mais o quê.

— Não precisa. — Eu me apresso, não quero ser responsabilidade dele, eu nem quero ficar sozinha com ele, meu coração está cheio de uma ansiedade que eu nem consigo explicar.

— Espero que fique tudo bem, mas me telefonem se for preciso — ela diz olhando diretamente para mim. Balanço a cabeça afirmando. Seth está distante como sempre, mas dessa vez, eu não consigo evitar procurar seus olhos, mas noto que ele me evita deliberadamente.

Eu devia ficar feliz, já que vamos ficar apenas os dois aqui, melhor que seja desse modo, distantes, não temos nada em comum e nenhuma relação pode nascer desse abismo que existe entre nós.

Pena que eu não sou muito capaz de ouvir meu cérebro e sempre escolho o coração e ele diz o oposto.

Os olhos de Seth cruzam os meus em um instante de distração. Olhos de aço cheios de silêncio. Sinto algo dentro de mim se revirar, eu não sei o que sinto, mas sei que está tomando forma e força e não devia, mas quem controla essas coisas? Como é que elas nascem?

Samantha deve saber, mas como perguntar coisas assim justo para ela? É sobre seu filho, é no mínimo estranho, ele desvia os olhos e eu sinto o rosto queimar.

— Se tudo der certo, vai comigo a exposição — Samantha diz com um sorriso carinhoso. — Já esteve em uma exposição?

— Sim — digo com o coração se partindo de dor. — Não de arte, de história natural. — Com Cory encantado com os dinossauros e apontando tudo com dedinhos gordos. Dá tanta vontade de chorar, vontade de largar tudo e ir até lá me humilhar por um instante com ele.

— Vai passar — Samantha diz em uma piscadela e eu afirmo muda, se abrir a boca me derreto em lágrimas. — Bem, meninos, eu vou me recolher. Viajo cedo.

— Também vou me recolher — Seth diz ficando de pé antes da mãe, talvez seja medo de ficar um instante que seja sozinho comigo, não consigo pensar em outro motivo para sua distância repentina.

Depois de colocar tudo em ordem também vou para cama, queria me deitar e dormir, mas minha cabeça parece não descansar um só instante, uma mistura de sentimentos, hora pensando em Seth, hora pensando em Cory.

Angus dorme enrolado em si mesmo sobre a poltrona, sorrio me acomodando na cama, apago a luz, acendo um abajur e pego meu livro, quem sabe ler um pouco apague todos os pensamentos confusos, ao menos por uns instantes eu vou ficar bem.

A história me entretém sem que note o correr das horas. Sãos os passos próximo a minha porta e depois a leve batida que me trazem de volta a realidade, antes que permita a entrada, a porta se abre e Seth surge me deixando em choque de tanta surpresa.

— Vem! — Ele me convida e não me movo, muito mais por surpresa do que qualquer outra coisa. — Vamos! — Ele se aproxima, pega minha mão e deixo a cama piscando para retornar a realidade. — Espera, vamos levar isso — ele diz puxando o cobertor de pelos.

— Seth! Onde...

Ele não solta minha mão, segue me levando pelo corredor e assim que chego a escada começo a notar as luzes coloridas a dançarem pela sala, olho para ele emocionada e feliz.

— Aurora boreal, não pode perder o espetáculo.

Agora eu o sigo cheia de emoção. Seth abre a porta da sala e antes mesmo de sentir o vento gelado a me congelar, meus olhos se perdem na beleza do espetáculo.

— As luzes do Norte — digo com olhos marejados e um nó na garganta. Jamais presenciei momento mais emocionante e bonito. Assustador no primeiro instante, mas logo depois, arrebatador.

— Vai congelar — Seth diz jogando a coberta sobre minhas costas, mas eu não consigo sentir nada além de fascínio.

A aquarela começa pequena, tímida com um jogo de luzes que vai do vermelho ao rosa, um leve tom de púrpura que se espalha em uma dança suave que vai se expandindo.

— Seth! — Minha voz se perde na beleza do espetáculo, os tons de verde crescem em uma sinfonia silenciosa, curvilínea, as luzes vão se espalhando, tingindo a noite, como rastros de anjos a pintarem o céu, como a natureza a preparar a mais bela obra de arte que se pode enxergar.

— Os nórdicos diziam ser as Valquírias, guerreiras virgens com seus elmos, lanças e armaduras a liderarem exércitos — Seth me conta. — Tribos indígenas pelo mundo diziam ser os espíritos a procura dos entes queridos.

— Pois digo que são anjos dançando. — É difícil acreditar no balé de luzes que meus olhos assistem, parece sonho.

— Plenitude — Seth continua e está certo. — Epifania da beleza.

Procuro seu olhar, é surpreendente, arrebatador como a aurora boreal, o jogo de luzes se reflete no cinza aço dos olhos que antes eram silêncio e vazio, agora são vida e calor, caleidoscópio de cores e sonho.

Fico hipnotizada a assistir a dança de luz através de seus olhos, o mundo deixa de existir, o tempo para de correr, a vida fica suspensa por um instante em que não somos nada e somos tudo, o céu se abre e nos engole. Somos a aurora boreal, seus olhos são as Luzes do Norte e me sugam para dentro deles.

Não sei exatamente o que acontece ou como, só sei que estou entregue em seus braços, que seus lábios cobrem os meus e sinto o sabor do seu beijo me consumir e encerrar a batalha, perdi, ganhei. Eu não sei, não me importo. Só ligo para o coração ressoando feito tambores de guerra, para o sangue a circular agitado e a energia que me percorre o corpo, que se desprende de mim e se mistura a beleza do espetáculo.

Ainda sinto seu sabor mesmo quando nos afastamos um instante, quando os olhos voltam a brilhar coloridos e talvez ele esboce um sorriso. Eu não consigo distinguir, só consigo ser tragada de volta ao entorpecer dos seus lábios e sua boca tomando a minha em um beijo ainda mais urgente e quente, longo e cheio de descobertas, o bater de asas nas minhas entranhas, o sobressaltos constantes, o soberano e urgente desejo que me consome.

Suas mãos mergulham em minha nuca, a boca deixa a minha para percorrer meu rosto, pescoço e então de novo o arrebatamento e nos afastamos, silenciosos, entorpecidos. Ele não me solta de seus braços, mas a dança do céu continua e apreciamos.

Mudos porque não existem palavras para o que se vê, sinto a energia que toma o ártico, como se nesse instante mágico, um portal estivesse a se abrir e nos unir aos deuses.

A aquarela se espalha, as ondas de cores formam arcos que se abrem, serpenteiam e desaparecem para outra onda de cores, então o azul dá lugar ao verde e este ganha quilômetros de altura.

A escuridão vai perdendo força, mas as luzes ainda brilham intensas, poderosas, depois se espalhando, enfraquecendo, até que o dia chega e a aurora ganha o dourado da manhã.

Ainda estou em seu abraço. Aquecidos pelo cobertor e paralisados na varanda de uma casa perdida no tempo, as portas do paraíso se fecham, os dragões alados se foram, mas jamais vou esquecê-los. Sinto uma emoção diferente, nos beijamos, não éramos nós, éramos a expressão do perfeito.

Seth se afasta de mim, é uma onda de solidão e o frio da manhã finalmente me atinge, as luzes dos olhos dele se foram, é de novo o cinza silêncio e aço.

Não quero ouvir que foi um erro, que não vai mais acontecer, que não somos feitos do mesmo material, não quero acreditar que esse instante mágico vai se perder de nós, mas é isso que seus olhos dizem, é isso que meu coração repete e fico muda, balanço a cabeça em negação, dou uns passos para longe.

— Eu sei — digo a ele para me poupar de ouvir. — Obrigada! Foi inesquecível.

— Como nunca — ele responde e balanço a cabeça concordando. — Arrebatador. — Sorrio, um sorriso cheio de gratidão e tristeza, me apaixonei por esse estranho par de olhos de aço, vazios e silenciosos e eles serão minha ruína.

— Bom dia, Seth! — digo lutando contra as lágrimas que me desafiam, a verdade é como um soco na boca do estômago e ele nem mesmo precisa dizer.

— Bom dia, Angie. — Pisco para afastar as lágrimas e sorrio para o meu nome pronunciado de modo carinhoso, no fim, mesmo que seja apenas isso, já é para sempre o momento mais bonito da minha vida e ele é parte disso.

Me arrasto de volta para meu quarto, os olhos ainda maravilhados pelo espetáculo, o coração sufocado por esse sentimento que não devia existir e que nunca será correspondido e me sinto feliz e triste, é isso que ele me provoca, sentimentos dúbios e intensos, sempre na mesma proporção.

Eu me encolho na cama, enrolada na coberta que dividimos por toda a madrugada e o amanhecer, eu nem sei quanto tempo durou o silencioso e intenso momento que dividimos, mas foi eterno em meu coração por mais tolo e romântico que isso seja.

Fecho os olhos e o espetáculo se repete com riqueza de detalhes, sinto as luzes se misturarem ao perfume e calor que vinha dele, o sabor do seu beijo e a maciez dos lábios, tudo isso enquanto um sorriso bobo e triste dança em meus lábios.

Não tenho ideia de como será a partir de agora, mas eu sei que não posso sonhar com ele, não posso sonhar com amor e paixão, é preciso ser firme sobre isso, brigar com meu coração que está sempre fazendo tolices.

Deixo a cama me lembrando que Samantha logo vai partir e que preciso ajudá-la.

Depois de um banho para despertar e roupas quentes para uma manhã gelada em Churchill, eu sigo para cozinha.

Samantha chega à mesa do café antes de Seth, sorri ao me ver, ela agora tem um olhar misterioso, talvez seja a viagem, ou algum plano que anda preparando em segredo e só posso imaginar que seja sobre seu trabalho.

— Assisti à Aurora Boreal! — conto a ela com a voz embargada pela emoção. — É o mais magnífico espetáculo da terra, eu entendo porque escolheu Churchill para viver.

— Vi da minha janela — ela conta e agora o sorriso animado logo cedo faz todo sentido, nem mesmo Seth Arnett, o homem dos olhos de aço é imune a aurora boreal.

— Tão emocionante.

— Lindo — ela diz se servindo de uma xícara de chá. Seth entra na cozinha e meu coração erra uma batida, depois acelera. — Filho, perdeu a aurora boreal. — Samantha diz assim que ele puxa uma cadeira me evitando deliberadamente.

— Eu vi. — É tudo que ele responde e Sam não insiste em mais perguntas ou comentários.

— Já começo a me atrasar — ela comenta olhando para seu delicado relógio de pulso.

— Podemos ir quando quiser — ele responde despreocupado, talvez não tenha sido nada demais a noite de ontem para ele, que ideia, claro que não foi.

Samantha se despede com um abraço apertado, tanto que quero dizer a ela, tanto que quero ouvir dela, mas apenas devolvo o abraço carinhoso e o sorriso cheio de calor.

— Boa viagem!

— Será, tenho certeza que será muito produtiva. Vamos Seth?

— Vou ligar o carro — ele diz passando por nós sem olhar para nenhuma das duas.

— Deus do caos! — ela brinca me sorrindo e piscando. É exatamente isso, Seth Arnett trouxe o caos aos meus sentimentos.

CAPÍTULO 10

Seth

O único objetivo era levá-la para ver as Luzes do Norte, assim que os primeiros raios começaram eu pensei nela, Angelina jamais tinha assistido a aurora boreal e ninguém que mora em Churchill pode dizer algo assim.

Acho que nem tinha planos de ficar muito tempo ali, devia entrar e deixá-la com suas emoções, assistindo ao espetáculo, mas não foi assim, primeiro não consegui deixá-la, tamanho seu fascínio a me impressionar e fiquei preso a ela.

Parecia uma ninfa a se render a deusa natureza, só pude ficar estático, perdido por ela, não sei se eu a beijei ou foi ela a me beijar, não vi acontecer, por um curto instante eu nem achei que estava mesmo acontecendo, soou quase como um delírio, era como se o céu em chamas estivesse a me provocar alucinações, mas não, eram seus lábios presos aos meus e o perfume dela, o gosto dela, os suspiros e a rendição.

Eu não pude deixá-la, não pude deixar o espetáculo, não consegui dar as costas ao instante de magia que dividimos e foi estranhamente perfeito, como se fosse tudo novo, primeiro beijo, primeiro acelerar de coração, primeira aurora boreal.

A verdade é que não era eu ali, não era mesmo o cara de sempre, esse que vive na minha mente e dita minhas regras parece ter fugido com o aproximar das Luzes do Norte.

Ela disse ver anjos a dançarem e se tinha ali algum anjo, então era Angelina e os olhos de sonhos.

Foi tolice acordá-la para ver as luzes, foi tolice me deixar levar por aquele instante. Somos dois polos, somos opostos, somos incompatíveis, e ainda que não existisse nada a nos separar ainda não seria certo, porque eu não quero, simplesmente não quero sentir coisa alguma por ninguém.

Quero ser o único dono das minhas emoções, dos meus desejos, outro sentimento não pode conduzir minhas escolhas, quero ser livre e quem se apaixona perde a liberdade, fica preso a outro, entregue, rendido, doente, eu não quero isso.

Que digam que sou frio, não me importo, pode ser que eu seja, mas é a minha vida e as minhas escolhas, eu não devia ter beijado Angelina. Agora sua boca fica assombrando a minha, sinto o calor dos seus lábios de encontro aos meus e um desejo absurdo de repetir o que nem devia ter começado.

Encontrá-la pela manhã é diferente de todos os outros dias, ela está ainda mais bonita, com olhos mais brilhantes e tenho evitado com tanto afinco sua presença para simplesmente estragar tudo beijando Angelina sob a mágica das luzes coloridas.

Ela não deve ter contado nada a minha mãe, pelo modo como as coisas acontecem nos poucos instantes em que ficamos reunidos, mamãe é indiscreta e faria algum comentário.

As malas estão no carro, ela vai partir por uns dias e até agora eu não sei porque não fecho minha mala e simplesmente a acompanho para longe dessa tortura que é a presença de Angelina.

Quando nos acomodamos lado a lado no carro, os olhos de minha mãe sorriem, ela tem isso, olhos expressivos que entregam suas emoções. Por anos eles foram tristes, agora ela está feliz de novo, Angelina deve ser a responsável.

— Pronta? — pergunto antes de dar partida, ela balança a cabeça afirmando. Coloco o carro em movimento, o dia está gelado, o céu que esteve limpo agora é pesado e espero que dê tempo do avião deixar Churchill antes da neve começar a cair.

— Seth. — A voz começa tão suave que não posso deixar de notar que é algo sério. — Angelina tem vivido momentos difíceis, pode por favor ser generoso com ela?

— Sempre esperando o pior de mim. — Comento concentrado na estrada.

— Não mostra muito mais do que isso.

— Eu não tenho planos de maltratar ninguém, mãe, aliás, acho que não me educou para agir assim. Posso ser honesto demais, seco, mas não...

— Sei quem você é. — Ela insiste.

— Ótimo, assim pulamos as apresentações. — Minha mãe ri.

— É disso que estou falando. Angelina é delicada e viveu dificuldades, então... acho que é melhor te contar...

— Não precisa me contar nada. — Eu não quero saber nada dela, não quero me aproximar, não quero ser tocado por nenhuma história triste.

— Sabe, Seth, não foi isso que pareceu ontem quando você a beijou. — Mistério resolvido, eu a beijei. — Eu pensei em acordar Angie para ver as luzes, mas cheguei tarde, ela não estava na cama e quando desci...

— Não foi nada demais — digo dando de ombros. Continuo a focar na estrada larga que leva até o aeroporto. A paisagem branca e cinza se estende por quilômetros em torno de nós, sem luzes, buzinas, edifícios, só o monótono branco gelado.

— Você a beijou e com a minha experiência, foi um beijo e tanto. — Faço careta pensando na sua experiência, ela não precisa entrar em detalhes sobre isso.

— Foi um beijo, mãe, talvez uns dois. Só beijos, era uma linda noite, com um belo espetáculo, por que não?

— Eu sempre sou a favor do amor, Seth.

— Mãe! Pelo amor de Deus, amor? Foi um beijo! Angelina é uma mulher linda, muito atraente, solteira como eu, foi um beijo, não foi importante.

— Fale apenas por você — mamãe diz firme e realmente brava.

— Nunca pensei que era assim antiquada. — Ela torce o nariz.

— Não sou. — Sua resposta é firme. — Eu sempre tive uma vida sexual muito livre e...

— Eu preciso mesmo saber disso?

— Me chamou de antiquada, estou rebatendo.

— Você pode só me ofender de volta. — Ela ri.

— Quem está sendo antiquado agora? — Ela pode ter razão, mas não quero saber da vida dela e nem quero falar com ela sobre a minha, felizmente o aeroporto está bem próximo, aponto o horizonte e devolvo as mãos ao volante.

— Estamos chegando, infelizmente não poderemos continuar com essa conversa.

— Queria poder contar com você para ajudar Angelina, ela parece admirá-lo muito.

— Ela disse alguma coisa? — pergunto entrando no estacionamento do pequeno aeroporto.

— Não.

— Então como pode saber?

— Pelos olhos. — Minha mãe só quer me cutucar com essa história, foi péssimo ela ter presenciado o beijo, agora vai criar expectativas que não vão se concretizar.

— Levo você até o embarque — aviso desligando o motor, ela parece decepcionada, não sei o que esperava, se tinha planos de ouvir um tipo de declaração é porque não me conhece tão bom quanto pensa.

Antes de atravessar o portão de embarque ela me puxa para um abraço.

— Você não é uma máquina, filho. Não esquece que tem sentimentos como todo mundo, não subestime nenhum deles.

— Boa viagem, mãe! Eu devia estar indo com você, tenho tanto trabalho à minha espera.

— Vai ser o novo CEO da Arnett, talvez nunca mais tenha duas semanas livres, então aproveite suas férias.

Ela me beija o rosto e depois me dá as costas, ainda espero um longo momento assistindo minha mãe desaparecer na sala de embarque. Agora é ir para casa e tentar ficar imune a Angelina, difícil é esquecer o beijo, as luzes, o clima.

É isso! Foi o clima, não tinha nada a ver conosco, tinha a ver com a noite mágica.

Volto para o carro e enquanto dirijo luto com a minha mente para não pensar nela, o toque do meu telefone é bem-vindo, até sorrio pensando que vou me ocupar com algo que afaste essa mulher e seu beijo dos meus pensamentos.

— Alô!

— Seth, como vai?

— Bem, Tracy. Feliz em ouvir sua voz! Temos um problema? Diga que sim.

— Quase sinto pena de você preso a esse fim de mundo congelado. Mas então, me lembro que é meu chefe e logo passa.

— Parece que está de bom humor — comento pensando que Tracy é praticamente a minha versão feminina, só que apaixonada.

— Winnie escolheu o vestido, acha ridículo usarmos vestidos de noivas?

— Eu preciso mesmo ter uma opinião sobre isso? — Definitivamente eu não quero ser a Tracy. Quem se importa com coisas como essa?

— Não. Eu também não queria ter uma opinião sobre isso, mas Winnie não pensa assim, ela quer que eu tenha opinião sobre tudo. Onde eu estava com a cabeça quando resolvi pedi-la em casamento? Não responda, eu sei exatamente onde estava minha cabeça. Geograficamente estava...

— Eu entendi, Tracy. Vamos manter distanciamento profissional. — O riso dela se espalha pelo carro com o celular ligado na viva-voz.

— Klaus ainda está dificultando nosso trabalho.

— Como? Ele não tem mais nada a ver com a empresa.

— Ele influencia demais os antigos funcionários que começam a disseminar problemas, uma onda de insatisfação nos ameaça.

— Eu preciso pensar sobre isso, em como vamos neutralizá-los. Vou telefonar ao meu pai. Ele gosta do Klaus, talvez os dois possam ter uma conversa.

— Não custa tentar — ela diz nada animada. Eu sei que ela não acredita em algo tão sutil, mas é o melhor que podemos pensar no momento. Assinamos um acordo de não demissão, então os funcionários ficam, só nos resta administrar. — Quando volta?

— Semana que vem, fico mais uns dias com a minha mãe. — Que viajou e isso não faz o menor sentido, como foi que eu caí nessa?

— Está bem, eu ligo se as coisas piorarem. Estou enfrentando algumas ameaças de processo por conta do contrato.

— Klaus assinou, ele que deve responder a insatisfação dos velhos funcionários.

— Pode ser. Estou me precavendo, eu ligo.

Desligo o telefone já estacionando na frente de casa, acho que mais tarde vou até o Gibson saber porque seu trabalho de espião está tão precário. Desisto da garagem, quando finalmente tiver terminado de resolver tudo que quero guardo o carro.

Angelina está na sala de estar afagando os pelos do gato, seus olhos procuram os meus, é linda de muitas maneiras e o beijo volta a minha mente, aposto que minha mãe sabia bem o que estava fazendo quando decidiu me deixar aqui sozinho com essa mulher especialmente bonita e tímida.

— Ouvi o avião — ela diz parecendo levemente constrangida. — Não me lembrei de pedir que ligasse assim que chegasse a Toronto.

— Preocupada?

— Um pouco.

— Ela vai ficar bem, não se preocupe. — O gato salta do sofá, anda despreocupado até a janela, salta com leveza, abana o rabo e mia, depois se acomoda para olhar a paisagem.

Deve ser uma vida bem chata, gatos são sempre tão livres e esse vive preso a essa casa, ele me ignora por completo, ingrato é o que ele é, eu aqui pensando em sua prisão e ele todo distraído e tranquilo, acho que Angus adora a boa vida que tem.

— Acho que ele vai sentir falta da sua mãe — ela diz percebendo meu olhar.

— Acho que esse gato só sente falta mesmo do atum — digo antes de caminhar para o escritório.

Aproveito o tempo para terminar de organizar os papéis da minha mãe, é tanta coisa que ela tem e nem liga, ações, títulos, imóveis vazios, herdou algum dinheiro de sua família, mais o patrimônio que ela e meu pai construíram juntos e o dinheiro dos quadros que vende e mesmo assim, não liga para nada.

Se Angelina fosse uma golpista como pensei, estaria pronta para um golpe, mamãe facilita demais. Agora confio plenamente nela, ao menos sobre isso.

Eu me encosto na cadeira pensando sobre seu passado, uma babá aos quinze anos, sem família, ou distante dos seus entes queridos, não sei dizer, minha mãe tentou contar e eu não deixei, talvez saber fosse melhor do que ficar o tempo todo remoendo essa história.

Pensei ser mais fácil não saber, assim não correria o risco de me preocupar, mas não é verdade, agora fico a pensar o tempo todo sobre isso.

Talvez ela mesma possa me contar, ou não, acho que o melhor é manter distância.

— Seth? — A voz suave chega com doçura e parece me provocar, ergo meus olhos fingindo indiferença, ela parece corada, dá para ver que foi um esforço se aproximar.

— Deixei a comida sobre a mesa, eu já almocei, então... — A frase fica no ar, não sou o único a evitar contato e saber que ela está fazendo isso me incomoda de uma maneira quase ridícula.

— Obrigado, Angelina! — A frieza em minha voz não é proposital, mas se ela prefere distância, é o que vai ter. Volto meus olhos para os papéis e uso a visão periférica para assisti-la se afastar.

Como sozinho e acho muito bom, assim não tenho que gastar tempo tentando ser amistoso.

Passo o dia todo sozinho, aproveito para terminar de organizar as coisas, e quando desço pensando em jantar e ler um pouco sob o calor da lareira, a casa está silenciosa e a mesa posta.

Como sozinho mais uma vez, lavo a louça obedecendo minha mãe feito um menino bobo.

Angelina está na sala, encolhida no sofá com um livro nas mãos, Angus adormecido no tapete em frente à lareira. Não resisto a me aproximar.

— Boa noite! — cumprimento, deixando-a surpresa. Ela tenta sorrir, fecha o livro um tanto confusa e faz menção de se erguer. — Fique — convido e ela se mantém sentada. — Gosto dessa sala também — digo me sentando no sofá com uma distância razoável entre nós.

— Sempre passava um tempo aqui com a Samantha. Gostava de conversar com ela.

— Angie, ela só foi passar um fim de semana fora — digo rindo e ela revira os olhos.

— Me apeguei muito a sua mãe.

— Por quê? — Dane-se, quero saber mais sobre ela, estou cansado de ficar conjecturando, seja o que for, quero saber de uma vez.

— Ela é ótima pessoa, tem uma boa conversa e me ajudou quando eu precisei.

— Por que precisou tanto dela? — Angelina olha para a capa do livro que está lendo, depois ergue os olhos para me olhar. — Pode me contar se quiser, ou não, se isso for difícil ou não achar que eu...

— Não é nada com você, é que me sinto estranha falando sobre isso, cada vez que penso me dou conta de como fui tola e isso é sempre ruim.

— Acho que eu gostaria de saber e quem sabe posso concordar com você sobre ser tola ou discordar, tem essa chance. — Ela dá um sorriso que a deixa ainda mais bonita. Um inferno.

— Honesto eu tenho certeza que seria.

— Aposte suas fichas nisso.

— Eu tinha uma vida comum, pai e mãe, escola, amigos, uma vida, então minha mãe morreu e meu pai conseguiu um emprego em outro país. Era um bom dinheiro e eu estava na escola, terminando, ele não queria correr o risco de me mudar de país e não terminar meus estudos, essas coisas, ao menos foi como pensei na época. Hoje acho que ele só se livrou de um problema, eu.

— Triste de pensar assim. Por que acha isso?

— O chefe da obra em que ele trabalhava, um engenheiro, eles nem eram amigos realmente — ela diz fazendo esforço para organizar as coisas e me contar. — A mulher dele estava grávida, então ele disse ao meu pai que eu podia ficar com eles, ajudaria o casal com a gravidez e o bebê e em troca, teria como terminar a escola abrigada e protegida pelo casal.

— Entendi. — Sinto que a história não vai melhorar.

— Meu pai aceitou e nos separamos, ele foi e eu fiquei. Não demorou a me ver como a babá e empregada deles, acabei largando a escola e depois voltei quase a pulso para terminar minha graduação no colégio. Ficava com Cory o tempo todo, um bebezinho lindo, meu anjinho, sempre amei tanto, mais tanto aquele pequeno que nem percebi que era praticamente uma escrava, sem salário, sem respeito, apoio, eles agiam como se fosse um favor me ter lá, eu mesma acho que sentia o mesmo.

— E tinha quinze anos? — pergunto um tanto chocado com sua história.

— Sim. Uns anos depois meu pai ficou doente, voltou para casa, me dividia entre cuidar dele e do Cory. Meu pai morreu e a minha vida continuo naquela casa, com aquele casal que me tratava como nada e o Cory. Eu não podia deixá-lo, a mãe dele não ligava para ele, nem o pai, só eu me preocupava, era tudo que ele tinha e ele se tornou tudo que eu tinha. Amo esse menino como se fosse meu, a mãe dele teve depressão pós parto ou sei lá, apenas não foi muito boa nisso, então eu cuidei dele do instante em que nasceu até... — As lágrimas correm pelo rosto delicado e isso me afeta tão drasticamente que odeio essa gente sem conhecê-los, odeio o rumo da história e o final dolorido que se anuncia. — Desculpe — ela diz secando o rosto.

— Tudo bem, se não quiser continuar...

— Quando ele fez dez anos me mandaram embora. Ele não precisava mais de mim, estudava o dia todo e de noite já sabia se cuidar sozinho, me mandaram embora, sem aviso, sem preparo, só com umas notas como se isso fosse apagar o amor que sentia por ele, não sei se ele está bem, se me superou, eu não superei, eu sinto falta dele todos os dias, eu não podia ter me deixado amar Cory como meu, nunca tive coragem para cogitar deixá-lo e procurar um caminho para mim. — Ela solta tudo de uma vez, em um desabafo dolorido. — Sonho com ele, tiraram Cory de mim para sempre, me disseram para ficar longe e não procurá-lo mais, me ameaçaram caso insistisse, sai por aí sem nada, sem ele. — O choro fica mais forte e não sei como consolar Angelina, eu não sei resolver coisas desse modo, meu jeito é diferente, meu jeito é ir até lá e ameaçar aquela gente com processo e cadeia. Escravidão é crime.

Me aproximo dela, Angelina soluça, não sei bem o que fazer e me arrependo de ter perguntado, aposto que a versão da minha mãe seria muito menos difícil de ouvir.

— Desculpe ter perguntado, Angelina.

— Tentei um emprego, dois dias e o dono queria coisas comigo. — Agora, sim, meu sangue ferve de ódio. Esse merece mais do que processo, merece um soco para afundar o nariz. — Confiei em duas moças e elas me roubaram. Acabei em Churchill, nesse frio dos infernos, sem dinheiro, com medo de urso polar e de morrer congelada, o que deve doer menos que ser devorada, mas ainda assim era péssimo. Sua mãe me salvou e me deu abrigo, você está rindo?

Balanço a cabeça negando, embora eu esteja um pouco, ela fica tão bonita no meio dessa crise existencial, lidando com traumas e chorando de medo de urso que não consigo evitar achar graça.

Seco seu rosto, ela me observa com atenção, espera por qualquer resposta honesta que venha de mim e não posso, não posso magoá-la dizendo que foi tola, nem sei o que pensar, uma garotinha sendo feita de escrava por idiotas abusivos, seu pai fez mesmo o que ela disse que ele fez, se livrou do problema.

— Não foi tola, foi inocente e é o que se espera de uma menina de quinze anos. Essa gente é horrível e tem meus advogados a disposição para processá-los, vai lhes tirar até o último centavo.

— Não, Seth! — Ela balança a cabeça apressadamente. — Não pensa no Cory? Não quero tirar nada dele. Só quero que ele esteja bem, que me esqueça, posso lidar com a minha dor, mas não aguento pensar na dor dele. Cory foi a única pessoa que me amou desde a morte da minha mãe.

Para minha surpresa, Angelina se encosta ao meu peito em busca de afeto e cuidados e demoro um tempo sem saber bem o que fazer até que eu a abraço, acho que isso é o que ela precisa.

— Acho que minha mãe te ama. — Ela balança a cabeça afirmando. — Então não chore mais.

— Não consigo — ela admite e mantenho meus braços em torno dela, silencioso porque não sou a calmaria que ela precisa, sou tempestade, por mim, passaria por cima de toda essa gente como trator.

As lágrimas vão desaparecendo aos poucos, é bom sentir que ela está se acalmando, é bom que tenha contado, nem consigo imaginar como minha mãe ficou quando ela contou.

— Acho que ser devorado por um urso é mais rápido que ir congelando aos poucos — digo ainda no dilema sobre qual morte é melhor. Ela se afasta um pouco para me olhar. — A menos que ele comece pelos pés.

— É sério?

— Não. Dizem que eles atacam derrubando e então...

— Seth, eu não quero saber.

— Você está melhor? — Ela balança a cabeça afirmando, não graças a mim. Eu não sou bom em consolar pessoas, eu nunca tive que consolar ninguém, toco seu rosto, tem só uma última lágrima a brilhar na bochecha, ela sorri e que droga, quero beijá-la de novo.

Está errado e agora eu sei por que, mas nem isso me faz parar e cubro seus lábios com os meus, mas dessa vez não é a magia da aurora boreal a me roubar o juízo.

CAPÍTULO 11

Angelina

Desabafar com ele parece mudar as coisas dentro de mim, liberta a dor que eu não sabia como tirar de mim, Seth não é bom com palavras, mas não posso negar que é muito bom com beijos, não que eu conheça outro tipo de beijo, mas os dele são quentes, me fazem aquecer a alma, me fazem perder o chão, de novo começa sem plano de começar, nunca parece a hora certa de beijá-lo, mas então o beijo acontece e sinto que era tudo que eu queria e precisava.

Eu não esperava me abrir com ele, não sei como começou, mas eu pude ver calor em seus olhos pela primeira vez, quando ele dizia tolices sobre ser devorada pelos pés, fez para me fazer sorrir, ou apenas porque não sabe ser de outro modo, não importa, arrancou a dor do meu coração e então, sua boca cobriu a minha.

Ele é quente, mas não avança, tem qualquer coisa de respeito em seu beijo, é homem feito, maduro, sinto que conhece muito da vida e das relações, sou uma tola inocente perto dele, não sei mais do que vi em filmes e livros, mas ainda assim, ele se impõe limites e me deixa segura em seus braços.

Sua boca é tão macia, não é a aurora a nos jogar para o mundo dos deuses, somos apenas nós dois e ainda é especial, intenso e real para mim, faz meu sangue jorrar, faz a vida brilhar em luzes coloridas.

Minha mão toma coragem e me desafia, percorre o peito de músculos definidos e descansa em sua nuca, seu braço envolve minha cintura e me puxa de encontro a ele, a boca faminta saboreia a minha e a dor que antes me atingia derrubando para o mundo das trevas agora deixa de existir e temo o fim desse momento, temo a indiferença dos olhos silenciosos.

Ele se afasta um instante e ainda sinto a respiração quente, não quero abrir os olhos, não quero despertar, quero mais desse beijo, quero eternizar esse momento, quero poder beijá-lo de novo e de novo até que sejamos um do outro para sempre, porque sou tola e sonho com o impossível.

— Você congela o inferno e derrete geleiras. — Abro meus olhos e encontro o cinza aço dos seus, o rosto que por vezes foi inexpressivo agora parece surpreso, atordoado, me encontro em sua expressão, finalmente estamos no mesmo barco. — Isso não é nada bom — ele diz e sei que quer dizer o contrário, é bom para ele como é para mim e perigoso na mesma proporção, me faz ansiosa, orgulhosa, feliz feito boba.

— Eu sei — respondo a ele e minha voz me assusta, soa rouca, estranha, nem parece ser a minha voz, ele dá um meio sorriso cheio de intenções e eu temo Seth Arnett porque ele pode destruir tudo que restou em mim e já não é muita coisa, porque ele tem meu coração e não sei se está disposto a ficar com ele.

Seus dedos correm por meu rosto, descem lentos por meu pescoço, deslizando suaves, marcando minha pele feito fogo, me fazendo estremecer em um toque tão simples.

— Está se sentindo melhor? — ele me pergunta e balanço a cabeça em uma afirmação muda. Os olhos dele são sempre um mistério para mim, mas não vejo mais a geleira que parecia existir o tempo todo. — Você não precisa se submeter a tudo, tem que lutar, se eles destruíram sua vida, então vá buscar seus direitos.

— Não quero me vingar deles. São pais do Cory.

— Por que tem que pensar neles se eles não pensam em você? — ele me questiona e acho que Seth não ama ninguém profundamente para entender.

— Porque eu o amo — digo de modo simples.

— Não sei se consigo entender isso. — Os olhos dele parecem tentar me entender, não acho que ele consiga, nem eu entendo quem sou. — É tarde, preciso... Eu vou te deixar com seu livro. — Ele se afasta sem qualquer aviso, sinto falta da proteção do seu abraço, sinto saudade do que não me pertence, não consigo nem mesmo responder a sua despedida. — Boa noite! Seth me deixa sozinha, é uma mistura tão estranha de sentimentos que eu nem sei explicar a mim mesma, fico imóvel por um longo momento, pensando em mim, no que sinto e na tolice que é me render a seus beijos, para ele não é nada demais, para mim é a vida.

Me obrigo a reagir, deixar a sala, desligar a lareira e me recolher em meu quarto depois de cuidar de Angus. Ele me segue para o quarto, um bom companheiro e muito carinhoso.

Não é fácil pegar no sono, preciso aquecer mais o quarto, parece que o frio está chegando com tanta força que eu nem entendo, pela manhã, quando afasto as cortinas, depois de uma noite ruim de insônia, a neve cai pesada e constante.

O tempo está péssimo, é bonito, tenho que admitir, mas assustador também, acho que os ursos polares devem estar felizes.

Preparo o café da manhã pensando em como será o encontro com Seth, sei que vamos fingir que os beijos não aconteceram, ele não deve ser acostumado a conversar sobre simples beijos com todas as mulheres com quem se envolve, eu acho que ele nem considera isso um envolvimento.

— Bom dia! — Seth cumprimenta entrando na cozinha. — Falou com minha mãe?

— Não exatamente, ela só disse que chegou bem — explico a ele que balança a cabeça se servindo de uma xícara de chá quente da chaleira ainda sobre o fogão.

— Está nevando — ele diz sem olhar em meu rosto uma única vez, sabia que fingiria que nada aconteceu, mas estar falante assim me deixa um pouco surpresa. Seth caminha até a janela que divide com Angus, os dois entretidos olhando a neve cair. — Uma pena, gosto de caminhar lá fora, é revigorante, o frio me faz reagir, me sinto enfrentando a natureza.

— Nesse ponto sou covarde — digo sentindo frio só de olhar lá para fora.

— Minha mãe vai me matar, deixei o carro na frente da casa, devia ter colocado na garagem.

— Acha que a nevasca vai demorar?

— Não sei, Angie. Vou colocar no noticiário local.

— Tem um noticiário local? — pergunto surpresa e ele dá de ombros.

— Deve ter. — Seth segue para mesa do café da manhã levando seu chá. Fico meio sem saber o que faço. — Não vem tomar café?

Que jeito, melhor ir, não quero ser a tola infantil que não consegue lidar com um beijo. Sigo para a mesa e me acomodo na cadeira de sempre. É o momento em que mais sinto falta de Samantha, ela sempre se senta no mesmo lugar e sua cadeira vazia me deixa saudosa.

— Está nevando em Toronto? — pergunto a ele que balança a cabeça em um tipo de resposta ambígua.

— Não sei. Eu falei rapidamente com ela.

Seth se distrai comendo e parece não se dar ao trabalho de manter um diálogo, fico tentando olhar para ele discretamente, é um homem bonito, elegante, mesmo assim sentado para o café da manhã em um dia comum, ele se veste de modo elegante. Roupa esporte, mas que deixa claro que é um homem fino, rico de nascimento, acostumado com luxos.

Seth mexe em seu celular, beberica seu chá, mastiga panquecas, eu não existo e nem sei como mudar isso, não sei se posso mudar isso, eu nem sei se devo fazer tal coisa.

— Vou deixar você terminando o café e vou arrumar a casa.

— Como quiser. — Ele está completamente envolvido em seu trabalho, nem mesmo parece me ouvir e eu vou cuidar das coisas.

A cada hora que passo por uma janela é só mais e mais neve, o carro lá, parado sob o ataque dos flocos de neve, eu não sei se vai danificar, mas acho que Samantha vai mesmo ficar brava.

Escuto a louça sendo lavada e sorrio pensando que ele está obedecendo a mãe feito um menino.

— Não vai comer nada? — ele me pergunta quando entro na cozinha perto das duas da tarde.

— Desculpe, eu me distraí limpando o ateliê. Não preparei nada.

— Essa coisa de sentar e almoçar é só aqui — ele diz abrindo a geladeira e pegando alguns potes. — No meu dia a dia é um sanduíche como refeição.

— Na vida de todo mundo — digo olhando para ele que pega alguns pães sobre o balcão.

— Minha mãe gosta desse momento de refeições, quando eu era menino ela sempre fez questão de quatro refeições em família.

— Teve sorte em ser criado por ela — digo pensando que ele devia ser mais doce sendo filho de Samantha.

— É, eu tive. Gosta de presunto? — ele me pergunta e acho engraçado, sorrio balançando a cabeça em uma afirmação.

— Quando eu cheguei na cidade e entrei na taverna presenciei uma conversa da sua mãe com o Gibson e achei que era tráfico de presunto. — Seth ri preparando ao mesmo tempo dois sanduíches. — Gib consegue um presunto caro que não tem no mercado e sua mãe compra dele escondido para não magoar o dono do mercado.

— Ah, eu sei desse presunto, um ótimo presunto. Caríssimo.

— Gib vende mais barato para sua mãe — digo me encostando ao balcão e olhando para ele que agora coloca mais uma fatia de queijo em um dos pães.

— Ele é um cara de pau. — Ele faz careta. — Que tal preparar um suco?

— Claro! — digo indo abrir a geladeira.

O celular toca, ele atende no mesmo instante, fico sem saber se devo sair ou não da cozinha, mas como ele não diz nada, eu apenas me distraio com o trabalho de servir suco e pegar talheres.

— Eu fiquei aqui porque ela disse que eram apenas dois dias, pai. Sei que vocês dois armaram essas férias para mim — o pai diz qualquer coisa, ele escuta em silêncio. — Claro, eu já esperava.

Pego guardanapos e copos, ele coloca fatias finas de tomates no sanduíche, é metódico, caprichoso, tudo exatamente igual, mesma quantidade e tamanhos.

— Pai, temos que falar sobre o Klaus, ele nos vendeu a empresa e agora seus funcionários nos criam problemas, como se fosse uma represália pela compra e por termos feito o acordo de não demissão por dois anos.

Ele escuta o pai com ares de irritação, parece que esse é um problema difícil de resolver para ele.

— Sim, Klaus tem experiência e influência com os funcionários, mas nos vendeu. Se não queria vender, que assumisse as consequências, não é certo que acabemos nas mãos deles, sei que basta Klaus falar com eles que tudo se resolve.

Outro silêncio escutando. Eu me sento em uma cadeira diante da mesa posta, ele anda com o celular preso entre o ombro e a orelha e trazendo os pratos. Coloca um diante de mim e se acomoda na cadeira ao lado, sirvo o suco nos dois copos.

— Pai, você pode falar com o velho. Transferimos os funcionários e isso não surtiu efeito, nenhum deles se demitiu, mas agora criam problemas, incitam nossos funcionários, arrumam pequenas confusões.

Ele toma um gole de suco. Nossos olhos se encontram, mas noto sua atenção voltada para o telefone e desvio meus olhos me sentindo uma intrusa. Faço menção de me levantar, ele segura meu braço, balança a cabeça em negação, aponta o sanduíche com os olhos e me acomodo mais uma vez.

— Certo, pai! Vou descansar e resolver quando voltar, mas espero que não acabe em meio a uma greve geral só porque vocês decidiram que preciso de férias.

Ele desliga depois de uma despedida rápida, deixa o celular sobre a mesa e encara o sanduíche, não parece bravo, tenso ou preocupado, é como se esse fosse o seu dia a dia, acho que no fundo, ele gosta dessa tensão.

— Problemas e mais problemas.

— Deve ser bem complicado cuidar de tantas pessoas assim, tem muitos funcionários?

— Muitos, é a parte mais difícil do negócio, gerir as pessoas, as máquinas não são problema, os documentos e números, mas as pessoas... — Ele deixa a frase no ar, morde o sanduíche e mastiga despreocupado. — Está muito bom.

Eu o imito e está mesmo, talvez com recheio demais, mas ele fez com o máximo de esforços.

— Está muito bom — digo para agradá-lo.

— Obrigado! — Ele toma mais suco e depois me olha um instante. — Nosso objetivo é conquistar o monopólio das peças que vendemos, compramos uma empresa menor do mesmo ramo. Não era exatamente um concorrente, mas foi uma aquisição importante. Klaus não queria vender, alguns dos funcionários tinham anos de casa com ele e ele exigiu que para vender eles precisavam de estabilidade.

— Por que ele vendeu se não queria e estava preocupado com os funcionários?

— Pressionamos — ele diz com tanta naturalidade. — Deixamos Klaus sem escolha, ele não tem filhos para assumir, é um homem mais idoso, eu fiz negócios com seus fornecedores e clientes, por fim ele não teve escolha.

Que triste alguém ser obrigado a vender a empresa e deixar de trabalhar por conta de uma pressão externa.

— Coitado.

— Paguei mais do que o justo! — Ele se defende apressado e um tanto ofendido. — Paguei acima do justo se quer saber. Ele vai ter uma ótima aposentadoria.

— Mas ele não queria se aposentar — eu o lembro e Seth não parece contente em ouvir.

— Não, e resolveu me infernizar, fica me criando problemas. Bastava que ele conversasse com seus antigos funcionários e tudo estaria resolvido.

É triste pensar em Klaus. Não consigo evitar pensar nele, mesmo que Seth tenha se dado bem, mesmo que sua empresa tenha faturado muito eu entendo os funcionários, e se são assim fiéis é porque o Klaus devia ser um ótimo patrão.

— Seth, acho que os funcionários são fiéis a ele porque ele era bom com eles, você é bom com eles?

— Bom? O que quer dizer com isso? — Ele ri. — É uma empresa, não faço caridade, pago o justo para quem faz um bom trabalho, respeito os direitos de todos, sou educado, acho que é isso que a empresa precisa, mas não, eu não mostro fraqueza, por isso cheguei aqui e Klaus ficou naquela vidinha de sempre.

— Devia chamá-lo para ser um consultor e ajudar a gerenciar a empresa, os funcionários ficariam felizes e ele também.

— Parece uma boa ideia — Seth diz me encarando de modo atento. — Fale mais sobre isso, qual seu plano?

— Meu plano? Eu não tenho plano, só... Eu... é só uma ideia, não queria me intrometer.

— Sabe por que estou aqui? Porque minha empresa é disparado a melhor e mais forte do mercado? — Balanço a cabeça negando. — Porque eu sei ouvir e aceito opiniões. Mulheres têm um sexto sentido, um jeito diferente de ver as coisas, minha mãe, por exemplo, é a melhor conselheira, quando o conselho se reúne é sempre dela as melhores ideias e as opiniões mais certeiras e mais bem construídas.

— Sua mãe trabalhou com seu pai todos aqueles primeiros anos, ela conhece a empresa tão bem quanto vocês, é responsável pelo sucesso tanto quanto seu pai. — Aproveito para defender Samantha porque sempre acho que ele diminui sua importância, ao menos é o que faz parecer quando converso com ela sobre Seth.

— Seu sei, meu pai também sabe, mas me diga... O que acha que devo fazer com Klaus?

— Ele fundou uma empresa, não tem filhos para continuar seu legado, isso deve magoá-lo um pouco, principalmente agora que perdeu.

— Faz sentido. Continue. — Ele insiste me dando total atenção.

— Você o procura, diz que precisa da ajuda dele, ele tem experiência e você dá valor a isso. Oferece um salário bom, oferece horários livres, diz que ele fará a ponte entre os funcionários e que conta muito com ele, com o que ele pode te ensinar.

— Entendi, quer que iluda o Klaus para conseguir convencer seus funcionários a fazer o que ganham para fazer.

— Pensei que podia mesmo aprender com ele, disse que escuta as pessoas, está me ouvindo, pode ouvir o Klaus e ele vai ficar feliz e ocupado em mostrar que é bom e talvez, pode até ser que com o tempo, ele olhe para você com carinho.

— Não tenho planos de desenvolver esse tipo de relação com meus aliados ou funcionários, é trabalho, basta respeito. — Ele insiste em ser esse aço que dizem.

— Acho que minha ideia não foi mesmo boa — digo encarando o sanduíche.

— Muito rápido, Angelina. — Olho para ele, surpresa. — Desistiu muito rápido, defenda mais a sua ideia, lute por ela, me convença. Mais garra!

— Certo. Vai parecer que está perdendo dinheiro se pagar um bom salário para ele, mas vai ganhar com os funcionários trabalhando mais felizes e causando menos problemas e também pode ter o que aprender com o Klaus.

— Bom, muito melhor. Tem razão, vou oferecer essa alternativa ao meu pai e ele pode falar com o Klaus.

— Não pode, não. — Ele junta as sobrancelhas.

— Eles são amigos, quer dizer, eles são mais como... cordiais, um com o outro, então... ele fala.

— Tem que ser você. Ele vai ficar feliz e se sentir vitorioso, é como se você demonstrasse respeito e cria essa relação que ele não tem com os filhos.

— Vou pensar sobre isso, não sei se gosto de abrir a guarda assim, mas você tem razão. Seu plano é muito melhor, ao menos é o único plano até agora.

Sorrio me sentindo esperta, importante e grata por perceber que ele me dá ouvidos.

— Está realmente bom esse sanduíche — digo novamente só para agradá-lo e Seth pisca de um jeito charmoso que dispara meu coração, ficamos em silêncio pelo resto da refeição, depois ele me deixa para ir ler na sala e como foi ele quem preparou o sanduíche, eu lavo a louça.

Uma batida na porta da cozinha me chama atenção, abro correndo, ainda está nevando, Sammy entra correndo enquanto passa as mãos na jaqueta para tirar a neve.

— Sammy! — Fico chocada e vou olhar pela porta, a caminhonete está perto da escada da varanda, nem sei como chegou, tem correntes nas rodas e o vento corta a pele, fecho a porta rapidamente. — O que veio fazer aqui com esse tempo?

— Entrega! — ele diz dando de ombros. — Antes de me aquecer um pouco vou pegar as caixas.

— Vou fazer um chocolate quente para você — digo com pena dele.

São quatro caixas grandes com os pedidos que Samantha fez antes de viajar. O chocolate fica pronto e sirvo fechando a porta depois da última caixa.

— Não posso me demorar, vai ser uma aventura voltar para o mercado, estamos fechando, vem uma nevasca na madrugada.

— Vem? Achei que já tinha chegado. — Ele ri tomando um gole do líquido quente.

— Não viu nada. A cidade vai ficar fechada uns dias. Se precisar de mais alguma coisa... eu não sei, espero que não precise de nada.

— Como assim? Fechada do tipo... não vai chegar avião?

— Angie, o aeroporto foi o primeiro a fechar, o voo da Samantha foi o último. — Ele ri da minha inocência.

— Quanto tempo?

— Sei lá, nunca se sabe bem — ele diz bebendo mais um gole enquanto usa a caneca quente para aquecer as mãos. — Só vim porque era você,

Angie, acabou, fechamos e não estamos mais entregando. Achei que você podia ficar em apuros, por isso vim, agora vou para casa.

— Sammy, você é o melhor. — Sorrio agradecida, não é como se fossemos passar fome, mas realmente fico mais tranquila tendo suprimentos. — Ah, não te contei do urso polar.

— Já tem sua história de urso para contar? — Ele ri. Conto para ele sobre a perseguição e a minha pequena aventura. Acho que é a minha única boa história.

— O urso nem mataria a fome com você, é magrinha e delicada.

— Ele nem repararia até terminar a refeição e continuar faminto. — Sammy ri. — Agora é sério, foi o maior susto da minha vida.

— Eu posso imaginar, você morre de medo de ursos.

— Sim, me conta, como vão as coisas com sua garota?

— Amor platônico é muito triste, acho que ela não corresponde como eu acreditei, eu não sei, ainda não confessei todos os meus sentimentos, pode ser que ela esteja apenas indo devagar, com medo, sei lá, estou meio perdido e agora...

— O que tem agora?

— Com essa nevasca vamos ficar muito tempo separados e vai ser doloroso, vou morrer de saudade, estou completamente apaixonado. — É tão bonito de ouvir, sorrio emocionada com ele e seu amor, sei como é isso, porque já dói só de pensar que Seth vai partir para sempre, sair da minha vida e sei que com ele será diferente, Sammy é correspondido, só está inseguro. Sua expressão muda e o sorriso desaparece de seu rosto, acompanho seu olhar, Seth nos encara frio como quando o conheci, talvez pior, ele parece quase raivoso.

— Seth...

— Atrapalho o casal? — ele pergunta com uma voz assustadoramente baixa e pausada, firme como jamais vi.

— Já estou de saída. Tchau, Angie. Se cuida, se precisar liga — Sammy diz ficando de pé e eu faço o mesmo, Seth não gostou de vê-lo aqui, talvez não saiba que Samantha adora o Sammy e é muito amiga dos seus pais. Ele deve estar pensando que é um intruso inconveniente. Assim que explicar esse mal-estar vai passar.

— Cuidado, Sammy! Não desgrude os olhos da estrada, obrigada por ter vindo.

— Pode deixar. — Ele sorri e acena. — Até logo, senhor Arnett.

É claro que Seth não responde e Sammy vai embora um tanto atordoado, espero que o carro de partida para fechar a porta, minhas mãos congeladas pelo frio que vem de um vento cortante e gelado.

Seth ainda está de pé no mesmo lugar e continua com olhos gelados quando me volto esfregando as mãos de frio.

— Não quero intrusos ou seus convidados na casa da minha mãe quando ela não estiver.

— É o Sammy, entregador do mercado, ele só... — Aponto as caixas. — Sua mãe gosta muito dele, não é um intruso, ele é bem-vindo aqui — explico para não receber nenhuma reação.

— Não, ele não é bem-vindo aqui — ele diz girando nos calcanhares e deixando a cozinha enquanto fico atordoada sem saber o que acaba de acontecer.

CAPÍTULO 12

Seth

Eu não me considero um homem possessivo ou ciumento, sempre vivi relações muito abertas, gosto de liberdade, é como eu sou e sempre preferi me relacionar com quem pensa como eu.

Não devia me incomodar com a declaração que ouvi na cozinha, uns beijos não me dão direitos sobre ela, não ofereci nada, não pedi nada, mas odiei com tanta força aqueles dois na cozinha. É um rapazote, um garoto inexpressivo, eu nunca pensei que teria um tipo de rival tão raso.

Eu nem sei o que está passando por minha cabeça. Rival? De onde saiu essa?

A verdade é que eu estou no lugar errado, não ele. Angelina precisa de algo assim para ela, uma coisa calma e constante, uma vida simples e comum, com rotinas e regras e eu sou o oposto disso e quero continuar sendo.

O que eu preciso fazer é me manter muito distante, ela não é garota para uns beijos descompromissados, e esse garoto que espere minha partida.

A declaração me vem a mente e sinto o estômago queimar. O entregador apaixonado me causa gastrite.

Afasto a cortina para olhar a neve cair fortemente, o menino deve estar mesmo apaixonado para enfrentar essa neve toda, pior é calcular que com toda essa neve a cair, dificilmente uma aeronave vai pousar ou levantar voo e encaro a realidade, estou preso com Angelina nessa casa.

Caço no celular notícias sobre o tempo, a nevasca deve se estender por toda semana, minha mãe com toda certeza não vai voltar e estou aqui feito um idiota preso nesse fim de mundo.

A raiva já devia ter se dissipado, mas me acompanha pelo resto do dia enquanto evito encontrar Angelina.

Não estou com a menor vontade de ouvir o que tem a dizer, mas acho que foi um bom aviso, nada de beijá-la novamente, principalmente estando os dois sozinhos aqui. Isso vai nos levar a um caminho perigoso demais.

A nevasca fica ainda mais forte quando a noite cai e desço para o silêncio do andar de baixo, as janelas vibram e o vento açoita a casa. Pela janela da frente posso ver a neve chegar a altura das vidraças do carro.

— Idiota! Vai ter que dar um carro novo para sua mãe. — Deixo a janela, preparo um sanduíche e descubro depois de comer a droga de um sanduíche frio que ela deixou meu jantar. — Bem feito! Você merece pela grosseria.

Lavo meu prato e copo e volto para o quarto, eu sei conscientemente que me comporto como um idiota. Estando os dois presos aqui e no meio de uma nevasca, ignorar e evitar Angelina é ridículo e impossível, além de causar um desgaste completamente desnecessário, mas o que posso fazer se estou furioso e nem sei explicar a razão?

Tento acompanhar alguma série de televisão, mas não estou com paciência, folheio o livro de negócios que trouxe comigo, assunto chato que exige concentração, tedioso para uma noite fria e barulhenta.

O vento uiva em minha janela, cubro a cabeça com o travesseiro e em algum momento o sono chega. O barulho me desperta, é manhã e o vento só piora, agora o carro deve estar completamente encoberto, qual a chance de um carro novo chegar aqui antes de Samantha?

Quando meu telefone toca perto das nove da manhã eu sei que é ela. Atendo disposto a fingir que tudo vai bem e que nada demais aconteceu.

— Alô! Como vai, filho?

— Você sabia que a Angelina está de conversa com o entregador? — Nem dá tempo de me arrepender, a gargalhada da minha mãe é um sinal do ridículo que estou passando. Queria calçar minhas botas de neve e caminhar até Toronto.

— Que bom que ela não é muda, não é mesmo? — Meu silêncio é um aviso que ela não tem espaço para brincadeiras, escuto seu suspiro longo. — Sammy é bom rapaz, Seth.

— Eu não disse que ela estava de conversa com algum criminoso, disse que estava de conversa com o entregador.

— Pode me dizer o que tem de errado nisso? — Posso, eu a beijei ontem.

— Nada de errado, pelo visto. — É minha resposta.

— A menos que esteja com ciúmes, é isso que está acontecendo?

— Estamos no meio de uma nevasca em Churchill, estou ilhado aqui e seu carro está destruído debaixo da neve porque não coloquei na garagem! — É quase como me vingar dela pelo comentário.

— Que bom que eu tenho um filho rico. Resolva isso quando a neve baixar — ela diz de modo firme.

— Não vai conseguir voltar.

— Eu sei, li as notícias. A maior nevasca dos últimos trinta anos, parece que a humanidade não para de abusar do planeta, não sei quanto mais o mundo pode aguentar.

— Não quero ter uma conversa existencial, mãe.

— E o que você quer, Seth?

— Quero trabalhar, quero voltar para o meu apartamento em Toronto.

— Seth, não está destratando a Angie eu espero, porque seria imperdoável, eu sei que não quer me dar ouvidos, mas ela já teve um pouco disso por toda a vida e não precisa de mais desrespeito.

— Eu sei.

— Sabe?

— Ela me contou, me admira você não tê-la convencido a tomar providências, ela devia arrancar a alma dessa gente junto com todo dinheiro que eles podem ter.

— Não somos de guerra, Seth, nem eu e muito menos ela, você é o caos, nós somos calmaria, ser feliz é uma ótima vingança.

— Frases de rede social, mãe. Esperava mais de você.

— Vou telefonar para ela, saber como estão as coisas por aí. Eu não tinha ideia de que não poderia voltar, claro que vou aproveitar o tempo aqui para organizar umas coisas, inclusive eu e Thea estamos dando um jeito aqui na sua casa.

— Está na minha casa?

— Sim — ela diz de modo simples. — Thea me convidou.

— Eu nem sei o que dizer. — Passo a mão pelos cabelos, respiro fundo e solto o ar lentamente. — Faça como quiser, mãe.

— Eu sempre faço, se te consola, aqui o tempo está péssimo também. Sem teto para voar, vamos torcer para durar menos do que estão dizendo por aí.

— Não sou o tipo que torce para as coisas acontecerem. Sabe disso!

— Mas não se pode lutar contra a natureza, Seth. Devia reconhecer isso dentro de você também. Você não é quem finge ser, é mais suave e generoso que isso, mais amoroso que isso.

— Eu não sei aonde quer chegar com essa história, por isso, vamos mudar o rumo da conversa. Angelina me deu uma boa ideia do que fazer sobre o Klaus, quero ouvir o que acha.

— Angelina te deu uma boa ideia?

— Sim, estivemos conversando sobre o trabalho e ela me deu uma ideia de como agir com o Klaus e os funcionários.

— Achei que as coisas estavam ruins e por fim... estou surpresa, de modo positivo é claro.

— Ótimo. Quer ouvir a ideia?

— Estou super curiosa.

Conto a ela em detalhes o plano de Angelina, mamãe não me interrompe. Quando termino ela ainda demora a me responder.

— Acho que encontrei alguém para ficar no meu lugar no conselho quando me cansar de brincar disso — ela diz para me provocar, só pode ser. — Angelina foi sensata e muito inteligente, além de bastante generosa, não esperava menos. Acho que é isso mesmo que deve fazer e concordo que seja você a fazer e não o seu pai. Stan já sabe?

— Não. Você falou com ele?

— Ele vem jantar aqui hoje. — Já posso ver meus pais civilizados jantando juntos e planejando coisas da minha vida como se eu não passasse de um robozinho obediente. — Seremos apenas nós quatro, vou tocar nesse assunto com ele.

— Quatro?

— Seu pai, Francine, George e eu.

— Seu *marchand* em um jantar de família? Eu acho que nunca vou entender vocês e essa coisa... você e meu pai... são... eu nem sei.

— Adultos, é como se chama — ela brinca e faço careta. Não teria estômago para algo assim. — Seu pai e eu já contamos nossa história e ela teve um lindo final feliz que é você. Agora é o momento de cada um de nós contar outra história, mas se te consola, seu pai já reclamou da presença do George.

— Não dê ouvidos a ele, se ele pode levar a Francine, você pode levar o George, está tendo um caso com o George ou o Gibson.

— Por que não pode ser com os dois? — É o que eu ganho por me meter em sua vida. Engulo a resposta enquanto escuto seu riso. — Tchau, querido, vou falar com a Angelina agora. Amo você e tente aproveitar esse tempo livre que vai ter esses dias para se descobrir um pouco. — Como sempre ela desliga antes que eu possa responder, saídas estratégicas e entradas triunfais, essa é minha mãe.

Deixo o quarto, logo escuto a voz abafada de Angelina através da porta do quarto, com certeza minha mãe.

Preparo o café da manhã e como sozinho na cozinha. Será que essas duas ainda estão conversando? Angus mia, sentado no balcão.

— Não conte comigo, gato! — digo antes de deixar a cozinha, mas não demora cinco minutos e Angelina está lá, conversando com ele e servindo seu café da manhã enquanto tento me concentrar na leitura sob o calor da lareira.

— Seth! — Ela surge na porta da sala, ergo meus olhos do livro para encontrar os seus, é um inferno de olhos delicados e expressivos, ela parece querer tanto e eu não tenho nada a oferecer.

— Sim.

— Sua mãe não vai conseguir voltar. — O vento volta a uivar e ela encara a janela. — Eu falei com ela.

— Com certeza não. Seria loucura voar com esse tempo. — Ela balança a cabeça outra vez em um sim.

— Ela não se importa que o Sammy venha aqui. — Eu não quero falar sobre ele, não quero nem me lembrar do que ouvi. — Depois que ficou bravo com a presença dele, eu achei melhor perguntar.

— Não... — Desisto, ela já perguntou e entendeu tudo errado, melhor assim.

— Sammy conhece Samantha desde pequeno, conheceu até o seu pai.

— Angelina, eu não acho que ele seja um mau elemento — aviso, ela ainda de pé perto da porta.

— Então porque ficou bravo com a presença dele aqui?

— Só quis dar um alerta. — Deixo meu lugar na poltrona. — Por que está aí de pé na porta como se esperasse um convite para entrar? Mora aqui, Angelina, eu sou o intruso e não tenho que escolher quem você recebe, pode se envolver com quem quiser.

— Não estou envolvida com ele. — Ela parece muito surpresa. — Quando falou em casal eu achei que tinha entendido errado, é isso que pensou?

— Ouvi a declaração dele. — Agora eu a peguei de jeito, ela não precisa se fazer de desentendida, os beijos aconteceram e tudo bem, não foram tão especiais assim, podemos ter nos enganado sobre isso, é simples e acontece.

— E achou que era para mim? — Angelina parece surpresa. — Não, ele é apaixonado pela gerente da loja de souvenirs. Eu a vi umas vezes e acho que ela também gosta dele, os dois têm a mesma idade. São bonitinhos juntos, torço muito por eles. Acho que ele confia em mim e se abre. Só isso!

— Vamos apenas esquecer tudo isso — digo cansado dessa conversa e meio atordoado com sua declaração, eu já tinha criado toda uma situação em minha cabeça, agora ela me vem com essa e me sinto um idiota completo, não gosto de me sentir assim, não sou isso, nunca fui e não vou começar a me comportar como se fosse.

— Temos suprimentos — ela diz mudando completamente de assunto.

— É, eu sei.

— Temos que suportar esses dias, é a primeira vez que acontece uma nevasca como essa, eu não sei se gosto, fico com um pouco de medo. O vento faz muito barulho.

— A casa é bem segura, temos um gerador, caso falte energia, não deve levar muito tempo.

— Espero que sim. O que acontece se alguém precisa de socorro médico?

— Existem muitos meios, tem equipes terrestres e helicópteros para esses casos, gente treinada.

— E se a pessoa está sozinha? — Sorrio diante de sua inocência.

— Tem muita gente sozinha por essas redondezas, Angelina. Gente que está acostumada a esse lugar.

— Nem consigo me imaginar aqui sozinha na nevasca, ou com os ursos polares em torno da casa, eu estaria muito mais apavorada se estivesse sozinha. Obrigada, Seth, por estar aqui!

— Minha mãe estaria aqui, Angelina, ela só viajou porque eu estou aqui. — Conheço muito bem a mulher que me deu a vida e me criou, esse plano dela de me deixar sozinho com Angelina é tão óbvio que até insulta minha inteligência, não sei por que ela achou que tal coisa daria certo. Não imagino porque passou pela cabeça de minha mãe que teríamos uma chance ou que eu iria querer isso.

— Pensei em uma sopa com carne de porco, o que acha?

— Deve ficar muito bom — digo voltando para meu lugar na poltrona, Angelina ainda de pé.

— Vou preparar. Espero você para almoçar?

Nem uma hora solitário na sala, meia hora no máximo é o que consigo antes de agir feito um cachorro e correr para a cozinha, eu não sei o que tem nela que me atrai, é algo que me toma a mente e o corpo, se não estou às voltas com meus pensamentos sobre ela, estou perto dela, tentando decifrar Angelina.

— Precisa de ajuda?

— Não — ela diz desligando a panela. — Estou indo colocar a mesa. — Seus olhos seguem para sala de jantar.

— Essa mesa parece ótima — digo apontando a mesa da cozinha.

— Sua mãe sempre come lá.

— Minha mãe finge bem, mas é uma esnobe — brinco para deixá-la de olhos arregalados. — Estou brincando, minha mãe é uma artista, ela gosta do belo. Por mim podemos comer aqui mesmo.

— Como quiser. — O tom é odioso, me sinto como em um abismo, ela do lado oposto, distante, em outro lugar, outra posição.

— Eu sou a visita e você está em casa, não trabalha para mim. — Acho que não sei ser gentil, não sei usar doçura ou meias palavras e Angelina me olha magoada. — Só quero dizer que não precisa me tratar como se fosse... Somos só duas pessoas dividindo a casa. Prefiro assim.

— Entendo. Sam sempre tenta me fazer sentir assim. É novo para mim, acho que desde a morte da minha mãe não provo esse sentimento.

— Você e minha mãe se dão muito bem, fico admirado.

— Eu também fico, queria muito encontrar um lar, um amigo. Descobri que sou péssima nisso, sua mãe me deu tudo isso e fico grata. Aprendo muito com ela.

— Ela é muito inteligente, lê muito, conhece sobre arte, minha mãe é alguém agradável.

— Seu pai é igual a ela?

— Meu pai é pragmático, eu acho que eles se completavam porque eram opostos, mas acabou.

— Ficou triste?

— Não — digo rindo. — Nunca foi da minha conta. — Ela fica calada. — Não tenho essas emoções, Angelina, nunca fingi ter.

—Todo mundo tem, a menos que fosse um psicopata — ela brinca e me olha fingindo medo. — Você é?

— Não sei. Nós dois aqui sozinhos, uma nevasca, você presa com um quase estranho, nesse velho casarão...

— Para! — ela pede apavorada.

— Assistiu O iluminado?

— Shiu! — Ela tampa os ouvidos. — Não fala! — Gosto de seus olhos, do nariz, gosto dos cabelos presos em um rabo de cavalo, das roupas simples de ficar em casa.

Angelina é novidade para mim. Não me lembro de conhecer ninguém igual a ela, pura em todos os aspectos, suave feito brisa, colorida feito aurora boreal, gentil, inocente sem ser tola, inteligente sem ser arrogante.

— Tudo bem, nada de filme de terror. O que gosta de assistir?

— Vai achar meio bobo, mas eu gosto de filmes de aventura, gosto de super-heróis, correria, explosões, uma pitada de romance.

— Por que acharia bobo?

— Porque não são filmes desses para se pensar, que tratam das verdades da vida, é só... Hollywood!

— Também gosto, quando acho tempo — admito enquanto ela leva a panela até a mesa e coloco duas tigelas e torradas. — O cheiro está ótimo.

— Você lê muito? Sua mãe lê bastante. Eu estou pegando esse hábito com ela.

— Não. Muito menos do que gostaria e são mais livros técnicos. — Ela se serve da sopa e depois me passa a concha.

— O que faz no tempo livre? — ela me pergunta e me demoro pensando a respeito disso.

— Acho que não tenho muito tempo livre, mas viajo, saio para jantar com alguém, essas coisas que todo mundo faz. — Angelina não continua o assunto, talvez porque ela não saia muito dessa casa para nada.

— Samantha sempre me manda sair um pouco, tem uns bares que ficam cheios de turistas que vêm ver os ursos, ela acha que devo ir, mas eu acabo ficando.

— Minha mãe é meio inconsequente.

Terminamos o almoço falando sobre música, nisso temos gostos parecidos também. É estranho pensar sobre quanto tempo em comum, pouca vida social, gostamos dos mesmos filmes, do mesmo tipo de música, vidas tão distintas e ainda assim, coisas em comum.

Angelina não está envolvida com o entregador e isso é algo que me surpreende. Não exatamente o fato de não estarem envolvidos, mas como isso parece me criar uma sensação de alívio.

Ficar longe dela se torna minha maior dificuldade e ao mesmo tempo, meu maior foco, não posso, não quero, ela vive aqui, com minha mãe, eu vivo em Toronto. Mamãe precisa de sua companhia, uma faz bem a outra e eu não quero um relacionamento, beijá-la não seria como beijar uma mulher em uma noitada, não é como sair com alguém, por uma noite ou outra e depois seguir minha vida.

Nem quanto disso é claro para os dois lados dá certo, com alguém igual a ela, frágil e delicada seria um desastre, o melhor é torcer para essa tempestade passar e partir.

O plano fica bem definido em minha mente, é só esperar o vento parar de açoitar Churchill e partir, não quero esperar o retorno da minha mãe, não quero dar espaço para nada acontecer, por mais que seja algo que meu corpo busque, por mais que sinta falta do calor que vem dela e deseje seu beijo.

Tudo que tenho que fazer é ser cordial e distante por uns dias, não é impossível, consigo fazer isso, gosto de conversar com ela. É estranho, mas temos assunto, nos daríamos bem se não fosse todo o resto, se eu não fosse quem sou, se ela não vivesse aqui, com minha mãe.

Evitar Angelina é umas das coisas mais difíceis de fazer, os olhos dela parecem me convidar, eu fico consciente de sua existência mesmo longe dela, é como se um cantinho do meu cérebro ficasse o tempo todo em alerta sobre ela, é confuso, emocional, assustador e irritante.

O vento sopra, a neve cai pesada, os noticiários não dão nunca boas notícias. Três dias de tempestade, o carro da minha mãe desapareceu na neve, o tempo fica sufocante e ficar isolado e distante é uma luta que está me consumindo aos poucos e também consome Angelina, posso ver seu olhar entristecer e não sei o quanto sou culpado. Não quero me preocupar com isso, quero deixar essa cidade e encontrar o cara concentrado e focado no trabalho que sempre fui.

Prometi me tornar o CEO da Arnett e isso tem que ser o ponto central da minha vida nos próximos meses, foi para isso que me preparei e não vou decepcionar meu pai ou a mim mesmo envolvido em uma história que não teria qualquer chance de dar certo.

A noite está gelada, abro um pouco a janela da sala para ver a altura da neve, é um inferno de frio. Subo decidido a colocar meus fones de ouvido e ouvir música para esquecer um pouco esse som que nos acompanha o tempo todo.

É o que tento fazer, coloco os fones, ligo a música, mas nem dez minutos e uma angústia toma meu peito. Quero me concentrar e não consigo, tiro os fones e atiro longe, parece que será mais uma interminável noite de inverno solitária e esgotante.

Escuto uma porta bater com força, parece a porta da frente. Angelina não seria maluca de ir lá fora em uma noite congelante como essa, com a força do vento seria uma idiotice perigosa. Eu me lembro do seu medo de ursos e sorrio, definitivamente não é ela. Não temo ser uma invasão, ninguém chegaria aqui com facilidade, ninguém sobreviveria muito tentando.

Prefiro garantir nossa segurança indo averiguar. A casa está silenciosa.

— Angelina! — grito por ela enquanto desço as escadas, a porta do seu quarto está aberta, mas ela não parece estar em canto nenhum. — Angelina! — grito agora mais apavorado. Quando não tenho resposta corro para a porta. Ela saiu lá fora? Por que faria essa loucura.

— Seth! Socorro! — A voz soa tão baixa e tão doída, abafada, distante, abro a porta da frente e o vento me acerta o rosto e a neve cobre minha roupa, fecho a jaqueta tentando enxergar para além de uns centímetros. — Socorro! — A voz vem de perto e dou mais uns passos atordoado tentando enfrentar o vento e encontrar Angelina. É o tecido de sua roupa, um azul suave que parece destoar do cinza e branco da tempestade.

— Angelina! — Corro escorregando e caindo pela neve macia que me afunda até a altura dos joelhos, afastando o gelo que corta minha pele como se fossem mil facas a me perfurarem, o miado de Angus se mistura a um soluço de Angelina e finalmente eu a encontro lutando com a neve.

— Seth... Eu... Eu não... — Ela não consegue falar, o rosto está vermelho, o tecido fino de um pijama é tudo que ela tem para proteger-se do frio de menos vinte, no mínimo.

— Deus Angelina! — Meu frio parece desaparecer, não sinto mais as facadas que antes me cortavam a pele, é uma descarga de adrenalina que me atinge em cheio. Não sei quanto mais de tempo ela tem antes que algo realmente ruim aconteça. Tiro o casaco e cubro seu corpo, tento erguê-la.

— Pé! — ela diz. Eu a solto, cavo a neve em torno dela, seu pé está preso no que parece ser o para-choque do carro. Maldita ideia de deixar o carro aqui. Consigo soltar seu pé, ergo Angelina no colo, ela está de olhos fechados, seu corpo está frio como a neve, o gato dentro de seu pijama e entendo que ela veio buscá-lo.

— Vai ficar tudo bem, Angie. — Me arrasto, caindo e me erguendo com ela nos braços, correndo contra o vento, a neve e o tempo. — Vai ficar tudo bem — minto a ela e a mim, meu foco é a porta que bateu mais uma vez com o vento, minha mente trabalha apressada, aquecê-la, aquecer Angelina antes que seja tarde.

CAPÍTULO 13

Angelina

Tantas coisas para se pensar, Seth me deixa tão confusa. Ora é gentil e cheio de calor, me toma em seus braços e me beija a ponto de me fazer esquecer quem eu sou; ora impõe um tipo de distanciamento congelante, evita minha presença, meus olhos. Às vezes apenas se comporta como se fossemos velhos amigos, brinca e conversa. Eu fico tonta, sem saber quem ele é, como vai ser o segundo seguinte, reagindo de acordo com seu comportamento.

Uma boba que se apaixonou pelos olhos de aço e também pelos olhos coloridos de aurora boreal, um sentimento que me tomou o coração e que não tem futuro, como poderia ter? Seth ficou treze meses sem ver a mãe, quando ele partir não terei mais seus olhos de aço e silêncio, nem o riso ou a presença. Não terei nem mesmo perspectiva de voltar a vê-lo, eu não tinha o direito de gostar dele, não devia ter feito isso comigo.

Abotoo o último botão do delicado pijama de seda azul, é tão suave que parece um carinho em minha pele, presente de Samantha, um rosa e um azul, agora só consigo dormir com eles, macios e confortáveis, jamais teria condições de comprar um tecido tão bom, mas Sam disse que dormir era como uma cerimônia sagrada que precisava do melhor. Realmente quanto melhor eu durmo, melhor é o dia, o que não tem sido nada fácil desde a chegada de Seth. Ele confunde tanto minha cabeça e mexe tanto com minhas emoções que dormir é como travar uma guerra.

Solto os cabelos e escovo os fios. O dia foi longo, o vento não deixou de soprar um só instante, a neve ainda não parou de cair lá fora, é assustador pensar em como a noite deve estar gelada.

Desfaço a cama, mas Angus ainda não apareceu para dormir, aquele gatinho está cada dia mais mimado e desconfio que sou a culpada. Samantha vai ficar chocada com suas novas manias.

— Angus! — chamo sem resposta, geralmente ele chega correndo vindo dos mais variados lugares, dessa vez não tem resposta e deixo o quarto olhando para os cantos e fazendo um barulho bobo com a boca para tentar chamar sua atenção. — Angus!

Quando desço as escadas e chego a sala principal, sinto uma corrente de vento gelado me atingir em cheio, cruzo os braços como se me abraçando pudesse conter o frio, com os pés enfiados em um par de pantufas de gatos, também presente de Samantha, eu dou uns passos pela sala pensando de onde vem todo esse frio.

Acendo a lareira para aquecer a sala, onde o gato se enfiou? Será que está no quarto com Seth? Não, aqueles dois não se entendem e esse seria o momento mais inusitado da semana. Definitivamente ele não está lá.

Olhos mais atentos na direção do vento e noto a janela aberta, meu coração descompassa, uma onda de pânico me acerta em cheio. Angus está lá fora e eu nem sei há quanto tempo. Fecho a janela em um impulso desesperado, meu coração saindo pela boca.

Corro para porta apavorada, só consigo pensar em Samantha, no seu pedido para cuidar dele e não fiz, não abri nenhuma janela, talvez Seth distraído ou o vento, não importa, Angus está lá fora e vai morrer congelado.

O vento me atinge no instante em que abro a porta, me sinto tola e burra assim que dou os primeiros passos pela neve que toma a varanda, não há tempo de me vestir adequadamente.

— Angus! — Cubro os olhos para tentar uma melhor visão por entre a neve e o vento. A onda de frio que toma meu corpo parece me enfraquecer e confundir minha mente. Escuto um leve miado e a figura negra se destaca por entre a neve, o gato dá dois passos e parece desaparecer em meio a neve, como se tivesse sido engolido por ela. — Angus! — grito meio desesperada. — Seth! — grito com toda minha força na tentativa de ser ajudada enquanto afasto a neve e luto com passadas pesadas até conseguir alcançar o local.

Quando chego até ele, sinto meu corpo afundar por completo na neve, como se eu também fosse tragada por ela, um bolsão de ar me puxa para um buraco e Angus pula sobre mim.

— Angus, vamos congelar. — Enfio o gato assustado sob a blusa do pijama. — Seth! Seth! — grito enquanto patino por entre a neve tentando sair do buraco, cavo tentando forçar os pés para me erguer e sair antes que seja tarde.

Sinto meu pé enganchar em algo, depois parece a barra da calça presa. Machuca quando me movo, mas eu luto, basta cavar a neve e me soltar, é só isso, cavar.

— Cavar, Angelina! Cavar! — digo a mim mesma enquanto tento abrir um buraco em torno dos meus pés. Sinto os pelos congelados de Angus a me marcarem a pele do tórax, sinto o frio penetrar meu corpo e as mãos começam a ficar dormentes, os pés, perdem a força, a mente começa a ficar confusa.

Seth não sabe que estou aqui fora, ninguém sabe, vai demorar a sentir minha falta. Eu não tenho escolha, preciso ficar forte, controlar a mente e sair daqui.

— Seth! Seth, socorro! — Escuto um barulho distante, é a porta de casa batendo, o vento parece dançar a melodia da morte em torno de mim e só penso que vai ser muito lento e muito dolorido. — Cavar...!

Eu não sei quando começo a apagar, quando a dor toma meu corpo todo e depois começo a parar de sentir e meus pulmões parecem primeiro arder e depois se fechar.

Seth surge como uma visão do paraíso, os olhos de tempestade estão cheios de medo, gritam diante de mim me fazendo querer lutar, ele diz coisas que não entendo, atira algo quente sobre mim, corta um pouco o vento, sinto quando tenta me erguer, busco forças dentro de mim, Seth não vai desistir e ficaremos todos aqui.

— Pé! — digo preocupada com ele, está congelando como eu, meu corpo não está mais no chão, minha mente quer se manter sã, mas os olhos agora abrem e fecham em flashes confusos.

Sinto quando ele chuta a porta, e a diferença de temperatura quando entramos na casa.

— Calma, já vai passar — ele diz me colocando no chão ao lado da lareira, Angus salta de dentro da minha blusa. — Não acredito que foi lá fora buscar esse gato.

Quero desesperadamente responder, quero reagir, mas não consigo, me sinto amortecida, dormente, ao mesmo tempo em que uma dor lancinante parece me tomar o corpo todo.

— Angus... — digo em um sussurro que nem sei se foi audível. Ele precisa cuidar dele, Samantha ama o gato, eu o amo, é um bichinho indefeso. Tento me mover para tocar Seth que está curvado sobre mim agitado e concentrado.

— O gato está bem, está se aquecendo na lareira. Eu devia atirá-lo ao fogo e cozinhá-lo de uma vez.

Não sinto suas mãos em mim, mas sei que estão, não consigo concentração, quero só apagar, me render, mas ele tem olhos desesperados, olhos tão desesperados que me enchem de ternura.

— Tenho que tirar essas roupas molhadas, Angie. Desculpe, preciso fazer isso. — Só então noto as peças molhadas de minhas roupas e o sinto atiradas para longe.

Não consigo sentir vergonha, medo, nada, não consigo sentir nada além da ternura que me invade diante de sua angústia, quero me focar nos olhos de aço, mas é difícil não sucumbir.

— Não dorme, Angie! Fica comigo, conversa comigo. — Ele me deixa, desaparece por um instante e sinto medo, vazio, dor, escuridão que ameaça chegar. — Aqui. — Ele me ergue um pouco. — Bebe, isso. É conhaque.

— Não bebo! — digo meio atordoada demais para coordenar ideias.

— Não é um brinde, Angie. Pelo amor de Deus, bebe isso! — Ele vira o copo em minha boca, é como engolir fogo líquido. Desce queimando e se o efeito devia ser me aquecer, não é o que acontece, é como se meu corpo todo despertasse em uma onda de frio que me faz bater o queixo.

— Seth... Você, você está molhado. — Ele vai congelar enquanto luta por mim. — Seth se afasta, assisto enquanto se despe diante dos meus olhos sem qualquer constrangimento, eu queria pensar sobre isso, mas é só um lampejo de consciência misturado a apagões que vão e vem enquanto tremo descontroladamente sentindo o frio me consumir.

Seth esfrega minhas mãos, elas começam a voltar, ardem um pouco, os pés parecem mais protegidos, não deixei de senti-los, meu rosto arde um pouco, os pulmões não estão mais secos e ardentes.

Ele se deita comigo, me abraça, joga a manta do sofá sobre nossos corpos e sinto seu calor, sinto o fogo da lareira finalmente começar a me aquecer e Seth. Sinto todo ele me envolvendo enquanto minha mandíbula começa a parar de bater e a consciência vai voltando lentamente.

— Vai passar, Angie. Não dorme, não perde a consciência. — Ele beija meus cabelos úmidos, sua mão quente toca meu rosto de modo delicado, seus lábios cobrem os meus em um leve beijo, ainda posso sentir a maciez dos lábios. — Já está se aquecendo.

Espalmo minhas mãos em seu peito quente, é tão bom estar assim em seus braços, estamos nus e não consigo atinar o que isso significa.

— As mãos ainda estão muito geladas — ele diz e me afasto de seu peito. — Não! Deixe-as aqui, precisa se aquecer. Consegue mexer os dedos?

Faço um movimento com os dedos, eles se movem em seu peito, então espalmo minhas mãos mais uma vez e o calor que vem dele parece penetrar minha pele e vai apagando os rastros que o vento gelado deixou em mim.

— Muito bom! Logo isso vai passar, mexe os pés? — Mexo meus pés mesmo eles estando enrolados a Seth. Agradeço ao conhaque por me deixar assim nesse torpor, por que em algum momento uma onda de vergonha vai me atingir e eu não sei como será sair disso.

Seth beija mais uma vez meus lábios, o frio vai perdendo a força, a fraqueza dos meus músculos vai desaparecendo e o tremor some aos poucos até sobrar uma sensação estranha de calor e silêncio, meu corpo colado ao dele parece produzir paz, certeza. Sinto sono, me encolho mais em seu abraço, escondida na curva do seu pescoço, sentindo sua respiração agora tranquila.

— O gato está dormindo sob o calor do fogo, eu o cobri, não falei sério sobre atirá-lo ao fogo. — Não pensei que ele tinha falado sério. Balanço minha cabeça afirmando sem forças para falar. Quero dormir. É uma luta constante com a força do sono que eu nem sei de onde veio. — Descanse, já vai passar.

Deixo que o sono me domine e caio na inconsciência na proteção dos seus braços, ao som das labaredas da lareira.

Não sei quanto tempo dormi, mas quando abro meus olhos ainda é noite, sinto meu corpo totalmente aquecido e vivo, pulsante e ainda colada a ele, minha cabeça sobre seu braço esquerdo, abro meus olhos e encontro os dele.

As chamas da lareira dançam em seus olhos, ficamos calados a nos olhar, eu não sei o que dizer, não quando seus olhos me hipnotizam assim, e me enfraquecem.

Uma onda de compreensão me domina a mente e depois o coração, gosto de Seth Arnett, gosto com todo meu coração, me apaixonei por ele, não sei o que ele sente, se sente algo, mas tenho completa consciência das minhas emoções e são bem claras e simples, eu gosto dele.

Sua mão livre toca meus cabelos com carinho, eles estão secos agora, os dedos acariciam meu rosto, se demoram na ponta do meu nariz e ele dá um meio sorriso que me faz saltar o coração como se ele tivesse finalmente despertado do torpor.

— Queimou um pouco o rosto — ele diz com uma nova voz, é baixa, gentil, me aquece mais do que o calor do fogo. — Ainda está linda!

— Obrigada, Seth!

— Como se sente?

— Quente — respondo e ele ergue uma sobrancelha, afasto para longe a ideia de que estamos abraçados e nus, não sei muito quem eu sou, mas sei que não sou exatamente uma puritana, quero ser alguém moderno e livre e estar assim com ele, ao menos para Seth, não deve ser algo muito especial ou diferente.

— Foi atrás do gato?

— Acho que o vento abriu a janela, ele fugiu e eu apenas abri a porta. Não tinha planos de sair, depois não tinha planos de me afastar muito da casa e então, eu só queria salvar Angus.

— Precisa saber que ele não liga a mínima, está dormindo tranquilo e coberto, nem se importa com o que aconteceu. — Os dedos dele não param de passear por meu rosto e eu nem sei se ele se dá conta do que está fazendo.

— É só um gatinho, estava muito assustado.

— Até encontrar sua heroína. Foi loucura, Angie. — Vejo medo em seus olhos ainda que misturados às chamas da lareira.

— A Sam ama tanto o Angus, eu também aprendi a amar, como poderia deixá-lo morrer lá fora?

— Se minha mãe não o tivesse mimado tanto, Angus teria aprendido a não sair em dias como o de hoje. — Sorrio pensando que Seth é como disse que seu pai era. Pragmático.

— Agora é tarde, não faz mais diferença. — Seus dedos ainda passeiam por meu rosto e eu ainda mantenho a cabeça em seu braço, não consigo me mover, tenho total consciência do momento em que estamos, nus e abraçados. Meu rosto está queimando de vergonha, mas ele deve achar que é por conta do frio.

— Deixei a janela aberta — Seth confessa. — Sinto muito! — Meu coração se aperta só de imaginar a culpa que ele sentiria se algo de pior tivesse acontecido.

— Passou.

— Fui eu que me esqueci de guardar o carro, achei que sairia de novo e por fim não saí, não guardei o carro, larguei a janela aberta, uma sucessão de tolices que quase te mataram. Eu sinto muito, Angie.

— Estou bem, o Angus está — digo para acalmá-lo.

— Fui estúpido e odeio ser estúpido. — Vejo seus olhos entristecerem. — Correu tantos riscos.

— Me salvou, Seth. Eu não tinha mais esperanças de ser ouvida. — Movo minha mão em seu peito, sinto seus músculos, um arrepio me percorre, é loucura estar aqui, mas ainda porque talvez eu definhe só por medo de me mover e ter que lidar com a ideia de falar sobre isso.

— Estava de fones, não sei bem porque os tirei. Não suportava o vento açoitando as janelas, uivando. Coloquei fones, mas não consegui relaxar, então ouvi a porta bater assim que os tirei, teria morrido do lado de fora, uns metros de mim.

— Tive sorte — digo a ele que balança a cabeça concordando, ele brinca com uma mecha seca dos meus cabelos.

— Não acreditei que estava lá fora, vi o tecido azul Angie, podia ao menos ter posto um casaco.

— Achei que Angus podia morrer, eu nem sabia há quanto tempo ele estava lá fora.

— Os pelos o protegem por mais tempo. — Balanço a cabeça concordando.

— Minhas pantufas protegeram meus pés, mas também enroscaram no carro. Eu não me lembrei que o carro estava por ali, cai em um tipo de bolsa de ar. Vi Angus cair antes, ele estava patinando e tremendo quando me aproximei, fui tentar tocá-lo e a neve pareceu ceder, cai no buraco, não era nada demais, teria conseguido, mas meu pé prender, a pantufa não saia, meu pé não soltava, me lembro de pensar que tinha que cavar, mas foi me faltando forças.

— Eu sou culpado, se o carro não estivesse lá, não teria enroscado nele.

— Pare de se culpar, se arriscou por mim. — Tomo coragem para tirar a mão de seu peito e tocar seu rosto, ele fecha os olhos um instante como se estivesse a aproveitar o carinho, volto minha mão para seu peito.

— Temi que fosse tarde para suas mãos. Nem acredito que descongelou e estão... Podia ter perdido os dedos, sabe disso?

— Não. Quer dizer, sim, agora que disse eu sei que pode acontecer, mas não pensei antes e nem depois, foi mesmo perigoso, por sorte as pantufas protegeram meus pés.

— Pensar que sempre achei o par de sapatos mais feios que já vi na vida. Agora, tenho de admitir que são razoáveis.

— Presente da sua mãe — conto a ele que torce o nariz, seus dedos deixam meus cabelos, tocam mais uma vez meu rosto.

— Minha mãe deve ter querido fazer alguma brincadeira de mau gosto te dando aquele par de sapatos horríveis. Sai na rua com eles?

— Não, Seth! São pantufas, são para ficar em casa, de pijama, na cama, com os pés quentinhos.

— Achava que isso era coisa de criança. — Sorrio, ele está tão bonito, os cabelos desalinhados, os olhos de fogo que refletem as labaredas, o quase sorriso, a voz tão leve, baixa, carinhosa, quero que dure para a eternidade.

Seth é esse cara, ele é todos os outros, é também a tempestade refletida no quadro um pouco acima de nós, preso a parede da escada, é o obstinado homem de negócios, tantos, mas esse, esse aqui que me tem nos braços, gentil, próximo, carinhoso, esse cara parece ser o que vive no mais profundo de sua alma.

— Obrigada! Por tudo. Até por aquele gole de fogo que me fez tomar.

— Conhaque — ele diz sorrindo. — Aqueceu você mais rápido, mas a sorte foi você ter ligado a lareira.

— Desci para procurar Angus, senti uma onda de frio, liguei o fogo e no instante seguinte vi a janela. — Um arrepio me percorre, me lembro claramente do frio a me cortar, como se fossem facas a penetrar minha pele dos pés a cabeça, eu nunca pensei que o frio pudesse ser tão avassalador. — Nem pareço canadense, você resistiu tão bem.

— Adrenalina pura, só isso, mas também precisei de um gole de conhaque e o calor da lareira. No fim está aqui, está segura, é um alívio, para viver nesse lugar precisa entender melhor o tempo, Angie. Precisa se preparar para ele, não pode se arriscar assim, se tivesse vestido roupas adequadas antes de sair em um resgate teria evitado tudo isso, uns instantes lá fora são fatais.

— Você também não fez isso. — Ele ergue as sobrancelhas e sorri, estou certa e acho que só agora ele se dá conta.

— Eu não tinha ideia de quanto tempo estava lá. Quanto tempo acha que foi?

— Três mil anos — explico e ele sorri para mim. Balança a cabeça concordando.

— Duas vidas. Assustador. — Ele toca meu rosto com carinho, os olhos me aquecem. — Não importa mais! Está aqui, segura e quentinha. — Balanço a cabeça concordando. — Linda.

Um longo silêncio nos atinge, meus olhos se prendem aos dele, estou apaixonada por ele, estou feliz aqui, quero sentir seus lábios, quero ultrapassar todos os limites, quero pertencer a ele, aprender sobre nossos corpos, sobre como é estar entregue a quem gostamos.

Qualquer coisa muda em seus olhos, qualquer coisa muda na maneira que estamos misturados, é como se meu corpo despertasse finalmente, um calor sobe por minhas entranhas, meu coração descompassa, acelera, o sangue jorra por minhas veias com mais rapidez, sinto a vida pulsar. Me lembro do primeiro beijo sob o portal dos deuses, no colorido da aurora boreal que refletia seus olhos de aço, agora são as labaredas do fogo a pintarem seus olhos, elas combinam em perfeição com o fogo que me toma o corpo, seus olhos se fecham lentamente, enquanto seus lábios se aproximam dos meus e eu não quero perder um só segundo do que sinto, quero me deixar livre para viver essa emoção e me entregar a ele, seus lábios ainda tão macios e gentis quando tomam os meus, minha boca se abre lentamente para recebê-lo, eu me deixo viver.

CAPÍTULO 14

Seth

Tanta adrenalina e medo. Não me dei conta da proximidade de seu corpo, não pensei na maciez da pele, assisti enquanto dormia em meus braços e só pensava em agradecer tudo ter terminado bem.

Não me lembro de ter sentido tanto medo na vida, talvez uma vez, quando estava preso dentro do carro com um enorme urso polar a me cercar e vi meu pai saindo de casa, pensar naquele monstro o atacando enquanto ele gritava por mim foi tão apavorante quanto ver Angie se apagando diante dos meus olhos.

Agora, depois de horas assim misturados, parece que finalmente meu corpo acordou para a delicadeza dela, a beleza estonteante que vem da simplicidade do não saber ou não se dar conta do quão poderosa pode ser.

Angelina é como a aurora boreal, poderosa e mística na beleza bucólica do seu jogo de cores que iluminam o vazio e a escuridão.

Sua boca se abre para receber a minha e mesmo sabendo que é a pior tolice que já fiz na vida, eu não resisto em beijá-la, seu corpo se cola ao meu, sua pele agora quente me desperta para toda onda de desejo que venho controlando por dias.

Minha respiração acelera, meu coração descompassa, todas as reações químicas do meu corpo diante do anúncio de uma possível onda de prazer entram em ebulição, suas mãos percorrem minha pele deixando um rastro de fogo e fico buscando algo para me convencer a deixá-la quando tudo em mim anseia por mais.

Minha boca deixa a sua, quero sentir o sabor da pele, percorro meus lábios pela pele macia e perfumada, desço meus lábios lentamente por seu pescoço, colo, indo me perder na beleza dos seios, minhas mãos desobedecem às ordens cerebrais e perco o comando de quem sou. Os instintos me dominam e quando ela arqueja e seus dedos arranham minhas costas e seu corpo se cola ao meu em um convite eu não quero mais lutar.

— Angie... — Quero buscar lucidez, quero ter certeza de que ela entende esse caminho, mal consigo articular uma frase, entregue como jamais me senti antes.

— Estou feliz — ela diz quando meus olhos procuram os seus em busca de certezas que não encontro palavras para perguntar. — Seth, se lembra das Valquírias?

— Sim, as guerreiras virgens. Se sente uma guerreira? — pergunto percorrendo sua pele mais uma vez, passeando por suas curvas, sentindo suas mãos deslizarem por mim em descobertas e seus lábios brincarem com minha pele em concordância com os meus.

— É mais para a parte em que são virgens. — Paraliso, tentando compreender o que isso significa, procuro seus olhos, ela me olha assustada.

— Você nunca...

— O primeiro beijo foi sob a aurora boreal. — Os olhos contam emoções que antes eu não tinha percebido, não sei bem o que pensar sobre isso. — Não ficou feliz?

— Angie, eu não sei o que pensar, acho que preferia que não fosse assim. Preferia que você já...

— Isso não é romântico. — Toco seu rosto, aliso a pele macia e beijo os lábios delicados.

— Não sou romântico, Angelina. Não vai encontrar isso em mim. — Ela dá um meio sorriso, não sei reconhecer se é decepção, não sei se ela entende que não vamos mais longe do que o prazer dividido, que não estamos no futuro um do outro. — Talvez não seja...

— Ainda estou feliz, Seth. Quero estar aqui, quero ir em frente, quero viver tudo que existe.

Seus olhos são honestos, não vejo medo neles, dor, só a ansiedade de quem precisa ser aceita. Suas mãos correm por minhas costas, voltam suaves por meu peito, assisto seus olhos a me percorrerem o corpo, descobrindo, curiosos, ávidos. Quando encontram mais uma vez meus olhos são um convite que não consigo resistir ainda que minha razão grite que é um grande erro, que vou me arrepender, não quero ouvi-la, quero atender os desejos de Angelina, quero atender ao meu desejo e não pensar em nada que não seja nós dois e o calor que dividimos.

— Tão linda! — digo acariciando a pele delicada e ainda avermelhada do rosto mais bonito que já vi. — Paramos no instante em que decidir. — Essa é a única promessa que posso fazer a ela, não tenho mais nada a oferecer.

Sua resposta são seus lábios buscando os meus e pela primeira vez, vejo Angelina lutar pelo que quer.

Nunca estive com uma garota virgem, sinto o peso da responsabilidade me atingir e ele me torna mais delicado e paciente.

Pela primeira vez, meu prazer fica totalmente em segundo plano, presto total atenção a Angelina, seus olhos e reações são agora mais importantes que qualquer sentimento ou desejo. É sua primeira vez, a partir dessa experiência sua vida ganha sentidos diferentes e não consigo ignorar isso.

Cuidar de suas emoções, assistir suas reações faz surgir em mim uma outra maneira de vivenciar esse momento, é como se também para mim fosse novo e diferente.

Meu corpo reage diferente, mais presente, vivo, olhar nos olhos dela, perceber suas pequenas descobertas, como reage a elas, tudo isso provoca novas emoções, ondas de prazer que meu corpo desconhecia e me assusta ao mesmo tempo em que hipnotiza.

— Está tudo bem? — Decido perguntar, ela afirma, envolvida demais para uma conversa, seu sorriso responde, o corar das bochechas se acentua e beijo seus lábios, encantado demais com sua beleza para resistir mais tempo.

Jamais pensei que podia ser assim, paciente, preocupado e completamente presente, não tem nada mecânico ou urgente nesse momento, leva tempo, cuidado, assisto cada reação, olhos abertos e presos nos dela, chocado com o que Angie me provoca, desejando parar o tempo nesse instante, esquecido de quem sou, sem pensar no amanhã ou no ontem, sem planos, sem pressa.

— Não dói, Seth — ela diz em um fio de voz que me dispara o coração me assustando, sorrio para o rosto corado e os olhos brilhantes.

— Posso ver que não. — Ela cobre o rosto um instante, é tão linda, não quero perder nada de seus olhos, da beleza doce e leve de um rosto impecável de tão perfeito. Feito seus anjos a dançar na noite da aurora boreal.

— Quero ver você, Angie. — Ela descobre o rosto, seus dedos mergulham em meus cabelos, minha boca procura a sua.

O fogo na lareira é a única luz a nos iluminar em uma dança dourada que deixa sua pele iluminada como a de uma fada.

Ela sussurra meu nome, soa tão suave em seus lábios. Que dispara meu coração em uma onda de emoção que eu não conheço.

Quando a urgência do desejo me atinge em cheio é uma explosão de emoções que parecem se confundir com as dela, não me lembro de estar tão inteiro com alguém, nunca estive tão completo, nunca fui tão eu como nesse pequeno e mágico instante que me arrebata e me atira em uma onda de medo e incerteza, só quero sufocar essa emoção, afastá-la de mim, estou nas mãos da única pessoa que pode me destruir.

Minha boca procura a dela ainda cheia de fome. Ela reage em sua paixão, se entregando ao beijo que coroa o momento mais complexo e perfeito que já vivi.

Então vem a calmaria e um longo silêncio de plenitude e contemplação, em que meus olhos desafiam os dela e nenhum dos dois consegue se desviar e me lembro da primeira vez em que nos vimos, quando ficamos nessa mesma batalha muda e que até hoje não teve um vencedor.

Pois posso dizer a mim mesmo que perdi, Seth Arnett parece finalmente encontrar adversário a altura, a inocente Angelina.

— Parecia magia — ela diz com a voz rouca e baixa, não consigo tirar minhas mãos dela, mesmo agora quando o corpo está saciado, tem uma parte de mim que ainda precisa dela. — Eu não sabia que era assim.

— Como pensou que seria? — Ela toca meu rosto e eu gosto tanto de sentir seus dedos em minha pele, eu não sei como abrir mão disso.

— Um pouco mais vulgar talvez, mais físico, dolorido, mas não foi nada disso. Foi bonito, mágico, intenso, nem parecia eu.

— Era o tempo todo você. — Angie sorri para mim envergonhada. — Estava tudo aí dentro, só a espera de explodir. — Seu riso se espalha e é seguido de um longo suspiro.

— Pensar que eu estava há pouco morrendo congelada e agora... — Ela deixa no ar.

— Agora?

— Cheguei a pensar se não tínhamos rolado para dentro da lareira. — Meu riso é alto. E Angus finalmente parece despertar, fica de pé fugindo da coberta, anda pela sala e segue preguiçoso em busca de um lugar mais silencioso para voltar a dormir. — Ele está bem.

— Claro que está! — Beijo seus lábios. — E você?

— Bem. Me sinto cheia de energia. — Ergo uma sobrancelha a pensar nessa energia toda, ela cobre o rosto de novo, mas logo volta a me olhar. — Com vergonha também, uma hora tenho que sair daqui e caminhar nua.

— O problema é caminhar nua? — brinco achando graça que depois de tudo ela ainda encontra timidez para coisas triviais como essa. Angelina balança a cabeça afirmando. — Posso resolver isso. — Fico de pé e ergo Angelina nos braços, ela me envolve o pescoço surpresa demais para falar. — Te levo no colo.

Chega do chão frio e duro, depois de tudo, ela merece a maciez de seus lençóis. Entro em seu quarto e a coloco sobre a cama, devia deixar seu quarto, essa casa, sua vida, mas nem consigo me mover para longe.

— Fica — ela convida e por um longo instante, apenas olho para ela enquanto luto, não é uma batalha simples.

— Precisa descansar. — Angie tem lindos olhos de decepção.

— Fui tão tola indo lá fora daquela maneira.

— Depende do ponto de vista, Angus não acha. — O sorriso dela se abre e não consigo simplesmente ir embora, me acomodo ao seu lado.

— Ainda não decidi se está melhor que o tapete, lá tinha a lareira.

— Sei como aquecer você — digo antes de beijá-la, ela me puxa para si, a razão que deu um lampejo há pouco, quando tentei deixá-la, decide partir e mergulho na emoção de estar com ela mais uma vez, uma última vez. — Não quero estar aqui. — Explico ainda que seja duro ouvir. — Mas não consigo estar em nenhum outro lugar.

— Por quê? Não gostou do que aconteceu? — Ela não deixa perguntas no ar, gosto disso também.

— Justamente porque gostei e não devia gostar. Gosto muito de estar aqui, Angelina, como nunca gostei antes. Quer que eu vá embora? — Ela balança a cabeça negando e seus dedos delicados me puxam pela nuca para um beijo e nada mais pode me tirar dessa cama, não quando suas mãos me percorrem, quando as minhas repetem seus movimentos tocando seu corpo, não quando estamos de novo entregues a paixão.

Dessa vez é mais intenso, cheio de uma pressa e percorrendo caminhos que conhecemos, dessa vez posso me deixar sentir por inteiro e é ainda mais avassalador, de novo somos uma só vida, tudo interligado em emoções que dividimos e eu não sabia ser possível, até que a exaustão nos tome por inteiro e meu corpo e o dela entrem juntos em um estado de tranquilidade.

Silenciosos e abraçados, sentindo a presença um do outro, por longo tempo só consigo sentir paz, mas quando a luz do nascer do dia começa a invadir o quarto eu sei que não devia estar aqui, a inquietude que sempre me conduziu me toma a alma.

Angelina merece o que não existe em mim para dar, eu não quero ser esse cara que abandona tudo atrás de momentos de prazer, e me preparei toda uma vida para o momento que estou vivendo e agora tudo que quero é abandonar esse desejo e viver aqui, sob uma intensa nevasca, dormindo e acordando nos braços calorosos de Angelina.

Beijo seus lábios com cuidado, ela abre os olhos lentamente, doces olhos que trazem sempre um meio sorriso leve.

— Descansa! — digo antes de afastar as cobertas e deixar sua cama sem olhar para trás.

Não passo pelo chuveiro, vou direto para cama, me atiro nela e fecho os olhos, quero dormir, dormir e esquecer, dormir por horas e acordar achando que tudo que vivi foi apenas algum tipo de sonho erótico e nada mais.

Demoro a pegar no sono, minha mente insiste em reviver cada momento, do instante em que atirei o fone de ouvido para longe até me despedir dela em sua cama, repete e repete as mesmas cenas até por fim me esgotar e apagar em um sono profundo e sem sonhos e quando finalmente desperto o dia se foi, a tarde está chegando ao fim, e Angelina ainda é a dona dos meus pensamentos e eu sei que não foi sonho.

A nevasca finalmente passou, ainda tem uns metros de neve lá fora, mas o céu começa a limpar, o vento já não sopra mais com tanta força, em breve a neve terá derretido o bastante, um avião já deve ser capaz de levantar voo, a pista deve estar sendo limpa agora mesmo.

Posso até mesmo ver estrelas e quem sabe essa noite ainda tenha uma linda aurora boreal, mas eu não posso ficar aqui, não posso ficar mais nem um instante aqui ou tudo por que lutei vai por água abaixo.

Eu não sei o que é melhor para ela, mas sei que seu lugar é aqui. Que ela e minha mãe são agora família e que na vida que me espera, não existe lugar para esse sentimento que fica me ameaçando dominar a todo instante, quanto mais tempo com ela, mais difícil deixá-la.

Pego o celular decidido a partir antes que eu simplesmente fique e passe o resto da minha vida arrependido. Não vai nos levar a lugar nenhum, foi incrível, especial e não vou me esquecer, mas eu não vou ser esse cara.

Não posso oferecer nada a ela, não vou transformá-la em minha mãe, que está sempre me lembrando como meu pai a deixou de lado para cuidar da empresa, que ele vivia para o trabalho, não quero ser o responsável pela infelicidade de ninguém.

Pego meu celular, Viviane ainda deve estar no escritório e pode cuidar de tudo.

— Viviane.

— Boa noite, senhor. Seu pai já voltou para Michigan, ele disse que o avisaria.

— Eu sei. — Minto me dando conta que desde a noite de ontem não olho para o meu celular e que talvez ele tenha ligado.

— Então sabe que ele volta no fim de semana, ele tinha compromissos por lá, se quiser que eu o coloque em contato com ele, eu posso...

— Viviane, pode tentar não adivinhar o que quero? Se esperar um instante eu mesmo posso dizer.

— Claro!

— Quero que providencie minha volta amanhã mesmo. A nevasca passou, encontre um voo comum ou um helicóptero que me tire de Churchill antes das dez da manhã.

— Vou cuidar disso imediatamente — ela avisa prestativa como sempre.

— Obrigado! — digo indo para o chuveiro e depois de um banho ainda estou decidido a partir. Angelina talvez se magoe, mas não menos do que eu.

Abro a mala sobre a cama e arrumo minhas roupas, não preciso levar tudo, só as coisas de trabalho que trouxe e umas mudas de roupas. Fecho a mala e deixo ao lado da cama. Volto à janela e o céu está limpo.

Procuro por informações do tempo na Internet, a nevasca finalmente acabou. O frio continua intenso e a neve não vai baixar tão cedo, acho que só consigo sair daqui com um helicóptero, mesmo que tente limpar a frente da casa o carro ainda vai estar inutilizado por conta da neve.

Envio uma mensagem para Viviane, não é a primeira vez que ela me tira daqui às pressas, já tive que abandonar minha visita a mamãe para uma reunião importante e foi assim que saí, com um helicóptero até o aeroporto e depois um voo direto para Toronto.

Escuto barulho no andar de baixo quando desço as escadas, na sala nenhum vestígio do que vivemos, sorrio com a lembrança, a lareira ainda está acesa, Angus está sentado no parapeito da janela, olhando para fora preguiçoso.

— Nem parece um assassino — digo quando passo por ele. Angelina está na cozinha, me demoro um pouco observando seus movimentos, ela tem os cabelos presos em um rabo de cavalo, acho que não faz ideia de como gosto deles assim, deixando a beleza de seu rosto à mostra, usa um conjunto cinza de calça e blusa de moletom com zíper e capuz. Bem que podia estar assim ontem, teria suportado melhor.

Ela leva a colher de pau a mão, derrama algo e prova, é sensual sem saber que é. Linda feito anjo, doce feito primavera, intensa e entregue, não sei se algum dia serei capaz de sentir de novo o que senti com ela.

— Muito bom! — Ela se autoelogia me fazendo sorrir, sobre a mesa da cozinha. Jantar para dois, mesa bem decorada, ainda que na cozinha. Ela tem talento para coisas como essas, finalmente me nota e o rosto que ainda tem sinais de queimadura se ilumina. — Oi! Pensei que dormiria até amanhã.

— É, eu... dormi bem.

— Com fome?

— Um pouco — minto para não magoá-la. Não sinto nada além de pena de partir, pena de tudo que não posso viver com ela, pena de mim mesmo o que não é nada bom de sentir. Uma melancolia que não devia ser o sentimento a substituir tudo que vivemos.

— Já vai sair — ela diz em um lindo sorriso que vai morrendo conforme ela nota meu distanciamento. Eu sou mesmo um crápula como já ouvi por aí.

— Não tem pressa — digo sem saber bem o que dizer. — Quer ajuda?

— Não. Obrigada! — Agora sua voz soa um pouco distante. — Fiz um guisado, é quente e saboroso.

— Sim, está perfumando toda a casa. Angus parece bem.

— Nem ficou traumatizado, o espertinho já está lá na janela, tentando ver se dá sorte.

— Nunca mais esqueço nada aberto — aviso como se isso importasse, não importa, estou indo embora, deixando Angelina e essa casa e talvez me demore uma eternidade para voltar, não quero encontrá-la tão cedo. Não sei como seria voltar a ver Angelina.

— Parece ótima ideia. — Ela tenta sorrir, mas não consegue, desliga o fogo e usa panos de prato para segurar as alças da panela e levá-la até a mesa. — Acho que não precisamos transferir para uma travessa.

Vejo uma linda travessa sobre o balcão, porcelana desenhada a mão, Angelina é inteligente e sentiu o clima, talvez estivesse preparando algo diferente, desapontá-la não me faz bem.

— Sente-se — ela convida de modo formal e obedeço. Ela me serve, muda, enquanto derramo água em nossas taças. Talvez ela estivesse à espera que eu fosse buscar um bom vinho para acompanhar o jantar. Por que continuar com esse jogo de sedução se eu sei que acaba quando o dia raiar? Ela não merece isso.

Provo o prato quente e saboroso, ela caprichou. Meus olhos encontram os seus, mas eles fogem de mim e me machuca de tantas maneiras diferentes que quase não me reconheço.

— Está muito bom — digo a ela que balança a cabeça concordando.

— Obrigada! — ela diz com olhos perdidos na tentativa de me ignorar.

Um silêncio brutal nos envolve em todo jantar, a comida está ótima, mas não consigo apreciar, eu não tinha planos de magoar ninguém, fui tão envolvido pela magia quanto ela.

Angelina descansa os talheres sobre a mesa e toma um gole de água, deixo meus talheres também, seus olhos finalmente encaram os meus.

— É estranho fingir que não aconteceu nada — ela diz com dificuldade.

— Não vamos fingir — respondo a ela. — Apenas não vamos... continuar com isso.

— Entendo — ela me avisa. É decepcionante, acho que lá no fundo eu queria que ela não entendesse, que se revoltasse, que reagisse, mas Angelina é calmaria sempre.

— A nevasca passou e volto amanhã para casa, ainda pela manhã. Minhas malas estão prontas.

— Espero que seja uma viagem segura — ela diz com a voz um pouco trêmula.

— Angelina, foi uma noite especial.

— Não tente me consolar, Seth. Eu sei o que aconteceu e no fundo acho que também sabia que não tinha qualquer futuro.

— Quer conversar sobre isso?

— Não. — Ela afasta a cadeira e fica de pé. — Boa sorte, Seth! Será um grande CEO, acho que já sabe disso, sua mãe sempre diz que tem muito talento.

— Eu não sei se devíamos ter... — Fico de pé e ela dá uns passos para longe. Parece triste e magoada e tem direito de se sentir assim.

— Estou querendo me deitar e dormir. Boa noite, Seth! Boa viagem de volta para casa! Não se preocupe com meus sentimentos. Eles não são sua responsabilidade.

Ela me deixa de pé no meio da cozinha e meu coração se aperta quando me dou conta que foi nosso último encontro, que seu último olhar foi de mágoa e talvez revolta.

É uma noite longa em que não consigo descansar um só segundo. O céu volta a ficar pesado pela manhã, mas sem neve e quando Viviane me avisa que um helicóptero está a caminho deixo o quarto sem sinal de Angelina pela casa.

Está bem claro que ela não quer uma despedida, subo a gola do casaco quando helicóptero pousa um pouco à frente da casa, meus pés ainda afundam um pouco na neve em todo caminho, quando me acomodo no helicóptero ao lado do piloto os sapatos estão ensopados e sinto um tremor pelo corpo, quero acreditar que é o frio, mas talvez seja falta dela.

Sobrevoo a casa pensando em sua solidão, me sinto estúpido e covarde. Podia viver essa história, ao menos mais uns dias, mas se ainda seria o mesmo final, melhor não prolongar.

Não consigo um minuto de paz durante toda viagem, assim que chego a Toronto é noite. Pego um táxi para casa, minha mãe precisa fazer as malas e retornar imediatamente, Angelina não pode ficar tanto tempo sozinha.

— Seth! — Minha mãe parece surpresa ao me ver, ainda tenta olhar sobre meu ombro a procura talvez de Angelina. — O que faz aqui?

— Moro aqui, precisei voltar — digo tentando evitar seus olhos. — Achei que Viviane te contaria.

— Não, ninguém me disse nada. Seth, você deixou...

— Angelina sozinha. No caminho para casa pedi a Viviane que organizasse sua volta, em duas horas tem um voo de volta, se você se apressar...

— Por que fez isso?

— Para não deixar Angelina sozinha por muito tempo. Você vai viajar a noite toda e chegar pela manhã, ela não vai ficar mais que uma noite solitária, acho que tudo bem.

— Por que voltou assim, é isso que quero saber.

— Já disse, eu precisei. Você disse que ficaria um fim de semana fora e no fim... A nevasca passou, tudo está voltando ao normal, talvez precise de um helicóptero, as estradas ainda podem estar inviáveis, mas o céu está limpo e o vento passou.

— Brigaram? Angelina está bem? Você a magoou?

— Não brigamos, Angelina está bem. — Não consigo completar porque eu a magoei sim e não foi pouco. — Melhor se apressar, posso te levar até o aeroporto, se quiser ajuda para fazer a mala.

— Se está tão preocupado com Angelina sozinha devia ter me alertado que viria embora, devia ter feito melhor, devia ter ficado em casa!

— Sua casa! — explico a minha mãe. — Essa é a minha e eu tenho que trabalhar. Vai voltar ou não?

— Claro! Angelina nunca ficou tão sozinha e acabou de passar por uma nevasca. — Ela me dá as costas e vai para o quarto de hóspedes. Thea surge na sala com olhos inquisidores.

— Não vai conseguir nada comigo, Thea! — aviso.

— Está com uma cara péssima — ela diz me dando as costas.

Estou me sentindo péssimo, sei que assim que minha mãe estiver de volta em casa essa angústia que está me tomando vai passar, isso é só um pouco de culpa por ter deixado Angelina sozinha, nada além disso.

CAPÍTULO 15

Angelina

Como pude duvidar que seria diferente? Não é sempre assim que acontece? Eu sou descartável, simples e cristalino, mas por um instante de paixão eu me ceguei para essa verdade e me deixei sonhar que seria diferente com Seth Arnett.

Assisto da janela do meu quarto o helicóptero levantar voo e ele deixar não apenas a casa, mas minha vida e sobra o que sempre sobrou para mim, vazio, solidão e dor.

Meu pai me descartou quando teve a chance, depois os Dobsons e agora Seth, ninguém disposto a lutar por mim, ninguém disposto a me dar uma chance e aqui estou, sozinha no meio do nada, cercada de gelo, com medo, brava, triste e envergonhada.

Eu estava preparando um jantar romântico, onde estava com a cabeça? Ele deu todas as dicas que aquilo era só um interlúdio, que não duraria mais que umas horas mágicas envoltos pela emoção momentânea de termos vivido uma experiência traumática juntos, mas eu jurava que era mais do que isso.

Nem sei se pensei muito, queria tanto pertencer a ele, queria tanto sentir por completo Seth ao meu lado, viver a experiência com ele e mais ninguém que apenas deixei acontecer e não me arrependo.

Sou adulta, já devia ter acontecido muito antes se eu tivesse uma vida, foi lindo, tão lindo que em seus braços eu entendi o amor, ou achei que entendi. Era tudo que conseguia enxergar em seus olhos de aço enquanto o reflexo do fogo os deixava cheios de cor e vida.

Ele foi generoso, carinhoso, gentil. Não senti em seus braços nada além de amor e então a luz do dia trouxe a verdade, apagou a magia, me roubou o coração e a alma.

O helicóptero desaparece no ar e minha vida enfraquece, só quero me encolher na cama e fingir que Sam está pintando no ateliê, que não estou sozinha e presa a essa casa, cheia de medo de tudo que vive, de tudo que não vive.

Um arrepio percorre meu corpo, uma dor me atinge o peito. Ele se foi para sempre, não sentiu o bastante para ficar, para me levar com ele.

Eu teria ido, teria ido com ele ao inferno e faria a viagem com um sorriso no rosto. Provei a paixão e o amor e mais uma vez acabei sem nada.

O pior é não poder culpá-lo por nada. Seth não fez promessas, ele até tentou me avisar mais de uma vez. Seth não lutou contra sua natureza para ficar, mas eu também não lutei para ir com ele ou fazê-lo ficar, eu nunca luto por nada. Só vou me contentando com o que a vida me oferece e por me contentar com tão pouco é só isso que recebo.

Não tenho ideia de quando ou como Samantha volta, nem mesmo sei se ela não vai acabar descobrindo e quem sabe se enfurecendo? Estou muito mais acostumada com o chute do que com o afago, ela pode sim ficar brava por eu ter dormido com seu filho e pode me pedir para ir embora.

Seth pode estar indo para casa agora mesmo dizer a ela que não me quer mais aqui, não acho que ele tenha planos de voltar enquanto eu estiver aqui e ele é o filho dela, não existe uma competição, ele sempre será sua escolha, assim como Cory seria sempre a minha.

Seria tão bom se ele fizesse isso, mas Seth não vai fazer, eu vi em seus olhos, tem bondade dentro dele, por mais que ele relute em se aceitar como um bom homem, existe amor e bondade em Seth e ele nunca vai pedir a mãe que me mande embora, se o fizesse talvez eu me consumisse de raiva dele e deixasse de sentir o que sinto.

Engulo a tristeza para me afastar da janela, percorro toda a casa, cômodo por cômodo confirmando as trancas nas janelas e portas. Depois que tudo parece seguro e trancado, quando Angus salta do parapeito da janela e vem se aninhar em meus braços na frente da lareira, uma onda de mágoas e dor me atinge o peito em cheio e me entrego a uma longa crise de choro.

Minha razão quer me convencer que Seth não merece minhas lágrimas, mas não consegue falar com meu coração, eles parecem inimigos afinal, coração e razão que jamais se entendem.

Não me movo do lugar por horas, imagino Seth em um avião, a cada hora mais distante, talvez envolvido em seu trabalho, esquecido da noite que tivemos.

Que tolice! Quantas noites como essas ele já não viveu? Noites muito melhores do que a que dividimos, com lindas e experientes mulheres.

Uma voz fica dizendo em meu cérebro que não devo me diminuir a esse ponto, mas a mágoa me atinge tão em cheio que não consigo evitar. Só consigo sentir dor e chorar.

O dia é tão lento e silencioso, eu me arrasto por ele feito um fantasma, com a televisão ligada no último volume, para talvez não sentir tanta solidão, procuro deixar o máximo de luzes acesas quando a noite chega. Não consigo nem mesmo ir para o quarto.

Espero que Samantha telefone, mas as horas passam e a madrugada entra sem que ela faça qualquer contato.

Achei que assim que encontrasse com o filho ela me telefonaria, mas não aconteceu. Eu nem sei se ela vai me ligar avisando quanto tempo mais ainda fica em Toronto.

Não sei quanto posso aguentar dessa solidão apavorante, é um misto de agonia pela solidão e o isolamento, misturada a saudade de Seth e a dor pelo modo como terminou, nem mesmo nos despedimos, eu queria ter sido madura.

Acontece que não tinha condições de apertar sua mão e acenar da porta enquanto ele me deixava sem cair em lágrimas e não queria passar por mais essa humilhação.

Com toda certeza, Seth Arnett, os olhos de aço não se comoveria, no máximo acharia vergonhoso e preferi assistir de longe sua partida.

Passo a noite no sofá, sentada e encolhida, vez por outra a memória do que vivi nessa mesma sala me toma de assalto e é talvez o único momento em que sinto qualquer coisa diferente de angústia.

Foi tão bonito, tão especial, não importa quanto tempo passe, ainda vou me lembrar do instante mais mágico, mais feliz e mais completo da minha vida. Inesquecível e perfeito, pensei... Não, eu não pensei, eu senti, estava nos olhos dele, na sua voz, nas mãos, no modo como ele agiu o tempo todo que também era especial para ele.

Talvez tenha apenas sentido errado. O que posso fazer, sou mesmo uma tola, fui usada toda uma vida e não me dei conta. Por que agora seria diferente?

Só deixo meu cantinho encolhida no sofá para alimentar Angus e cuidar de sua areia, depois volto a me encolher e ele parece sentir meu sofrimento, fica enrolado em meu colo o tempo todo, às vezes me lambe o rosto, anda por meu colo, se esfrega em meu pescoço e então retorna para se enrolar em meu colo e dormir.

A programação da televisão vai mudando, dos telejornais noturnos para os filmes e depois os programas matinais e me dou conta que é dia, agradeço o amanhecer, as noites são assustadoras sozinha.

Samantha é tão corajosa, sua presença sempre me deixa tranquila. Não entendo como pode viver aqui sozinha, enfrentar tempestades, ursos, como pode viver aqui correndo risco de uma queda e não ter ninguém para socorrê-la?

Talvez seja essa a verdade que acabo de descobrir, eu preferia ser usada como escrava daquela gente a viver sozinha; eu sempre tive medo da solidão.

Gosto de estar aqui com Samantha, mas ainda sinto solidão e esgotamento, preferia viver em uma grande cidade, com carros e gente, mas Samantha torna a vida aqui melhor, mais leve.

Agora estou sozinha, nem mesmo ela. Não sei como será quando chegar, não sei se apenas sigo em frente sem entrar em detalhes, se conto a ela como me sinto e o que aconteceu.

Suspiro, indecisa e preocupada, o coração dilacerado. Ela vai ditar as regras do meu comportamento quando chegar.

Tomo banho, troco de roupa, meus olhos estão inchados de tanto chorar. Escuto o som de um helicóptero, meu coração descompassa, uma onda de alegria me toma o coração com tanta força.

Seth está de volta? Talvez arrependido de partir, quem sabe preocupado com a minha solidão, meu medo de ursos e de tempestades, desço correndo as escadas. Penso em abrir a porta e correr para seus braços, mas me lembro do que passei lá fora e fico lutando para calçar botas e vestir o casaco enquanto o helicóptero espalha neve e barulho por todo lado.

Quando finalmente abro a porta meu coração volta a se partir, é Samantha a saltar do helicóptero, os cabelos se espalhando enquanto ela veste o capuz da jaqueta pesada e baixa a cabeça fugindo do vento, o helicóptero parte e ela caminha sem qualquer mala em direção a casa.

Luto para não me derramar em lágrimas, dessa vez Seth não tem qualquer responsabilidade, eu me iludi sozinha, ele disse que estava partindo, não tinha qualquer dúvida sobre isso.

Dou espaço para que Samantha entre ainda de cabeça baixa e apressada, talvez desacostumada com o frio absoluto que faz do lado de fora.

Fecho a porta e me volto para olhar para ela que está retirando o casaco enquanto me investiga com olhos de preocupação. Quero parecer forte e indiferente, mas então ela abre os braços me convidando e me entrego às lágrimas.

Eu me abraço a ela chorando copiosamente. Ela me envolve, protetora, e esse carinho que nunca tive parece me fazer ainda mais frágil, mais emocionada, mais incapaz de conter a dor.

— Está tudo bem, meu anjo, tudo bem.

— Desculpe — digo aos soluços.

— Não tem que se desculpar, está tudo bem. Quer me contar porque o Seth partiu assim? — Balanço a cabeça negando, ela pode tirar suas próprias conclusões e se ele não contou, talvez seja melhor que ela não saiba.

— Sam, que bom que está de volta. Essa casa me dá tanto medo.

— Não precisa, meu anjo, é tão segura. Não chore, estou aqui agora, peguei um voo noturno e vim o mais rápido que pude.

— Por mim? — Ela balança a cabeça me afastando.

— Sim, eu vim porque estava sozinha. Vim assim que Seth chegou e me contou que deixou você aqui sozinha. — Tento secar as lágrimas, mas elas não param de rolar, não sei como contê-las.

— Obrigada! Estive muito assustada, foi uma noite horrível. Sam eu nem sei como agradecer tanta consideração.

— Eu teria vindo de qualquer modo, Angie, mas tenho que dizer que Seth já tinha organizado toda a minha volta quando chegou. Ele ficou preocupado, com você sozinha aqui.

— Não precisava — digo voltando a chorar.

— Que tolice a minha, eu pensei que estava fazendo a coisa certa, pensei que podia confiar nos meus instintos. Fui uma tola romântica, sinto muito! Só consegui magoar você.

— Não tem culpa de nada. — Ela balança a cabeça afirmando, me puxa para seu abraço mais uma vez até que controlo as lágrimas e ela se afasta mais uma vez.

— Que acha de preparar duas xícaras de chocolate quente enquanto eu troco essa roupa?

— Veio sem malas.

— Só a bolsa. Tenho tudo que preciso aqui e não queria me preocupar com malas no meio de toda essa neve. Temi que a tempestade tivesse voltado e acabaria presa no aeroporto ou sei lá, teria que voltar, mas deu tudo certo.

— Vou fazer o chocolate.

— Te encontro em um instante. — Ela sobe as escadas e eu vou para cozinha. Uma xícara de chocolate quente deve me acalmar. O medo foi embora no instante que a vi, só ficou a mágoa, a dor e a tristeza pelo que perdi. Sou tão grata por Samantha estar aqui, largar sua vida por mim, isso nem parece real.

Levo o chocolate em uma bandeja com biscoitos, me dou conta que não como nada desde aquele jantar deprimente com Seth, quando fui tola o bastante para achar que passaríamos uma linda noite juntos.

— Muito bom chegar em casa — ela diz voltando do quarto com os cabelos úmidos e roupas confortáveis. Pega sua xícara e se acomoda com os pés encolhidos sobre o sofá, me dou conta que adoro isso nela, espero que leve a manta as pernas e sorrio mesmo em meio a minha tristeza. Já conheço suas manias.

— Veio antes do tempo? Deixou coisas a fazer?

— Não. Nada de importante, marquei minha exposição para daqui seis meses.

— Vai ser linda. — Sorrio de todo coração, tenho certeza que será um sucesso.

— Mas tenho mais umas quatro obras para terminar até lá, então se prepare para me ver enterrada lá, trabalhando sem descanso por uns meses.

— Se precisar de ajuda para qualquer coisa... Só de ter voltado correndo.

— A pedido de Seth. — Desvio meus olhos, é tão doloroso estar vivendo tudo isso, não saber como lidar com esse sentimento e me conhecer tão melhor, ter que encarar minhas fraquezas, lidar com os meus erros, crescer finalmente. — Foi mais que uns beijos? — Talvez seja melhor falar de uma vez sobre isso, arrancar do meu peito, desabafar, dividir com alguém.

— Foi uma noite linda — conto a ela que sorri cheia de tristeza em seus olhos. — A mais linda e perfeita que já vivi, foi como magia.

— E pela manhã ele partiu apavorado. — Ela constata sem que precise terminar. — Não tenho como me desculpar pelo comportamento do meu filho.

— Sam, ele não me enganou em nenhum momento — explico a ela, porque é a mais pura verdade e Sam merece saber. Tomo um gole do chocolate, desce queimando a garganta e adoçando a alma.

— Mas te deixou aqui sozinha. Não podia ter feito isso, podia ter esperado até eu voltar, ou me ligado para que voltasse.

— Tenho vinte e cinco anos, Sam. Passei os últimos dez anos da minha vida criando uma criança. Seth não me abandonou em uma estrada perdida, me deixou em uma casa segura e confortável, com suprimentos, internet, telefone, aquecimento, portas reforçadas, ele deixou uma mulher adulta em uma casa preparada, talvez tenha apenas me tratado assim, como uma mulher e não uma menina. Você vive aqui sozinha e nunca passou por nenhum problema.

— Sim, isso é verdade. O que te magoou tanto? Se não o culpa pelo que aconteceu, se não está triste por ter sido deixada, o que dói tanto? — Sam tem uma voz suave, mas determinada e acho que é hora de lidar comigo mesma.

— Uma vez ele me disse que eu precisava lutar mais e está certo. Não luto por nada, Samantha, vou apenas aceitando a vida como é. — Meus olhos marejam e meu coração se aperta quando a verdade me atinge.

— Podemos ficar aqui sentadas para sempre, Angie, estou pronta para te ouvir. — Balanço a cabeça concordando.

— Seu filho não é fácil, ele veste a máscara da frieza e da distância, às vezes ela escapa e dá para ver um pouco da alma doce e apaixonada. Como na noite da aurora boreal e aqui, quando tudo aconteceu entre nós. Foi bonito, puro, nada errado, foi perfeito.

— Sempre achei que se daria bem, que eram compatíveis.

— Eu fui meio tola. Mesmo não tendo sido enganada, eu achei que duraria um pouco mais, então eu fui preparar um jantar. Ele chegou tenso, depois de horas distantes eu pude ver em seus olhos a guerra que ele travava, me magoei, ele disse que iria partir, perguntou se eu queria conversar, até disse que foi especial, mas não quis ouvir, não quis contestar. Desejei boa noite e boa viagem, sorte em seu novo cargo, fui para o quarto e só saí depois que ele foi embora.

— Não era o que queria ter feito?

— Não — admito. — Eu queria ter feito qualquer outra coisa, tentado seduzi-lo, arrumado uma mala e exigido ir com ele, queria enfrentar Seth e obrigá-lo a admitir que sentiu também, mas eu só aceitei e me escondi até ele ir embora.

— Passei anos fazendo isso, Angie. — Sam me conta. — Dizendo ao espelho tudo que queria dizer ao Stan. Sem lutar por nós, até que um dia acabou e eu só podia partir. Já temi essa casa e a solidão. Nem sempre me senti em casa aqui, vim fugindo da dor, me escondi entre neve e ursos, pintava minha dor, depois foi se apaziguando e encontrei sentido em mim, nessa casa, na minha vida.

— Agora é feliz aqui? — Ela balança a cabeça sorrindo.

— É um grande clichê o que vou dizer agora, não ria — ela me pede. — Sou feliz dentro do meu coração, essa é só a minha casa, podia ser em qualquer lugar do mundo, onde estiver, vou estar feliz, entende?

— Sim. — É bonito e devia ser o que todos buscam.

— E você, o que quer?

— Abraçar o Cory mais uma vez e saber que ele está bem. Porque ele é o meu bebezinho — digo sentindo a garganta travar mais uma vez. — Amo você, Samantha e a chance que me deu, mas queria viver em uma cidade grande, sem ursos me impedindo de sair para um passeio pela praia. Queria encontrar um amor que fosse infinito, aprender a lutar por mim, pela minha felicidade.

— Merece tudo isso, anjo. Não está desejando demais — ela diz com olhos marejados. — Tolo do meu filho que podia ter tudo isso ao seu lado e está perdido na dor de não conseguir ser quem realmente é. Perseguindo ilusões.

— Deve ser a primeira vez que sou realmente honesta comigo mesma. Eu deixei meu pai me abandonar, deixei aquela gente me usar, deixei Seth partir. Tem qualquer coisa de errado comigo. Com a minha maneira assustada de viver.

— Não é nada que não possa ser construído, Angie. Sem mãe, sem pai, sem exemplos e apoio, você foi muito bem, agora está tomando o controle da sua vida e está aprendendo, ser capaz de reconhecer onde está o problema já é o primeiro passo.

— Espero que sim — digo decidida a encontrar meu lugar no mundo.

— Mas ainda machuca, não é?

— É insuportável — conto a ela que balança a cabeça concordando. Samantha parece me entender muito mais do que pensei ser possível.

— Não me magoa saber que viver aqui em Churchill não é seu plano original — ela me conta para meu total alívio. — Nem eu sei direito se quero ou não ficar para sempre aqui.

— Ainda tenho muito que vencer, não quero te deixar, Sam.

— Por que acha que te deixaria ir a algum lugar, mocinha? — ela brinca me fazendo sorrir. — Preciso descansar. Você também está com cara de quem não dorme há dias.

— Estou mesmo cansada.

— Vá dormir um pouco, depois vou precisar da sua ajuda, tem muita coisa que precisa ser resolvida e é você que vai resolver.

— Eu?

— Sim, você mesma, coisas com o meu marchand da exposição, coisas da Arnett que preciso ler e entender para poder opinar no conselho, não tenho mais tempo para isso, vou pintar e você vai resolver tudo isso.

Samantha diz antes de uma saída estratégica que me deixa atordoada. Ao menos ela não ficou chateada comigo. Sam é moderna, atenta aos sentimentos muito mais do que as convenções, foi tolice achar que ela poderia não me aceitar aqui depois do que houve.

Por mais que eu tente, a dor de não ter Seth por perto não me deixa, não diminui com o passar dos dias, nem das semanas, mesmo que Samantha me preencha todo o tempo com trabalho que eu nem sei da onde surgiu, mas são muitas coisas a fazer e embora goste muito, também me machucam um pouco.

Ler documentos da Arnett, assistir de longe Seth colocando meu plano em ação e resolvendo suas questões com Klaus é bom e ao mesmo tempo, dolorido. Eu me debruço por horas sobre papéis da empresa e também decisões e projetos com George, o marchand ficou meio relutante no começo, queria sempre falar com a Sam, mas agora resolvemos tudo juntos, pela internet ou telefone e quando os dois conversam são horas e horas de assuntos privados.

São quase quarenta dias sem falar com ele ou ouvir sobre ele. Sam parece evitar propositadamente o nome do filho, sei que agora se falam diariamente, mas nunca fico sabendo o que conversam, ela estava sempre a me falar dele, agora evita e no fundo, eu me corroo de vontade de perguntar, mas também morro de medo da resposta.

Me encosto à cadeira do escritório com as costas doloridas, tem pelo menos duas horas que estou sentada aqui lendo esse documento e pesquisando. Sem ser uma administradora profissional, entender esses números todos me exige pesquisas e mais pesquisas.

Um aviso de e-mail sobe na tela do computador e abro ansiosa, finalmente conseguimos confirmar o local da exposição. Sam vai amar, George tentou muito essa galeria, mas estava com a agenda fechada o ano todo. Eu sabia que uma carta pessoal com o sobrenome dela e a confirmação da presença de muitas pessoas importantes ajudariam a galeria a encontrar uma vaga para expor o trabalho de uma grande artista.

— Sam! — Salto da cadeira animada para contar a ela, a visão fica turva, depois escurece enquanto sinto um leve formigamento pelo corpo, e um tipo de enjoo que me obriga a me apoiar com força na mesa para continuar de pé, então o mal-estar simplesmente desaparece feito mágica.

— Angie? Você está bem? — Samantha surge na porta do escritório e seus olhos parecem preocupados. — Está pálida.

— Eu estava indo no ateliê — digo fingindo que nada aconteceu.

— Estava descendo para comer alguma coisa — ela me explica, desconfiada. — Você tem certeza de que está bem?

— Ótima! — minto. — Foi uma bobagem, eu me levantei correndo e fiquei meio tonta. Já passou — digo sorrindo forçadamente, ela balança a cabeça concordando. — Conseguimos a galeria, vamos ter que reformular a agenda, vai ter que adiar umas duas semanas, talvez um pouco mais, mas vai conseguir fazer a exposição onde queria.

— Fantástico! — ela diz risonha. — Vem, vamos comemorar com uma xícara de chá e biscoitos, precisa comer melhor, dormir melhor, acho que está trabalhando demais — ela diz me levando pela mão em direção as escadas. — Desça com cuidado, Angie.

CAPÍTULO 16

Seth

— Jantar? — Tracy diz invadindo minha sala sem bater como de costume. Balanço a cabeça negando enquanto confiro o último relatório de vendas. — Winnie cozinhou.

— Estou preso nesse relatório, Tracy. Desculpe.

— Soube que seu pai está voltando para Toronto para umas reuniões. É a transferência oficial?

— Acho que sim, ele marcou uma reunião com a diretoria e o conselho.

— Finalmente. — Os números param de fazer sentido, na verdade, tem mais de um mês que nada faz sentido. Desisto da tela do computador e olho para ela de pé com a bolsa no ombro tentando ganhar minha atenção.

— Passa das sete, Winnie vai ficar brava com seu atraso. — Tracy sorri.

— Você nunca teve muito jeito para dispensar alguém. — Lanço uma careta de mau humor em sua direção. — Sua mãe vem para vê-lo assumir a presidência?

— Não! — digo mais rápido do que devia. — Aliás, é bom tocar nesse assunto, vou telefonar e dizer que ela pode aparecer virtualmente ou nem aparecer, isso não é grande coisa.

— Não é grande coisa? — Tracy desiste de partir e se acomoda na cadeira diante de mim, suspiro sem vontade de conversar sobre isso, sem vontade de conversar sobre qualquer outra coisa. — Fale sobre isso.

— É só algo que estava para acontecer, meu pai faz um discurso emocionado e depois volta para Michigan, aperto umas mãos e continuo com as mesmas atribuições de sempre.

— Pensei que isso era tudo que te importava.

— Se te faz feliz, eu também pensei. — Tracy sorri, cruza os braços no peito. — Você não tem uma noiva a sua espera?

— Nossa espera, ela contava que aceitasse jantar conosco, até convidou uma amiga da ioga.

— Agora entendi tudo, que bom que já disse não. Eu não tenho cabeça para um encontro às cegas, principalmente com a garota da ioga.

— Respiração é tudo! — Tracy me provoca. — Seth, acho que está precisando de uns dias sob uma nevasca.

— Está entrando em terreno perigoso, Tracy — alerto, mas ela não se importa, apenas sorri para mim. Tracy não tem medo de nada e sempre gostou de viver no limite dos riscos.

— Foi atingido, Seth. Perdeu. Acontece com os melhores homens, renda-se e seja feliz.

— Já passou pela sua cabeça que talvez ela não queira nada comigo? — Quando foi que o mundo todo resolveu que estava livre para palpitar na droga da minha vida?

— O tempo todo, só se ela fosse mesmo louca para querer algo com alguém intragável assim. O que não quer dizer que não pode ir até lá e fazê-la mudar de ideia.

— Agradeça a Winnie o convite. — Aponto a porta com os olhos, ela fica de pé colocando a bolsa no ombro e me sorrindo.

— Devíamos ter mantido nossa relação no âmbito apenas profissional, detesto ser sua amiga. Estragou meu jantar, agora vamos ter que jantar, eu a Winnie e a garota da ioga e é claro que a Winnie vai ficar com ciúme. Parabéns, Seth!

— É sempre um prazer — digo em um riso amargo enquanto ela deixa a sala com passadas duras. Volto a me concentrar nos números, ou pelo menos tentar, tem quarenta dias que deixei Churchill, eu os conto todos, porque nenhum deles foi mais fácil como pensei, nenhum deles passou mais rápido, eles são apenas uma sucessão de horas lentas e irritantes, não é como queria que fosse, fui ver minha mãe e descansar uns dias e voltei outro cara, um que não encontra mais alegria em nada.

Não gosto de ir para casa, e ficar no escritório buscando coisas para fazer é sempre melhor do que estar em casa assistindo o tempo passar. Meus funcionários discordam, prendê-los sempre até mais tarde não tem sido nada divertido para nenhum deles.

Ainda não sei bem se fiz a coisa certa, talvez para ela tenha sido, pelo que minha mãe diz. Angelina está ótima, seguindo a vida feliz, estava muito bem quando mamãe chegou, pedi que corresse para casa, preocupado com ela lá sozinha, e tudo que mamãe disse é que ela estava tranquila e feliz.

Parece que só doeu em mim. Talvez seja o que mereço passar por todos os anos que vivi sendo indiferente a todo tipo de emoção. Eu não quero sentir nada, o problema é que o que eu quero e o que realmente está acontecendo são coisas opostas.

Angelina tomou um pedaço da minha mente e no caminho, roubou meu bom senso, minha alegria e vontade.

Caminho para o elevador apenas porque não tem mais nada que possa fazer, nada para resolver e não posso dormir no escritório.

Klaus está esperando o elevador quando chego ao hall. Enquanto desfaz o nó da gravata, sorri para o telefone.

— Ainda aqui, Klaus? — Ele meneia a cabeça. O homem realmente gosta de trabalhar, assim que acertamos nosso acordo, ele passou a vir todos os dias, os problemas com os funcionários desapareceram instantaneamente, devo admitir que ele tem boas ideias e um ótimo controle sobre os funcionários.

— Altman queria falar comigo e fiquei a sua espera. — Olho para meu relógio. — Ele primeiro terminou seu turno e depois pegou um trem até aqui, deixou a fábrica tarde, saiu faz pouco.

— Altman é um dos nossos funcionários? — pergunto indicando para que entre na frente assim que o elevador abre as portas, ele entra antes de mim.

— Há dez anos. — Aperto a garagem. — Térreo para mim, vou pegar um táxi. — Olho para ele surpreso. — Sabia que sairia mais tarde e não gosto de dirigir à noite.

— Levo você em casa — determino sabendo que não posso deixá-lo na calçada a espera de um carro de aplicativo e não me custa nada, adoro achar o que fazer para não ir para casa. — Quer me falar sobre ele?

— Claro! — ele diz em um meio sorriso. — Só espere um instante, tenho que avisar minha mulher que estou indo para casa.

— Por favor! — digo quando a porta do elevador se abre, indico o caminho e ele parte na frente, desligo a trava do carro, Klaus segue o barulho e as luzes que piscam.

— Sou eu, amor, estou indo para casa. Seth vai me dar uma carona. — Sorrio achando graça nesse jeito carinho dele com a esposa. — Faminto. Eu também. — Ele desliga já diante da porta e entramos os dois no carro. Prendo o cinto e Klaus faz o mesmo. — Quando meus filhos eram pequenos eu não abria mão de estar em casa na hora do jantar, eles me esperavam ansioso, agora me dou ao luxo de me atrasar um pouco.

— Nunca ficou preso até mais tarde? Nunca teve que desmarcar com sua família por uma reunião?

— Nunca! — ele responde cheio de orgulho. — Sempre gostei das coisas certas e nas devidas proporções e importância, família vem antes, não há o que discutir, tudo que parecia urgente e impossível de ser adiado acabava sendo facilmente resolvido sem a culpa de tê-los decepcionado.

— Entendo. — Meu pai sempre foi diferente, estava sempre desmarcando compromissos e nos deixando a espera, depois cresci e então era apenas minha mãe a sua espera, até que ela o deixou e então não tinha mais ninguém a sua espera, ele conheceu Francine e nada mais foi urgente ou inadiável.

— Pelo que vejo você jamais terá que tomar essas decisões, parece que resolveu do jeito mais fácil.

— Sim. — Não quero entrar em detalhes sobre a minha vida, mas é para se pensar se é realmente o jeito mais fácil, tem dias que não tenho mais certeza sobre isso.

— Eu não serviria para isso — ele diz quando entro no trânsito agitado de uma grande avenida. — Odeio solidão. Nada me fazia mais feliz do que o sorriso das crianças assim que cruzava a porta de casa, a correria para me mostrarem as lições, as gracinhas do cachorro, notas, ensinei meus filhos a buscarem o mesmo.

— Uma família de comercial — desdenho pensando que parece perfeito demais.

— Você não conhece a senhora Vogel — ele diz abrindo um sorriso que me faz desviar um pouco os olhos da estrada para observá-lo. — Minha mulher é terrível. Quando estava brava comigo... Ah, que luta era, eu feito um bobo querendo consertar as coisas, nunca quis discutir se estava certo ou errado, tenho certeza que estava errado. — Ele ri com gosto de suas lembranças. — Era uma boa adrenalina tentar reconquistá-la e fazer as pazes, jantar romântico, viagens surpresa, flores e mais flores.

— Parece que era divertido. — Tento sorrir e ele balança a cabeça concordando.

— Ela quer marcar um jantar entre nossas famílias, talvez seja boa ideia. Qualquer dia combinamos e vai conhecer todos eles.

— Claro! — digo sem qualquer ânimo, mas tenho certeza que meu pai e Francine podem nos representar e até se divertirem.

— Já estamos chegando perto, vamos falar do Altman?

— Acho ótima ideia, não quero atrasá-lo mais. — Ele sorri.

— Quer evitar que eu tenha que caçar uma floricultura aberta a essa hora da noite? — Balanço a cabeça afirmando, forço outro sorriso. — Altman está com o filho mais velho doente. É um tratamento caro e ele precisa de um financiamento para cuidar do menino.

— Por isso ele o procurou?

— Sim, eu já imaginei que seria isso. Ele ligou, estava bem chateado, Altman sempre foi o mais alegre da equipe, eu pensei que seria um problema.

— E como resolveu isso?

— Pensei em dar o dinheiro a ele, mas é um tratamento caro para eu financiar agora sozinho. O dinheiro da venda está todo investido, teria que tirar das minhas reservas de emergência. Com a minha idade não quero arriscar, então avisei a ele que vou levar para o conselho e falar com você, se caso a empresa não estiver disposta a ajudar, aí arrisco e dou o dinheiro a ele do meu próprio bolso.

— Um filho doente — digo, pensativo. A vida é tão maior que meus problemas. — Ele está conseguindo trabalhar? Talvez possa adiantar as férias, ou ele pode tirar uma licença, tem alguém que possa substituí-lo?

— Seth, o homem precisa é de dinheiro para tratar o filho, ele trabalharia três turnos se isso fosse lhe render o dinheiro que precisa. — Estaciono diante da casa. Klaus vive em uma bela casa, somos quase vizinhos.

— Eu sei, Klaus. Isso está resolvido, não precisa levar nada ao conselho, amanhã vai receber a visita do departamento financeiro para fazer a transação.

— Não é tão simples, como é que o departamento vai financiar isso? Quanto tempo ele terá para pagar? Se descontar muito do que ele ganha...

— Ninguém vai descontar nada. — Klaus me olha, surpreso. Pela primeira vez isso me incomoda, esse olhar de incredulidade como se não esperasse por algo assim, como se eu fosse um tipo de monstro incapaz de me comover com um pai lutando pela saúde do filho. Esse olhar jamais me atingiu, mas agora parece me ferir um pouco. — Boa noite, Klaus! Vai se atrasar para o seu jantar, é um presente da empresa.

— Por que está fazendo isso?

— Funcionários felizes produzem melhor. — Klaus se decepciona um pouco. Se ele não pode acreditar que é apenas porque é o certo a fazer, se não consegue pensar em mim sendo capaz de agir por generosidade, então que fique com a resposta que espera.

— Boa noite, Seth! Obrigado pela carona!

— Boa noite! — respondo esperando que deixe meu carro para partir para casa. Não ligo o rádio, nem mesmo para ouvir notícias, fico enfiado em mim mesmo, pensando sobre o que as pessoas costumam esperar de alguém como eu. Nunca é nada de bom, não é de se admirar que Angelina esteja seguindo sua vida tranquilamente, deve estar sentindo que se livrou de um grande problema.

Thea deixou o jantar no micro-ondas, pelo calor do prato não faz muito que foi embora, eu nunca soube bem o que ela tanto faz aqui, mas como é minha mãe que fica lá de Churchill dando ordens malucas, as duas que se virem. Coloco o prato sobre o balcão, sempre que me sento para o jantar eu penso naquele maldito jantar silencioso que dividimos antes da minha partida, de como simplesmente me deixou ali me desejando sorte e sucesso, além de uma boa viagem.

Ela fez o que tinha que fazer, o que eu merecia que fizesse, mas sempre fico pensando que uma parte de mim queria outra coisa, queria que ela tivesse me atacado, me obrigado a ficar, me machucado de volta, mas ela não fez. Angelina é delicada demais para ferir alguém e por isso está sempre se dando mal.

Ainda odeio aquela gente que fez o que fez com ela, ainda tenho um forte desejo de encontrá-los e esmagá-los, mas eu não fui muito melhor que eles e começo a achar que fui um idiota, no fim, parece que sou o único perdedor.

Seth Arnett, o cara que ganhava todas as guerras agora está perdido. Angelina venceu, não pretendia nem mesmo entrar nessa guerra, mas venceu mesmo assim.

Afasto o prato, não tenho tido muito apetite, nem muito sono, não tenho mais ânimo para me exercitar e ando parecendo um fantasma em minha própria casa. Estou sempre com a sensação que estou me esquecendo de fazer algo importante, tocando os bolsos como se algo estivesse faltando, conferindo as chaves, o celular, o relógio, mas não é nada disso, nunca é nada disso e ainda assim, a sensação não me deixa um só instante desde a hora em que apertei o cinto de segurança naquele maldito avião em Churchill.

Deixo a cozinha sem tocar no jantar, um banho deve me trazer melhor resultado que uma comida sem graça como essa. Encaro o espelho depois do banho jurando que amanhã sem falta, vou cuidar da barba.

Pego o celular disposto a ligar para minha mãe, uso a desculpa de saber como está, mas no fundo eu sei a verdade e desconfio que ela também já que é sempre tão evasiva no que diz respeito à Angelina.

— Boa noite, filho!

— Oi, mãe. Tudo bem?

— Tudo ótimo! Você está bem?

— Sim, como sempre.

— Que bom! Thea me disse que não anda comendo muito bem, a comida está sempre do jeito que ela deixou, ela disse que ficaria um pouco mais, para deixar a comida mais quentinha para você.

— Diga a sua informante que não sou criança, posso aquecer o jantar.

— Está bem, Seth. Eu digo a ela, fico feliz que esteja bem, preciso voltar para minha pintura, estou super atrasada com meu trabalho, a exposição está cada dia mais perto.

— Como vão os detalhes da exposição? — pergunto apesar de ter sido friamente dispensado.

— Não sei nada sobre isso, Angelina cuida de tudo junto com o George, ela é tão talentosa.

— Então pelo visto aí está tudo indo muito bem, não é?

— Maravilhosamente bem — ela enfatiza. — Hoje mais do que qualquer outro dia da minha vida.

— E o que aconteceu hoje de tão especial?

— Nada demais, é só um dia lindo e congelante.

— Entendi. — Ficamos calados, ela nem se esforça para puxar um assunto enquanto fico relutando para desligar.

— Sam, eu estive... Ah, desculpe, está ao telefone, falamos depois. — Escuto Angie com tanta clareza, a voz ainda tão doce e delicada, aperto o telefone. É inaceitável sentir o que sinto; o baque em meu peito, o modo como minha respiração falha. Eu não esperava reagir assim, a voz surgiu sem aviso, parece ter simplesmente tirado do campo da imaginação a existência de Angelina, trouxe tudo de volta, eu não consigo mais atinar o que tinha planos de dizer, levo um instante para me recompor. É tão assustador, me machuca, me desperta, me mata um pouco.

— Seth, eu tenho coisas para resolver.

— Eu sei, mãe, é que... Bem, o pai decidiu fazer uma reunião na sexta-feira para me passar a direção da Arnett, estamos fechando algo muito, muito grande que vai ser bem importante para a empresa.

— Eu sei de tudo isso, querido. Recebo relatórios diários do andamento da empresa.

— É que eu estive pensando, você não precisa vir para assistir a reunião e essa troca de lugares, não é nada demais, basta participar via Internet, o que acha?

— Que bom que não vai se magoar se eu não estiver presente, estou tão atarefada. Não sei o que seria de mim sem Angelina, desejo sorte, vai realizar seu grande sonho, parabéns!

— Obrigado! — Sinto certa mágoa de sua indiferença. — Não está feliz com isso?

— Eu? Quando isso importou? Seth, você caçou isso a vida toda, se não se importou nem mesmo com o que você sente, por que ligaria para como eu me sinto? Será muito bom provar o gostinho dessa cadeira, talvez mostre a você algumas coisas importantes sobre a vida.

— Você fala como se eu tivesse sido apenas ganancioso, não foi isso. Eu estudei e trabalhei mais do que qualquer um, eu fiz o impossível para honrar essa empresa, para vocês dois ficarem orgulhosos. O meu pai dedicou tudo que tinha a Arnett, abriu mão de um casamento para fazer esse lugar crescer e eu apenas quis honrar tudo pelo que lutaram e age como se eu apenas quisesse o status de ser um CEO.

— Desculpe, meu filho! Talvez eu esteja sendo dura demais. Você fez mesmo isso, merece o lugar, é melhor do que o seu pai, ou qualquer outro. Estou orgulhosa por todos os seus esforços e feliz porque finalmente realiza um sonho que quis muito e também relutou demais, é que... Não importa.

— Odeio quando deixa frases no ar.

— Temo pelo preço que vai pagar, apenas isso. — Fico calado, eu não conhecia essa conta, mas agora ela começa a fazer sentido.

É inevitável comparar com o que ouvi de Klaus, é impossível ignorar o comportamento do meu pai desde que encontrou Francine.

— Boa noite, mãe! Eu só queria mesmo... Isso, dizer que não fico chateado se não aparecer e parece que ninguém fica. — Não espero que ela se despeça, apenas desligo o telefone, ando dormindo mal, comendo mal e com preguiça de brigar, escuto o telefone tocar de novo, é minha mãe, mas já sei que está bem, acabamos de nos falar, não importa muito o que ela vai dizer. Atiro o telefone de lado jurando a mim mesmo que vou parar de ligar todos os dias, está bem claro que elas se bastam e que nenhuma das duas precisam de mim.

Basta colocar a cabeça no travesseiro para a voz de Angelina me tomar de assalto, me invadir a mente e se misturar a linda noite de aurora boreal, quando as luzes do Norte fizeram descer a terra o anjo que ela é e tudo que veio depois, tem noites que tenho pesadelos com ela presa a neve, com o frio congelante consumindo Angelina, comigo chegando tarde demais. Dormir é uma merda.

Não sou mais alguém que cumpri promessas, a barba fica sempre para a manhã seguinte, os exercícios e mesmo o jantar, como sempre qualquer coisa e acabo sempre meio cansado demais, não tem muito prazer no que faço e já foi tudo que importava.

A sexta-feira começa sem muita expectativa, eu tento me lembrar como imaginei que seria esse momento de transição e não consigo encontrar nada do que se pareça com o que sinto agora.

— Boa tarde! — Meu pai surge na minha sala entrando sem bater e fechando a porta logo atrás de si. Olho para o relógio de pulso, duas horas mais cedo.

— Pensei que viria só para reunião — digo a ele que se acomoda diante de mim um tanto calado. Aposto que ele e minha mãe conversaram.

— Achei que seria importante vir ter aquela conversa de pai e filho.

— Aquela que minha mãe te obrigou?

— Muito esperto, não posso negar que conversei com a Sam. Ela anda preocupada com você, suas informantes enviam péssimas notícias.

— Devia demitir todas.

— Devia agradecer estar cercado de cuidados. — Ele dá um meio sorriso. — Não vai se arrumar para nossa reunião?

— Não pareço pronto? — pergunto, surpreso.

— Está pronto? Com essa barba mal feita, descabelado. — Passo a mão pelos cabelos, devia ter cortado uns dias atrás, mas esqueci.

— Nunca se preocupou com isso.

— Nunca te vi assim, talvez por isso. Almoçou?

— Não, pensei em resolver umas coisas antes, ainda são duas horas.

Meu pai pega o telefone sobre a minha mesa, toca no zero e espera que Viviane o atenda.

— Viviane, quero que traga um sanduíche reforçado para o Seth e um suco de frutas natural. Rápido, por favor!

Ele desliga e cruza os braços no peito, voltando a se acomodar diante de mim.

— Eu tinha planos de pedir o almoço, não sou criança. — Ele balança a cabeça concordando.

— É só um cargo, Seth, não é um sacerdócio. Não tem que sacrificar nada para ser o CEO. Aliás, tem estudos falando sobre como os executivos com vida particular bem resolvida e horas de lazer rendem muito mais do que os que focam exclusivamente no trabalho.

— Não entendo, pai, me preparou a vida toda para isso e agora age como se não fosse nada de mais.

— Não foi bem assim.

— *"Sente-se aqui, Seth, na cadeira do papai, você um dia será dono de tudo isso, um grande empresário, trabalho dia e noite para isso. Seu império!"* — digo imitando meu pai e às mil vezes que ainda menino ele me colocava em sua cadeira de presidente e me dizia coisas como essas.

— Sabe que eu achava que quando esse dia chegasse estaria penteado e barbeado. Não se pode ter mesmo tudo.

— Não é engraçado.

— Claro que não! É meu filho, amo você. Acha que foi isso que busquei? Que terminasse assim, sacrificando tudo para se sentir suficientemente bom?

— Por que acha que estou sacrificando alguma coisa?

— Porque não come, não dorme, só trabalha, não se barbeia. Porque aposto que sente falta da mocinha que trabalha com a Sam. Você a ama e está sofrendo.

— Amor? Pai! Por favor, eu passei uns dias com ela, mal a conheço. — Desvio meus olhos dos dele porque meu pai me conhece bem demais.

— Dois encontros, foi tudo que precisei para saber que amava Francine. Fui feliz com sua mãe, mas nada se compara ao amor que sinto por ela, tudo ficou em segundo plano, acho que amor é isso.

— Eu não sou você.

— Que bom, espero que seja mais esperto que eu. — Viviane bate à porta, entra logo em seguida com uma bandeja.

— Com licença — ela diz, colocando a bandeja na minha frente.

— Obrigado, pode ir.

— O conselho já começou a chegar, estou levando todos para a sala de conferências.

— Ótimo! — Meu pai diz, indicando a ela a saída. — Não queremos ser interrompidos.

— Sim, senhor.

Mordo o sanduíche um pouco forçado, ele fica calado me observando mastigar. Odeio esse joguinho silencioso. Dou outra mordida.

— Seth Arnett, meu filho, você é o novo CEO da Arnett indústria. Parabéns! — Paro um instante de mastigar e olho para ele chocado.

— É sério isso? Enquanto mastigo um sanduíche?

— Achei que dava um bom exemplo do que ando pensando sobre tudo isso. Criamos uma empresa sólida, Seth. Não precisa se enterrar nela para mantê-la no topo ou elevá-la ainda mais, dá para fazer isso e ter uma vida.

— Eu já entendi tudo isso, pai.

— Sério? Então o que faz aqui? Por que não está em Churchill convencendo a mulher que ama a ficar com você?

— Vamos para nossa reunião com o conselho? Faça seu discurso, apertamos as mãos e seguimos nossas vidas, tenho certeza que Francine está morrendo de saudade.

— Se ela não estiver, eu estou — ele diz ficando de pé enquanto uso um guardanapo para limpar a boca, penso em me erguer, mas ele usa um sinal com a mão para me manter sentado. — Termine de comer, eu distraio o conselho e a diretoria, se der tempo, passe qualquer coisa nesse cabelo e ajeite o nó da gravata, espero por você na sala de reuniões.

Ele não me dá chance de responder, se apressa a me deixar sozinho. É isso que ele chama de uma conversa pai e filho? Olho para o sanduíche com uma careta, atiro no lixo e me encosto na cadeira olhando a paisagem gelada de Toronto. O Natal está chegando, os dias de reuniões de família, riso, descanso, nunca achei nada disso importante, mas agora tudo parece estar se movendo de lugar, não tenho nenhuma desculpa para voltar a Churchill, mas acho que gostaria de ir até lá e olhar de novo em seus olhos, descobrir se ela realmente me esqueceu como parece.

Eu não sei jogar esse jogo de conquista, eu não sei fazer esse tipo de coisa, já fui acusado disso e é verdade, não sou bom com essas coisas, nem saberia por onde começar.

CAPÍTULO 17

Seth

Jamais me passou pela cabeça fazer algo assim, de pé, em pleno domingo, às nove da noite, na porta de Tracy, tocando a campainha sem aviso.

Ela abre a porta com olhos cheios de surpresa, Winnie está no sofá, tomando um drink e com um sorriso de vitória no rosto, faço uma careta enquanto Tracy me encara sem me convidar para entrar.

— Você está me assustando com essa cara, algo errado? É trabalho? — Balanço a cabeça negando. — Entra — ela diz se afastando da porta.

— Boa noite, Winnie!

— Boa noite, CEO! — ela diz com algum deboche e sorrio sem qualquer ânimo. — Tracy disse que está horrível e insuportável e eu não coloquei muita fé, mas está mesmo péssimo.

— Obrigado!

— Quer um uísque?

— Não. Tenho que dirigir — aviso a Winnie que fica de pé.

— Certo, acho que vou deixá-los a sós.

— Amor, se terminar o episódio sem mim... — Tracy reclama enquanto Winnie revira os olhos.

— Quando foi que fiz isso? Você é que costuma fazer coisas assim.

— Ela não consegue lidar bem com o fato de eu ser muito curiosa — Tracy explica quando ficamos sozinhos.

— Curiosa é uma maneira rasa de te descrever. — Ela torce o nariz.

— O que o trouxe aqui no meio desse inverno maldito? — Tracy me questiona porque não sabe fazer rodeios.

— Angelina.

— Caminho errado, devia seguir mais ao norte — ela diz se acomodando no sofá diante de mim. — Vai admitir que está apaixonado?

— Tracy eu só...

— Seth, não tem nada errado, acontece até com gente como nós — Tracy admite. — Eu amo a Winnie, eu sou feliz e ainda sou como sou no trabalho.

— Não é isso. Eu...

— Se não consegue admitir a si mesmo que está apaixonado, não vai conquistá-la.

— Tentei esquecer, fiz um grande esforço, mas é impossível, penso nela da hora que acordo a hora que vou dormir, penso nas coisas que não fizemos juntos. Eu... — É tão difícil falar sobre essas coisas. — Odeio dizer essas coisas. Odeio com todas as minhas forças. — Ela sorri. — Eu sinto saudade de coisas que não fizemos juntos.

— Pobre homem — ela suspira, se encosta melhor na cadeira, enquanto me corroo em um mundo de emoções que não entendo. — O que quer ouvir, Seth? Que vai passar, que tem uma maneira mágica de esquecer?

— Somos amigos, eu só quero me abrir.

— Faça isso, mas não vai passar, porque tem que lidar com isso, tem que falar com ela, mostrar o que sente e viver esse sentimento. Acredite, eu tentei esse negócio de ignorar meu coração, fingir que não sentia e me focar no trabalho e não deu certo. Acabei aqui, noiva da Winnie. Escolhendo enfeites para as mesas de uma festa que eu nem queria.

— Ela não está... interessada.

— Como é que sabe? Sumiu. Partiu feito um covarde.

— Minha mãe, ela faz questão de dizer que Angelina está ótima.

— Homens! — Ela solta o ar com força. — Acha mesmo que sua mãe daria a você o gostinho de saber que a garota está sofrendo e com saudades? Não entende absolutamente nada de mulheres.

— Nunca quis entender.

— Quer ficar com Angelina? — A pergunta é direta e meio óbvia, vim aqui atrás de ajuda é claro que é isso que eu quero.

— Sim — admito sem rodear muito.

— Ótimo! Então tchau, pega um avião e vai atrás dela, diga que está apaixonado e quer uma chance.

—Tem outra receita? — Não consigo me imaginar admitindo isso assim em público. Além disso, vou ouvir um sonoro não, e para esse, definitivamente eu não estou preparado.

— Nenhuma outra.

— Acho que não vai dar muito certo, não sei se consigo aguentar um não — admito já cansado da dor desse sentimento.

— Vá passar uns dias com sua mãe, sinta como reage a sua presença, tenha coragem pelo menos de dizer que sabe que não devia ter partido daquela maneira. Deixe que a situação se desenrole e reze para outra aurora boreal. — Eu nem sei por que fico contando tudo da minha vida para Tracy, ela usa cada pequena coisa que conto contra mim. — Eu ia dizer para torcer para ela cair em um buraco na neve e congelar um pouquinho para o herói Seth entrar em ação, mas achei pesado.

— Não consegue ser só um pouquinho menos irônica?

— Consigo, é que estou gostando de te ver assim. Apaixonado, mas com um pouco de pena, raiva também. Winnie ganhou a aposta.

— Que aposta?

— Apostamos sobre você. Eu disse que definharia, mas não se renderia, ela disse que ainda correria atrás da Angie, apostamos uma massagem completa e duas garrafas de vinho, ela adorou te ver entrando essa noite.

— Você é feliz? — pergunto olhando em torno. É um apartamento bem decorado, amplo, com cara de lar, porta-retratos das famílias, de viagens de férias. O lugar conta uma história e é uma história feliz, ao mesmo tempo, Tracy é dura, ética, mas fria como um cubo de gelo em tudo que diz respeito ao trabalho — disse que relutou, depois que se rendeu, se tornou mais feliz do que era antes?

— Eu não era feliz antes, mas claro que só soube disso depois. Sim, Seth, sou absolutamente feliz. Sou feliz quando estamos bem e quando estamos brigadas, sou feliz quando tenho que abrir mão de algo por ela ou quando a vejo abrindo mão de algo por mim, tem sempre alguém cedendo.

— Acho que entendo — digo pensando em todas as coisas que poderia abrir mão e não reclamaria. — Quero olhar de novo para Angie e ter certeza. Não, eu já tenho certeza, acho que só quero... voltar aos poucos momentos que tivemos juntos.

— Tem pouco mais de uma semana que assumiu como CEO, não ri mais, não trabalha feliz, não encontra concentração para gerir a empresa, já vi gente apaixonada, mas sofrendo assim... Não vale a pena, não é?

— Não vale, há muito que entendi que ser o CEO era só mais um passo, que ninguém estava me cobrando nada e que dá para conciliar coisas, esperei tanto por isso e nem quis comemorar, vi minha mãe na reunião, naquele momento eu sabia que Angie estava por perto, me senti tão conectado a ela, não vi seu rosto, mas pensei que talvez pudéssemos abrir um champanhe juntos e comemorar aquele momento e por fim, fui sozinho para casa.

— Sim, já eu bebi demais, acordei de ressaca e Winnie tem vídeos bem constrangedores para usar contra mim, ou seja, ninguém saiu ganhando com essa sua nomeação.

— Queria tanto isso e agora não serve para nada.

— Seth, vai embora fazer logo essa mala, vai buscar o que te faz feliz e o deixa completo, não é vergonha nenhuma lutar pelo amor.

— Não sei ser esse cara que dá flores, faz declarações, eu nem sei o que dizer.

— Você aprende, se deixar seu coração mandar. — Ela leva as mãos ao rosto. — Meu Deus, falei como uma mocinha apaixonada, vê no que o amor nos transforma? Ficamos bregas, dizemos coisas como siga seu coração! — Ela abre os braços e balança a cabeça negando com um ar de ironia que me arranca um sorriso antigo. — Que se dane se tem que ser romântico e falar sobre sentimentos, droga! Ninguém se importa no fim das contas.

— Acho que posso organizar minha agenda, adiantar coisas e viajar no fim de semana, quem sabe vou cedo amanhã para o escritório e peço a Viviane que cancele alguns compromissos e deixe os urgentes para fazer via internet, trabalho home office uns dias, acho que vou fazer uma mala e correr para o aeroporto, pegar o primeiro voo que tiver para Churchill, pode até ser esses apertados que mal caibo na cadeira e você pode ser a nova CEO. Quer?

— Idiota! — Ela ri. — Seth, eu nem quero ir trabalhar amanhã, vou estar com as mãos doendo de tanto massagear o lindo corpo da minha noiva. Acho que está me atrasando. Melhor você ir logo passar a noite sentado em um aeroporto, é uma boa vingança, Angelina vai gostar.

— Acho que vai gostar dela, se tudo der certo, podemos ser amigos e sair juntos. Ela e Winnie podem ser amigas e se unirem contra nós. Me liberou para ser um idiota, estou fazendo planos como um.

— Podemos fazer todas essas coisas ridículas, passar vergonha juntos, vai ser bom não me sentir mais tão sozinha — ela diz quando fico de pé e ela também — digo a Winnie que mandou lembranças.

— Talvez tenhamos que ser mais civilizados no futuro, estamos sempre expulsando um ao outro.

— É a melhor parte da nossa amizade, Seth — ela diz abrindo a porta e me entregando meu casaco. — Boa sorte, seja você mesmo. Não, seja outra pessoa, uma com coração! — Aceno já com a porta se fechando e suspiro, sozinho no corredor, enquanto espero o elevador as coisas não parecem assim tão legais.

Não mudo de ideia, vou para Churchill e vou descobrir se ela sente o mesmo, se sentir, então ótimo, se não sentir então... bem, eu sou Seth Arnett e nunca perco uma briga, eu a ensino a sentir.

Eu não sei bem quanto tempo vou ter que ficar, mas disse ao meu pai que não estava pronto, ele não quis acreditar. Fico o tempo que for preciso e voltamos juntos.

Isso é coisa que tenho que pensar, estou indo buscar uma namorada ou algo mais? Porque trazer Angelina para Toronto, no caso dela querer vir comigo é para ser sério.

Nem como sem ela, não faço barba, não durmo, não sou mais gente sem Angelina, claro que é sério e claro que é mais que namoro. Quero uma vida com ela.

Klaus fala com tanto orgulho da sua família, posso ter uma também, só porque a minha sempre foi meio esquisita não quer dizer que todas são, ela também deve querer isso já que perdeu a sua tão cedo. Não tenho mais idade para namoricos, é hora de encontrar um rumo e construir uma família.

Odeio quando fico parecido com a minha mãe, fico dizendo e pensando coisas... Faço uma careta, meu coração parece ganhar uma sobrevida, a ideia de ir até lá me dá fôlego. Eu não sei o que fazer quando chegar, talvez fingir que estou indo visitar minha mãe, deixar as coisas acontecerem e ver como reage. Claro que não vou chegar lá me declarando, eu parti sem pensar duas vezes, ela vai me desprezar, mesmo sendo uma pessoa melhor do que eu, Angelina tem sangue nas veias e não vai sair confiando em mim logo de cara.

Estaciono e corro para meu apartamento, depois de confirmar que o primeiro voo para Churchill vai sair às sete da manhã e reservar uma passagem, eu vou fazer uma mala.

Pode ser para dois ou três dias, uma semana, um mês, uma vida. Não volto sem ela.

Eu não tenho uma vida para esperar por ela. Não posso simplesmente esquecer quem sou e o trabalho, por mais que eu queira fazer isso, não é só sobre mim, tem os funcionários, os clientes, os fornecedores, uma rede de pessoas que se alimenta literalmente do meu trabalho.

Não quero pensar muito, tenho meu pai que pode voltar para Toronto e ajudar, confio plenamente em Tracy e tem Viviane que é muito competente e podemos trabalhar da melhor maneira possível a distância.

Uma parte do meu cérebro fica me dizendo que Angelina nunca vai deixar minha mãe, que encontrou nela sua família e que mamãe também não vai abrir mão dela. Como é que se luta com a mãe como adversária?

Tracy devia ir comigo, fiquei tão confiante em nossa conversa, agora tudo parece ir ruindo e a angústia começa a me dominar mais uma vez.

Casacos pesados para passeios matinais.

— Angelina odeia caminhar no frio. — Não preciso de tantos casacos assim, não vamos ficar passeando no gelo de mãos dadas. — Talvez um jantar, algo confortável para fugir de ursos polares.

Fecho a mala depois de colocar meu computador, baterias, documentos importantes, tudo que preciso para me dividir entre conquistar Angelina e ganhar dinheiro.

Klaus poderia ter me dado conselhos melhores do que Tracy coração de pedra. Ele disse qualquer coisa sobre a esposa ficar brava às vezes, não fosse tão tarde eu ligaria para perguntar.

Quando aperto os cintos, pronto para horas de voo, meu coração é totalmente diferente do que era quando fiz o caminho contrário, nada foi mais difícil do que deixar Angelina, mas eu tinha tantas certezas. Agora meu coração é mais leve e eu só tenho dúvidas.

Tento dormir durante a viagem, é complicado porque meu coração parece doente, tem tantas coisas que quero dizer, medo, ansiedade. Fico tentando organizar um plano de ação, mas é tudo tão novo, não conheço sentimentos, não é um negócio, uma empresa que posso gerir e organizar, atropelar quem estiver em meu caminho, tudo isso é diferente e requer mais que talento, requer algo que eu não sei se tenho.

São oito longas horas de viagem, quando pousamos em Churchill o dia está gelado. Felizmente não está nevando, para uma primeira semana de dezembro até que o clima está ótimo. Seis graus negativos e o clima seco.

Gibson vem me encontrar no aeroporto, é sempre minha mãe a organizar minha chegada, dessa vez, como vou chegar de surpresa e só conheço o dono da taverna, é a ele que apelo.

— Vai fazer surpresa?

— Sim — aviso quando me acomodo a seu lado. — Tem ido até lá?

— Agora que sua mãe não está mais sozinha eu quase não vou, ela também tem evitado vir à taverna, só mesmo para pegar encomendas, normalmente é o Sammy que faz as entregas. — Faço uma careta me lembrando do rapaz que eu quase mordi em uma crise de ciúme. Não tenho culpa, eu não tinha a menor ideia de que era ciumento.

— Vai ficar direto até o Natal?

—Talvez. — O mês de dezembro é um mês mais tranquilo, com muita neve. Às vezes precisamos mesmo parar uns dias mesmo em Toronto, não é o fim do mundo e até o natal são pouco mais de vinte dias, acho que dá para me organizar.

Gibson não encontra mais assunto e como estou nervoso demais e nem um pouco interessado nas fofocas da cidade, ficamos calados durante o percurso, ele estaciona na porta, deixo o carro pegando minha mala no banco de trás, são quase cinco da tarde, aceno para Gibson e ele acelera o carro para longe.

A neve está alta, mas o caminho até a porta limpo. O carro novo na garagem, não sei o que ela fez com o velho, mas dei uma caminhonete nova para ela, ouvi que era mesmo minha obrigação já que fui um preguiçoso.

É a casa da minha mãe, eu devia simplesmente entrar, talvez o carro tenha denunciado minha chegada, mesmo assim, paro na porta apertando a mala e controlando minha ansiedade. Engulo em seco sem saber direito o que fazer.

Abro a porta, deixo a mala no chão, Angus mia e abana o rabo. Falso, ele nem mesmo gosta de mim, a sala está vazia e silenciosa, caminho em direção a cozinha, passo pela sala de jantar e lá está ela, como da primeira vez, perdida em pensamentos enquanto arruma um lindo arranjo para a mesa, os cabelos presos em um rabo de cavalo, jeans e suéter.

Linda como sempre, perfeita como nunca. Eu sei o que sinto, sei agora mais do que tudo, é ela que quero em minha vida para sempre, se ouvir sua voz me matou um pouco, ver Angie me despedaça e me refaz, tudo ao mesmo tempo. Tão perdida em seus afazeres, tão mergulhada que não me nota de pé a olhar para ela e só ficar aqui, olhando o delicado rosto de Angelina já me faria mais feliz do que já fui em toda minha vida.

Não consigo domar meu coração, não consigo me manter calmo. Quero correr até ela, envolvê-la em meus braços e dizer que ela é dona do meu destino, que me tem em suas mãos, mas não me movo, ser rejeitado me mataria e me agarro à esperança de ir aos poucos.

Ela ergue os olhos, primeiro pisca, depois perde a cor, parece levar um susto ao me vez, se apóia na mesa como se perdesse as forças, abre e fecha a boca.

— Seth! — diz em um fim de voz, os doces lábios de Angelina, os olhos dela, os olhos de sonhos dela agora parecem brilhar diferentes, é ainda a Angie que conheci, mas tem uma nota de novidade nela.

— Como vai, Angie? — pergunto estranhando a fraqueza em minha voz, minha incerteza é palpável, eu não sou mais o que era. Ela balança a cabeça de modo positivo, parece ter perdido a fala, certamente não me esperava aqui, não sei se entende a minha chega, não sei se está feliz, brava, indiferente, mas consigo alcançar a surpresa. Essa é visível. — Vim... visitar.

— Sam não... não me disse nada, eu não... Nós não o esperávamos. Nós, eu e sua mãe. Quem mais seria? — Ela dá de ombros e tento sorrir, está nervosa como eu.

— Pensei em fazer uma surpresa — conto a ela, na verdade eu apenas vim sem pensar e sim, não avisar foi deliberado, mas muito mais por medo de Angelina partir antes da minha chegada que propriamente uma surpresa.

Ficamos mudos, nos olhando repetindo aquela velha guerra, os olhos dela são perguntas, os meus são respostas, mas não sei se ela pode compreender, não é mais uma batalha, é apenas uma rendição, ela venceu e há muito que sei disso.

— Ah, meu Deus! Seth! — Minha mãe surge mais uma vez para adiar a batalha, quando me dou conta estou em seu abraço, ela me aperta emocionada demais para ser normal. — Querido, como é bom ver você, não tem ideia de como essa... Seth. — Ela me afasta, toca meu rosto, meus cabelos, devia ter feito a barba, ido a um barbeiro, mas não, apenas tomei a decisão e entrei em um avião. — Filho... está bem?

— Sim, mãe. Eu estou bem.

— Não é o que parece. O que faz aqui? — ela pergunta com as duas mãos em meu rosto e os olhos presos aos meus buscando suas respostas.

— Surpresa — digo dando de ombros. Ela podia me ajudar e não fazer essas perguntas. O sorriso de minha mãe diz muitas coisas. Seus dedos tentam alinhar meus cabelos, mas o tempo todo estou consciente de Angelina de pé ao meu lado, as mãos ainda apoiadas na mesa, muda de surpresa.

— É uma linda surpresa. Um grande passo, um dia especial, ventos de mudanças. Eu nem sei o que dizer, estou emocionada, queria muito, muito que viesse, temos tanto que resolver, conversar, Seth. — Ela me puxa para um abraço, emocionado, e sinto minha mãe tão enigmática. Ela me conhece o bastante para entender o que vim fazer, ela sabe que estou aqui por Angelina, espero poder contar com seu apoio, sua força.

Pela alegria ela aprova, mas não quer dizer que Angelina sinta o mesmo e no momento só o que posso ver em Angie é a surpresa profunda e uma palidez de quem cruza com um fantasma.

Minha mãe espalma as mãos em meu rosto, os olhos fixam em mim como se ela estivesse a me investigar.

— Seth, você não veio me dar uma má notícia, não é mesmo? Filho, estou aqui e sou forte, basta dizer, está tão abatido, barba por fazer, cabelos... Está doente? É grave. — Posso sentir o medo em seus olhos e sinto pena, jamais duvidei do amor da minha mãe, mas estivemos muito afastados nos últimos anos, porque eu estava obstinado e ela fugindo, é um reencontro.

Angelina se senta, ainda mais pálida que antes, os lábios sem cor, os olhos perdidos e balanço a cabeça negando enquanto meus olhos não desgrudam do rosto dela.

— Não, mãe, eu não estou doente. Angelina, você está bem? — Me desprendo dos braços da minha mãe que me envolvem, ela parece perceber que Angie não está muito bem. Será que fiz tão mal a ela que minha presença a adoece. É horrível pensar sobre isso quando tudo que quero é estar com ela.

— Ótima! — ela diz sorrindo. Um sorriso tão fraco e mentiroso. — Não foi nada, eu apenas fiquei surpresa e emocionada com o encontro de vocês dois, acho que Samantha estava... preocupada. Estou bem.

A cor volta aos poucos ao seu rosto, minha mãe surge com um copo de água para ela.

— Eu digo cada coisa. Claro que o Seth não está doente, eu saberia se estivesse. — Mamãe tranquiliza a si mesma, ou Angelina. Ainda não sei bem ao certo. Continuo imóvel na sala de jantar, sem me sentir em casa, com medo de minha presença ser um incômodo insuportável para ela, dói imaginar tal coisa, dói fisicamente, me aperta o peito com tanta força que poderia chorar.

— Creio que vocês têm coisas a conversar, vou aproveitar esse tempo para preparar o jantar — ela diz ficando de pé, eu não sei se tenho chance, mas sei que vou lutar e não importa muito se isso vai parecer ridículo. Tracy tem razão, o ridículo faz parte do amor.

Disse amor, é essa a palavra, ela andou querendo surgir e eu a calei, pensei nela sob as luzes do Norte e depois sob o calor do fogo, quando fomos um do outro, fugi dela na primeira oportunidade e agora aqui está ela, me mostrando o caminho.

— Está com fome, Seth? — Minha mãe me pergunta enquanto tento não encarar tanto assim Angelina, mas ela é tão bonita e está tão perdida, só quero envolvê-la em meus braços e consertar tudo.

— Fome? Sim, eu estou com fome, muita fome. Como nunca senti antes. — Eu acho que nem sei quando foi a última vez que senti isso, mas estar perto dela me faz viver de novo.

— Que coisa boa, vá desfazer a mala e descansar, vou ajudar a Angie com o jantar — Mamãe diz e sinto que sua preocupação não sou eu, mas Angelina. Será que ela está doente? Balanço a cabeça afirmando, me esforço absurdamente para deixar a sala e ir me arrastando com a mala para o quarto. Não tenho ideia do que fazer, mas é melhor começar a fazer algo.

CAPÍTULO 18

Angelina

Ele não podia fazer isso comigo, não podia ter chegado assim, ainda sinto o ar faltar, ainda sinto as pernas tremerem e o sangue parece não correr por minhas veias, como se eu estivesse de novo mergulhada no gelo, sendo engolida pelo frio.

Eu olhei em seus olhos, eu procurei o aço frio que sempre marcou seu olhar e só encontrei angústia, medo, dor, ele sofre e isso me machuca como a minha própria dor machuca.

Não é a mesma dor, é claro que ele deve estar com seus problemas e veio se refugiar nos braços da mãe, que lugar melhor para lamber feridas que a proteção de Samantha? Ele podia ao menos ter levado em conta que sua presença me machucaria.

Seth está em sua casa, não posso querer que ele deixe de vir porque moro aqui. Eu sou a intrusa.

Justo agora, justo quando descubro sobre o bebê, eu ainda nem sei o que fazer com essa notícia, ainda nem sei como contar a Sam e agora ele aqui e eu sem saber se conto, se fujo, se me entrego às lágrimas e desabo como gostaria.

— Angie! — Só quando sinto a mão de Sam em meu ombro é que desperto. — Está bem? — Seth não está mais na sala, somos só nós duas e por um instante maluco penso se não estive apenas sonhando e ele não esteve realmente aqui. — Seth foi arrumar as malas, mas eu cozinho.

— Sam, eu posso...

— Estou querendo preparar o prato preferido dele. — Ela está mentindo, posso ver em seus olhos, Sam quer me proteger e o tempo todo eu só quero me encolher em seu abraço e pedir que tome as rédeas de tudo e me diga o que fazer porque eu não sei.

Sua mão suave seca meu rosto e nem sabia que estava chorando, é difícil, ela sabe um pouco do que aconteceu, então deve entender como me sinto.

— Desculpe, Sam! É seu filho, eu não devia.

— Bobagem, eu sei que tiveram um envolvimento e sei que não é fácil dar de cara com ele. Seth podia ao menos ter ligado, assim se prepararia.

— Sam é sempre tão compreensiva que eu fico sem acreditar. — Sabe do que precisa? — Balanço a cabeça negando, eu realmente não tenho a menor ideia. — Meia hora de pernas para o alto e cabeça no travesseiro. O que acha?

— Você não é desse mundo, Sam. — Tem vezes que eu acho que ela sabe que estou grávida, é tão certeira em seus comentários, tão generosa e carinhosa comigo.

— Sou sim, mas quero que desça para fazer a refeição conosco. Promete?

— Sim — digo com o coração apertado, por mim me trancaria no quarto pelo tempo que ele vai ficar na casa, mas não posso, assim como não posso fazer uma mala e partir. — Obrigada!

Ela balança a cabeça em uma negação despreocupada, sigo para o quarto pensando que um tempo sozinha para me refazer do choque é a única maneira de enfrentar essa visita.

Assim que me acomodo sentada na cama com as pernas dobradas e o rosto sobre os joelhos eu não resisto a deixar o choro vir.

Não tinha ideia que queria tanto vê-lo. Não pensei que doeria tanto olhar de novo em seus olhos e principalmente assistir o abatimento dele. Quero saber o que está deixando Seth assim, e se ele estiver mesmo doente? Fico imaginando coisas graves, uma doença fatal, uma visita de despedida.

As lágrimas correm ainda mais, preciso tapar a boca para não soluçar alto. Vamos ter um bebê. Um bebezinho que precisa de um pai, Seth vai aprender a ser pai, ele ama tanto o próprio pai que não consigo imaginá-lo desprezando o filho.

Tenho mais medo dele tentar arrancá-lo de mim do que de ser abandonado. Não queria contar agora, tinha planos de me fortalecer, tomar decisões, ao mesmo tempo não é certo esconder dele, esconder de Samantha, a única pessoa no mundo que me trata com amor sincero e respeito desde a morte da minha mãe.

Um momento juntos, foi tudo que tivemos e agora um bebê. Seth vai achar que planejei? Não. Ele não vai pensar isso, por mais que tenha agido como agiu, eu não consigo vê-lo com um crápula insensível que me faria mal, ou ao nosso filho, não consigo pensar nele me acusando de coisas como essa. Sinto que mostrei a ele quem sou, mostrei a ele como é meu coração, ele pode não sentir nada por mim, mas não acho que pense que sou uma aproveitadora, essa questão foi realmente resolvida.

Pode voltar à tona. Se ele pensar algo assim acho que não tem a menor chance de sermos qualquer coisa próximo de razoáveis.

Seco o rosto, tento conter o choro, mas eu não consigo, eu não encontro paz, não encontro calma, só tem perguntas, dores, medos.

Não queria gostar dele, queria não sentir nada, queria que tivesse sido uma aventura boba de uma jovem e moderna garota curiosa, seria muito fácil, mas não é assim. Estou ainda completa e perdidamente Devíamos ter o poder de escolher por quem sentir. Como é que vou viver esses dias todos com ele e não desmanchar em lágrimas?

Toda vez que tento domar as lágrimas elas voltam com mais força, achei que desmaiaria na frente dele. Senti minha alma sair do corpo, foi como morrer um pouco erguer os meus olhos e encontrá-lo exatamente no mesmo lugar em que o conheci. Um instante pareceu sonho, depois foi como um soco. Um golpe de realidade me lembrando que a vida é mais do que a proteção da companhia de Sam.

Não posso não contar a ele, eu preciso me abrir. Dizer a ele que estou esperando um bebê e aguentar as consequências.

— Seja forte, Angelina. — Só de me ouvir as lágrimas retornam. Ainda não posso contar, eu nem sei o que o trouxe aqui, preciso de mais tempo, preciso me recompor e ser capaz de lutar por mim e por meu filho antes de contar.

Nunca mais vou sair desse quarto? As lágrimas não param, é uma crise atrás da outra. Me encosto na cabeceira da cama, respiro fundo, preciso me controlar e enfrentar sua visita de cabeça erguida, eu sei o quanto sofri quando ele partiu, não vou deixar que ele me leve para aquele lugar escuro em que estive até Sam voltar.

Toco meu ventre, sinto algo tão bom me invadir. É por essa vidinha que está em mim que preciso ser forte e consigo, eu prometi a ele que seria, prometi ao meu bebê que faria o impossível e essa é a primeira prova, a mais difícil, enfrentar Seth.

Olho para minha barriga, não dá para ver nada, é tolice pensar que Sam poderia saber, ela não me vê passando mal todas as manhãs, não sabe como é quase impossível preparar uma caneca de chocolate quente que agora eu odeio com todas as minhas forças.

— Você é minha Luz do Norte, bebê. Foi para anunciar sua chegada que os anjos dançaram nos céus em uma noite de arco-íris.

É a primeira vez que falo com ele. Demorei porque eu não queria fazer isso sozinha, foi um sonho bobo que dividiria esse momento com Seth.

— Sei que precisa dele, anjo. Que vai amar o papai, prometo deixar que ele fique por perto se quiser, mas não se preocupe se ele não quiser, terá tudo que precisa em mim. Vou ser forte por nós dois, vou lutar por nós dois. Acho que vai amar sua avó. Sinto que ela pode te amar muito e nos ajudar. — A vontade de chorar retorna, mas dessa vez é uma boa emoção, eu consigo ver o pequeno ser que está sendo tecido em meu ventre sorrindo em meus braços, com lindos olhos de aço do papai, risonho e esperançoso, sendo paparicado, protegido e amado.

Ficar em Churchill pode não ser minha escolha final, queria ter a segurança de uma grande cidade, mas vamos dar um jeito, crianças nascem por aqui como em todos os lugares e vamos ficar bem.

— Amo você, Luz do Norte, aurora boreal. — Acaricio a barriga pensando que foi sob as luzes do Norte que meu coração despertou para Seth, eu me sentia atraída pela beleza física dele, qualquer um pode enxergar sua beleza, mas foi sob a beleza daquela noite que entendi ou senti que era mais do que isso e depois, quando a vida estava se esvaindo de mim e ele me salvou, aqueceu e cuidou é que compreendi meus verdadeiros sentimentos. — Bebê, eu acho que posso contar ao menos para você. Pode dividir esse segredo comigo? Amo o seu pai. Duvido que algum dia eu o esqueça e siga em frente para amar outra pessoa, mas prometo tentar ser feliz de algum jeito, para não se sentir culpado.

O perfume da comida de Sam se espalha pela casa e vou lavar o rosto e descer para ajudar, leva uns minutos até que consiga apagar as marcas das minhas lágrimas.

— Seth está nessa casa — digo ao meu reflexo no espelho. Eu não sei como é que vai ser por esses dias, mas vou me esforçar muito para ser bem forte e me preparar para o grande momento.

Eu não vou conseguir ficar imune a sua presença, meu coração não para de acelerar, minha boca fica seca, minha cabeça atordoada, não dá para fingir, se ele pode, eu não consigo, é muita tensão.

Volto a descansar a mão sobre o ventre, de certo modo, temo por minha saúde e do meu bebê, ficar ansiosa e tensa assim não pode ser nada bom. Puxo o ar com força, prendo um instante e solto lentamente, repito por meia dúzia de vezes até que finalmente me sinto pronta ou quase para descer e fingir que não me importo com sua presença aqui.

Angus está dormindo na escada, o gato escolhe os lugares mais estranhos para se espalhar, pulo o degrau e me sento um instante para afagar seus pelos. Acho que só quero atrasar um pouco o próximo enfrentamento.

— Que vida simples a sua, às vezes sinto inveja. — Ele balança o rabo sem nem ao menos abrir os olhos. Os passos no corredor vindos do andar de cima disparam meu coração, quero sair correndo, é tão difícil domar minha ansiedade e não reagir feito uma criança assustada que me suga todas as energias, fixo meus olhos no gato quando vejo pelo canto do olho os sapatos de Seth descendo a escada.

— Esse gato é mesmo um folgado — ele diz pulando o degrau, desce mais alguns e ficamos na mesma linha de visão. Me forço a olhar um instante apenas para Seth, não me conformo com seu abatimento. — Se minha mãe pisa nele sem ver no meio da escada ela acaba ferida.

— Ele não faria isso, sempre que vê sua mãe ele se levanta para segui-la. — Odeio conversar sobre tolices com ele quando temos que discutir o futuro do nosso filho. — Angus ama sua mãe.

— Sim, ele ama. — Seth toca os pelos do gato e isso sim é novidade, eu jamais o vi tocar no animal, até Angus estranha e ergue os olhos para ter certeza.

Seth logo se afasta e Angus agradece, volta a dormir enquanto eu continuo imóvel e com olhos fixos no animal.

— Parei para agradá-lo, mas acho que vou ajudar sua mãe — digo sem conseguir olhar para ele. Quero alisar seus cabelos, descobrir se está doente, me aninhar em seu abraço e dizer que preciso dele para passar por tudo isso, mas fico de pé e caminho na frente descendo o resto da escada quase fugindo.

— Angie? — Ele me chama e sou obrigada a me voltar, colocar a máscara da indiferença e olhar para ele, encarar os olhos de aço que parecem vazios e tristes. — Você está bem? — Balanço a cabeça afirmando. — Quando cheguei... Eu não devia ter vindo?

— É sua casa, sua mãe, ela o ama, está muito feliz que está aqui — digo, encarando meus pés, esconder a verdade é bem complicado.

— Eu nunca devia ter ido embora daquele jeito. — Volto meus olhos para os dele, é verdade, Seth está sendo sincero e eu ainda não sei o que significa, talvez apenas um arrependimento básico do comportamento infantil, algum sentimento de culpa por ter sido o primeiro e partido logo em seguida, talvez algo mais, não consigo decifrar.

— Você quis conversar e eu não quis ouvir.

— Não teria mudado nada — ele admite para minha mágoa, passei dias e dias me culpando por não ter tentando e ele diz claramente que não teria servido de nada. Engulo em seco, é horrível ouvir. — Reconheço que errei, sinto muito, por tudo aquilo. Não tudo! — Seth parece tão atrapalhado que não me lembra o homem seguro de si que conheci. — Não sinto por tudo, sinto pelo modo como fui embora.

— Não pense mais nisso, está tudo... superado — minto diante dele, é minha proteção. Ninguém pode me culpar por tentar me proteger de uma nova e mais profunda dor. — Vou ajudar sua mãe, deve estar com muita fome.

Tento sorrir antes de seguir para cozinha com ele em meu encalço, definitivamente eu não vou conseguir suportar esses dias, já quero voltar para o quarto, já quero mais lágrimas.

— Chegaram! — Sam nos sorri. — Ainda bem, eu meio que enlouqueci, tem comida para um batalhão, mas vocês dois estão precisando. — É automático, olhamos um para o outro e talvez ele esteja pensando o mesmo, mas sinto que ele sim precisa de uma alimentação reforçada, está muito abatido.

— Posso ajudar colocando a mesa — Seth se oferece e se eu consigo fingir naturalidade, Sam não tem esse talento.

— Acho ótimo, mas muito estranho — ela responde investigando o filho.

Seth ignora, pega uma toalha de mesa que Sam sempre deixa separada para ocasiões especiais, espero que ela diga que essa é a toalha do natal, mas ela não diz nada, pego os pratos e talheres enquanto ele retira o enfeite da mesa de jantar e forra a toalha, nunca usamos toalhas, sempre os jogos de mesa mais simples, mas ele não parece saber disso, uns minutos e estamos em torno da mesa.

Sentados nos velhos lugares daqueles jantares estranhos que dividimos nos dias em que esteve aqui.

— Parece muito bom, mãe — ele diz aspirando o perfume da comida.

— Você parece que andou sem tempo para comer — Sam diz servindo o prato do filho como se fosse um menino. — Coma tudo — ela avisa estendendo o prato, então estica a mão pedindo meu prato, entrego um tanto envergonhada e ela faz o mesmo. — Quero esse prato limpo, mocinha. As verduras e legumes não estão aí para enfeitar o prato.

— Eu sei — digo em um longo suspiro de angústia, nem tudo que está em meu prato será fácil de comer, mas rezo para não ter que deixar a mesa para correr para o vaso.

— Como vão os preparativos para a exposição? — Seth pergunta a mãe enquanto parece bem animado para a comida.

— Angie é que está cuidando de tudo com o George, graças aos céus eu a tenho comigo e ela é esperta e eficiente, sabe exatamente tudo que gosto e batalha por mim junto ao George, ele tem suas manias e eu as minhas, Angie fica entre nós.

— Que bom! Já tem local e data, Angie? — O garfo para no meio do caminho, tento sorrir e responder de modo natural, que grande luta é falar com ele e olhar em seus olhos.

— Sim, os convites estão prontos. Infelizmente só vimos pela Internet, mas deve chegar alguns essa semana, vai poder ver de perto.

— Pena que vai ser em Toronto e seus amigos de Churchill não poderão ver.

— Mando vídeos, não são tão amigos assim, além disso, não é o tipo de coisa que eles mais gostem de ver.

— Como está seu pai?

— Acho que bem, vou falar com ele mais tarde, eu não avisei que estava vindo, foi uma decisão meio repentina.

— Entendo. — Ela sorri. — Bateu saudade? — Seth olha diretamente em meus olhos para responder.

— Sim, muita saudade. — Isso é uma indireta? Ele veio atrás de repetir o que vivemos? Acha que pode aparecer quando quiser e que tudo bem, vamos ter umas horas de prazer e depois ele simplesmente vai embora?

Evito seus olhos, eu nem sei mais o que pensar sobre tudo isso.

— Feliz com a nova função? — Sam pergunta enquanto ele parece estar sempre procurando meus olhos para responder.

— Mais do mesmo, apenas oficializamos, eu já vinha fazendo o trabalho do meu pai. Sabe disso.

— Sim, eu sei, mas está mais feliz agora? — Ele da de ombros, parece não encontrar dificuldade em responder.

— Não — Seth responde de modo direto, então se volta para me olhar. — E você, Angelina, gosta de organizar as coisas para minha mãe?

— Muito! — admito, é verdade e se temos que conviver, é melhor que ache um assunto que não me torne tão fraca diante dele. — É empolgante organizar eventos como esse, voltados para a arte, Sam tem gostos bem definidos e ficar tentando adequar as coisas ao seu gosto é interessante, George é generoso, ele acaba sempre permitindo que eu faça quase tudo, até invadir um pouco seu espaço de marchand.

— Agora preciso terminar meus quadros, tenho me focado muito nisso. Não fosse Angie aqui comigo jamais daria conta.

— Quanto tempo vai ficar em exposição? — Seth me pergunta e ou estou louca, ou ele está fazendo questão de me incluir na conversa.

— Duas semanas, mesmo que todas as obras sejam vendidas, continuam expostas por todo tempo, depois quando desmontamos, vão para seus novos donos, Samantha vai dar algumas entrevistas também e vai ganhar uma matéria em uma revista e no jornal.

— Odeia isso, não é, mamãe? Parece que escolher ser uma artista tem seus ônus.

— Até que acho divertido, não vai ser muito complicado, só não acho que vá vender muitos quadros, mas Angie e George têm certeza.

Samantha toma um longo gole de vinho, descansa o guardanapo sobre a mesa.

— Já que terminaram, vocês limpam e eu trabalho, cozinhei, mereço descanso.

— Faço isso — digo me apressando para ficar de pé. — Seth deve estar muito cansado da viagem.

— Ajudo, lavar uns pratos não é nada demais. — Ele parece disposto a me atormentar.

Sam nos deixa sozinhos. Talvez queira apenas que o clima pesado entre nós acabe, mas ela não imagina o que me pede.

Enquanto recolhemos a louça para a cozinha, o silêncio é nossa única companhia, mas quando me posiciono em frente a pia de louça e ele pega o pano de prato e para ao meu lado, sinto as pernas enfraquecerem e as mãos tremerem um pouco. Perto demais assim é complicado suportar.

— É bem rápido, Seth, posso fazer sozinha.

— De jeito nenhum, gosto dessa terapia. — Que grande mentiroso! Dá vontade de rir, mas me contenho. — É sério. — Ele sorri.

— Como quiser. — Começo a lavar e ele a secar.

— Seu plano sobre o Klaus foi perfeito — ele diz pegando mais um prato. — Ele está produzindo muito e os funcionários estão mais tranquilos, o clima de guerra acabou.

— Fico feliz, eu pensei que ele tinha mais a oferecer. Klaus é alguém que gosta de trabalhar. Pelo que entendi, ele não estava pronto para ficar em casa. Acho que para alguém como ele, seria uma sentença de morte.

— Agora que estamos mais próximos, sim, talvez fosse mesmo — ele diz pegando os talheres para secá-los. — Vai todos os dias mesmo sem precisar e está sempre ocupado, encontra trabalho, é engraçado assistir sua disposição.

— Falei com ele uma vez ao telefone, ele foi gentil e simpático.

— Falou com o Klaus? Quando? Ele não me disse, do que falaram?

— Sua mãe tem se dedicado totalmente a pintura para terminar seus quadros, então ela me pediu para falar com ele sobre uns relatórios que chegaram e umas coisas não estavam bem explicadas, eu tenho lido e estudado tudo, então faço um resumo a ela. Quando o conselho se reúne ela sabe o que dizer.

— Entendo.

— Se for um problema para você...

— Todos os melhores funcionários daquela empresa são mulheres, de todos os setores. Da montagem a quem lida com as máquinas, a diretoria e cargos importantes, sempre são as mulheres as mais dedicadas e capacitadas. Raramente uma mulher traz algum problema, elas sempre já resolveram quando chega até mim.

— Admiro isso, Seth. Você não tem preconceito nesse sentido.

— Espero não ter preconceito em sentido nenhum — ele diz meio surpreso. — Fui preconceituoso com você alguma vez?

— Não! — Sou rápida em responder. — É que você é um homem importante, muito rico, não sei, talvez eu crie uma imagem ruim, quem sabe sou eu a demonstrar algum preconceito.

— Eu não mereço mesmo que faça uma imagem boa de mim. — Por alguma razão, isso parece realmente atingi-lo em cheio. Estou tão nervosa aqui lavando louça ao lado dele que nem sei mais o que estou dizendo.

— Não é isso. Não é sobre você, é sobre o seu trabalho, eu só disse que você, que as pessoas como você... Gente importante e rica... Eu nem sei o que estou dizendo, não tive uma boa experiência no passado. — De novo pareço ter acertado um soco em Seth. — Droga, Seth! Não estou falando de você! Estou falando do meu ex-patrão. — Suspiro, é como se estivéssemos os dois em um campo minado. Minhas mãos tremem absurdamente, minhas pernas fraquejam.

— Calma — ele diz tocando minha cintura. — Não precisa ficar assim nervosa, eu não sou tão sensível assim, não precisa ter tantos receios para falar comigo e seja como for, se encaixa perfeitamente com quem eu sou ou fui.

— Acho que precisamos de uma noite de sono — digo desesperada por um momento de solidão, meu coração está tão fora do ritmo que sinto precisar de um pouco de paz. Sua mão ainda descansa em minha cintura, queima como fogo.

— Está pálida, Angie. — Sua voz soa preocupada, a comida está toda embolada na boca do estômago, meu coração descompassado e me assusta pensar que ninguém sabe do meu bebê.

— Termino isso amanhã, Seth. Boa noite! — Não espero que ele responda, apenas corro para longe dele, para me trancar em meu quarto e tentar ser forte e me preparar para mais um dia com Seth Arnett a me arrancar a paz e mover todas as minhas emoções. Eu nem tinha ideia de que se podia sentir tudo que sinto quando estamos juntos.

CAPÍTULO 19

Seth

Ela se afasta e eu não sei como chamá-la de volta, como fazer Angie entender que eu não sou mais quem era e nem sei se algum fui aquilo que demonstrei ser.

Quero dizer a ela o que faço aqui, que vim por ela, para estar com ela, para me desculpar, para tentar uma vida ao seu lado. Ver Angie só me faz ter mais certeza.

O que sinto por ela está muito claro, ainda não sei se consigo pôr em palavras, não sei como convencê-la, se existe essa chance, se alguém tem o poder de fazer o outro se apaixonar. Eu não entendo desses sentimentos, nunca pensei neles, amor, paixão, eu nunca me preocupei em entendê-los, nunca vivenciei nada assim.

Talvez as paixonites de garoto, nos tempos de colégio, nada que evoluísse, nada que não desaparecesse uns meses depois, na primeira chance de um novo par de pernas a desfilar nos corredores do colégio.

Angelina não é uma dessas garotas, eu a quero em minha vida, aprender com ela, cuidar e proteger a garota mais especial do mundo e quem sabe, ser alvo do seu amor, dessa capacidade que ela tem de amar.

Deixo a cozinha decepcionado comigo, minha mãe está no ateliê e entro em sua sala esperando um pouco de sensibilidade e apoio, mas em se tratando de Angelina é possível que minha mãe esteja feliz com minha dor e louca para me ver pelas costas. Não fiz bem a Angie e agora tenho certeza disso.

Ela está em seu sofá, folheando uma revista. Ergue os olhos e me sorri, tem amor em seus olhos, sempre posso sentir, me aproximo e ela fecha a revista, me sento no chão, a cabeça no colo esperando por seus dedos mergulharem em meus cabelos como quando eu era uma criança.

— Cabelos crescidos, barba. Está em depressão? — Sorrio negando. — Parece.

— Não ando pensando muito nessas coisas.

— Está com problemas de sono? — pergunto. — Seth, o que está acontecendo?

— Fui tão tolo, mãe. Eu a perdi para sempre, não é? Sabe o que vim fazer.

— Veio atrás da Angie.

— É tarde demais, eu estraguei tudo. — Nunca pensei que machucaria tanto admitir. — Magoei demais Angelina, tive tanto medo. Fui um grande canalha com ela, não quis, acredite, não foi indiferença.

— Foi medo, foi exatamente por não conseguir ficar indiferente que sumiu.

— Mães são sempre mais espertas. Foi isso que fiz — confesso a única pessoa que sempre vai me perdoar não importa o que eu faça.

— Seth. É tão difícil ser assim, eu não sei por que escolheu esse caminho, essa frieza.

— Acho que eu não esperava que algo como isso me acontecesse — conto a ela enquanto minha mãe ainda me acaricia os cabelos.

— E o que seria isso?

— Você sabe do que eu estou falando.

— Sei? — Escuto seu riso, mesmo sem ver seu rosto, eu sei que ela está apenas me provocando. — Não consegue usar a palavra, Seth? Amor, não consegue dizer amor?

— Consigo, eu só... Não quero dizer.

— Ah! Por favor, Seth, cresça! — Ela está deliberadamente rindo de mim. — Admita que não consegue dizer.

— Ok, eu admito que tenho certos bloqueios. Isso tudo é novo para mim, acho que não gosto muito de parecer ridículo e não sei receber um não. Amar e não ser correspondido me mata.

— Mata um pouco todo mundo, querido, é natural. — Sua voz soa tranquila, como se eu não estivesse a morrer um pouco em seu colo.

— É bom saber que não sou exceção.

— Mas não é o seu caso. Agora que já admitiu que não sabe lidar com suas emoções, pode admitir que precisa de ajuda?

— Isso é fácil, eu admito. Fui bater na porta da Tracy para pedir socorro e ela é uma pedra, não sabe ajudar. Imagine o meu grau de desespero para tentar justo ela.

— Tracy é como você, por isso essa amizade dura anos. — Sim, disso não tenho dúvidas, sempre fomos muito parecidos. — Quer ajuda?

— Não. Eu quero voltar no tempo e não sentir o que eu sinto que me machuca e machuca a Angelina, mas eu preciso, porque isso que sinto não vai nunca mais embora e não sei resolver. Devia ter um curso técnico para coisas como essas.

— Terapia ajuda — minha mãe comenta. — Sempre soube que seria assim, tinha pena e medo por você. Sua frieza, sua distância das emoções. Quando pintei aquele quadro da tempestade estava pensando nesse momento, no caos que seus sentimentos provocariam quando explodissem. Não sabe lidar com emoções mais profundas.

— Raso, frio. É bom quando a mãe coloca a gente para cima. — Seu riso me chega aos ouvidos, mas eu não me movo, gosto do seu carinho.

— Eu me pergunto por que ficou assim, foi criado com amor, parceria, presença, mas acabou essa pedrinha de gelo.

— Uma pedra de gelo no deserto do Saara. Eu não tenho a menor chance.

— Derrubar essa barreira tem que ser sua primeira decisão. Tem medo do ridículo?

— Sim. Já viu o papai todo derretido para aquela Francine?

— Não seja tolo, Seth. Francine é uma ótima pessoa, ela não atravessou meu caminho ou coisa assim, terminei meu casamento e meses depois seu pai a conheceu e se casou.

— Por que veio embora, mãe? — Deixo seu colo para me acomodar no sofá e olhar em seus olhos. O sorriso dela é triste.

— Se parece muito com seu pai — ela me conta. — Não só fisicamente, se parece emocionalmente com ele. Stan sempre foi um bom homem, mas não cabiam duas coisas em sua vida, só cabia o trabalho e eu fui me deixando ficar esquecida. Não ajudei muito, mesmo com você, se lembra de como ele estava sempre falando sobe o trabalho e o seu futuro na empresa? Ele o treinou para focar nisso e nunca te disse que podia ter os dois mundos, porque ele não consegue. Agora por exemplo, quer abandonar tudo para viver o amor, porque ele só consegue amar uma coisa de cada vez.

— E acha que eu sou assim? Se escolher lutar por Angelina, deixo a empresa de lado?

— Não. Acho que você pensa que só pode ter uma dessas coisas, ou o amor ou a vida como CEO, mas pode ter tudo, pode amar e pode trabalhar e ser bem sucedido.

— No momento não tenho nada e Angelina me quer longe. — Mamãe balança a cabeça negando.

— Tinha vinte e sete anos de casada. Estava esgotada, você já despontava na diretoria da empresa, começando sua vida profissional apoiando seu pai, eu arrisquei, eu terminei tudo e vim para esse lugar protegido e distante, ele não veio me buscar, simples assim.

— Sempre achei que era isso que queria. Que ele viesse buscá-la e ele simplesmente aceitou o fim.

— Vê como você não é seu pai? Você veio buscá-la. — Minha mãe dá um largo sorriso. — Se o seu pai viesse agora, não teria a menor chance, porque o tempo me curou. Não demore demais ou o tempo apaga o que ela sente também.

— Eu não acho que ela sinta algo — conto à minha mãe cheio de decepção. Acho que fui muito inocente achando que bastava chegar aqui que tudo se resolveria instantaneamente.

— É o que pensa?

— Ela está angustiada com minha presença, nervosa, triste. Posso sentir, quase posso tocar sua agonia. A ironia é que gosto tanto dela que tenho vontade de ir embora só para ela ser feliz de novo, só para Angie voltar a sorrir, como você disse que ela estava.

— Menti — minha mãe admite de modo simples.

— Mentiu?

— Sim, eu menti para você dizendo que ela estava bem, não é verdade. Quando cheguei encontrei uma Angelina destruída emocionalmente, muito abalada e sofrendo sem você, ela teve uma grande crise de choro e que embora tenha ido diminuindo com o passar dos dias, não trouxe de volta sua alegria.

— Por que mentiu?

— Eu nunca duvidei que você um dia encontraria o amor, sabia que não seria fácil e admito que quando conheci Angelina pensei que poderia ser ela. Angie tem tudo que te falta e tudo que te encanta. Senti pena do seu coração, porque você lutaria contra, Seth, você é assim, um lutador, não se renderia e sempre soube que acabaria tendo que dobrar os joelhos, sempre soube que faria tudo errado e para consertar acabaria ajoelhado e rendido, implorando uma chance.

— Que previsão positiva — reclamo fazendo minha mãe sorrir.

— Menti porque saber que Angelina sofria apenas te manteria longe, você diria que era melhor não se aproximar, diria que também estava triste e que tudo passaria, como faz agora acreditando que o melhor é partir para a felicidade dela.

— Talvez eu tenha demorado demais — ela nega.

— Angie não confia em você, nos seus sentimentos, aliás, ela nem sabe que você nutre algum sentimento, isso você não disse a ela. Está contando com a capacidade dela de adivinhar suas emoções.

— Seria bem mais simples. — Ela ri balançando a cabeça.

— Vai ter que ganhar sua confiança, vai ter que lutar um pouco e mostrar esse Seth que eu conheço e amo. Generoso e gentil, que dá a ela espaço, atenção e carinho.

— Tem muita fé em mim.

— Tenho fé nela. Angie é a garota certa, com o tempo você vai entender isso e viver esse amor, mas vai ter que ficar de joelhos Seth. Vai ter que ultrapassar essas limitações. Você a magoou.

— Eu sei. Sabe que se eu não me importasse com ela eu não teria partido como parti?

— Sei, não que isso torne as coisas melhores. — Faço careta, minha mãe acaricia meu rosto. — Precisa voltar a se animar, fazer essa barba, comer melhor. Quer que eu corte seu cabelo?

— Não. Queremos conquistar Angelina, não espantá-la.

— Tá bom! Por que não vai dormir um pouco? Angie já foi?

— Correndo de mim. — Suspiro. — Deito e não pego no sono, me sinto culpado, tanta coisa passando por minha cabeça.

— Qual seu plano?

— Esperava que você tivesse um. Use de seus estratagemas.

— Seth, Seth! — ela diz em um tipo de alerta que me faz sorrir. — Diga a que veio. Honestidade é tudo, não espere que ela caia em seus braços, mas ao menos ela já vai entender o porquê da sua volta, no momento ela deve estar bem confusa.

— Supondo que eu consiga, e depois?

— Supondo que esteja realmente amando Angelina, nada será um impedimento para mostrar como se sente. Vai se despir da arrogância, do medo e vestir sua coragem. Vai dizer a ela que veio em busca de reconquistá-la e depois vai lutar, sendo atencioso e mostrando emoções.

— Entendi. Acho que vou pensar sobre isso, ver o que posso conseguir com esse meu jeito reservado de ser, adaptar o seu plano.

— Tudo que mostrou a ela até agora ela já conhecia, do pai, dos patrões, da vida, tente algo novo, algo que ela não conhece.

— Boa noite, mãe! Obrigado! — Beijo sua testa e fico de pé indo para a porta. — Estão lindos. — Elogio encarando seus quadros. — Esse é incrível. — Me aproximo de um em especial. — Tem muita cor, a luz está... impressionante.

— Angelina! — Ela me conta e sorrio.

— Sim, é ela, está magnífico. É meu. Não leve para a exposição, está vendido.

— Vou expor com a plaquinha de vendido. — Ela pisca e aceno deixando o ateliê.

Certo, já sei o que tenho que fazer, agora é só descobrir como fazer. Dormir perto de Angelina é ainda mais difícil do que dormir longe e demoro a pegar no sono.

Não me sinto muito animado quando o dia amanhece. Odeio essa batalha em que não conheço as armas, mas é hora de aprender. Minha mãe tem razão, se ela é tudo isso que sinto que é, então tenho de derrubar todos os muros que ergui em torno de mim.

Minha mãe já está no Ateliê quando deixo o quarto, Angelina está no escritório, escuto sua voz, ela conversa com alguém e está sendo firme. Paro na porta para ouvi-la ao telefone debatendo qualquer coisa com alguém, é sobre os quadros e como vão ser embalados e transportados, coisas sobre o seguro.

— Certo, George! Quer vender os quadros tanto quanto Samantha, mas ela quer mais do que vender quadros, ela quer que o nome dela seja repercutido. Então, não é simplesmente colocar suas obras para vender, queremos espaço, críticos, está pensando só no lote de quadros que tem, não em todos os outros que ela ainda vai produzir e que vão valer muito mais. Além disso, não se esqueça das esculturas. Elas são ainda mais incríveis. — Sorrio pensando que Angelina perde tempo presa a Churchill. Escuto quando se despede e se volta dando de cara comigo.

— Que susto! — ela diz levando a mão ao peito.

— Não era meu plano te assustar, só que fiquei impressionado com você em ação e quis ficar assistindo.

— George é muito limitado, ele é um bom *marchand*, mas não é o melhor.

— Pelo visto ele estava tratando com a melhor *marchand*.

— Não, eu não sou boa vendedora, mas acho que a Sam merece o melhor, então me esforço. Nem sei se não estou sendo muito dura, talvez ele a deixe na mão por minha culpa.

— Que nada, isso só a valoriza, está indo bem, ele sabe que ela não está mais sozinha e para não perdê-la, vai fazer o melhor que puder e se não for esperto o bastante para isso, então você encontra outro melhor.

— Não sei se consigo — ela diz deixando o telefone sobre a mesa. — Quer usar a sala para trabalhar?

— De jeito nenhum, é o seu escritório, eu me viro na mesa de jantar ou no meu quarto.

— Pode ficar se quiser, eu posso fazer isso em outro cômodo.

— Não. Eu posso. Já tomou café da manhã ou estava brigando em jejum?

— Pareceu que eu estava brigando? — ela pergunta surpresa e assustada. Me faz sorrir e seria o instante perfeito para envolver Angelina nos braços e beijá-la até esquecer meu nome e o tempo se cansar de nós dois.

— Não. Pareceu que estava lutando, o que sempre é animador e instigante. — Ela me dá um meio sorriso. — Viu, você gosta.

— Um pouco.

— Que acha de um chocolate quente?

— Não! Eu prefiro chá.

— Posso te trazer um chá com biscoitos, ainda tem aqueles biscoitinhos com gotas de chocolate? — Ela balança a cabeça. — Vou buscar e conversamos mais sobre o trabalho.

Não espero que me recuse, dou as costas a ela e corro para cozinha, animado com meu progresso, ela até deu um sorrisinho.

Preparar chá parece ser um tipo de arte milenar, mas eu sou o tipo que ferve água e mergulha o saquinho, coloco uma colher de açúcar e encho um potinho de prata com biscoitinhos. Ajeito as xícaras, preferia chocolate, mas vou acompanhá-la no chá.

Será que se eu for até a estufa da minha mãe e roubar uma flor ela me mata? Talvez um urso polar faça isso antes, vamos descobrir.

Corro no meio da neve até a estufa, as flores estão bonitas e a estufa está quente e perfumada, escolho uma flor bonita que não sei qual é e volto correndo, tiro o casaco e as botas de neve. O chá está frio e faço careta, devolvo tudo em uma caneca e coloco para esquentar, despejo de novo na xícara, dou um gole no meu. Ruim, não há muito mais a dizer.

Espero que ela seja gentil e diga que está bom, ou apenas não diga nada. Agora é só subir e fingir que levar chá com uma flor em um vasinho é a coisa mais comum do mundo.

Angelina surge na cozinha antes que possa levar a bandeja, olha para bandeja e depois para mim.

— Foi até a estufa? — ela me pergunta, surpresa. Definitivamente, esse é o caminho certo.

— Sim, eu achei que merecia uma flor bem bonita para enfeitar a bandeja, é para você.

— Obrigada! Mas, sua mãe vai te matar, esse é um lírio vermelho, é raro e ela estava muito orgulhosa de ter produzido alguns, estão entrando em extinção.

— Que tipo de pessoa deixa uma planta em extinção em uma estufa sem uma plaquinha de aviso? Podia ser um urso.

— Nesse caso talvez ele comesse a plaquinha também.

Ela me faz sorrir, é um sorriso meio de desespero. Minha mãe vai mesmo me arrancar os olhos e talvez as mãos.

— Não conto se você também não contar. — Ela balança a cabeça afirmando. — Obrigado! Podemos nos sentar na sala e tomar o chá, o que acha?

— Eu...

— Estava aqui pensando em uns planos para ajudar minha mãe. — Não, eu não tenho nada em mente, mas não vou deixar Angie fugir de mim. Ergo a bandeja e ela se vê obrigada a me acompanhar até a sala, coloco a bandeja sobre a mesa e aperto o botão para ligar a lareira.

É uma avalanche de memórias e eu me odeio por tê-la deixado, como é que pude passar por cima do momento mais bonito que vivi na minha vida, com a garota mais especial.

Ela nunca tinha estado com alguém, confiou em mim e eu a abandonei. Uma onda de culpa me atinge, perco o raciocínio, a direção, mergulho na tristeza dos dias em que fiquei distante, a conversa com minha mãe volta a minha mente. Angelina sofreu por minha causa, chorou, se entristeceu, ela sente ou sentiu minha partida.

Encontro seu olhar, os lindos e fortes olhos de Angelina estão repletos de recordações e elas ainda a machucam. Vejo quando ela olha em torno, vai até o chá, pega a xícara e toma um gole, as mãos um tanto trêmulas. Talvez o local não tenha sido boa ideia.

— Seth! — ela diz deixando a xícara de volta na bandeja. — Obrigada pelo chá e pela vontade de ajudar, mas eu preciso ir, eu tenho... eu vou arrumar umas coisas.

Angelina passa por mim apressada, fugindo mais uma vez, eu tenho que fazer algo, tenho que conseguir me aproximar.

— Voltei por você, Angelina — digo antes que ela consiga deixar a sala, ela parece surpresa quando me olha, ainda tão tensa quanto antes, mas surpresa também. — Voltei porque não consegui esquecer o que vivemos aqui, nessa sala, não conseguia parar de pensar que fui um canalha partindo daquela maneira.

— Voltou porque se sentiu culpado. — Não é uma pergunta, é uma afirmação bem clara. — Seth, tem coisas que não sabe, coisas que estão...

— Voltei tentando conhecer você, quero uma chance de mostrar quem eu sou, de descobrir quem você é, mas parece que criou a versão de mim. Precisa me dizer se não me quer aqui. Se faço tanto mal a você, me diga e eu vou embora. Quer que eu vá embora, Angelina?

O rosto dela perde a cor, é lento, começa com as mãos trêmulas e a cor fugindo, os lábios ficam brancos, os olhos vão se fechando e ela desmorona lentamente, é tão assustador e sou incapaz de chegar a tempo, quando finalmente a alcanço, Angie está no chão, desacordada.

— Mãe! Me ajuda!. — Ergo a cabeça de Angelina. — Angie! — Eu sabia que tinha algo errado com ela, sabia desde o instante que cheguei.

— Ah! Meu Deus, Seth! — Minha mãe corre para junto de nós. — Angelina, está bem? — Ela esfrega seus pulsos. — Eu sabia que ela não podia continuar escondendo isso por muito tempo. Coloca ela no sofá, querido, ela já está voltando.

CAPÍTULO 20

Seth

Angelina está ainda pálida, atordoada e algo que eu não faço ideia está acontecendo e sou o único no escuro, isso é uma conclusão óbvia. Eu a ajeito no sofá, mamãe coloca uma almofada atrás de sua cabeça.

Não suporto vê-la assim tão pálida, desfalecida, meu coração parece dilacerar e só me dá mais certeza do que sinto por ela. Amo Angelina, amo e não importa o que seja, vou estar ao seu lado, mesmo que ela não me queira por perto.

— Angie, meu anjo, está com dor? — Minha mãe está muito assustada. — Ela caiu, Seth? — balanço a cabeça afirmando, Angelina não responde, parece ainda despertando. — Querida, isso é normal, desmaiou. O bebê está bem, se tiver dor tem de me contar.

— Bebê? — Parece que uma faca atravessa meu coração, primeiro é uma dor absurda, um medo profundo e aterrador que me invade, um bebê, ela espera um bebê e ele pode estar em risco nesse instante e eu não sei de nada disso. Então vem uma onda de esperança e alegria que se não estivesse ainda mergulhado no pavor eu poderia dançar e cantar como se fosse um musical da Broadway.

— Estou grávida — Angelina diz empurrando os dois pares de mãos que tentam ajudá-la, ela se arrasta um pouco no sofá, senta tentando ficar em alerta. Seus olhos buscam os meus.

— Grávida? Está grávida e me esconderam isso? — Sinto tanta mágoa que nem sei explicar. — É esse o monstro que acham que eu sou? Acham que eu não iria querer meu filho? Que faria mal a você ou a ele? — Ela me olha sem responder, parece confusa, atordoada, assustada. — Sabia que eu vou ser pai? — Olho diretamente para minha mãe. — Sabia e não me contou?

— Seth, eu não sabia oficialmente. — Ela resolve me ignorar e olha para Angie. — Meu anjo, está com alguma dor? — Angelina nega. — Tem certeza?

— Sim. Eu desmaiei, mas está agora estou bem, acho que foi só a pressão. — Sua voz soa tão angustiada. — Só preciso de algum descanso. Sabia, Sam?

— Eu sabia, quis te dar o tempo que precisava para me contar. — Mamãe afasta seus cabelos, sorri para Angie. — Obrigada — ela diz tocando sua barriga. — Meu netinho! — Angie deixa suas lágrimas correrem, as duas se abraçam emocionadas.

— Acho que agora só preciso me deitar um pouco, eu já me sinto melhor, foi apenas passageiro. — Ela evita meus olhos, tenho que domar minha dor, minha angústia, minha vontade de beijar Angelina até que ela entenda que eu a amo com tudo que tenho.

— Isso, precisa de repouso. — Minha mãe concorda no mesmo instante.

— Não, como assim repouso? Ela desmaiou, vamos agora mesmo ao hospital. — Elas não podem simplesmente ignorar isso. Ganho dois pares de olhos, eu nem consigo me articular, não consigo ainda dimensionar o que está acontecendo, só consigo imaginar que agora sou pai. Ela vai ter um filho e desmaiou na minha frente, nem mesmo consegui impedir a queda. — Ajudo a calçar as botas e vestir o casaco, não é o melhor lugar do mundo, mas ao menos tem um hospital.

— Foi apenas um mal-estar, eu não vou ao médico — Angelina diz sem me olhar nos olhos.

— Vai sim! — digo determinado, parece que uma força nova nasce em mim, um instinto de proteção e urgência.

— Você sumiu por dois meses, foi embora e me largou aqui! — Angie grita como se finalmente explodisse. — Não vou deixar que decida o que eu faço ou não faço!

É a verdade e me acerta feito nocaute, paraliso sem poder reagir enquanto ela corre pelas escadas em direção ao quarto.

— Não corre, Angie! O bebê! — Ainda grito sem sair do lugar e um instante depois escuto a porta bater.

— Seth! — Minha mãe fica de pé e finalmente olho para ela, não consigo fingir que não estou magoado.

— Não aceito que não me contou. Você é minha mãe. Achou que eu não iria querer esse filho? — É difícil demais lidar com essa mágoa no momento que devia ser o mais feliz e emocionante da minha vida.

— Seth, eu não sabia oficialmente, ela não me contou. Sou experiente, mais velha, sei ligar os pontos, nem era tão difícil. Tiveram um breve romance, ela começou a se sentir mal de vez em quando, tentava disfarçar, mas vi que enjoou algumas vezes, teve umas tonturas, deixou de comer coisas que gostava, passou a comer coisas que nunca gostou e ficou mais sensível, dormindo mais, chorando mais.

— E mesmo assim não perguntou a ela, não achou que eu merecia saber dessa sua desconfiança.

— Achei que ela precisava de tempo para me contar, estava supervisionando tudo, mas sem interferir e eu nunca te contaria, nunca —

minha mãe diz, firme. — Isso é sobre a Angelina e as escolhas dela, nunca passaria na frente dela por mais que me doesse.

— Eu teria vindo correndo.

— Então estou mais feliz ainda que não contei porque veio mesmo assim, mesmo sem saber de nada, ela jamais superaria se tivesse voltado apenas por saber, passaria o resto da vida achando que suas escolhas tinham a ver com o bebê.

— Mãe, eu sei que está certa, você sempre está, mas não muda a mágoa que estou sentindo agora, eu não queria que fosse assim.

— Tudo bem, nem eu, e muito menos ela, as coisas são como são. — Ela usa de sua sabedoria mais uma vez. — Só podemos lidar com o que temos, e temos Angelina grávida lá em cima, provavelmente muito assustada. Eu vou conversar com ela e explicar que está tudo bem.

— Não! — digo definitivo. — É o meu filho, eu vou lá conversar com ela, eu e Angelina vamos decidir as coisas, ela ou você podem achar que não tenho nada com isso, mas eu tenho sim e não vou ficar de fora.

— O que tem em mente? — Ela nem esconde o sorriso de vitória, não sei como tem coragem de sequer pensar que eu faria diferente.

— Toronto! — aviso minha mãe. — Não vou ficar longe dela e do bebê, não posso trazer a Arnett para Churchill, por tanto, vamos para casa e você pode ficar aqui sozinha ou levar seu ateliê para Toronto e ficar perto do seu neto, é melhor começar a arrumar suas coisas, meu filho não vai ser criado entre gelo e ursos polares.

— Seth, ela precisa decidir isso, eu vou, fico mesmo feliz em voltar para Toronto, mas não sou eu ou você que decidimos.

Seguro os braços da minha mãe, faço com que me olhe nos olhos, acho que nunca precisei tanto dela como agora.

— Mãe, me ajuda. Por favor! Churchill não tem a estrutura que Angelina merece, ela precisa ir comigo, mas não vai nunca deixar você, basta você dizer que quer ir para Toronto e ela vai também, não me deixa sozinho nessa, mãe, eu estou pedindo, implorando.

— Sim, claro. Eu... Seth, precisa encontrar equilíbrio. — Ela toca em meu rosto com carinho, nem mesmo isso apazigua meu coração.

— Equilíbrio? Eu amo Angelina, vamos ter um filho e ela me odeia. Escondeu isso de mim, está fugindo de mim e estamos aqui, nesse fim de mundo. Ela desmaiou e eu nem posso levá-la a um médico porque não é minha decisão. Como é que posso ter equilíbrio, nem sabemos nada sobre esse bebê, sobre a saúde dela.

— Ela está bem, está no comecinho, tem dormido, se alimentado. Eu estive de olhos abertos todo tempo, tinha confiança que em breve ela me contaria, então eu a convenceria a te procurar. Seth, você saberia e no instante em que me contasse eu a levaria a um médico.

— Está tudo bem. Eu vou subir e conversar com ela. Vou ser pai. — Sorrio quando por um instante esqueço tudo e só penso nisso.

— Nem por um segundinho pensou nessa possibilidade? No fundo eu achava que você pudesse desconfiar, não se protegeram.

— Fiquei tão impregnado desse sentimento, tão confuso, eu estive em uma batalha para não pensar nela, acho que nada mais restou, teria ficado animado. — Sorrio. — Teria sido a desculpa perfeita para correr para cá.

— Está feliz? — Mamãe tem os olhos marejados. Balanço a cabeça afirmando, nem consigo colocar em palavras, só de pensar sinto um nó de emoção se formar em minha garganta. — Eu também.

— Ela está há muito tempo sozinha, mãe, como você mesmo disse, deve estar assustada e brava. Viu como gritou comigo? — Minha mãe ri enquanto afirma: — Gostei disso. De ver Angelina lutando.

— Eu também. Boa sorte, vá com calma.

— Prometo, nem sei o que estou indo dizer, não faço ideia de como começar essa conversa.

— Comece dizendo que você a ama.

— Essa é a única coisa que não posso dizer, mãe. Tem dez minutos que ela contou que está grávida, se eu simplesmente for lá e disser que a amo... Imagine o que ela vai pensar.

— Talvez esteja certo.

Dou as costas a ela, subo as escadas pensando em como conversar e o que dizer. Vou ser pai, ter um filho com a mulher que amo e quero na minha vida.

Não fosse o fato de ela estar entre furiosa e decepcionada comigo, tudo seria a perfeição.

O que dizer? Como começar essa conversa, agora tenho de levar em conta suas emoções, talvez eu tenha passado dos limites forçando uma aproximação.

Angelina não estava pronta, voltei sem aviso, ela sob pressão, tentando guardar um segredo, não acho que seja nada físico, com toda certeza o mal-estar foi uma reação emocional.

A sala onde vivemos momentos tão bonitos e importantes, onde mudamos nosso destino, não somos mais os mesmos, agora somos outras pessoas, precisamos ser e eu a levei justamente para aquele espaço, ela não resistiu a pressão emocional.

É engraçado como penso mais em Klaus e seu exemplo de família do que no meu pai que vai ser avô. Respiro fundo, toco a maçaneta, não é certo entrar sem bater, ela pode não querer falar comigo. Bato levemente na porta, uma, duas vezes.

— Pode entrar, Sam! — É isso, ela não tem qualquer confiança em mim, não espera nada de mim, nem mesmo que batesse em sua porta uns minutos depois de descobrir que vou ser pai.

Abro com cuidado sem desfazer o mal-entendido, eu preciso falar com ela, conversar sobre isso, sobre como vai ser, preciso saber que está bem.

Ela está de pé, olhando pela janela, os olhos ainda úmidos e marcados pelas lágrimas, mas não chora realmente, tem os braços cruzados no peito, ainda não dá para ver nada, não fosse o desmaio eu jamais desconfiaria.

— Angie! — Finalmente ela se dá conta que sou eu, me olha tensa e surpresa, queria ao menos não causar sempre tanta surpresa. — Podemos conversar?

Angelina

Pensei em mil maneiras de contar, pensei até em fugir e nunca contar, mas nunca que seria assim, em um desmaio, no meio da sala. Minha cabeça ainda está confusa, mas ele está aqui.

Seth está diante de mim e não consigo mais ver o gelo em seus olhos, ele não está bravo, indiferente, eu não sei explicar porque enxergo tanto em seus olhos e talvez eles sejam apenas reflexos dos meus desejos e não reais indicações do que se passa em seu coração.

— Seth. — Nem sei como começar, tanto que quero dizer e ao mesmo tempo, parece que não existe nada a ser dito, é meu bebê e vou amar e proteger, isso nunca vai mudar não importa o que Seth esteja interessado em falar.

— Sente-se bem? — Ele começa de modo simples, balanço a cabeça afirmando. — Pensei que seria boa ideia irmos ao hospital da cidade, ver um médico, desmaiou.

— Não foi nada. Estava tensa. — Acho que ele não entende, mas nem sei se consigo explicar.

— Sei que não me quer por perto, Angie, mas não vou abrir mão de ficar cuidando de vocês. Pelo menos durante a gravidez, vai ter que me aturar.

— Você não é um urso polar, Seth. — Ainda me lembro dele me explicando que os ursos são solitários, mas acompanham suas fêmeas durante toda a gestação.

— Não quis dizer que depois vou abandonar...

— Desculpe, eu sei que não. — Não sei bem como me comportar diante dele, é o momento mais complexo de toda minha vida, só queria estar sob a proteção do seu abraço.

— Podemos nos sentar? — Ele convida e fico grata, me encolho na cama, abraço os joelhos, sei que ele vai pensar que quero me proteger dele, mas eu quero me proteger do mundo.

Seth se senta ao meu lado, não tão perto como gostaria, mas acho que é melhor assim, não somos nada um do outro e somos tudo porque temos um laço que não se quebra jamais. Um filho que eu não sei se ele queria.

— Eu tinha planos de contar — aviso a ele, não sei no que ele vai acreditar, mas preciso dizer a verdade. — Sei que não vai acreditar em mim, mas eu estava apenas me fortalecendo um pouco e então você chegou, eu não estava pronta, acho que acabei ficando nervosa demais.

— Angie, eu vou acreditar em tudo que me disser, eu sei que não foi fácil, imagino que ficou assustada.

— Quer esse filho? — A pergunta explode e atropela tudo, no fim é só o que importa, o modo como ele sorri e os olhos parecem brilhar, ele quer sim, isso me emociona e assusta, porque eu não vou abrir mão do meu bebê para ele.

— Muito. Nem me passou pela cabeça que pudesse acontecer, fui imprudente e estou bem feliz com isso.

— Tive medo, medo de não aceitar, tive medo de tudo, não contei para sua mãe porque não estava pronta para contar a você e não queria pedir a ela que mentisse para o próprio filho, nem sei se ela faria.

— Faria — ele diz de modo simples e confiante. — Ela já me disse que nunca passaria por cima de uma decisão sua, então podia ter contado.

— Acho que teria sido menos apavorante. — Encaro meus dedos, não consigo olhar muito para ele, tenho medo que ele descubra como me sinto.

— Não tem o que temer, Angie. É nosso filho e vamos fazer isso juntos. — Olho para ele, não sei o que significa, não sei por quanto tempo, eu em Churchill, ele em Toronto, no fim seremos eu e meu bebê e um pai a cada quinze dias em visitas rápidas.

— Na prática, o que isso significa?

— Não posso ficar aqui, tenho uma empresa para cuidar, são muitos funcionários, não posso me mudar para esse lugar afastado e difícil, Churchill é linda, mas a natureza é quase um inimigo a se enfrentar diariamente.

— Eu sei disso, Seth. Não esperava que fosse ficar aqui. Acho que a Sam está feliz com o bebê e eu não vou ficar realmente sozinha.

— Não posso deixar você aqui, não quero fazer isso. Aqui não tem um hospital como merece, se o bebê resolve nascer no meio de uma nevasca, se você precisa de algo no meio de uma nevasca? Não quero estar longe de vocês.

— O que quer que eu faça, Seth? — Eu não sei como conciliar todas as coisas, minha cabeça lateja, é difícil estar com ele assim perto e ao mesmo tempo tão distante, ele disse... Ele estava dizendo que voltou por minha causa quando tudo foi demais para mim e eu desmaiei e agora ele sabe do bebê, eu não sei o que pensar.

— Quero que venha comigo para Toronto.

— Sua mãe esteve ao meu lado quando não tinha nada e nem ninguém, eu não quero deixá-la sozinha aqui. — Seria muita ingratidão abandonar Sam, além disso, ela me faz forte e segura.

— Minha mãe tomou a decisão de voltar para Toronto, ela tem um ótimo apartamento perto de mim, vocês vão poder se ver todos os dias, ela pode ir te visitar e eu tenho a Thea, ela trabalha lá em casa e vai te ajudar e te fazer companhia quando eu não estiver, é uma ótima amiga da minha mãe, vai gostar dela, tenho certeza.

Parece que o plano é eu ficar com ele e não com Samantha. É o que eu quero, quero estar perto dele para cuidar do meu filho, ainda que seja temporário, ainda que não seja uma história de amor, ao mesmo tempo eu não tenho a menor ideia de como isso pode dar certo sentindo o que sinto por ele.

— Angelina, eu não vou voltar sem você. — Sua voz soa tão firme, embora ainda tenha a barba por fazer e as olheiras de poucas horas de sono, ele é de novo o Seth que conheci, um homem forte e determinado, que sabe o que quer e que não se dobra fácil.

— Toronto é um bom lugar, mais seguro para uma gravidez e depois, para meu bebê ter tudo que precisar — digo a ele. — Ainda vou trabalhar com a sua mãe. — Ele balança a cabeça concordando. — Eu quero esse filho, quero mais do que pode imaginar, eu nunca mais vou ser sozinha, eu morro de saudade do Cory, dói como ninguém pode imaginar e esse bebê que está aqui, é um pouco da paz que eu preciso.

— Eu sei disso, também o quero como nem achei que podia querer, não era o plano de nenhum dos dois, mas ele é tudo que vai nos importar.

— Não pode tomar todas as decisões, eu não vou deixar, porque todo mundo acha que pode conduzir minha vida e me ignorar, mas não pode mais, foi assim desde sempre, só me dei mal pelo mundo e eu quero ser adulta, porque o bebê precisa que eu seja assim.

— Nada vai ser decidido por mim, você vai tomar todas as decisões. — Ele concorda mais uma vez.

— Posso ficar com a sua mãe? — Isso parece que arrebenta Seth um pouco e eu não quero machucar ninguém, mas preciso ter o controle das coisas, da minha vida e da vida do meu bebê.

— Pode, Angelina. É um apartamento muito menor, mas podemos dar um jeito e ficamos lá, com a minha mãe. É isso que quer?

— Não — digo o deixando ainda mais surpreso. — Só quero saber se tenho essa opção.

— Acho que foi um teste. — Ele tenta sorrir e meu coração se aperta de saudade, como é que posso sentir tanta saudade de alguém que está na minha frente agora mesmo? — Estou preocupado com você, Angie, ainda não viu um médico. Posso organizar nossa partida? Três dias é um tempo razoável para você e a mamãe organizarem tudo?

— Por mim está ótimo! — Ele fica me olhando profundamente, tanto que quero dizer, tanto que quero ouvir, parece que deixamos de existir, ele dizia algo sobre ter voltado por mim, mas agora é tudo sobre o bebê e talvez seja tudo que nos restou.

— Quer ficar sozinha? — balanço a cabeça negando.

— Acha que seu pai vai gostar? — Ele balança a cabeça afirmando, dá um sorriso bonito, mas não muito feliz.

— Vai gostar muito, mas pelos motivos errados. — Seth olha para o chão, parece pensativo. — Meu pai vai ficar feliz que agora tenho um herdeiro, alguém para quem deixar tudo que construímos e trabalhamos, mas esse não é um bom motivo para se ficar feliz. Agora que estou na posição dele, eu posso ver o tamanho do peso que ele colocou em mim e não vou repetir esse erro. Não vamos falar disso. — Ele se move para me tocar, mas parece desistir no meio do caminho e mantém a distância.

— Talvez eu fique meio nervosa de conhecê-lo.

— Ele não é má pessoa, meu pai me ensinou muito sobre a vida, eu o admiro em muitos aspectos, mas em outros, ao menos agora, quando vejo o mundo de outro modo, sei lá, nem tanto.

Outro silêncio nos toma, mas eu gosto dele assim perto, mesmo em silêncio. Parece que o mundo é mais seguro, não estamos nada bem, ele está tão abatido, dá tanta vontade de cuidar dele e de ser cuidada. Não consigo entender como será morar na casa dele, dividir espaço com ele e não ser nada dele.

— Vai amar a Thea, ela vai compensar tudo. — Seth me olha nos olhos e sorri. — Ela é informante da minha mãe, conta tudo que acontece lá em casa, mas é alegre e intrometida, manda em tudo por lá.

— Só de poder sair e não temer a aparição de um urso polar, já é um presente.

— Mas perde a aurora boreal — ele me lembra.

— Tenho ela no meu coração, nunca vou me esquecer — conto a ele que afirma em um meio sorriso. — Seth.

— Sim?

— A essa altura e depois de tudo, sua mãe já deve ter encontrado a flor roubada.

— Droga! — Eu rio da sua decepção, ele bem que tentou e vou tentar guardá-la como uma recordação, mas Sam vai ficar muito brava. — Quem sabe descemos para tomar um chocolate...

— Chá! — corrijo rápido.

— Tomar um chá e distrai minha mãe enquanto escondo a flor.

— Eu quero a flor para guardar, você distrai a Sam e eu guardo. — Ele fica de pé e me estende a mão, aceito a ajuda, só de sentir sua mão quente a se prender a minha eu tenho total certeza que ele ainda vai me machucar, porque estar perto dele e não ser dele me machuca de um modo que não tem solução.

Deixamos o quarto, ele solta minha mão, mas segue ao meu lado, gosto do seu perfume, de como sinto meu corpo se agitar só com sua presença.

Sam está na sala, encarando a neve pela janela, abraçada ao seu xale que sempre a aquece, ergue os olhos quando nos vê descendo lado a lado. Posso ver seu alívio, tenho que conversar com ela, explicar porque não me abri, me desculpar, mas ela abre os braços e só aproveito para correr para sua proteção. Samantha é como um anjo em minha vida.

— Vovó Sam soa muito bem. Obrigada por isso, Angie! — ela diz enquanto me abraça e balanço a cabeça afirmando. Soa mesmo muito bem.

Não é o final feliz que sonhei, mas é perfeito, eles querem meu filho. Meu bebê vai ter meu amor e toda segurança que precisa e eu vou aprender a sufocar o que sinto e viver para ele.

CAPÍTULO 21

Seth

Assisto achando graça quando ela disfarçadamente leva a flor para seu quarto enquanto minha mãe está falante a contar as novidades pelo telefone. É alguém de Churchill, porque ela também está explicando porque vai partir nos próximos dias.

Adeus presunto importado em Churchill, no fundo acho que o Gibson merece. Posso continuar enviado o tal presunto, nunca se sabe quando mamãe vai enlouquecer de novo e voltar, é bom ter um espião sempre pronto para ajudar.

Mamãe desliga no instante em que Angie retorna do andar de cima, ela nos olha e não para de sorrir.

— Então, como vai ser? — Ela questiona Angelina, mas ela parece me olhar pedindo que eu fale, talvez tema magoar minha mãe.

— Angelina concordou em voltarmos para Toronto e, como você mora bem pertinho, vai pode ir todos os dias lá. Além é claro, da sua informante suprema, Thea! — É uma maneira discreta de avisar que Angelina fica comigo e pelo sorriso discreto da minha mãe, ela compreendeu e não vai oferecer sua casa.

— Que ótimo! Quero que monte um escritório para a Angie lá, ela tem trabalho a fazer. — É bonito assistir o olhar de orgulho de Angelina, eu tinha planos de pedir a mamãe que continuasse a ocupá-la com algo até Angelina escolher o que quer realmente fazer. Ela tem tanto talento, não precisa ficar perambulando pela casa sem nada para fazer apenas porque vai ter um bebê.

— Ela fica com meu escritório, o computador é ótimo, ela vai ter tudo que precisa por lá. Quase não uso. — Uma pequena mentira, eu uso e muito, é o lugar que mais uso da casa, mas posso me virar em qualquer outro.

— Ótimo. Quando partimos?

— Pensei em marcar a viagem para uns três dias, assim vocês organizam tudo que vão levar com tempo.

— Para mim está ótimo! — Minha mãe avisa. — Preciso organizar a minha estufa, pagar alguém para vir cuidar dela, doar a comida que temos porque não tem chance de voltarmos tão cedo, depois da gravidez e os meses que o bebê precisa para estar seguro para uma viagem são mais de um ano, vai estragar tudo.

— Tem quadros para embalar?

— Não muitos, só os dois em que estou trabalhando, mas é coisa simples, minhas tintas, nem preciso de roupas, tenho tudo no meu apartamento, uma mala com peças que gosto muito. Só isso.

— Eu só tenho a mala com que cheguei — Angelina conta sem olhar para ninguém em especial. — Preciso de uma hora para arrumar tudo, ainda sobra.

Não por muito tempo, assim que chegar ao apartamento vai ser dona de cada pequena coisa que tiver lá dentro.

— Estão com fome? Eu estou faminto. — Parece que minha vontade de viver voltou, sinto fome, sinto vontade de caminhar pelo gelo, podia correr uma maratona.

— Posso cozinhar — Angelina se oferece.

— Eu ajudo. — Faço qualquer coisa para ter a chance de passar algum tempo com ela.

— Eu não, eu vou começar a organizar minhas coisas. — Mamãe avisa e eu sei que é só questão de não querer estar entre nós. — Angie, amanhã arrumamos as papeladas que vamos levar.

— Por mim tudo bem — ela diz quase sorrindo.

— Um neto, eu queria colocar em um jornal que vou ser avó. — Mamãe sobe as escadas assobiando e sobramos eu e Angie, ela me olha sem saber direito o que fazer.

— Aceita minha ajuda? — O balançar de cabeça em um sim já me faz feliz e sigo seus passos em direção à cozinha. — Conseguiu sua flor?

— Consegui, ainda bem que foi você a roubar, eu acho que ficaria com pena.

— Acho que a mamãe está tão feliz que nem notou.

Angie vai até a dispensa, volta com alguns produtos que coloca sobre a mesa.

— Não vai ser nada muito elaborado, mas bem saudável. Você parece meio doente.

— Pareço? — pergunto sem esconder a surpresa, não é a primeira pessoa a me dizer isso.

— Sim. Abatido.

— Foram dias ruins lá em Toronto. — Ela desvia os olhos e não insisto em contar que a causa dos dias difíceis foi sua ausência. — O que eu faço?

— Acha que consegue descascar legumes?

— Subestimando minhas capacidades culinárias? Saiba que eu fervo sozinho a água do meu chá e escolho o congelado que vou comer e coloco no micro-ondas sem qualquer ajuda.

— Impressionante — ela diz me entregando legumes e uma faca. — O Cory estava aprendendo a preparar seu café da manhã, achei que era importante ensiná-lo a se virar, aqueles pais dele sempre foram tão ausentes, acho que no fundo eu estava me preparando para o fim, mas não tinha me dado conta. — Os olhos dela ficam cheios de uma tristeza que me enche de revolta.

— Quantos anos ele tinha?

— Dez — ela diz sorrindo enquanto me ajuda a descascar legumes com outra faca e muito mais talento. — Ele queimava as torradas, derramava o leite, mas eu achava uma graça. Quando ele começou a andar eu morria de medo dele na cozinha, porque ele vivia agarrado às minhas roupas, querendo minha atenção, então eu o colocava em um cercadinho e foi quando ele começou a falar, porque ficava me chamando.

— Sabe tudo de bebês? — Ela me olha com um sorriso de esmagar corações. Como é que consegui deixá-la? O que diabos eu tinha na cabeça?

— Sei, eu ficava na Internet, é um conselho, não procure coisas na Internet, só se for algum blog de alguma mãe, ou sei lá, precisa procurar direito, tinha dias que eu nem dormia porque lia bobagens na Internet, mas não tinha a quem perguntar e a mãe dele estava sempre ocupada e sabia menos que eu.

— Você era jovem demais para isso, Angie. — Ela balança a cabeça afirmando.

— Mas ele me salvou. — Os olhos marejam e eu não sei se é melhor deixar que fale e desabafe ou desvio o assunto para não trazer mais dor. — Eu tinha perdido minha mãe e sentia falta do meu pai, os Dobsons eram frios e distantes, então eu só tinha a ele, cuidar dele, pensar nele, me preocupar, ficar às voltas com Cory e suas necessidades me afastou de cair em uma depressão.

— Não. Ás vezes fico triste com ele, outras eu me culpo mais do que o culpo, ele meio que achava que estava fazendo algo bom, não me levando para um mundo desconhecido.

— Era só outro país, Angie, não era outro planeta, já viajei o mundo todo e por mais estranho e diferente que seja uma cultura, ainda são só humanos como nós, têm mais semelhanças do que diferenças.

— Pode ser, mas me envolvi com o Cory e nunca contei ao papai que não era como ele pensava. Seth, eu não queria ir embora e deixar o Cory — ela admite como se isso fosse errado, como se com essas palavras, assumisse a culpa pelos anos que viveu quase como escrava.

— É natural, Angelina, ainda assim não é sua culpa.

— Acho que nada disso importa mais. — Agora ela sorri. — Não posso substituir o amor que sinto pelo Cory, mas agora tenho meu bebê para amar e ocupar meu coração. — O rosto cora assim que diz, fica mais bonita, mas cheia de vida.

— Que tal dividir um pouco esse bebê comigo? Nosso bebê soa muito melhor.

— Sim, ele precisa de você — ela diz e rapidamente me dá as costas, vai direto para o fogão. — Se puder picar os legumes, vou fazer um caldo bem quentinho.

— Vai me ensinar? — Deixo o que estou fazendo para ir até Angie.

— É simples, só cozinhar com temperos e um pedacinho de carne para deixá-lo mais forte.

— Ensinar a cuidar do bebê, Angie. Pode me ensinar, acho que não vejo um bebê há anos, tenho uns primos meio distantes, me encontrei com eles tem uns cinco natais, eles tinham umas crianças, mas quase não cheguei perto.

— Ensino — ela me diz sorrindo. — Não sei se leva jeito, não é muito bom com o Angus. — Faço uma careta.

— Ele é um gato e também não é muito bom comigo. Isso ninguém nota! — Ela ri.

— Crianças e animais são parecidos, precisam de proteção, afeto, cuidados, talvez leve mais jeito com um bebê que com bichinhos, mas...

— Vou surpreendê-la. — prometo não só a ela, mas também a mim.

— Se me surpreender com legumes picados já fico grata. — Volto para minha posição. Cortar legumes e colocar em uma tigela enquanto ela parece preparar os temperos. — Angus pode nos visitar na sua casa?

— Nossa casa, Angelina — corrijo, ela precisa entender isso, não tem nada temporário para mim, mas não vou pedir que fique comigo como quero, não até que ela confie que eu não vou a lugar nenhum.

Angie não responde e talvez não acredite, ou esteja apenas pensando sobre isso, entrego os legumes picados, ela ergue uma sobrancelha um tanto surpresa.

— Estão ruins?

— Isso diz muito sobre você, eles estão perfeitos, todos do mesmo tamanho.

— Diz que sou meio irritante — reclamo pensando que sou mesmo metódico, pragmático e meio doido.

— Não sei se é isso, talvez apenas... Já imagino sua casa com tudo exatamente no mesmo lugar.

— Sim, mas é porque eu... Eu... Eu sou chato, pronto, é isso — admito. — Mas pode mudar tudo, tirar tudo do lugar, jogar pela janela, comprar novo, sei lá, pode fazer o que quiser. Thea vai amar.

— Ela mora lá com você?

— Deus me livre! Eu ficaria louco. Thea é faladeira, me persegue pela casa, tem mania de aspirar o pó, é barulhenta, intrometida, ela vai faz o que tem que fazer e vai embora.

— Talvez eu goste dela — Angelina constata, vai amar, Thea vai amar, porque mamãe vai dizer para amar e é o que ela vai fazer.

— Aposto nisso. O que eu faço agora?

— Nada, só vou esperar cozinhar — ela avisa. Quero uma desculpa para continuar em sua companhia, mas não estou conseguindo achar nenhuma.

— Vai esperar aqui? — Tracy riria muito de mim agora, aposto que ela fez melhor que isso para conquistar Winnie, mas ela é mulher, deve ser mais fácil entender o que se passa na cabeça de outra mulher.

— Vou, mas pode ir, se tiver que fazer alguma coisa.

— Não! — respondo sem saber como agir, só quero tomá-la nos braços, isso não posso fazer, não quero falar do passado, temos um futuro incerto e o presente é o caldo que ela está fazendo. — Quer me ensinar a fazer o caldo? — Angelina dá um sorriso meio debochado, dá vontade de morder seus lábios, aspirar o perfume dos cabelos, dizer qualquer coisa idiota em seu ouvido, mas apenas suspiro com as imagens que formam em minha mente. — Acha que vai ter aurora boreal hoje?

— Eu não sei, acho que não entendo muito. — Ela destampa a panela e mexe um pouco, um perfume se espalha pela cozinha.

— Parece ótimo.

— Espero que sim.

— Bebês comem coisas como essas, não é?

— Sim.

— Então eu tenho mesmo que aprender. — Angelina me olha quase assustada, posso ver a palidez voltar um pouco ao seu rosto, o que diabos eu disse de errado?

— Vai tentar me tirar meu bebê?

— O quê? — Eu não devia, mas me ofendo, dói e eu sei que mereço toda essa desconfiança, eu não fui muito gentil, não demonstrei emoções e parti quando tinha que ter ficado com ela e cuidado do que ela sentia.

Estou sendo castigado e mereço, mas dói mesmo assim, machuca de um jeito que eu nem sabia que machucaria e talvez seja apenas porque é ela, a mulher que amo.

— Eu preciso saber, Seth. Tem planos de lutar por ele? Por que eu não vou fazer a mala e partir como fiz com o Cory, esse bebê é meu, meu filho e eu jamais abrirei mão dele. — No meio da minha mágoa ainda encontro espaço para admirar sua força, era talvez seu único defeito, aceitar tudo da vida e das pessoas sem reagir, agora isso mudou, Angelina está pronta para lutar com toda e qualquer arma, contra tudo e todos, mas não sou seu inimigo e pensar sobre isso machuca.

— Não sou seu inimigo, Angelina, é o nosso filho. Nosso! Eu jamais faria algo tão baixo e mesquinho, jamais separaria você do seu filho, do nosso filho.

— Eu precisava perguntar — ela diz mais relaxada.

— Mas não muda muito, não confia em mim, não acredita nas minhas palavras. Acho que vou te deixar cozinhar em paz. — Tenho que ir aos poucos, tentar não me magoar com suas desconfianças, mas isso também vai doer um pouco.

Ela não me impede de partir, acho que ela me mandaria para o inferno se eu a pedisse em casamento agora, se dissesse que a amo ela duvidaria, não sei bem como mostrar amor, talvez ser gentil e ficar por perto não seja o bastante.

Aproveito o tempo sozinho para tentar trabalhar, me colocar a par das coisas do escritório, fazer algumas ligações, quando voltar a Toronto quero uma nova vida. Vou dar mais ouvidos ao Klaus, nunca vou deixar que o trabalho me consuma por inteiro a ponto de deixar Angelina de lado.

Essa criança será livre para ser o que quiser, jamais vou colocar em seus ombros o peso da empresa, jamais vou exigir que siga meus passos, nem mesmo insinuar, meu pai é um cara bom, um grande homem que venceu sozinho. Aceito que o casamento acabou, que o amor surgiu para ele muito mais tarde, nos braços de Francine, mas hoje, olhando para tudo, pensar em como ele me conduziu ao seu lugar me trouxe muito peso, não fosse essa sensação de responsabilidade para com ele e a empresa, talvez eu tivesse dado uma chance ao amor logo que conheci Angelina.

As coisas são como são, não é culpa de ninguém, aconteceu assim por alguma razão e é com isso que vou lidar. Com ela e sua insegurança, com o que sinto e com o que eu espero que ela sinta.

Mamãe disse que foi difícil para ela, talvez tenha restado algum sentimento, talvez esse sentimento se acentue agora que ela espera um filho nosso. Ao mesmo tempo em que temo que ela ache que eu estou aqui pela criança, temo que ela me aceite apenas por ele.

Tolice, do jeito que ela está brava, ela não me aceita nem mesmo por isso.

Uma leve batida na porta faz meu coração acelerar, me sinto um menino apaixonado e gosto disso, não é a batida da minha mãe, ela nunca é assim delicada.

— Entre! — convido só para fazer com que ela entre no quarto quando podia ir até lá abrir a porta. Angelina surge lentamente abrindo a porta como em um desses filmes de suspense.

— Está pronto. Você disse que estava com fome.

— Obrigado! — Fico de pé indo encontrá-la. — Subiu só para isso, não precisava.

— Sem problema, eu...

— Já sei, gravidez não é doença, não é mesmo? — digo sorrindo e ela concorda.

— Está ainda bravo comigo? Eu tinha que perguntar, Seth.

— Não estou bravo com você — aviso procurando sua mão para prender a minha, ela não se afasta, os olhos estão presos aos meus. — Estou bravo comigo, errei e mereço que desconfie de tudo, mas machuca um pouco não ter uma gota da sua confiança.

— Como pode achar isso? Estou indo morar na sua casa, seremos só eu e você, como pode achar que não tem nada da minha confiança, eu não iria de jeito nenhum se não quisesse você perto do bebê.

Ela tem razão, faz sentido, me dá esperança, a ponto de sorrir. Gosto de ouvir, ela diz, de um jeito simples e delicado, ela vai se expressando e me deixando saber o que sente.

— Só perto do bebê? Me quer só perto dele? — Ela fica surpresa, o rosto fica corado, seus olhos desviam dos meus no mesmo instante, ela me dá um leve puxão na mão.

— Vamos comer antes que esfrie, já chamei a Sam. — Não insisto, eu apenas a sigo sem soltar sua mão, aproveitando cada pequeno contato. Ela vai me conduzindo pela mão até que cruzamos com minha mãe deixando o quarto e sua mão se solta da minha no mesmo instante. Mamãe estraga prazeres.

Durante o jantar falamos sobre tolices, Churchill, seus ursos, a chance de uma aurora essa noite, depois lavo a louça, enquanto as duas tomam chá diante da lareira.

A conversa é sobre o bebê e fico a ouvir mamãe contar sobre minha infância e como eu vivia aprontando coisas como acabar lá fora sozinho com um urso polar.

Angie fala sobre o garotinho, cada vez que escuto odeio essa gente e sinto pena dela, desse amor que ela sente e não pode colocar em ação. Angie é maternal e meu filho tem tanta sorte, ao mesmo tempo em que sinto pena do garotinho que a perdeu, ele deve sofrer com sua ausência e isso deve machucá-la ainda mais.

Quando finalmente chego à sala, o chá já acabou. Mal me sento e minha mãe se levanta.

— Acho que chega por hoje, amanhã tenho caixas para fechar. Aproveitem o fogo e a vida. — Mamãe pisca nos deixando, Angie fica muda, brincando com as franjas da manta que tem nas pernas.

— Boa noite, mamãe! Já pedi a Viviane que cuide de tudo.

— Ótimo, vamos voar cedo?

— Pensei em ir à noite, assim a Angie pode dormir no voo, é uma viagem longa.

— Vou ficar bem — ela diz acenando para minha mãe que está com tanta pressa de nos deixar que nem espera a frase chegar ao fim, ainda é dia, foi um longo dia, mas eu quero que a noite caia de uma vez e que venha com uma linda aurora boreal, precisamos de um antes de partir, é minha esperança de um momento com ela. — Sua mãe está feliz de voltar para Toronto, eu achava que ela gostava daqui.

— Ela veio atrás de lembranças, nas poucas férias que tínhamos todos juntos vínhamos para cá. O papai é meio como eu, gosta de frio. Ficávamos apenas os três, ele era todo nosso.

— Pode ser — ela concorda. — Acho que ela superou, fala dele e da esposa com carinho.

— Superou, papai também, ele sofreu quando acabou, mas muito menos, acho que ele aceitou mais fácil.

— Encontrou o amor. Queria que a Sam também encontrasse.

— Pensei que ela estava tendo um caso com o Gibson e com o George.

— Seth! Que coisa para se pensar da própria mãe! — Angelina ralha comigo e sorrio dando de ombros.

— Achava que era um ou outro, ela que disse que podia ser os dois. — O riso de Angelina se espalha e é tão bom de ouvir que me contagia. — É sério, eu acreditei, mas agora acho que não tem nada com nenhum dos dois.

— George é meio chato e mercenário, Gibson é um homem muito simples, não que isso seja ruim, mas ele é rústico e sua mãe tem alma de artista, precisa de alguém sensível, que goste de arte, todo tipo de arte, ela adora esse assunto, fala com amor.

—Tem toda razão — digo encantado em como conhece bem a mamãe e como seus olhos brilham de carinho e respeito. — Sinto muito por ter duvidado de seu carinho pela mamãe quando cheguei.

— Já se desculpou por isso. Seth, ando sentindo muito sono, eu vou me deitar um pouco.

— Claro, precisa descansar. — Fico de pé de um jeito meio estranho, feito um garoto bobo e desengonçado, ela também parece meio atrapalhada, acaba me deixando no meio da sala depois de menear a cabeça e suspiro me sentindo sozinho.

Não a vejo mais, as coisas foram meio confusas e o dia ficou todo ao contrário. Ela desce para jantar mais tarde do que tinha planejado, e volta para cama, mamãe se perde em seu trabalho. A noite corre sem as Luzes do Norte e o dia amanhece sem que eu durma direito mais uma vez. Como é que um amor pode causar tanto na vida de alguém?

Pela manhã, nos encontramos para o café, mas elas ficam às voltas com a mudança, arrumando malas, fechando caixas e me fazendo de carregador, vou ao centro entregar os alimentos na congregação, volto para buscar mais coisas, o frio está terrível, menos vinte graus e eu indo e vindo, se não morrer congelado no caminho, talvez eu tenha uma chance com Angie quando chegarmos a Toronto.

É nossa última noite aqui, tenho esperança de uma vida nova em Toronto, mas ela não me dá muita confiança. Depois do jantar sobe para o quarto alegando cansaço e não posso debater com isso. Angie está grávida e trabalhou o dia todo.

Não consigo dormir e são as luzes a me acordar. Um jogo de luz que invade meu quarto em um verde que dança feito os anjos que ela disse ver.

Penso em ir despertá-la como daquela vez, mas acho que ela pode ficar nervosa com a lembrança do que vivemos naquela noite.

Deixo a cama e observo as luzes pela vidraça. Me emociona como são bonitas e tudo que me trouxeram.

— Seth! — Angelina surge no quarto, na ponta dos pés ela abre a porta e dá um sorriso tímido enquanto o rosto está corado. — Pensei que estava perdendo. É a última noite...

— Queria te acordar, mas estava com medo de não gostar. — Ando até ela, no caminho pego meu cobertor pesado de pelos. — Vamos? — Ela balança a cabeça afirmando. — Só um pouquinho, não queremos congelar o bebê.

Eu a ajudo a descer, não que ela precise de ajuda, mas gosto de achar uma desculpa para segurar sua mão até a sala, as luzes estão mais fortes agora.

Paramos na porta e antes de abrir, eu a enrolo bem na coberta, não acho boa ideia ficarmos lá fora, mesmo com as botas e o cobertor, não é como na outra noite em que o frio não estava tão intenso.

— Cinco minutos — digo sendo preocupado e ao mesmo tempo, generoso conosco, merecemos essa noite juntos. A coberta cobre Angelina da cabeça aos pés.

— Vai ficar com frio — ela diz quando visto apenas o casaco. Angelina precisa entender que sou um lutador e que estou sempre um passo à frente. Meu plano é acabar dentro da mesma coberta que ela.

— Estou bem — digo abrindo a porta. O frio corta a alma, ela leva a mão com a coberta até o rosto para não sentir o golpe.

— Não dá, Seth, vai ficar doente — ela diz passando a coberta por mim e eu aproveito para puxá-la para meus braços, enrolar a mim e a ela na coberta enquanto ela aproveita para se esconder um pouco mais do frio com o rosto encostado em meu peito.

Ficamos mudos, eu porque estou aproveitando cada segundo dessa intimidade e com muito medo de dizer qualquer idiotice e estragar o momento, ela está apenas tímida ou talvez encantada demais com os arcos que se formam no céu.

— Nunca mais vou me esquecer da dança dos anjos — ela diz enquanto toco seus cabelos com os lábios. — Acha que é muito estranho se colocarmos o nome dele de Luz do Norte?

— Se fosse nos tempos de Woodstock acho que todo mundo entenderia, mas agora... Sei lá! Tem certeza?

— Não tenho certeza de nada, Seth. Absolutamente nada. — Ela procura meus olhos, as mãos que descansam no meu peito se erguem para tocar meu rosto. — Está gelado.

— Conheço um jeito de aquecer. — Seus lábios são um convite, eu os cubro com os meus e Angelina não foge e mais uma vez, sob a proteção do céu colorido em um arco-íris noturno, nos beijamos longamente e é ainda melhor do que me lembrava, é mais profundo, mais intenso. É como um sinal de que existe uma chance de ter seu amor. Ela se entrega ao beijo, vive o momento como eu, com tudo que tem, só confirma o que descobri do jeito mais difícil, é Angelina a dona do meu coração e do meu futuro, é com ela que quero escrever minha vida.

CAPÍTULO 22

Angelina

Quando seus olhos mais uma vez refletem o colorido da noite feito um caleidoscópio de anjos, eu esqueço todo o resto, por um instante, só quero tocar sua pele, sentir os seus lábios, me render a essa emoção que me aprisiona e paralisa; me faz frágil e também forte.

Seth entende meu pedido, feito o deus do caos, ele me dá o que é meu deleite, mas também minha ruína. Sua boca macia cobre a minha, seus lábios e os meus finalmente unidos a dançar no mesmo ritmo que o céu.

Quando nos afastamos um instante, seus olhos ainda são o reflexo da noite. Seth toca meu rosto, as mãos frias e ao mesmo tempo suaves. O modo como me olha é tão novo, ele é diferente, ou tenta ser.

Não posso ignorar seus esforços, nem o quanto eles tem me feito bem, ainda não posso confiar cem por cento nele, não temos qualquer promessa de união, mas seguimos para um caminho inesperado, um caminho que eu não tinha qualquer esperança de seguir.

— É um lindo espetáculo, mas da para ver da janela, vem, está muito frio aqui para você — ele convida e embora goste de estar em seus braços, ele tem razão, mesmo protegidos na varanda, ainda é um frio infernal.

Caminhamos abraçados para dentro, ainda cobertos pela manta, Seth fecha a porta e com a luz vinda dos céus nos guiamos até a grande janela. Ele passa a manga do casaco no vidro para desembaçar e ficamos ainda abraçados assistindo ao show.

— Vou sentir falta — digo a ele.

— Vai voltar, pensei em fazer uma reforma no verão, colocar uma parede toda de vidro, deve mudar a estrutura, mas vai deixar uma visão incrível nas noites de aurora.

— Seria perfeito — digo imaginando o ambiente aconchegante em que se pudesse dormir sob a luz dos céus. — Não sei se sua mãe concorda.

— Ela não vai querer o neto lá fora, com menos trinta para ver a aurora. — Sorrio pensando na ideia de Sam com meu bebê nos braços, olhando para ele com todo o amor que ela tem dentro de si. Que bebê de sorte.

— Sim, você tem razão. — O céu muda, labaredas de aurora parecem cobrir o espaço em um arco gigantesco que se espalha em tons de roxo e rosa, misturados a um verde constante. Elas se curvam tanto que formam arcos em um violeta que é contornado por um vermelho magnífico e aos poucos se tornam grandes espirais espalhados pelo céu, é a mais bela aurora boreal que já vi.

Fico tão emocionada com a beleza que meus olhos presenciam que não consigo evitar lágrimas, Seth ajeita a coberta me envolvendo mais em seu abraço, ele reconhece minhas lágrimas como uma emoção boa, é só a beleza que me encanta.

Eu me encosto ao seu peito, envolvo sua cintura. Não quero pensar em nossas diferenças, não quero me lembrar de nada do passado, quero só aproveitar sua companhia e me despedir das luzes do Norte, eu não sei se um dia volto a vê-las, mas estou aqui agora e não podia perder a chance de dividi-la com ele. Por isso engoli o medo e a vergonha e fui buscá-lo, por isso estamos assim abraçados, silenciosos e emocionados, porque não sabemos nada sobre o futuro, mas estamos aqui agora e as luzes do norte também estão.

— Voltei por você, Angie — ele diz com a voz suave, me forço a olhar em seus olhos. Não é fácil acreditar, mas não tem razão para duvidar. Ele voltou, esteve treze meses sem visitar a mãe, mas dessa vez voltou rápido, veio sem aviso. — Meu plano de vida era bem simples, eu seria o CEO, teria umas férias de vez em quando, mas meu foco era apenas esse e então vivemos aquele momento especial e fugi.

— Eu sei que não tinha planos e não me senti enganada por você.

— Eu me enganei, achei que podia seguir com meu plano original. Não foi fácil voltar, se ficou triste eu também fiquei, mas eu me forcei a seguir em frente com o trabalho e não foi nada bom, nada fácil. Assumi o lugar para o qual me preparei a vida toda e não tive qualquer satisfação nisso, perdeu o encanto.

— Não devia, merece essa posição. Deve se orgulhar.

— Obrigado! — Ele sorri para mim, seus dedos agora quentes tocam meu rosto. — Não precisa confiar em mim, nem mesmo acreditar, só precisa me dar uma chance, uma pequena chance de aos poucos ir mostrando que estou mudando. Vivemos uma noite intensa juntos, não nos conhecemos profundamente, podemos fazer isso agora, mas se me repelir, se fugir de mim cada instante em que me aproximar, então não importa se ficamos quilômetros de distância ou dividimos o mesmo teto, nunca seremos nada além de estranhos.

— Desculpe se fico insegura! Eu estou lidando com muitas coisas, o bebê, você de volta, à mudança, meu passado. Quero ser diferente também, eu também estou mudando, mas às vezes eu simplesmente não sei o que fazer.

— Só me deixa chegar perto de você. — Como dizer não a esse pedido? Mesmo que tivesse forças para negar, eu não poderia porque posso sentir a honestidade de suas palavras, Seth não fala realmente de sentimentos, fala de uma chance e não podemos negar isso a nós e ao nosso bebê.

Balanço a cabeça em uma afirmação, ele sorri e tem um sorriso devastador. Não sei bem como será a partir desse momento, mas está bem longe do inferno de sua ausência e isso já me faz feliz.

Seus lábios procuram os meus mais uma vez, um beijo longo que sela uma nova fase, ainda não é uma relação a dois, mas pode ser algum dia, não é uma declaração de amor, mas é o começo de algo que talvez dê certo, não quero fugir disso, eu não sou feliz sem ele, não quero passar por isso longe dele, Seth é o pai do meu bebê, voltou para descobrir o que sentia antes mesmo de saber de sua existência e está aqui agora, vamos ver o que acontece e tentar não criar expectativas demais.

— Acho que você precisa dormir, tem uma longa viagem e um dia cheio. — Balanço a cabeça negando.

— Quero ficar até o dia raiar, não quero perder as luzes. — Seth ergue uma sobrancelha.

— Sim, senhora! Vou providenciar uma poltrona confortável, o que acha?

Que ficar em seus braços é muito melhor, mas aceito sua ideia. Seth arrasta a poltrona até mais perto da janela, eu me acomodo nela, enrolada na coberta com o fogo a me aquecer.

— Está parecendo uma anciã — ele brinca e faço careta, me encolho na poltrona e sobra espaço para ele, vai ficar apertado, mas me parece ainda melhor.

— Quer ficar aqui ou vai dormir?

— Ficar — ele diz aceitando meu convite, passa o braço por meu ombro e me puxa para si, é tão bom que desejo que a noite nunca mais termine. Lá fora, o espetáculo continua. — Sabia que existem caçadores de aurora boreal?

— Sim, Churchill fica cheio deles, não posso condená-los por isso, não sei se é igual em todo lugar, mas aqui é perfeito.

— É um dos melhores lugares do planeta. Existe a aurora austral no Polo Sul, dizem que a Austrália é um ótimo lugar para ver e não precisa ser no inverno.

— Deve ser bonito — digo emocionada. O espetáculo agora mais lento, sem tanta dança e tantas cores, mais ainda irresistível.

— Dá para ver apenas nos polos, quando as partículas carregadas de energia pelo campo magnético da Terra e quando as tempestades solares...

— Seth! — Olho para ele com um dedo pedindo silêncio. — São anjos dançando.

— Ah! Tudo bem, mas ciência não atrapalha a beleza, não são anjos dançando, mas são bonitas assim mesmo.

— Você tem cara de que vai dizer para a criança que o Papai Noel não existe.

— Claro que não, mas acho decepcionante descobrir essa verdade.

— Cory estava muito na dúvida. Ele queria muito acreditar, mas já não estava levando muita fé. Como é o Natal na sua família?

— Sei lá, minha família anda meio quebrada. Mamãe esteve vivendo aqui, afastada nos últimos anos, meu pai com a Francine. Um ano vim ficar com minha mãe, um ano fiquei com ele, mas ele fica reunido com a família dela então é complicado. Já passamos todos juntos também, não foi ruim, ano passado ficamos meio que separados, tive um jantar na casa de uns amigos, depois acho que fui para casa, nada demais.

— Os Dobson faziam um jantar para alguns convidados, Cory comia mais cedo e ficávamos no quarto, pela manhã ele corria para a árvore e abria os presentes e tomávamos café da manhã no chão da sala, brincando com seus brinquedos novos. Meu pai me ligava quando estava vivo, me enviava um presente, ele nunca tinha muita noção sobre mim, então era sempre um presente para uma adolescente, se fosse roupa era sempre menor e mais apartada. Acho que ele não conseguia pensar em mim com mais de quinze anos.

— Pensei em fazer um jantar em casa, convidar meus pais, talvez um ou dois amigos da família. O que acha?

— Pode ser. Você monta árvore de Natal?

— Não, elas nunca combinam com nada. Tinha na infância, mas acho que paramos de montar antes mesmo de eu sair de casa para ir a faculdade.

— Entendi.

— Podemos montar esse ano, já que vamos convidar pessoas. — Balanço a cabeça concordando sem desviar meus olhos do céu. — O que quer ganhar?

— Olhe, Seth! Luz azul, nunca tinha visto as luzes azuis, lindo!

— Devem ser raras, nunca vi muitas assim, bonitas. O que quer ganhar? — Ele insiste na pergunta.

— Sei lá, acho que nada. Não precisa se preocupar com isso, quem sabe um par de sapatinhos de bebê.

— Tudo bem, vou ter de me virar sozinho. — Olho para ele. — Estou tentando mostrar que mudei, acho que um presente ajuda.

— Talvez, mas não precisa. Veio para cá, deixou por dias seu trabalho de lado, vai estar ocupado, não precisa ir atrás de um presente.

— Certo, eu entendi, mas vou mesmo assim. Olha o violeta voltando, é minha cor preferida nas auroras.

— Gosto de quando se misturam. — Suspiro me ajeitando em seus braços enquanto ele me envolve e sua mão corre suave por meu braço em um carinho mudo.

Queria ver Seth tocando a barriga, conversando com o filho ou filha, se derretendo de amor, mas até agora ele não foi muito adiante e entendo que está analisando seus próprios sentimentos e os meus antes de mais um passo, talvez seja melhor assim, flertar, namorar.

Só porque eu o amei mesmo quando não devia não precisa acontecer o mesmo com ele.

Sinto sono, talvez seus cuidados e a sensação de proteção, mas começo a lutar com meus olhos até que perco a luta e adormeço no meio do show.

— Angie! — A voz soa longe. — Angie! — Sinto o toque de sua mão em meu rosto, Seth está aqui, por um segundo minha mente fica confusa e parece que estou sonhando, mas basta abrir os olhos para encontrar os olhos de aço a me fitarem fixamente. — Vai amanhecer, as luzes do Norte se foram.

— Perdi o final! — constato meio chateada, ele ri.

— Perdeu o espetáculo quase todo, tem umas três horas que está dormindo.

— Sério? Esmagando você? — Eu me sento apressada, ele balança a cabeça em uma negação. — Deve estar com sono, vou deitar mais um pouquinho e você deve dormir umas horas.

— Eu vou. Acho que essa noite que já é dia, vou dormir muito melhor. — Seth fica de pé e me ajuda, pega sua coberta pesada em uma das mãos e me oferece a mão livre. — Vamos subir? — Aceito a mão e o convite, subimos evitando barulho, ou Sam está dormindo, ou está pintando o espetáculo, em qualquer das hipóteses, não acho que queira ser incomodada.

Seth para na minha porta, se curva para um beijo leve em meus lábios, amanhã ainda vai estar aqui, quando partir, vamos juntos, eu preciso confiar nisso, preciso acreditar nas mudanças. Elas estão mesmo acontecendo, não são sonhos.

— Bom dia! — ele diz antes de se afastar e até não insistir e tentar entrar ou me seduzir é um tipo de mudança.

Dormir é bem fácil, é pouco mais de nove da manhã quando desço para encontrar Sam sentada na poltrona em que passei umas horas dormindo e ela ainda está no mesmo lugar.

— Não sei por que essa poltrona não ficou aqui esses anos todos, é uma linda visão da baía e do horizonte. — Sorrio concordando. — Esteve aqui essa noite? Com o Seth?

— Sim — digo me sentando sobre a mesinha de centro para ficar mais perto dela. — Eu fui chamá-lo para assistir a aurora, foi um espetáculo e tanto.

— Fiquei assistindo até amanhecer — ela me conta. — Não devo voltar tão cedo, queria levar comigo para pintá-la. Foi incrível.

— Um sonho, tudo pareceu um sonho essa noite. — Sam sorri para mim. — Estou fazendo o certo?

— Em ir com o homem que ama? — Balanço a cabeça afirmando. — Que outra opção você tem? Quando o coração chama temos que ouvir. Racionalmente talvez devesse dizer não e jogar duro com ele, mas essa não seria Angelina.

— Tenho medo ainda, ele é um homem maduro, eu às vezes me sinto até meio boba perto dele, não tenho experiência e vivência, estive meio presa em uma casa por anos, ele viajou, conheceu pessoas e lugares, acho que o tempo e a convivência mais vão decepcioná-lo do que encantá-lo.

— E seu eu disser que todas as mulheres tem esses medos? — Sorrio sem colocar muita fé.

— Você tem?

— Um pouco, mas ele tem os medos dele também, tenho certeza de que sim.

— Eu o vejo como um homem muito forte e decidido, olhos de aço — brinco fazendo Sam sorrir e balançar a cabeça negando.

— Esse é um pouco ele, mas não todo ele, ninguém é só uma coisa, ele está descobrindo outro Seth, um que fica sem comer e dormir porque está sofrendo.

— Quero desesperadamente acreditar nisso — confesso.

— Minhas palavras não têm qualquer efeito sobre isso, mas ele vai mostrar, ele está tentando. Conversaram?

— Ele pediu uma chance, não é um pedido de nada além de uma chance de me mostrar. Não é namoro ou qualquer outra coisa, pediu para eu não fugir, tenho mesmo feito isso, mas é medo e um pouco de timidez, fico meio atordoada, acabo escapando. — Cubro o rosto e ela ri. — Sinto saudade disso. Dessa inocência romântica do primeiro amor, o coração descompassado, mas acho que não encontraria mais isso, nem buscaria isso em uma relação.

— Devia arrumar um namorado. — Ela faz careta. — É sério, você é especial, linda. Devia achar alguém.

— Sabia que posso ser feliz sozinha?

— Sabia que acompanhada é muito melhor? — Ela pisca achando graça.

— Vai ficar mesmo por perto? — Meu riso se desfaz, eu não sei se consigo viver muito longe dela, me acostumei com Sam ao meu lado, me fazendo forte.

— São umas quadras de distância, pode ir andando, além disso, querida, trabalhamos juntas, vamos nos falar todos os dias.

— Certo. Se tudo der errado com o Seth. O que acontece comigo?

— Não tem essa chance, mas se te tranquiliza, ainda vai me ter ao seu lado, minha casa será a sua casa e a casa do meu neto. — Ela fica de pé. — E vamos começar nosso dia antes que eu acabe chorando, não é nada bom começar o dia em lágrimas.

Seth só se junta a nós na hora do almoço, não tem mais as olheiras profundas e parece mais corado. Ganho um sorriso e isso já mexe com meu coração, comemos apressados, já começando a atrasar, minha mala está pronta e fechada uma hora antes da partida, os quadros embalados, tudo organizado e perfeito, hora de deixar Churchill.

Churchill trouxe tantas mudanças, não sou mais a pessoa que chegou aqui assustada em um dia frio e que teve a sorte de encontrar a pessoa certa, Sam me deu uma chance, uma nova história e com ela veio meu bebê.

Toco meu ventre desejando sentir logo as mudanças que ele vai provocar em minha vida. Ainda é cedo, mas breve ele vai mexer e só quero que Seth esteja ao meu lado para sentir.

Corro os olhos pelos cômodos enquanto um carro nos espera, as malas já acomodadas, Sam está emocionada, mais do que esperava. Trocamos um sorriso cúmplice próximas da porta. Um último olhar para nosso querido lar, que abrigou duas mulheres em momentos tão diferentes e ao mesmo tempo tão parecidos da vida, ela procura minha mão e prende a sua.

— Fez esses últimos meses aqui melhores e mais fáceis. Obrigada!

— Salvou minha vida — digo apertando sua mão.

— Pronta? — Balanço a cabeça afirmando. — Ótimo! Vamos virar essa página. Quem sabe o que nos espera?

— Uma nova vida — digo tocando meu ventre e ela sorri fazendo os olhos brilharem por conta das lágrimas. Assisto quando ela fecha a porta e partimos, não é muito difícil chegar ao aeroporto.

No avião, Seth se acomoda ao meu lado, enquanto Sam fica na fileira da frente. Prendo o cinto, ansiosa e também assustada. É uma grande reviravolta, não sei bem como me comportar sozinha com Seth, em um apartamento luxuoso em um centro elegante.

"Seja forte, Angelina" é o que fico repetindo a mim mesma toda vez que o medo me alcança, ele segura minha mão e seus olhos de aço que agora são carinho e delicadeza.

— Gosta de voar?

— Nem gosto nem desgosto, aceito que é um mal necessário — digo o fazendo sorrir. — E você?

— Odeio, mas sempre aproveito para dormir.

— Estou mesmo com sono, mas não quero perder nada da viagem.

— Não é nada muito divertido, descanse. — Balanço a cabeça concordando. — Está confortável? Se sentir qualquer coisa me avise, assim que chegarmos vai ter que me deixar levá-la a um especialista.

— Com certeza, quero cuidar de tudo direitinho. — Seth se curva e beija meus lábios, primeiro beijo do dia, estava sentindo falta. Toco seu rosto e o beijo que devia ser rápido, se prolonga em um longo beijo apaixonado.

Quando nos separamos eu me encosto ao seu ombro e adormeço. Acordo uma ou duas vezes na viagem para ir ao banheiro, Seth continua a dormir mesmo quando passo por ele e esbarro em sua perna na ida e na volta, descubro que ele tem um sono pesado e me dou conta que vou descobrir muitas coisas novas sobre ele.

É manhã quando pousamos em Toronto, deve ser uma cidade bonita para sobrevoar à noite, quem sabe em algum outro momento?

Deixamos o avião e dois carros nos esperam, hora de me despedir de Sam, não sei o que dizer, eu quero e não quero isso. Ela me faz forte e segura, estou seguindo um caminho novo e o abraço que recebo me deixa ainda mais assustada, seus dedos afagam meus cabelos no abraço.

— Obrigada por tudo, Sam!

— Não chora, anjo. Amanhã de manhã vou tomar café com você e vamos nos organizar para ver como vai ser nossa rotina de trabalho, aproveite o dia para descansar. — Balanço a cabeça concordando sem conseguir falar. — Tenho de ir. — Ela me afasta e nessas horas vejo sua força. — Pare de chorar — ela diz beijando minha testa. — Seth, olhos abertos na alimentação, ligo mais tarde.

Seth me envolve enquanto Sam entra no carro e acena partindo, eu respiro fundo, me afasto dele um pouco e ele sorri.

— Está bem! Eu sei que sou uma boba. — Ele nega.

— Claro que não! Construíram uma história juntas. Vamos para casa? — É uma frase forte e quando digo sim, quero mesmo que um dia seja.

O carro atravessa a cidade enquanto silenciosa admiro os prédios, rios, casas, pessoas. É meu país, mas às vezes parece outro lugar, os meses em Churchill me fizeram acreditar que não existia mais nada além de gelo e ursos.

O prédio dele é elegante, eu sabia que seria. Seth leva as malas enquanto eu carrego apenas minha bolsa. É um apartamento de cobertura e não temos vizinhos. As portas se abrem no hall de entrada; mordo o lábio, um tanto preocupada se vou saber me comportar.

— Sua casa, Angelina! — Seth diz abrindo a porta e fico surpresa, é ainda maior do que imaginei, é também a cara dele, limpo, organizado e monocromática. Feito o aço em seus olhos. — Gosta?

— É muito bonita! — Isso é mesmo, uma sala linda, do tipo que não mora ninguém, olho para Seth.

— É sua casa agora — ele diz e parece feliz, animado, me rouba um sorriso. Antes me roubou o coração.

CAPÍTULO 23

Seth

Fico tentando decifrar suas emoções enquanto percorremos a casa, ela não diz muito, parece apenas atenta aos detalhes, conhece as duas salas, a cozinha e a copa, depois atravessamos os corredores, ela parece gostar da vista, dá para ver como demora observando as janelas.

— Sentia falta da vista? — Ela sorri para mim enquanto afirma.

— Muita, não que as paisagens em Churchill não fossem lindas, mas são tão constantes. Aqui é diferente, tudo muda conforme o tempo. Luzes noturnas, prédios novos a cada ano, é uma confusão que me agrada.

— Eu também não poderia viver naquele lugar a vida toda, não suportaria. Vamos conhecer os quartos? — Ela balança a cabeça afirmando. Adoraria levá-la para o meu quarto, começar uma vida com ela, mas não posso e não vou fazer esse convite. Ela precisa de mais confiança no que sinto para aceitar algo assim e não vou constranger Angie a obrigando a me dizer não.

Levo sua mala pelas escadas, não fazia sentido tanto espaço antes, mas agora parece perfeito.

— É tão grande, gostava de ficar com todo esse espaço sozinho?

— Acho que nunca usei muito nenhum desses espaços, no fundo é puro status. Fazemos essas coisas sem nos dar conta. Agora fico feliz que é um lugar grande. — Abro uma porta bem ao lado do quarto principal. — Pensei que podemos decorar esse quarto para o bebê. — Evito seus olhos, eu escolhi o quarto ao lado do meu por um motivo simples, espero que ela já esteja ao meu lado quando finalmente, nosso bebê chegar, mas não vou dizer.

— É lindo e grande, tem boa luz, vai ficar perfeito. — Sorrio concordando.

— Meu quarto é aquele ali, se precisar de alguma coisa, sabe que é só chamar. — Ela desvia os olhos e cora, eu adoro isso. — Acho que esse pode ser o seu. — abro uma porta aleatória, tem mais um quarto no fim do corredor e uma saleta que eu já encontrei decorada e acho que nunca nem mesmo entrei, mas pode virar qualquer coisa que ela queira, talvez uma brinquedoteca.

— Obrigada, Seth! Está ótimo, é bem confortável. — Realmente, todos os quartos são suítes bem confortáveis e decoradas.

— Dirige? — Ela se volta para me olhar quando deixo sua mala no chão.

— Sim. Eu costumava usar o carro às vezes para fazer coisas com o Cory.

— Ótimo! Tem preferência de modelo?

— Seth, não. Eu não quero um carro.

— Que pena, porque tem dois na garagem lá em baixo que vão continuar lá, sem uso.

— Ah! Pensei...

— Que eu estava querendo te dar um carro? — Ela fica levemente constrangida. — Eu estava, mas inventei uma boa saída quando você recusou. — Sorrio dando uma piscadela, Angelina sorri para mim.

— Posso usar o carro sempre, mas não o quero para mim.

— Tudo bem. Não era o presente de natal, esse eu ainda vou pensar. Embora ache muito mais simples com sua ajuda, você diz, quero isso, eu compro e ficamos todos felizes, é tão prático.

— Acha?

— Quando eu era criança, escrevia uma carta para o Papai Noel, meu pai interceptava e lá estava eu recebendo o que queria, nada de decepção. Talvez o Papai Noel te telefone por esses dias. No caso de você achar meio bobo escrever para ele.

— Não quero nada, Seth. Já tenho o que preciso. — Ela toca o ventre, acho que é a primeira vez que faz isso, que toca a barriga. É a coisa mais absurda o que isso me provoca, eu não fazia ideia que um humano experimentasse esse tipo de emoção, é um retorcer interno, uma coisa grande, viva, é uma leve falta de ar com um disparar de batimentos cardíacos. Sorte eu ser um homem saudável, não deve ser bom sentir essas coisas quando se é cardíaco. — Você está bem?

— Não, sim, eu... Eu vou deixar você descansar. Arrumar a sua mala, desarrumar, desarrumar a mala. — Deixo seu quarto meio atordoado, tudo que eu quero é essa mulher inteira na minha vida.

Eu tinha que ser um idiota covarde e fugir? Tinha, se tivesse ficado nunca teria entendido realmente o quanto me importo com ela, não teria me dado conta por completo do que sinto.

Entro em meu quarto e largo minha mala no chão. Tem mais ou menos uma semana que sei que vou ser pai e ainda não contei ao meu pai.

Talvez não seja o melhor jeito de contar pelo telefone, mas não vou deixar Angelina aqui sozinha para ir a Michigan. Nesse ponto, quero seguir os passos do Klaus, a partir de hoje, vou sempre estar em casa para o jantar e evitar viagens em que ela não possa me acompanhar, e quando não tiver opção, vou procurar voltar o mais rápido que puder.

Acho que esse é o melhor jeito de conduzir essa história, vou ligar para ele e pedir que venha passar um fim de semana na cidade, apresento Angelina e conto sobre o bebê.

Melhor ligar para minha mãe e pedir que não comente nada com ele até lá. Se os conheço bem, eles vão ficar discutindo minha vida pelas minhas costas.

Aproveito que Angelina está no quarto para pegar meu celular e ligar para minha mãe.

— Seth, acabamos de nos despedir, deu algo errado aí?

— É isso que gosto em você, essa recepção tão calorosa sempre. — Escuto seu riso do outro lado da linha e faço uma careta.

— Querido, estou às voltas com minhas coisas, Angus ainda nem acordou, acho que dei remédio demais. Tenho que desfazer as malas e tentar acordá-lo. Thea volta ao trabalho amanhã, vocês dois podem se virar por hoje?

— Sim, é claro.

— Ótimo! Então amanhã passo aí, quero apresentar a Thea pessoalmente.

— Mãe! Quer, por favor, me deixar falar? Não liguei para nada disso, que pressa em se livrar de mim! O gato pode esperar, está dormindo mesmo. Deixe que durma. Enquanto dorme não coloca a vida de ninguém em risco.

— Você deixou a janela aberta! Quer mesmo voltar a esse assunto?

— Não, eu não quero. Só quero dizer que, por favor, não fale com o meu pai sobre o bebê.

— E por que não? Está por acaso com vergonha da Angie? Seth, você...

— Não, mamãe. Apenas quero contar pessoalmente. Que absurdo! Sabe como estou feliz, em especial por ser ela. Ainda bem que ela não está aqui para ouvir algo assim.

— Ah, entendi, faz sentido. Bem, então vamos fazer assim, eu não conto nada, mas você não se demora a explicar a ele. Vou evitar seu pai por um tempo até ele saber.

— Obrigado! Até amanhã.

— Chego antes de ir para o escritório — mamãe diz antes de desligar e fico um instante sem saber bem como agir. Odeio isso, eu sou o tipo que toma decisões, que reage, que está sempre no ataque, esse cara sereno e paciente é coisa nova para mim.

Desfaço a mala, tomo banho, faço algumas ligações para o escritório e depois de tudo, decido avisar Tracy. Ela deve achar que ainda estou em Churchill, para ela acho que posso contar por telefone, é até melhor não ter que olhar para seu cinismo quando eu contar.

Me acomodo sobre a cama, acho que um pouco de descanso não é crime, já resolvi algumas coisas no escritório. Posso ter o resto do dia de folga, dormi bem no voo, mas nunca é o bastante depois de noites e noites que rolei nessa cama pensando em Angelina.

Não dá para acreditar que ela está no quarto ao lado, grávida de um filho meu. Se me contassem que esse seria meu caminho um ano atrás, eu teria um ataque de riso.

— Alô!

— Seth! Congelando aí?

— Não. Eu estou de volta.

— Está em Toronto? Ninguém me disse que estava aqui, está no escritório? Vou à sua sala, quero...

— Em casa. Eu estou em casa. — Um rápido silêncio enquanto ela tenta entender como é que estou em Toronto e não estou enfiado em minha sala trabalhando, até posso sorrir, ela vai presenciar muitas mudanças em meu comportamento.

— Devo ficar preocupada?

— Não. Deve ficar feliz por mim. Angelina também está aqui.

— Que bonitinho, se casou. Parabéns!

— Nem tanto. Ainda não é bem isso, não nos acertamos, mas ela veio comigo. Está morando aqui em casa, mas em outro quarto.

— Fale mais sobre isso. Winnie tinha certeza que voltaria casado com ela, quer dizer que ela perdeu a aposta?

— Por que não para de apostar coisas sobre a minha vida? — peço a ela sabendo que é em vão.

— Amigo, você é nossa diversão, nosso maior ponto de discórdia e detesto que mesmo eu sendo sua amiga, Winnie conhece mais da alma humana e sempre acerta.

— Vou ser pai.

— Por essa nem Winnie esperava. Como é que é? Pai de um humano? Não está apenas pensando em adotar um pet?

— Pai de um humano. Que pergunta ridícula! — constato logo depois de responder. — Realmente não sabe nada sobre mim.

— Quer me explicar logo isso. Como assim, você e a Angie vão ter um bebê?

— Vamos, ela está grávida e eu nas nuvens.

— Que golpe de sorte engravidar a garota, assim ela não pode te abandonar. — Tracy ri de mim, eu nem sei porque somos amigos, acho que é porque eu sou igual a ela, ou era, estou tentando mudar. Ser menos frio e prático, mais coração.

— Acha que dei um golpe em Angelina? — Só mesmo alguém com todo o cinismo dela para pensar algo assim.

— Se me lembro, você tem trinta e cinco anos, engravidar uma garota só pode ser proposital. Não vai me dizer que esqueceu a proteção.

— Você é uma péssima amiga, eu devia ter feito amizade com a Winnie e te deixado de lado. Foi... Não foi planejado, estávamos em Churchill, eu não levei nada de proteção, é o meio de lugar nenhum, fui passar uns dias com a minha mãe, se lembra? Ela quase congelou, não tinha planos mesmo quando nos abraçamos sob o fogo da lareira.

— Nus, não vamos nos esquecer da melhor parte. — Ela ri. — Certo, ela também não estava prevenida, nunca me contou essa parte, tinha ideia de que ela podia...

— Nem por um segundo. Foi um choque, bom, um choque bom descobrir.

— Mas ainda não se entenderam?

— Não. Eu estou indo com calma, acho que ela precisa confiar um pouco mais em mim, me conhecer melhor, não quero... Nem sei como explicar, acho que eu não quero que nossa história seja pautada apenas pelo bebê, entende?

— Totalmente, você virou uma garotinha! — ela diz em uma longa gargalhada de provocação. — Desculpe, foi uma piada machista, mas eu não consegui evitar. Você tem razão, o que já é bom sinal, está sendo sensato e maduro, dando tempo e espaço a ela, é tudo que uma garota precisa, mas...

— Lá vem! Eu não vou te dar ouvidos.

— Vai, sim. Você é frio, Seth. Você é prático, dar espaço a ela não quer dizer que não pode jogar um charme e dar umas indiretas, é hora de caçar, olhos de aço.

— Não sei bem como fazer isso, é embaraçoso, mas eu nunca tive que fazer isso.

— Ah! O gato charmoso e irresistível que nunca ouviu um não, o homem mais sexy do planeta, causador da discórdia feminina, soberano entre as mulheres.

— Como você é idiota — digo sem conseguir controlar o ataque de riso. — Não é isso, quer dizer é um pouco, eu nunca cacei como está dizendo, estava por aí e acontecia e depois era só, agora quero que ela... Eu nem vou falar, você é péssima, transforma tudo em riso.

— Quer que ela te ame, eu sou boa nisso. Winnie me ama, sabemos que eu não mereço, então Angie pode te amar, mesmo você não merecendo também.

— Acho que sim. Vou descobrir uma maneira, não com seus conselhos, do meu jeito.

— Boa sorte! Se precisar de ajuda. Pedimos a Winnie ou sua mãe, Sam é ótima nisso, é sensata, inteligente e sensível.

— Mamãe ama Angelina mais do que a mim, pior, ama mais que ao gato.

— Puxa, então Angelina deve mesmo ser um anjo. Amar mais do que o gato? Estou surpresa. Já contou ao seu pai?

— Ainda não. Vou pedir que venha a Toronto, então eu conto. Agora vou desligar, acho que Angie pode estar com fome, quero pedir algo para comermos e ver se passamos algum tempo juntos.

— Ok, vem trabalhar amanhã? Tenho coisas importantes para tratar, você tem que dar andamento ao contrato com a Fórmula 1. Sabe que isso é tudo que nos importa agora e ter nossa marca pintada em uma daquelas belezinhas a 300 quilômetros por hora.

— Vamos fechar a parceria, Tracy, essa história toda me deu muita energia.

— Se fizer a barba já fico feliz. Parabéns, papai! Quero conhecer Angelina logo.

— Vamos encontrar uma oportunidade.

— Ok, eu tenho que desligar. Sua secretária está aqui me pedindo mais informações sobre a compra de novos maquinários.

— E por que ela está fazendo isso? — digo com uma ruga na testa.

— Deve ser para enviar ao conselho, vão se reunir na próxima segunda para debater o tema.

— Tudo bem, bom trabalho! — Desligo o telefone pensando que isso é coisa da minha mãe. De todo o conselho, a única pessoa que sempre faz questão de opinar apenas depois de estudar todos os documentos é ela.

Fecho os olhos um instante pensando em como seria perfeito se Angelina estivesse agora aqui. Não quero ser ingrato, ela podia estar a quilômetros de distância, ou podia ter me obrigado a ficar em Churchill, mas tenho pressa, pressa de começar a ser realmente feliz.

Deixo o quarto algum tempo depois, não acho boa ideia bater em sua porta. Decido descer e esperar que ela deixe o quarto, aos poucos vamos organizar uma rotina, ganhar liberdade. Tracy tem razão sobre conquistar Angie, não vai ser ficando distante que vou conseguir isso, tenho que marcar presença.

Ela está na cozinha e deve estar falando ao telefone, porque escuto sua conversa, primeiro abafada demais para compreender, até que me aproximo.

— Obrigada, Viviane! Isso esclarece as coisas. Tenha um bom trabalho. — Ela está falando com a minha secretária? Sorrio achando engraçado, quando entro na cozinha, Angie está colocando o telefone sobre o balcão enquanto mexe qualquer coisa muito perfumada em uma panela.

— Viviane minha secretária? — pergunto me aproximando para ver o que ela está preparando. — Que cheiro bom, estava pensando em pedir comida.

— Me deu uma fome! — Ela me conta provando os pequenos pedaços de carne picados em cubos com um molho de ótima aparência. — Acho que não é boa ideia ficar comendo coisas da rua.

— Ah! Bem pensado. Talvez você queira ir com a Thea fazer compras. Não costumo preparar nada em casa, então não deve ter muita coisa.

— Até que tinha, mas sim, talvez eu possa fazer isso.

— Posso provar? — Ela me oferece um pedacinho de carne, primeiro assopra e eu acho lindo. Ainda bem que ninguém que conheço lê pensamentos, os meus estão beirando a insanidade. — Muito bom. — Ela sorri para mim voltando a mexer a panela.

— Era, sim, a Viviane. Abri os e-mails e tinha um relatório sobre uma compra, sua mãe sempre quer os detalhes de tudo para poder dar palpite na reunião, então pedi mais detalhes a ela.

— Tem acompanhado essas coisas também?

— Tenho, sim. É um problema para você? Que acha de colocar dois pratos à mesa?

— Claro — digo abrindo o armário para pegar pratos. — Não, eu acho legal você se envolver nas coisas da empresa. Acho que você deve mesmo se encontrar, se gosta disso, já vi que tem muito jeito para muitas coisas.

— Adorei ajudar o George a organizar a exposição. Principalmente, a noite do lançamento. Vai ser muito elegante.

Ela traz a panela para a mesa e divide tudo em dois pratos, enquanto eu arrumo talheres e copos, pego a água e alguns pães no armário.

— Gostou da casa? — pergunto quando nos acomodamos de frente um para o outro.

— Sua casa é linda! — ela diz sem muita paixão.

— Obrigado, mas é a sua casa, então precisa ter um pouco de você nela.

— Vai ter, fraldas, mamadeiras e muitos brinquedos. — Ela me faz sorrir.

— Parece ótimo, mas ainda não é você. Esse é nosso filho. Adoro dizer nosso filho — conto a ela que se emociona e puxa o ar para não chorar. — O que gosta?

— Seth, eu deixei a casa dos meus pais aos quinze, fui viver numa casa bonita e bem decorada, ela era decoradora e aprendi muito sobre decoração olhando o trabalho a distância. Depois acabei na sua mãe, em Churchill, com uma pequena parada em um quarto ruim de hotel, são todos lugares muito bem decorados e elegantes, é isso, acho tudo muito bonito.

— Então coloque alguma coisa bem feia na casa, para destoar, assim pode dizer que não é tudo perfeitinho e sem graça.

— Vou pensar a respeito — ela me diz com olhos distantes.

— Triste?

— Não. Eu estava pensando no Cory, ele estava sempre com medo de bagunçar qualquer coisa da casa, porque a mãe ficava uma fera. Uma vez ele quebrou um vaso e eu disse que fui eu, fico pensando se ele está bem, se eles... Se não o estão ignorando totalmente.

— Você não consegue esquecê-lo, não é? — Ela balança a cabeça negando.

— É impossível, Seth. Principalmente, porque será o nosso primeiro Natal separados. Eu nem sei explicar o quanto isso machuca, sei que devia ser grata, vou ter um bebê, você está feliz com isso, tenho a Sam e tudo começa a parecer bom, mas são coisas diferentes.

— Acho que pode comprar um presente, se me der o endereço, eu envio. O que acha? — Já sei o que dar a ela de Natal, sorrio pensando em um plano perfeito.

— Seria um jeito dele saber que eu não o esqueci, que não quis me separar dele, não acha? Faria isso?

— Perfeito. Claro que vamos fazer, só precisa me dizer o que quer dar a ele e o endereço, ele vai receber o presente.

— Isso é tão fácil, sei tudo que ele gosta. Depois de comermos podemos escolher, se eu escolher pela internet você só precisa passar na loja e comprar, manda entregar para ele, posso fazer um cartão de natal e coloca junto.

— Tão fácil escolher um presente para o Cory, tão difícil escolher um para si mesma. — Ela franze o nariz, fica ainda mais bonita, depois sou esquecido, não sei se pela fome ou a pressa de ir logo escolher o presente,

Angelina mergulha de cabeça na tarefa de comer e não me resta escolha senão acompanhá-la.

Passamos uma boa hora, sentados lado a lado, olhando sites de brinquedos. Sinto vontade de comprar tudo para o meu filho, um dia estaremos assim, escolhendo juntos o presente dele ou dela, talvez eu já tenha interceptado uma carta para o Papai Noel e tudo seja bem mais simples.

Angelina parece bem cansada da viagem, mas fica na sala, enquanto falamos sobre a empresa, explico que ela pode me perguntar o que quiser para conversar com minha mãe depois, ela me metralha de perguntas e eu acho tudo tão inteligente e interessante, se ela tivesse tido oportunidade, daria uma boa empresária, ainda dá tempo. Quem sabe ela se descobre uma executiva? Teria um lugar para ela na Arnett, eu inventaria um.

Depois de jantarmos juntos, apenas salada e um copo de chá gelado, nós nos despedimos. Podia passar o resto da noite em sua companhia, mas acho que ela quer descansar e eu também preciso dormir.

Pela manhã, quando chego à sala, ela está ao telefone, Angelina começa cedo. Dessa vez é George, os dois são como cão e gato, ela está sempre a rebater tudo que ele diz, acho que ela devia cuidar sozinha das coisas da mamãe, pelo que noto, não precisa dele para nada.

Assim que desliga o telefone e antes que eu possa dizer qualquer coisa, a porta se abre e mamãe entra acompanhada de Thea.

Angie abre um sorriso tão lindo ao ver minha mãe e sinto ciúme, não que não consiga roubar-lhe um sorriso ou outro, mas nada assim, vivo e espontâneo. Um sorriso cheio de amor.

CAPÍTULO 24

Angelina

É tão bom ver Sam, dá uma sensação de lar, ela me faz sempre sentir protegida e isso é algo que preciso. Seth se esforça e sou grata, mas ainda fico sempre ansiosa perto dele, sem saber o que fazer com as mãos, corando, me emocionando, lutando contra as batidas descompassadas do meu coração a cada vez que nos esbarramos ou quando ele me olha nos olhos.

Fico esperando saber se ele vai me beijar, se vai apenas me tratar com respeito, desde que chegamos ele não me beijou nenhuma vez. Sei que ele quer, mas está sendo cauteloso e eu também. É um novo começo e por isso, estamos na primeira fase, quando tudo não passa de trocas de olhares e coração a mil.

Gosto disso, de ir com calma, descobrindo coisas novas sobre ele. Como, por exemplo, esse jeito dele ser prático, morar em sua casa me ensina muito sobre quem é realmente Seth Arnett.

Samantha abre os braços em um convite, é bom receber seu abraço, é sempre cheio de carinho e quando nos afastamos ela leva um longo minuto me investigando.

— Está ótima! — ela diz animada. Puxa Thea pelo braço para que ela se aproxime. — Thea, essa é Angelina, cuide dela para mim. Vocês vão se dar muito bem.

— Como vai, Thea?

— Feliz e bem surpresa. Esse homem estava no maior sofrimento aqui, vai embora do nada e volta com uma moça linda e um futuro bebê! — Ela me abraça rapidamente, se afasta me sorrindo. — Você é muito bonita, está meio magrinha para quem vai ter um bebê. O que o médico disse?

— Ainda nem fui ao médico, eu fiz o teste de farmácia, e claro, os sintomas todos.

— Samantha, como é que você deixa essa menina por aí sem um médico? — Thea parece mesmo muito íntima para cobrar assim Sam.

— Assim que chegar ao escritório eu vou pesquisar o melhor médico da cidade e marcar uma consulta para no máximo amanhã. — Seth avisa.

— Faz bem, eu criei dois filhos e estou cuidando de um netinho quando minha filha precisa, mas não posso trazer aqui porque o Seth não gosta de bagunça. — Quero sorrir, mas não faço, já vi que ela fala muito e que deve mesmo deixar Seth maluco, não é difícil de imaginá-lo dizendo que não quer crianças bagunçando sua vida organizadinha, mas vai ter que se acostumar com isso e estou achando que com o tempo, talvez ele goste.

— Viemos para tomar o café da manhã. Vamos Thea, preparar algo gostoso para Angie. Vem, Angelina. Você também, Seth.

— Estou de saída para o escritório — ele avisa, segura minha mão me impedindo de acompanhá-las. Me olha, carinhoso, até ficarmos sozinhos. — Tem meu telefone e o do escritório, me liga se precisar. — Afirmo olhando em seus olhos e pensando que vamos passar o dia todo separados, estivemos próximos todos esses dias, vai ser uma novidade. — Explore a casa, descanse. Thea vai te ajudar no que precisar. Compre comida, as coisas que gosta, as chaves do carro estão naquele móvel. — Ele me aponta um móvel próximo ao hall de entrada.

— Vou ficar bem, Seth. — Ele ainda segura minha mão e é tão carinhoso.

— Eu sei que sim. Vou comprar o presente do garoto e enviar.

— Cory, ele se chama Cory, você sempre diz o garoto, o gato. Vai chamar nosso filho de "o bebê"?

— Depende, ele vai se chamar Luz do Norte? — Faço uma careta, Seth me puxa pela cintura para seus braços. — Vou sentir saudades. Tenha um bom dia! — Ele me beija, me deixa meio tonta quando me solta, não esperava por isso. Nem consigo desejar um bom dia tão atordoada que fico quando ele deixa a casa, levo uns instante para me refazer e quando chego a cozinha, ainda tenho um sorriso bobo no rosto.

— Alguém está muito feliz. — Sam percebe, ela me faz corar. — Eu não disse que ela era linda e operava milagres?

— Milagres? — pergunto puxando uma cadeira para me juntar a elas. Sam e Thea, estão terminando de colocar uma linda mesa de café da manhã, não sei se Seth tinha planos de sair sem se alimentar ou apenas fugiu das duas.

— Seth é o homem mais insensível que conheço, mas sua mãe diz que ele está totalmente diferente, que você fez isso.

— Eu? — Balanço a cabeça negando. — Acho que não, talvez o bebê.

— O bebê é só o presente final, uma recompensa pelas mudanças. — Thea brinca.

— Thea, fique de olhos abertos nessa menina, ela precisa comer bem.

— Como é que vai ser isso? — Thea me pergunta puxando uma cadeira e se acomodando bem de frente para mim.

— Isso o quê? — pergunto sem compreender onde ela quer chegar.

— Nós duas. Como vai ser nossa história? Fico no meu canto e faço meu trabalho sem incomodar você?

— Se preferir, eu não tenho como te obrigar a gostar de mim e ser minha amiga, mas quem sabe não pode tentar de outro jeito. Você me ajuda com as coisas da casa e a comida e ficamos amigas, eu não sei se vou gostar desses meses de gravidez que vou passar aqui sozinha enquanto Seth está no trabalho.

— Ótimo! Gosto mais desse jeito, eu dou muito palpite e me calar seria uma chatice.

— Ela também me traz informações frescas e vai continuar fazendo isso. Escondo do Seth, mas não vou esconder de você, portanto, não tente me enganar, Thea vai me contar tudo. — Sam me avisa com um sorriso de satisfação no rosto. — Sabia que você seria assim — ela diz prendendo sua mão a minha. — Uma mulher simples, que não faz distinção e que vai aprender a amar a Thea, talvez até me troque um pouco por ela. — Sam faz careta.

— Jamais — digo apertando sua mão. — Você sempre vai ser a mão salvadora, a melhor pessoa que conheci na vida.

— Que tal me contar sua história? — Thea me pede e eu nem sei direito como contar, mas talvez seja bom ela saber de tudo.

Conto a ela sobre meu passado, vez por outra, elas trocam olhares enquanto Sam vai me empurrando coisas para comer. O café da manhã se torna uma longa refeição em que me abro sem nem mesmo sentir,

São tantas lembranças, as do Cory são um tanto tristes, sinto mais falta dele agora do que antes, talvez seja o bebê, talvez a volta a uma cidade grande, o fato é que meu coração está apertado de saudade e saber que ele vai receber um presente me faz muito bem.

— Vai ser muito feliz aqui. Vamos dar uma mexida nessa casa, o que você acha? — Thea me pergunta.

— Seth falou sobre isso, para eu organizar do meu jeito, mas acho que eu nem sei direito qual é esse jeito.

— Você gosta de cores, eu já notei, também gosta da agitação da cidade, não era feliz em Churchill e tem medo de urso polar.

— Thea! Fala para Sam que todo mundo tem medo de urso polar! — peço a Thea que ri enquanto balança a cabeça negando.

— Eu sempre disse a ela para vir embora daquele buraco de urso que ela se enfiou, mas ela não me dava ouvidos.

— Bem, meninas, agora que já se entenderam, eu tenho de ir. Preciso voltar a pintar.

— Sam, como vai ser agora que não estou tão perto?

— Vai trabalhar à distância, falamos por telefone. Você tem computador aqui e telefone, tem uma impressora e tempo. Faça seus horários e resolva as coisas como vinha resolvendo, se precisar, apenas me chame.

— Certo. Agora as coisas da exposição estão praticamente resolvidas, tudo encomendado, organizado. Claro que quando chegar mais perto, vamos ter mais trabalho, mas esses dias de festas e as primeiras semanas do ano não tem nada a ser feito.

— George deve estar feliz que vai se livrar de você por uns dias — ela brinca sabendo que eu e ele sempre discutimos. — Ainda tem as coisas da Arnett para resolver para mim, essa casa para cuidar e, claro, as coisas do bebê. Decorar o quarto, fazer exercícios, tomar vitaminas, enjoar pela manhã, dormir nos lugares mais estranhos, chorar em comerciais de televisão. Tudo isso dá trabalho.

— Acha?

—Tenho certeza. Acompanhar o Seth em alguns compromissos sociais, mas só se quiser.

— Acha que ele me convidaria?

As duas trocam um olhar, sorriem uma para outra. Parecem se comunicar muito bem sem palavras, enquanto eu olho de uma para outra sem compreender direito.

— Viu o que disse? Esses dois vão nos dar trabalho — Sam brinca com Thea. — Vem me levar até a porta.

— Claro! — Eu a acompanho enquanto Thea se envolve no trabalho de arrumar a cozinha. Na sala, diante da porta, Sam segura minhas mãos com carinho, me faz olhar em seus olhos.

— Você é mais forte do que pensa. Não duvide disso, não deixe seus medos impedirem a felicidade. — Balanço a cabeça afirmando. — Seth nunca soube lidar com suas próprias emoções, ele está tentando.

— Eu sei que sim, ainda não sei bem o que isso significa, ele disse que não é um urso polar, quero acreditar nisso.

— Os códigos dos apaixonados. — Sam ri e fixa os olhos em mim. — Anjo, eu não tenho a menor ideia do que isso quer dizer.

— Os ursos polares ficam ao lado da fêmea durante a gravidez, depois vão embora. Ele disse que não é um urso polar, quer dizer, não foi bem assim, mas foi sobre isso que falamos. Ele disse que não vai me deixar depois que o bebê nascer.

— Claro que não!

— Sam, é bem difícil para mim, essa é a casa dele, não somos namorados, não somos casados, ficar aqui indefinidamente desse jeito é estranho.

— Então é melhor deixá-lo mostrar que pode conquistar você e ficar aqui para sempre, mas do jeito certo.

— Ele não precisa me conquistar, eu já amo o Seth.

— Shiu! — Ela brinca, depois se aproxima mais de mim. — Ele não precisa saber disso, é bom vê-lo tentando. — Ela pisca e então me puxa para um abraço. — Fica bem, me chame ao menor sinal de necessidade. Cuida do meu netinho. — Sam coloca as mãos sobre a minha barriga em um carinho.

— Estou ansiosa para a primeira consulta com o médico e com um pouco de medo também.

— Vai correr tudo bem. — Ela me solta, abre a porta e me acena antes de sair e apertar o botão do elevador. — Essa é a sua casa agora, faça dela seu lar sem medo.

Sorrio sem conseguir concordar, eu não sei como fazer isso, ainda não sei nem mesmo se acredito nisso. Seth tem muito que me mostrar e eu a ele antes de mais certezas, mas é fato que estou gostando disso, vou passar o dia todo pensando no beijo de despedida.

Samantha parte e volto para perto de Thea, ela já tem panelas no fogo e começa a preparar a refeição.

— Vamos deixar os congelados para necessidades. Eu costumo vir todos os dias, arrumo, limpo, às vezes deixo uma refeição pronta e vou embora, mas posso ficar com você mais tempo se preferir. Não posso ficar até o Seth chegar, ele sempre chega bem tarde, trabalha feito um louco, nunca volta antes de nove da noite.

— É bem tarde mesmo — digo levemente decepcionada. — Precisa de alguma coisa?

— Sim. Preciso que vá descansar um pouco. Te chamo para almoçar.

— Obrigada, Thea! Vou estar no escritório, tenho umas coisas para ver e quero descobrir como funciona tudo por lá.

— Ninguém me disse que era uma mulher de negócios. Que interessante.

— Não sou, só cuido de umas coisas para a Sam. — Ela leva as duas mãos à cintura.

— Diga que é. É sempre bom sonhar alto. — Dou de ombros e deixo a cozinha, alto demais para mim, mas gosto de quem eu estou descobrindo ser, pensava que era uma boba que não sabia fazer nada direito, mas descobri que posso fazer muitas coisas, que posso ser forte e independente.

Continuar trabalhando para Sam é bom, não preciso do dinheiro de Seth para minhas necessidades. Talvez mude um pouco e eu ganhe menos, devia ser o certo, afinal Sam me pagava para cuidar de suas coisas e também de sua casa e isso eu não vou fazer mais. Depois converso com ela sobre isso.

Adoro o escritório, falta um vaso com flores para dar uma alegria, um porta-retratos também seria bom, com uma foto dele, não como aquela na casa de Churchill. Ele está sério, tem olhos distantes e frios, uma com os sorrisos que ele costuma dar de vez em quando, sempre que está distraído demais para impedir o riso, ou como nas noites de aurora boreal, em que seus olhos são cor e calor.

Não demora e estou distraída mexendo em dados da empresa, e-mails de Viviane, velhas pautas que Sam anotava de um jeito atrapalhado. Seth estava certo sobre as coisas dela estarem bagunçadas, vou levar semanas para organizar seus documentos em pastas no computador.

Thea liga o aspirador de pó e rio me lembrando de Seth comentar sobre ela ser barulhenta. Almoçamos juntas, dessa vez é ela a me contar sobre sua vida, a amizade com Samantha, o neto, os filhos e por fim, Seth.

Ela gosta dele, diz que ele é chato, mal-humorado, mas bom com ela. Jamais foi mal educado, nunca deixou de pagar tudo direitinho e está sempre dando férias a ela, secretamente eu penso que ele dá férias a si mesmo, ela faz mesmo muito barulho e fala sem parar.

No começo da tarde, com tudo pronto e o jantar na geladeira para ser aquecido, Thea se despede, eu agradeço pela companhia e no instante que me vejo sozinha, a cabeça começa a trabalhar.

Odeio ficar na incerteza, parece que foi sempre assim que vivi. Ao menos depois da morte da minha mãe, não sei, muito de como me sentia antes, acho que eu era apenas uma garota comum, fico tentando me lembrar com o que eu sonhava. Talvez com um namorado bonito, um bom emprego, um apartamento, talvez sonhasse em ser uma princesa, ou uma estrela de cinema, bobagens de menina. Essas coisas não importam, importa com o que eu sonho hoje.

Me sento atrás do computador encarando a tela em que o logotipo da Arnett dança elegante.

Quero ter um filho saudável e feliz, quero notícias do Cory, quem sabe mais um último abraço; quero o amor de Seth. Talvez pareça pouco para alguns, mas é o topo do mundo para mim. Todo o resto é secundário agora.

— Oi! — Seth surge de pé na porta do escritório, é um susto enorme. — Desculpa, não quis te assustar, até chamei da porta. — Ele se aproxima de mim, sorrio com a mão no peito. — Está bem?

— Sim. — Fico de pé e ele me envolve, dessa vez todo preocupado. — Não esperava por você tão cedo, Thea disse que sempre chega tarde.

— Árvore de Natal. Eu fiquei pensando na árvore de Natal que prometi.

— Comprou uma árvore de Natal?

— Não. Eu odeio árvore de Natal, elas ficam desprendendo coisinhas por semanas, tem aquelas luzes coloridas que não importa onde você more, sempre destoa da decoração e bolas coloridas que eu nunca entendi o sentido, tem anjos e harpas, renas e sei lá, todo tipo de coisas penduradas.

— Seth, se não comprou uma e detesta, o que faz aqui?

— Vou te levar para comprar, então você coloca muitos e muitos desses enfeites coloridos e será um tipo de vingança, parece muito bom, além disso, vamos ter aquela coisa feia no meio da casa, para a casa não parecer tão certinha.

— Não gosta mesmo do Natal? — pergunto enquanto aproveito que estou em seus braços para arrumar a gravata torta.

— Crianças gostam do Natal, ele é feito para elas, não?

— Não. — Ele realmente é prático, levemente insensível, mas o mais estranho é começar a achar que isso é um tipo de charme. Acho que amor é isso, gostar dos defeitos.

— Pode me explicar no caminho. Tem que vestir um casaco bem quentinho, está muito frio.

— Quer sair agora para comprar uma árvore de Natal?

— Bem grande, não sei onde vai colocar, mas estarei às suas ordens para arrastar móveis, vamos fazer uma festa, não, duas. Um jantar e um café da manhã de natal, como quando eu era criança.

— Seth, não precisa fazer essas coisas por minha causa. — Acho lindo seu esforço, me emociona, mas somos só nós dois, não tem necessidade disso, eu nem conheço ninguém por aqui, ele não parece gostar desse tipo de comemoração.

— Eu? Angie, eu sou incapaz de organizar algo assim. Você vai fazer isso.

— A festa?

— Árvore, decoração, festas, no plural, tudo você, se consegue organizar uma exposição...

— Foi o George que organizou.

— Quer enganar a quem? — Ele ri enquanto afasta meus cabelos e depois me abraça mais forte, meu corpo se cola ao dele e eu não sei se ele tem consciência disso. — Criticou cada passo dele e mudou tudo.

— É um pouco verdade. — Seth sorri, se curva e beija meus lábios.

— Aposto que nem sentiu minha falta o dia todo. — Sou pega de surpresa, meu rosto queima de vergonha. — Hum! Cara de que sentiu um pouco. — Balanço a cabeça afirmando, não consigo colocar em palavras, seu meio sorriso é de vitória e carinho, seus lábios encontram os meus. Não é um beijo rápido e roubado, é um longo beijo, do tipo que dispara meu coração, me deixa tonta, sem forças para resistir.

Envolvo seu pescoço, me entrego a sensação de estar em seus braços, suas mãos espalmadas em minhas costas, o sabor do seu beijo, seu perfume, é como estar de volta ao calor da lareira e quero sentir de novo sua pele de encontro a minha, mas Seth se afasta. Vejo o brilho em seus olhos, como quando nos entregamos ao amor, é a mesma luz, me emociona saber que ele sente também.

— Temos que ir, a cidade está um caos, essa época do ano é sempre assim, um caos.

— Vou... Eu... É... — Pisco tentando voltar a realidade, engulo em seco, fico muda um segundo. — Casaco — digo por fim. — Vou colocar um casaco e sapatos mais quentes.

Deixo Seth no escritório e caminho meio tonta ainda para o quarto, troco os sapatos, pego um casaco mais quente, encaro o espelho pensando se estou vestida de acordo com Seth Arnett. Ele é um homem rico e elegante, isso é algo que tenho que pensar, Sam deve poder me ajudar a escolher roupas mais adequadas, de qualquer modo, as minhas logo vão estar apertadas demais. Sorrio para o espelho só de pensar sobre isso.

Passo um batom leve, escovo os cabelos, rímel e umas gotas de perfume, vai ter que servir por hoje, depois penso nisso.

Meu coração ainda está descompassado. Eu não acredito que ele vai me provocar isso para sempre. Acho que se daqui cem anos Seth me beijar, eu vou sentir o mesmo.

Quando o encontro, ele sorri, eu amo seu sorriso, essa seria a foto perfeita para o porta-retratos sobre a mesa do escritório.

— Está muito bonita, vamos ter que jantar fora para aproveitar.

— Jantar? — Adoro a ideia, andar pelas ruas movimentadas, jantar em um restaurante, ver gente, viver.

— Podemos só voltar para casa se preferir.

— Não, eu quero. Quero ver gente.

— Amanhã, vamos ao médico. Eu estive pensando, se ele liberar viajar, podemos passar um fim de semana em um lugar quente. O que acha? Um pouco de sol, piscina, praia.

Ele aperta o botão do elevador e procura minha mão. Eu só posso ser mesmo uma idiota, estou feliz de estar de mãos dadas com ele, meu bebê deve estar feliz também, isso me faz sorrir, ele sente o que eu sinto e hoje Seth está me fazendo feliz o tempo todo.

— Não sei se posso ficar viajando de avião assim sempre, mas se não tiver problemas, acho que seria ótimo. Você gosta de praia?

— Odeio — ele diz quando entramos no elevador e ele aperta a garagem. Eu tenho um ataque de riso que nem eu esperava. Posso até imaginá-lo com sua lista de coisas que odeia na praia, como a lista dos defeitos da árvore de Natal. Não consigo conter o riso. — O que eu fiz?

— Você não gosta de luzes, não gosta de natal, não gosta de praia. — Não consigo conter o riso, enquanto ele me olha com uma cara engraçada que mistura surpresa e uma pitada de cinismo. — Odeia coisinhas que soltam da árvore de natal. Seth, você é insuportável!

— Deixe-me te contar uma coisa que eu adoro — ele diz me encostando à parede do elevador, seu corpo se cola ao meu mais uma vez enquanto suas mãos descansam sobre o meu quadril. — Eu adoro estar sozinho em um elevador com uma mulher bonita.

Sua boca cobre a minha no instante em que uma onda de calor atravessa todo meu corpo, me lembro do pequeno choque que senti da primeira vez que nos tocamos. Agora é como uma descarga elétrica de alta voltagem, faz meu corpo estremecer e fecho meus olhos aproveitando o beijo inesperado.

CAPÍTULO 25

Seth

Não era o plano beijá-la assim no elevador, mas agora que comecei eu não consigo parar. Seus dedos mergulham em meus cabelos, minha mão que descansava em sua cintura agora escorrega pela coxa, trago sua perna para mais junto de mim, ela não foge, pelo contrário, sua respiração descompassa junto com a minha, meus lábios deixam os seus para percorrerem o pescoço.

O elevador para e a porta se abre enquanto estamos nos separando, se imaginasse que a coisa iria esquentar teria travado a porta. Um casal entra com um garotinho e uma adolescente, a mulher nos lança um olhar de crítica.

Eu não quero rir da situação, são apenas mais dois andares, é só aguentar firme, de pé, com Angie ao meu lado ajeitando a roupa discretamente, o rosto vermelho, a mulher ainda com a expressão fechada, a adolescente com um sorriso aberto no rosto e o homem às voltas com o garotinho determinado a alcançar os botões do elevador.

Travo a mandíbula para não rir da situação, embora uma parte de mim esteja com um pouco de pena do grau de constrangimento de Angelina, ela parece que não vai suportar.

Quando a porta abre na garagem, a mulher sai na frente arrastando a adolescente, o homem leva o garotinho pela mão e eles são tão rápidos que me sinto um psicopata assistindo suas vítimas fugirem assustadas.

— Exibicionista! — Angie diz caminhando na frente.

— Eu? — Apresso meu passo para alcançá-la, destravo o carro, ela segue o som mudando de direção.

— Você, sim, estava adorando o show. Que vergonha!

— Claro que não! Eu preferia mil vezes não ter sido interrompido. — Angie me olha, é tarde para esconder o riso.

— Então porque ainda está com essa cara feliz?

— De certo que não tem nada a ver com sermos interrompidos. — Ela fica ainda mais vermelha, fecha os olhos um instante, abre a porta do carro e entra. Eu faço o mesmo, me acomodo atrás do volante.

— Imagina um dia estar sozinha e encontrar essa mulher no elevador? Eu vou morrer de vergonha. Nunca mais pego elevador.

— Se acontecer você suspira e diz: que tédio!

— Muito engraçado! — Ela cobre o rosto um instante.

— Está tudo bem, Angie. A porta abriu muito rápido. Eu não esperava que fosse abrir assim tão perto da garagem, por que eles não desceram de escadas? Dois andares, era um bom exercício. — Coloco o carro em movimento, eu não sei se ela está brava comigo, com ela mesma ou com o casal que nos interrompeu, mas acho que se eles não tivessem nos parado eu nem sei onde estaria agora.

Levo uns minutos me concentrando outra vez e então pego a direção do Yorkdale, é o shopping que frequento e acho que lá deve ter tudo que ela precisa.

— Música? — pergunto a ela que parece embriaga pela vista, os olhos brilham enquanto se perdem no movimento de Toronto. — Angie! Quer ouvir música? — Ela finalmente me olha e está sorrindo.

— Sim. Pode ser. Toronto é uma cidade incrível. Nunca saí muito de Winnipeg e quando estive aqui eu fiquei o tempo todo no hotel, vim para cuidar do Cory. Eles tinham um jantar importante e no dia seguinte queriam levar o Cory para almoçar na casa de um cara importante para brincar com o filho deles, mas não tive coragem de sair sozinha. Era muito novinha, fiquei esperando o Cory no quarto.

— Odeio quando fala dessa gente. — Ela parece surpresa. — Não é com você, Angie, é como eles a trataram.

— Eu sei. Você comprou o que eu pedi e enviou?

— Sim.

É mentira, não comprei, Viviane comprou e está no escritório, mas não vou enviar presente nenhum. O garotinho virá buscar, vai estar embrulhado debaixo da árvore horrível cheia de luzes coloridas.

Estaciono à porta e o manobrista se aproxima, abre a porta para Angie e ela parece bem surpresa. Talvez não esteja acostumada a um lugar de destaque, mas ao meu lado, eu nunca vou deixar que seja invisível.

Procuro sua mão assim que a encontro depois de entregar o carro ao manobrista, ela está ainda com olhos curiosos e encantados.

— Esse é o shopping dos ricos? — ela pergunta em um tom divertido.

— Sei lá! Acho que é só o mais perto de casa.

Seguimos caminhando pelos largos corredores, pego meu celular enquanto ela olha as vitrines e reservo uma mesa aqui no shopping mesmo, tem bons restaurantes e acho que Angie vai gostar.

— Que tal essa? — Aponto a grande árvore no centro de uma das praças do shopping, ela me olha quase em choque. É bem grande, tudo bem, mas é só afastar umas coisas e já está até montada.

— Seth, essa é a decoração do Shopping.

— Ah, verdade! — Quanto mau gosto! Seguimos pelas lojas e ela vai admirando tudo, sinto uma louca vontade de ir em de loja em loja enchendo Angelina de presentes, mas não faço isso, não é assim que a conquisto, essa garota em especial, não vai se emocionar com roupas e perfumes.

— Seth! — Ela diz apertando minha mão quando paramos diante de uma loja de roupas para bebês, é estranho olhar para tudo aquilo. As roupinhas, os tons neutros, a paz e o leve perfume do lugar, bonecas e carrinhos decorando o ambiente e macacões, casacos e luvas espalhadas por toda a vitrine, até que seus olhos param em um par de sapatinhos de lã sobre uma almofada que lembra um tipo de troféu, Angelina sorri. — Podemos entrar só um minutinho? Quero comprar esse par de sapatinhos, a primeira peça do bebê.

— Que eu vou comprar e não você — aviso a ela.

— Posso pagar por eles — ela diz quase ofendida.

— E vai dizer à criança que deu seu primeiro presente. Nem pensar! — Angie ri. Me sinto meio culpado por enganá-la, eu só não quero que ela gaste seu dinheiro com nada, posso pagar tudo e ser um desses idiotas trogloditas que se acham importantes por pagar todas as contas, ela só não precisa saber disso.

— Você paga um pé e eu pago o outro! — ela diz erguendo o queixo e entrando na minha frente. Talvez eu tenha que matar o troglodita que me habita e bem rápido.

— Por mim tudo bem. — Paramos diante da moça que nos sorri.

— Bem-vindos! Posso ajudar?

— Eu... — Angie não consegue continuar, seus olhos se enchem de lágrimas e ela chacoalha minha mão como se me pedisse socorro.

— Queremos aquele par de sapatinhos da vitrine — aviso a moça que sorri achando bonito Angie chorar de emoção na compra do primeiro presente do bebê. Ainda bem que não tive a ideia ruim de comprar nada.

Se não tivesse pedido a Viviane para comprar o presente do garotinho eu teria feito algo assim. Felizmente não quis entrar em uma loja de brinquedos.

A moça traz o par de sapatinhos em várias cores, Angie gasta uns dez minutos escolhendo.

— Não é só levar todos? — digo baixinho e ela me olha negando. — Era mais prático.

— Estou tentando seguir os meus instintos. Quem sabe fico sabendo se é menino ou menina? Quero o vermelho!

— Vermelho quer dizer o quê? — pergunto ansioso, ela dá de ombros.

— Não tenho a menor ideia. — É sua resposta, Angie faz questão de me entregar umas notas que tira de sua bolsa em pagamento de um pé do sapatinho. Tudo isso na frente da mocinha do caixa que me olha como se eu fosse um insensível mercenário.

Deixamos a loja e Angelina faz questão de carregar a sacolinha colorida com desenhos infantis.

Encontro a loja de decoração de Natal que só funciona nessa época do ano, é um mundo à parte, vermelho, dourado, luzes a piscar. Um Papai Noel em tamanho natural, eu acho, já que o velho não existe e ninguém sabe realmente sua altura. Renas puxam um trenó bem no meio da loja, tem trenzinhos apitando, Papais Noéis de todos os tamanhos e posições que dançam, falam, e tem aquela tal risada típica.

— Comércio e nada mais — digo me espremendo com Angelina por corredores e evitando esbarrar em enfeites, não é uma loja lotada porque é a loja em que os privilegiados do mundo compram suas decorações, mesmo assim, é irritante.

— Shiu! — Ela me cutuca. — Não estrague o espírito de Natal das pessoas.

— Desculpe! — peço com o cesto que ela me entregou sendo enchido por todo tipo de bugiganga que ela encontra. — Ali, achei as árvores. — No fim da loja, fileiras de árvores de todas as cores e tamanhos, finalmente.

Angie segue na frente, é terrivelmente brega, mas quem sou eu para acabar com o espírito de Natal da humanidade sempre tão benevolente e pacífica.

— São tantas.

— O que acha que representa uma árvore de Natal rosa?

— O mau gosto — ela diz em uma careta. Angelina não demora a fazer sua escolha, para diante de uma árvore de uns dois metros, verde e bem cheia, típica árvore de filme. — Essa.

— Acha que entregam? Não deve caber nem sobre o carro.

— Ela vem desmontada em uma caixa, Seth.

— Muito inteligente. — Pego a etiqueta com o preço. — Puxa, e eu perdendo tempo construindo peças para carros.

— Muito cara?

— Uma fortuna.

— Quer que eu escolha uma menor? — Por que eu não sei ser de outro jeito? Eu tinha que estar sendo romântico, gentil e não um chato reclamão.

— É Natal, Angelina. — Puxo a garota mais bonita do mundo para meus braços, envolvo sua cintura e ela me olha entre envergonhada e feliz. — Tempo de paz e harmonia, vale a pena pagar por um pouco do espírito natalino.

— Está sendo cínico?

— Não. Pareceu isso? — pergunto decepcionado com minha performance.

— Um pouco. Vamos apenas levar a árvore, certo? — Ela sorri para mim e me curvo um pouco para roubar-lhe um beijo.

Deixo Angelina sentada em uma poltrona confortável da loja enquanto um funcionário me acompanha até o carro para guardar as sacolas e a caixa, o par de sapatinhos fica; ela se recusa a separar-se deles. Quando retorno, está com os olhos perdidos em um casal de garotinhos que acompanha os pais nas compras de natal e discutem sobre que enfeites levar.

— Voltei. — Meus olhos acompanham os seus, são dois irmãos pequenos, lutadores, um casal e a menina parece ter fibra, me fazem sorrir. Nenhuma criança deve crescer sem irmãos, acho que eu seria menos cínico se tivesse dividido a vida com um irmão. — Com fome? — pergunto gostando que é ela a procurar a minha mão para prender a sua como se isso fosse algo corriqueiro, acho que nem se deu conta e eu que não vou alardear.

— Um pouco.

— Vem, eu reservei uma mesa em um ótimo restaurante.

— Seth, acha que estou vestida de acordo?

— Para mim está linda — digo de modo despreocupado enquanto tento nos tirar da loja.

— Se não estivesse você diria?

— Muito provavelmente e seria criticado por minha honestidade dura e exata.

Angelina sorri, talvez ela aprenda a gostar de mim um pouco como eu sou. Usamos a escada rolante para chegar ao segundo piso e então estamos no restaurante, é um dos melhores da cidade, Angelina me olha um pouco preocupada, mas não tem muita gente ainda.

O *maître* nos leva até a nossa discreta mesa em um canto escondido com luz baixa e piano ao fundo, ela ainda está encantada.

— Churchill te matava um pouco, não é? — pergunto enquanto escolhemos a comida.

— Churchill me salvou, sou grata aquele lugar e as pessoas de lá que foram tão generosas comigo, me receberam como parte da comunidade, mas sim, era muito difícil viver naquela paisagem constante, lutando o tempo todo contra a natureza, atenta a coisas como um urso polar na varanda.

— Eu entendo perfeitamente. Mamãe também não era realmente feliz por lá, acho que foi importante para ela ficar um tempo, mas não vejo como poderia se abastecer de inspiração por muito mais tempo.

— Tinha muita beleza por lá, Seth.

— Como as luzes do Norte — digo com as melhores memórias possíveis, ela me olha nos olhos com um sorriso.

— Lindas! — Ela também parece se lembrar. Fazemos os pedidos, comida leve e água, poderia pedir um vinho, mas não acho que ela possa beber.

Ficamos de novo sozinhos, ela corre os olhos pelo lugar, em sua maioria casais namorando, conversas baixas e mãos dadas.

— Você vem sempre aqui?

— Não, mas sei que é um dos melhores restaurantes. — Olho em torno. — É mais para casais.

— Que horas marcou a consulta?

— No fim da tarde. O médico é bem requisitado, mas dizem que é o melhor da cidade, então acho que podemos esperar até às cinco.

— Vai comigo? — ela me pergunta me dando a real dimensão do caminho que ainda tenho que percorrer.

— Não perderia por nada nesse mundo, Angelina.

— Obrigada! — Angie coloca a mão sobre a mesa e eu seguro em um gesto de carinho que a faz sorrir, é um sorriso lindo, puro e do tipo que venho esperando há tempos. — Será que podemos começar a montar a árvore quando chegarmos? Se estiver muito cansado...

— Não estou — corto antes que continue. — Amanhã meu pai chega à cidade, pensei em marcar um jantar com ele, o que acha?

— Seth... Eu sei que tenho que conhecer seu pai, mas... Acha que ele vai gostar de saber? Eu preferia que contasse antes, não quero de jeito nenhum assistir a alguma expressão de decepção ou sei lá, gerar um constrangimento.

— Não vai acontecer, Angie, mas não se preocupe, ele vai me encontrar pela manhã no escritório e vou contar a ele.

— Nesse caso, acho que posso organizar um jantar.

— Talvez eu possa reservar um restaurante, é mais prático, não precisa cozinhar.

— Cozinhar? Não, eu vou encomendar o jantar.

— Muito esperta. — Pisco e ela me sorri, levo sua mão ainda presa a minha aos lábios e beijo, nos separamos quando a comida chega.

A comida é ótima e a conversa leve, antes de oito da noite, já estamos deixando o restaurante, Angelina está feliz, eu posso ver apenas por seus olhos brilhantes e o modo como caminha ainda encantada.

— Quer dirigir? — pergunto quando chegamos ao carro, ela me olha surpresa e acho que gosto de surpreender Angelina. Entrego as chaves em sua mão.

— Tem certeza?

— Sim. Por que não?

Ela aceita, é boa motorista. Tenho que indicar o caminho, mas ela é segura ao volante. Um tantinho lenta, mas acho isso mais vantagem que problema.

Eu carrego as sacolas e a caixa, uma pena enchermos o elevador de coisas, eu adoraria continuar de onde paramos, seu rosto queima assim que a porta do elevador se fecha.

Montar a árvore, não vai ser tão divertido quanto os beijos no elevador, mas vai fazê-la feliz.

Visto algo mais confortável, depois do banho, encontro Angelina na sala. Ela me espera com as coisas espalhadas pela chão, minto que estou gostando do plano com um sorriso, a verdade é que estar com ela me faz feliz, o resto é só detalhe.

— Quero colocá-la aqui. Pensei em puxar esse móvel mais para direita, vai ser bom tê-lo aqui perto do Natal. Se vamos fazer uma festa, podemos decorá-lo.

— Só isso?

— Sim, tem tomada, é um ótimo lugar. Dá para ver assim que entra no apartamento e não fica no caminho.

— Sim, senhora! — Obedeço, depois é o inferno em forma de Natal. Demora mil anos, para montar a árvore, é preciso passar as luzinhas por entre os galhos, mas uma hora depois, ela tem sua árvore montada.

— Agora é com você — digo me atirando no sofá, ela começa a decoração.

— Se notar, não escolhi luzes coloridas, elas são todas brancas.

— Meio amarelada — digo assistindo as luzes piscarem enquanto ela vai pendurando os enfeites, Angelina tem bom gosto, eles combinam, todos têm o mesmo estilo; está entre dourado e vermelho.

— Queria algo bem tradicional.

— Fiquei triste, devíamos ter trazido a rosa. — Ela ri, me atira uma bolinha de isopor.

— Que brava! — brinco esperando a árvore ficar toda enfeitada para apagar a luz da sala e envolver Angelina em meus braços.

— Não é como assistir a aurora boreal, mas é linda — ela diz emocionada. — Obrigada, Seth! Eu admito que estava sentindo falta desse espírito de Natal. Cory esperava ansioso pelo Natal, eram dias muito alegres.

—Tenho certeza de que sim. Ano que vem você vai ter um bebê no colo — eu a lembro e ela apenas balança a cabeça afirmando. Emocionada de mais para falar sobre isso. — Acha que ele vai comer as bolas de isopor?

— Você é péssimo! — Ela ri.

— Pode ser, mas acho que hoje você passou dos limites, melhor ir se deitar, Angie. Está tarde, fizemos uma viagem longa, ainda não fomos ao médico. Então vai deitar e ficar quietinha.

— Eu vou. — É horrível me despedir, queria envolver Angelina nos braços, talvez carregá-la para minha cama, mas não vou atropelar as coisas, ela ainda está insegura e eu tenho que admitir que gosto desse joguinho.

Eu a levo pela mão até a porta de seu quarto, beijo seus lábios muito rapidamente. Se prolongar o beijo me esqueço do meu plano e acabamos na cama, não acho que ela vá recusar, no fundo, ela quer tanto quanto eu, mas não vai ser apenas uma noite de prazer para aplacar nosso desejo, tem que ser uma vida juntos. Um futuro.

É fácil pegar no sono, juro a mim mesmo que antes do trabalho vou passar no barbeiro e cortar o cabelo e fazer a barba, estou realmente feliz.

Thea já está na cozinha com Angelina pela manhã, as duas conversam sobre o Natal e a decoração.

— Eu não esperava uma árvore de Natal, mas foi bom encontrar uma. — Thea está feliz. — Ficou boa, você tem jeito para isso.

— Eu gosto, ficou linda! — Angie elogia. — Essa sua panqueca está muito boa.

— As frutas são importantes — ela diz quando me junto a elas. — Seth, quer tomar café também?

— Bom dia, Thea! Hoje não, eu tenho tanta coisa para fazer, vejo vocês mais tarde. Angie, está bem? — Ela sorri para mim enquanto balança a cabeça afirmando, lambe os dedos e fica de pé.

— Estou, sim, eu estava aqui pensando. Seu pai é alérgico a alguma comida? A esposa dele vem também?

— Não sei. Não sei se ela vem e se ele é alérgico nunca soube de nada. Que boa pergunta. Adorei isso. Você é tão esperta. Eu vou perguntar a ele e depois te ligo. — Vamos caminhando os dois para a porta, dessa vez é ela a ficar na ponta dos pés e me beijar os lábios e eu fico surpreso, feliz, bobo, um ridículo sentimental. Será que é sobre isso que Klaus tanto fala? — Bom dia! Se precisar me liga, dá mesmo tempo de organizar um jantar tendo uma consulta às cinco da tarde?

— Sim, com toda certeza. Thea vai me ajudar. — Olho para árvore e depois para ela.

—Tenho que admitir que ficou elegante e ao mesmo tempo.... natalina.

— Que bom que gostou.

— Não vamos exagerar, gostar é uma palavra forte, mas é sua primeira marca nessa casa. — Beijo Angelina mais uma vez. — Uma voltinha de elevador? — provoco só para ver seu rosto arder de vergonha, ela me empurra suavemente e então a porta do elevador se fecha.

Rosto limpo, cabelos cortados, eu de novo, é bom, me sinto eu finalmente, um eu bem melhorado.

Às nove da manhã, já estou atrás da minha mesa, envolvido no trabalho, as máquinas novas vão trazer melhoria e economia, fazem o trabalho de dez funcionários. Duas máquinas e teremos uma produção muito maior com muito menos custos.

— Seth! — Ergo meus olhos quando meu pai entra na sala, ele parece aliviado ao me ver. — Finalmente está de volta.

— Foram só uns dias em Churchill — digo indo apertar sua mão e receber um abraço.

— Não falo disso, falo de você. Barbeado, cabelo cortado, é você de novo.

— Acho que sim.

Ele se senta na poltrona e eu no sofá, é cedo para um drink e quando ele me olha nos olhos e sei o que tenho para contar fico um tanto inseguro de como dizer a ele.

— Por que eu estou aqui? — ele pergunta sem rodeios.

— Fechamos a compra das máquinas, foi você que resolveu pedir uma reunião do conselho para aprovar isso?

— Foi para isso que me chamou? — Papai sorri. — Claro que não! Marquei também para tratar disso, mas não como um pedido de aprovação. Acho importante abrirmos para eles as mudanças que temos em mente. Além disso, quero uma avaliação da sua gestão, agora sou parte do conselho executivo.

— Está difícil abandonar seu lugar de líder? — pergunto sem ser realmente um problema se for verdade, ele dirigiu essa empresa por anos, natural sentir falta.

— Não. Pelo contrário, estou bem feliz com a vida que tenho agora. Embora eu esteja vindo mais a Toronto do que quando ainda carregava o cargo de CEO.

— Eu sei, foram dias meio conturbados — digo chegando ao ponto em que quero falar com ele.

— Resolvidos? — ele questiona.

— Acho que sim.

— Encontrou a mocinha que trabalha com sua mãe?

— Angelina, pai. O nome dela é Angelina e talvez seja bom começar a se acostumar com esse nome. — Ele ergue uma sobrancelha.

— Parece que encontrou alguém. É isso? Podemos dizer que Seth Arnett finalmente encontrou o amor?

— Sim — admito sem rodeios, eu confio em meu pai, somos amigos e não acho que seja um problema para ele, no fundo, ele queria um neto, não pelos motivos que minha mãe queria, mas isso pode ser adaptado.

— É sério? Vai ficar indo a Churchill...

— Elas estão aqui. Mamãe e Angelina. Não vamos mais a Churchill, quer dizer, talvez em férias. A aurora boreal é um espetáculo incrível e gostaria de voltar com minha família.

— Está falando em se casar, Seth?

— Pai, esse é o ponto da nossa conversa, por isso pedi que viesse. Eu não quis contar por telefone. Quando voltei a Churchill foi porque estava decidido a tentar convencer Angelina que tínhamos uma chance e que eu não devia ter partido assim.

— E conseguiu?

— Angelina está grávida, vamos ter um filho. — Ele abre e fecha a boca, primeiro é uma onda de surpresa, depois um meio sorriso. — Eu não pude me declarar como tinha planos, quer dizer, eu não tinha planos de me declarar. Sejamos honestos, eu não levo jeito para isso. Eu pretendia... Sei lá, mas de todo modo, não pude fazer nada disso, ela entenderia tudo errado.

— Um filho! Seth, vai ser pai? Eu vou ser avô? — Balanço a cabeça afirmando, ele parece não se concentrar em mais nada. Fica de pé e me abraça. — Parabéns! Parabéns! O que acha que é? Um garotinho? O novo CEO da Arnett, ou quem sabe uma menina? A primeira mulher a comandar nossa empresa, sua mãe adoraria isso.

— Pai... Eu não quero que meu filho seja tratado como um aprendiz, eu amo meu trabalho, não queria ser nada além do que sou. Nunca quis, mas foi pura sorte. Se eu tivesse odiado isso... Seria uma decepção depois de tudo que investiu no meu futuro aqui na empresa, não quero dar esse fardo ao meu filho.

— Eu nunca tinha pensado nisso, não sabia que te causava essa sensação. Acha que exagerei?

— Não vamos discutir isso, papai. Estou feliz e fez o melhor que pode, só estou pedindo que aproveite o seu neto ou neta e não crie planos para essa criança.

— Entendo. Você vai ser pai! — Ele sorri. — Como Angelina está? O que os médicos disseram? Tem um ultrassom? Dizem que nesses modernos, dá para ver o rosto.

— Ainda não fomos ao médico.

— Está dizendo por aí que vai ser pai sem nem ao menos um teste sério? Um exame?

— Ela está grávida, pai. Fez o teste e tem os sintomas e eu... Eu nem consigo pensar em não ser...

— Ok! — ele diz voltando a me abraçar. — Não quero pensar nisso. Me conta. Ela está feliz? Como é que vão resolver isso?

— Eu vou conquistar Angelina e me casar com ela, mas ela ainda não sabe disso.

— É isso, determinação! Quando vou conhecê-la?

— Essa noite vai jantar lá em casa. Francine veio junto?

— Está no hotel, viemos pensando em ficar uns dias, ela tem umas coisas para resolver.

— Vocês são alérgicos a alguma coisa? — Ele me olha surpreso. — Angelina vai organizar o jantar e quer saber.

— Nenhum dos dois tem qualquer alergia. Sua mãe vai estar nesse jantar? Ela já sabe?

— Soube antes de todos nós, descobriu assistindo as pequenas mudanças em Angie.

— Angie. — Ele sorri. — Você fala dela e dá para ver umas pequenas mudanças em seu olhar, Seth, você vai ter um filho! — Meu pai está exultante. — Odeio não poder comemorar que agora temos um legado e que seremos...

— Nada! Nada de legado, nada de herdeiro da cadeira de CEO, só uma criança que vai adorar o Natal.

— Natal? É sério? Você odeia essas festas.

— É eu sei, mas aprendo a gostar. Você gostava quando eu era criança.

— Ainda gosto. — Ele suspira. — Por que me dar uma notícia dessas ainda pela manhã? Tínhamos que abrir um champanhe.

— Quem sabe essa noite? — pergunto a ele que balança a cabeça rindo.

— Um neto! Eu vou ter um neto, justo agora que me mudei para Michigan. Samantha é esperta, veio correndo de volta para Toronto.

— Elas são muito amigas e eu espero que você goste dela, não que tenha outra escolha, mas se gostar vai ser bem melhor. Angie é uma mulher incrível.

— Por que não me conta mais sobre ela? Quero saber tudo — afirmo animado, não que ele seja bom em conselhos amorosos e familiares, mas está feliz por mim e isso é o que importa.

CAPÍTULO 26

Angelina

— Tem certeza que ele gostou da notícia? — pergunto a Seth que apenas balança a cabeça afirmando enquanto encara o celular resolvendo qualquer coisa importante do trabalho.

Não sei como pode ficar tão calmo enquanto estamos aqui, nessa sala de espera elegante e fria. Somos apenas nós dois, sentados lado a lado em um elegante sofá de couro preto, com vasos de cristal e quadros impressionistas espalhados pelas paredes cruas.

Suspiro longamente torcendo os dedos no colo, não devia ter marcado um jantar com o pai dele no mesmo dia em que vamos fazer o exame mais importante da minha vida.

Sorte Thea me ajudar indicando um bom restaurante, deixei a mesa pronta, vinho gelando, um vestido bonito ou o mais bonito que tenho sobre a cama. É só ligar o forno para aquecer o jantar, tomar um banho e me vestir, vinte minutos e tudo está pronto.

Olho para o relógio de pulso no braço de Seth enquanto ele digita ferozmente, faltam cinco minutos, será que o médico será pontual?

— Quanto? — pergunto e ele desvia os olhos um instante para me olhar tentando alcançar a pergunta. — Feliz quanto?

— Cem por cento feliz. — Ele sorri. Seth fica todos os dias um pouco mais bonito, um pouco menos misterioso.

— Ele sabe que eu sou pobre? Não se importa?

— Não, ele não se importa, por que se importaria?

— Sei lá! Ele podia não gostar do neto ser filho de uma mulher pobre. — Seth parece achar engraçado.

— Não faz sentido ele se preocupar com isso se meu filho já vai nascer rico.

— Nosso filho, quando eu falo meu filho você não gosta. — Ele volta a sorrir e desiste do celular, guarda no bolso do terno e me olha nos olhos.

— A minha parte do filho vai nascer rica, melhor assim? A sua parte será pobre, resolvemos isso?

— Acho que sim. Mas não dá para dividi-lo feito o par de sapatinhos.

— Exatamente, então meu pai ficou feliz pelo todo. Ok?

— Estou sendo boba?

— Vindo de onde vem, com aquela gente mesquinha com quem esteve os últimos anos, natural ter esse tipo de pensamento.

— Não vai contar para ele que pensei essas coisas, ele pode se ofender comigo. — Seth sorri, cruza uma perna sobre a outra e me puxa para seu abraço.

— Vamos esperar esse médico mais cinco minutos, depois vou reclamar.

— Ele deve estar em consulta. Consultórios são assim, nunca atendem na hora exata.

— Não vamos passar meses em uma sala de espera, é melhor que comecem a ser pontuais. — Ele volta a criticar.

— Você não parece nervoso, sabe que talvez dê para ver alguma coisa no ultrassom? Ouvir o coração, essas coisas.

— Eu sei, dei uma lida mais cedo.

— Mesmo assim está calmo. Não vai passar mal de nervoso, chorar de emoção?

— Posso tentar — ele diz olhando para a secretaria atrás de sua mesa, a moça desvia os olhos sabendo que ele não gosta de esperar e que está prestes a ir fazer uma reclamação.

— Não quero que você tente chorar, Seth!

— Que ótimo, não sou bom em fingir — ele diz realmente aliviado me fazendo rir. — E você, está bem?

— Estou nervosa — admito. — Acho que eu não vou a uma consulta médica desde a minha adolescência, a última vez que estive em um médico, mamãe estava comigo.

— Não fala muito sobre ela — ele constata.

— Sinto muita falta quando falo dela, minha mãe era um anjo, igual a sua. Uma pena ela ter partido cedo. Se acontecer alguma coisa comigo vai cuidar bem do bebê?

— O que é isso? — Seth perde um pouco a cor, fica transtornado. — Por favor, dê um sinal antes de dizer uma coisa como essa. Tenha piedade!

— Seth, pode acontecer.

— Está se vingando porque eu disse que estava calmo? Quer que eu torture o médico e o obrigue a assinar um contrato de garantia de vida? Tem ideia das imagens que acabo de criar na mente. — Ele se afasta, fica de pé e da uma volta pela sala. Olha para a recepcionista. — Vai demorar? Ela não está passando bem, está começando a ter delírios.

— O médico já vai atendê-los. Normalmente não temos atrasos — a moça garante me olhando preocupada.

— Seth, senta aqui! — digo por entre os dentes, com vergonha da cena absurda dele, como é que se tem uma conversa séria assim? Eu tenho que me precaver, tudo é incerto na vida, claro que não gosto de pensar sobre isso, mas agora que me ocorreu eu tenho que ter certezas.

— Não chega perto de mim! — ele diz andando para longe, a minha irritação passa e tenho vontade de rir. Cruzo os braços fingindo estar brava, desvio meus olhos e travo a mandíbula para não rir. Ele volta a se sentar. — Silêncio. Vamos esperar o médico em silêncio.

Quando ele passa seu braço por meu ombro, eu me afasto, ele não liga muito, vem até mim e de novo, passa seu braço por meu ombro. Decido não continuar com a pequena teimosia.

— Não vai roubar meu lugar. Eu estou bravo, você disse a bobagem e eu estou bravo, não vamos inverter as coisas.

— Às vezes precisamos ter uma conversa difícil, Seth.

— E decidiu que o momento propício para isso é na sala de espera do obstetra uns instantes antes de vermos nosso filho?

— Talvez você esteja certo! — Me encosto ao seu peito e aceito finalmente seu abraço. — Mas eu preciso ter alguém para falar sobre esses medos, acho que pode acontecer sempre.

— Liga para minha mãe. — Antes que possa responder uma mulher sai da sala do médico acompanhada de uma senhora, as duas sorriem, a mais jovem tem uma barriga de pelo menos uns seis meses e está feliz, sorrio pensando em como será ter uma barriga assim, sentir meu filho se movendo dentro de mim.

— Vocês podem entrar. — A moça diz gentil.

— Seth, vamos querer saber o sexo do bebê? — pergunto segurando seu braço um pouco antes de entrarmos. Ele me olha um tanto surpreso.

— Parece óbvio, não? Não faz sentido não saber, quer dizer, é mais prático, pode escolher nome, decoração, comprar roupas, mas é você que decide, se não quiser saber eu vou morrer de curiosidade por meses e perder noite de sono, o que acha?

— Que vamos saber antes — eu digo rindo, não quero roubar suas noites de sono e no fim, eu bem que concordo.

O médico fica de pé para nos receber. Tem cabelos brancos, olhos escuros, rosto gentil e sorri amplamente quando nos vê. Oferece lugares diante de sua mesa e se acomoda também.

— Bem-vindos! — ele diz ainda risonho. — Primeira consulta com um médico obstetra?

— Sim — respondo com a voz trêmula. Seth procura minha mão e prende à sua, deixa que nossas mãos descansem sobre sua coxa e esse simples movimento me acalma.

— Primeiro filho, suponho.

— Sim. — Ele olha para a tela do computador com as informações básicas que passei para a recepcionista.

— Ótima idade para ter um bebê, tem algum problema de saúde? Toma algum remédio?

— Nada.

— Ótimo! Vou pedir alguns exames que são comuns e receitar uma vitamina. Vamos fazer uns exames clínicos, pressão, ultrassom, o básico para começarmos. — Uma enfermeira sai de uma sala lateral. — Fico conversando com seu marido enquanto vai se preparar.

— Não pergunte coisas importantes sem mim — digo a Seth enquanto fico de pé, ele sorri e eu sei que vai encher o médico de perguntas importantes enquanto me troco.

A enfermeira é sorridente e gentil, me indica o trocador, depois me coloca na cama desconfortável. É bem constrangedor estar aqui com Seth, não somos íntimos a esse ponto, mas nem ela e muito menos o médico sabem disso, vamos ter um filho, eles esperam que sejamos um casal.

Meu rosto queima de vergonha. Mordo o lábio, quero fugir desse constrangimento, ao mesmo tempo em que estou ansiosa, emocionada e tensa.

— Só vou chamá-los quando estiver pronta. Como se sente? Está confortável?

— Na medida do possível — digo de modo honesto. Ela aperta minha mão.

— Nenhuma mulher fica realmente confortável nessa situação — ela me confessa e de algum modo, isso me acalma. — Vou buscar seu marido. Isso vai ajudar.

Ela me deixa sozinha por uns instantes, quando retorna, Seth vem em seguida com o doutor Dan Myers. O homem é realmente famoso, tive tempo de dar uma olhada em seu trabalho pouco antes de Seth chegar para me buscar, ele parece ser o tipo que atende os ricos e famosos.

— Estamos prontos? — ele me pergunta e balanço a cabeça afirmando. Me concentro em olhar a tela enquanto Seth aperta minha mão e também se concentra na tela. Meus olhos marejam no primeiro instante, mesmo sem saber direito o que estou vendo, já sinto a emoção. — Muito bom! — o médico diz ainda concentrado no que vê.

— Já dá para saber se é menino ou menina? — Seth pergunta a ele.

— Ainda não, vamos esperar mais um pouco. No exame de sangue que pedi já vai dar para saber.

— No exame de sangue não tem emoção — digo a ele e Seth me olha com uma ruga na testa, sei o que está pensando. Qual a diferença? — Para mim, faz diferença.

— Não disse nada! — Ele sorri, voltamos a olhar para a tela.

— Prontos para ouvirem o coração dele batendo forte? — o médico questiona de modo alegre.

— Cento e cinquenta pulsações por minuto, o dobro da sua — Seth diz cheio de certeza, me surpreendendo. — Ele está do tamanho certo? Uns dezesseis milímetros.

— Como sabe disso? — pergunto, surpresa.

— Eu disse que dei uma lida no assunto — ele confessa e então aperta minha mão quando finalmente começamos a ouvir o coração. — Está ouvindo? Forte! — Nos olhamos, surpresos com o que fizemos juntos; uma vida. Uma linda vida, com esperanças, medos, sonhos, dias bons e ruins, decepções, perdas, risos e amor.

Não pensei que teria uma crise de choro, mas acho que não estava pronta para dimensionar assim sua existência.

— Está tudo bem! Ele está bem! — Seth se curva, esquece um pouco a tela, não está chorando, não está nervoso, é como ele é, prático, destemido, autêntico. Sinto seus lábios tocarem os meus, ele seca minhas lágrimas e eu respiro fundo para me acalmar. Toco seu rosto em gratidão.

— Obrigada por estar aqui, me acalmando!

— Olha, ele é do tamanho de um feijão — Seth brinca me fazendo olhar para tela, quando finalmente o feto aparece com clareza eu consigo divisar com perfeição que ele está com o dedo na boca. — Ele... Ele...

Seth solta minha mão, se afasta. Deixo de olhar para a tela para acompanhá-lo ir até próximo do monitor, ignorar tudo e todos, fixar seus olhos embevecido, encantado, mudo, totalmente entregue a imagem e enquanto só faço chorar de emoção. Leva um longo momento de silêncio e encantamento, nem mesmo o médico tem coragem de interromper enquanto eu apenas fico em minha luta com as lágrimas e a emoção de assisti-lo em seu primeiro encontro real com nosso filho.

Dá para tocar seu amor, suas certezas, é bonito e simples. Ainda é ele, mas um lado dele que eu nem sabia existir, talvez ele também não.

— Ele vai precisar de um dentista. — É o que ele acha interessante dizer, porque é Seth Arnett e é assim que funciona sua mente, prática e uns passos à frente. Nesse caso, uns anos à frente, quando ele acredita que o filho precisará de um dentista por conta de estar nesse momento com o dedo na boca.

— Senhor Arnett, não esperava por essa — o doutor diz rindo.

— É instintivo, ele está fortalecendo os músculos da boca preparando para a sucção — Seth conta e começo a achar que ele não passou os olhos em algum material, ele está estudando profundamente o assunto.

— Exatamente! — Doutor Myers concorda. — Bem, vamos esperar Angelina na minha sala, a enfermeira vai ajudá-la.

Seth vem até mim, se curva e me beija os lábios. Um beijo carinhoso, afasta meus cabelos e sorri.

— Você está bem? — ele pergunta secando minhas lágrimas.

— Foi lindo! — digo emocionada.

— Foi mesmo. Agora temos uma imagem para guardar enquanto esperamos. Fica calma, estou esperando você na outra sala, não chora mais. Está tudo bem. Ele está bem e você também.

— Acho que sim, talvez desidratada de tanto chorar.

— Isso com toda certeza. — Ele me beija os lábios mais uma vez, depois me deixa sozinha e deixo a cama animada e meio tonta. A enfermeira me ajuda e uns instantes depois estou sentada a seu lado, ele prende sua mão à minha e encaramos o médico.

Doutor Myers deixa claro que não há muito a dizer antes de todos os exames, pelo que pôde ver, tudo se encaminha bem, com os perigos naturais de um primeiro trimestre onde as taxas de aborto natural são razoavelmente grandes. Me assusta, mas tem qualquer coisa em mim que me enche de certezas e desconfio ser Seth ao meu lado, sua confiança simples e palpável me faz forte.

Deixamos sua sala e marcamos a nova consulta, posso fazer os exames amanhã mesmo, pela manhã, não são nada demais e vou gostar de sair cedo.

Fecho o casaco quando deixamos o elevador, a garagem do edifício é gelada e só quando entro no carro que a onda de calor me envolve posso tirar o casaco.

— Feliz?

— Muito, Seth. Eu nem saberia colocar em palavras.

— Vamos ficar bem, você precisa manter um pouco o repouso como ele disse. Nada de exageros por essas primeiras semanas, dormir bem e se alimentar direito, assim que chegarmos vou pedir as vitaminas.

— Obrigada! Ele é tão pequeno e o coração tão forte. Acha que é um menino ou uma menina?

— Não sei. O que acha? — Ele devolve a pergunta.

— Depende do dia, então acho que não conta muito. Logo vamos saber, nem acredito que temos as imagens em vídeo, sua mãe vai ficar tão emocionada.

— Vamos mostrar essa noite, em uma sessão especial de cinema. — Ele está orgulhoso.

— Acho que pode ser emocionante.

Ele coloca uma música suave e ficamos os dois perdidos no mundo das memórias pelo resto do caminho. Seth me ajuda a deixar o carro, algo está mudando nele, talvez a ideia de que existe uma chance de um aborto espontâneo, ele nem se lembra de nossos momentos no elevador quando entramos, normalmente a primeira coisa que faz é rir cheio de cinismo, dessa vez, está só me olhando feito bobo.

— Vou pedir para o papai não chegar muito cedo, assim você descansa.

— Não estou cansada e é falta de educação fazer isso.

— Claro que não, ele é meu pai. — Ele acha graça e talvez seja mesmo natural, passei tantos anos afastada do meu pai que quando ele voltou eu já não era muito íntima dele.

Nos separamos na sala, vou me arrumar enquanto ele segue para o seu quarto. Será que algum dia nossa história vai evoluir para momentos mais íntimos? Não sei ainda se ele não quer ou está sendo cauteloso comigo, não me sinto pronta para perguntar, mas um dia eu vou fazer isso.

Quando retorno para a sala, depois de olhar o forno e ter certeza que tudo está pronto, encontro Seth de pé, ele usa um jeans, camiseta e tênis, é ele, ao mesmo tempo é um Seth como o que conheci em Churchill e gosto dele, sem o terno e a gravata, com olhos de aço.

— Você está linda! — ele diz me fazendo sorrir aliviada e encantada. — Esse vestido é bem... sensual! — Fico surpresa, não era o plano, eu nem tenho muitas roupas, um macacão de tecido fino, com gola em v e mangas longas, marca bem a cintura e só estou usando porque sei que breve ele não me servirá mais.

— Obrigada!

— Não me agradeça. Agradeça não estarmos no elevador. — Ele faz com a única intenção de me fazer corar, posso ver pelo riso que felizmente é interrompido pela chegada de Samantha.

É um alívio ela chegar primeiro. Ganho seu abraço, sua atenção e me sinto pronta para receber Stanley Arnett e sua esposa Francine.

Fico pensando se vai haver algum constrangimento entre elas, mas torço para que tudo seja pacifico.

O casal chega antes que possa contar a Sam como foi a consulta. Francine e Samantha trocam um caloroso abraço que me desconcerta. Depois de trocarem alguns elogios, é a vez de Sam abraçar Stan.

— Vamos ter um neto! — ela diz orgulhosa.

—E você guardando segredos! — Ele a condena sorrindo. Eu imóvel esperando ser apresentada. Seth me puxa suavemente pela mão.

— Fran, papai, essa é Angelina.

— Sempre soube que quando ele encontrasse uma garota seria assim, um anjo.

O pai é um homem ainda muito bonito e elegante, posso ver que tem orgulho do filho e que não é um esnobe como pensei, também noto que ele e Sam parecem não ter nenhuma mágoa passada, é impressionante e maduro como aquele trio se relaciona. Fran parece bem à vontade com Samantha, Stan lida bem com a situação e Seth também não parece se importar muito com nada que os envolva.

— Vocês querem beber alguma coisa? — convido pensando que é cedo para o jantar.

— Vinho? — Sam questiona e sorrio aprovando.

— Claro. Seth, me ajuda?

— Sim, senhora. Ela deixou tudo pronto, jantar, vinho gelando, taças sobre a bandeja. Tem até uns petiscos.

— Angie tem muito talento para isso, está organizando minha exposição. — Sam continua a sessão elogios.

— Ótimo! Quem sabe ela organiza aquela recepção que vamos preparar para janeiro? — Stan me olha diretamente. — Temos o costume de começar o ano com uma festa para a diretoria e os conselheiros, é apenas um modo de incentivar para que seja um ano positivo e que todos comecem com energia, você pode organizar isso?

— Claro! — digo sorrindo, bem que gosto da ideia. — Quem organiza a festa para os outros funcionários, os que trabalham... mais pesado? — O riso de Samantha é largo e alto, pai e filho trocam um olhar enigmático.

— Você! — Seth me responde. — Você organiza, me envie um orçamento em duas vias. Eu pego o vinho enquanto discute essas coisas com o meu pai, ele é o diretor comercial, acho que vai ser sua melhor ajuda.

Seth me deixa sozinha com ele, Sam segue o filho e Francine se distancia fingindo olhar a decoração.

— Estou às suas ordens! — Stan avisa e se pensa que vou ser boba e fugir assustada ele está errado.

— Estamos falando de quantos funcionários? Seth pode fazer um discurso motivacional.

— Não posso não, pai, diz a ela que eu não faço essas coisas

— É o CEO, acho que deve fazer, eles vão adorar, vai aproximá-lo.

— O Klaus faz isso, ele é o cara certo, essa é a sua taça, com água. — Ele me aponta a taça sobre a bandeja. — Vamos falar sobre o bebê, temos um vídeo.

Esperto como só ele, a festa para os funcionários e seu discurso é imediatamente esquecido. A noite corre tranquila, eles se emocionam com as imagens, elogiam a comida e a decoração da mesa, a escolha do vinho, falamos assistindo mais uma vez ao ultrassom no fim da noite e Seth e o pai conversam sobre a aquisição das novas máquinas que tanto os anima.

Quando nos despedimos, estou feliz e tranquila, Stan e Fran são pessoas agradáveis, nada que se compare a Samantha, mas sinto que é possível uma boa convivência e posso ver que o senhor Arnett está mesmo feliz pelo neto, claro que ele tem seus próprios planos, deixou escapar mais de uma vez que eu carregava o futuro CEO, mas foi Seth a corrigi-lo e isso é entre eles, sei que meu bebê será feliz com a escolha que quiser para seu futuro e nada nem ninguém vai passar por cima disso.

— Foi uma ótima noite — ele diz quando subimos juntos as escadas depois de tudo desligado. Só quero tirar os sapatos e colocar as pernas para cima, achava que a dor nas pernas demoraria a acontecer.

— Perfeita! — respondo feliz.

— Amanhã falamos mais sobre a festa. Você está muito cansada, dá para notar — ele diz tocando meu rosto já na porta do quarto. Sorrio com o carinho, esse é um daqueles momentos que tudo que precisava era me deitar em seu peito e cochilar com ele me afagando os cabelos. — Boa noite! — Ele me beija os lábios e me deixa sem olhar para trás.

Visto minha camisola, deito com as pernas sobre alguns travesseiros e sinto a pressão diminuir, fecho os olhos e finalmente entendo. Duas máquinas trabalham no lugar de vinte funcionários, ele vai demitir vinte pessoas. Afasto as cobertas e deixo a cama sem pensar muito, eu não posso dormir sabendo que ele vai demitir e deixar vinte famílias sem trabalho e talvez antes do natal.

Bato em sua porta, mas não espero por autorização para entrar. Ele deixa o notebook de lado, me olha surpreso e assustado, não posso deixar de notar que está sem camisa e é um maldito homem bonito.

— Você comprou duas máquinas que trabalham por vinte homens. — Ele ergue uma sobrancelha, surpreso. — Isso significa que vai demitir vinte funcionários!

— Sério? Eu moro com uma sindicalista! — Seth passa a mão pelos cabelos. — Veio aqui... Falar sobre isso?

— Não sou sindicalista, mas se demitir vinte trabalhadores uns dias antes do Natal. Eu mesma ligo para o sindicato! — Deixo seu quarto depois de bater a porta. No fim ele não muda essa frieza com que leva a empresa, não fosse deixar Sam nervosa a essa hora, eu bem que ligaria para ela, duvido que ela ache isso certo. Ela é membro do conselho, vai fazer alguma coisa, alguém vai, ou eu mesma faço.

Escuto sua porta abrir quando estou entrando de volta em meu quarto.

— Angie, vamos conversar!

— Não! — digo batendo a porta com força, ele não reage e isso é bem mais irritante. Ainda espero um longo momento ele invadir o quarto para resolvermos, mas ele não vem e só me resta deitar e tentar dormir.

CAPÍTULO 27

Seth

— Seth! Seth! — Sinto meu corpo balançar, Angelina me chacoalha e abro os olhos atordoado. São quatro horas da manhã, é a primeira coisa que percebo olhando para o relógio ao lado da cama, me sento um tanto atrapalhado.

— Quer conversar sobre as demissões? Quer fazer isso às quatro da manhã?

— Não! — ela diz e suspiro sabendo que voltar a dormir não é uma opção, me sento pensando que já que ela está em meu quarto, é melhor eu tentar me aproveitar um pouco disso. — Tive um pesadelo — ela conta sentada na beirada da cama.

Bom momento para quem sabe envolvê-la e dizer que tudo vai ficar bem, oferecer a cama para que ela durma um pouco sob a minha proteção.

— Sinto muito!

— Sonhei que nosso filho estava adulto, ele era o novo CEO e chegava contente para contar que tinha demitido todo mundo e agora só as máquinas trabalhariam para a empresa.

— Foi só um sonho bobo, isso nunca vai acontecer, Angie. Mesmo que as máquinas substituam boa parte dos funcionários, sempre teremos alguns para administrá-las. — Ela suspira.

— Ainda não acabou. Ele se chamava Luz do Norte!

— Meu Deus, Angie! Eu sinto muito! — digo realmente penalizado. — Por que não se deita aqui e me conta de novo como foi esse sonho?

Não dou muita chance de ouvir um não, vou para o lado enquanto puxo Angie para meus braços e o fato é que ela não oferece resistência, se ajeita na cama, a cabeça em meu peito. Aproveito para abraçá-la, é aqui o seu lugar, todas as noites da nossa vida, é aqui que devia estar, dormindo comigo, mesmo brava e com raiva é aqui que tem que ficar.

— Foi tão estranho. — Ela me conta enquanto se arruma em meu peito, acho que ainda não se deu conta, melhor continuar a enrolar Angelina antes que ela se dê conta de onde está.

— Muito estranho, conte mais.

— Que frio! — Adoro dormir com o quarto perto de congelar. Ajeito a coberta sobre ela.

— Muito melhor, agora abra seu coração, fale mais sobre o pesadelo.

— Acho que foi só uma mistura de tudo, a conversa com seu pai, essas coisas horríveis que vai fazer com seus funcionários, dormi meio tensa e sonhei.

— Só o que não se explica é esse nome horrível na pobre criança, não me admira que tenha crescido um desajustado. — Angelina me olha, ofendida. — No sonho! — conserto e ela volta a se acomodar.

— Não é da minha conta o que faz com sua empresa, eu sei que não é da minha conta, foi hipocrisia pensar que podia lutar por eles quando... quando não lutei nem mesmo por mim quando fui explorada por anos.

— Está tão errada que dá até certa pena — digo sem medo de ser incisivo demais. Ela não parece se importar muito.

— Se puder me fazer mudar de ideia é um bom momento. — Quatro da manhã, ela em minha cama e eu tendo que usar de retórica para fazê-la mudar de ideia sobre si mesma, tem gente que não sabe aproveitar as oportunidades.

— Não lutar por si foi bem natural, não conhecia outra realidade. Só quando há muito pouco tempo foi viver com minha mãe é que pode se dar conta, já havia muito distanciamento, então não é hipócrita por querer fazer pelos outros o que ninguém fez por você, não é hipócrita reconhecer seus erros e não querer que se repitam em outros lugares. É empatia, eu acho.

— É bom pensar assim — ela diz com a mão espalmada em meu peito. — Obrigada!

— Também não pode dizer por aí que não tem nada que ver com a Arnett, tem tudo a ver com ela. Quando falavam com o papai sobre a empresa dele, papai dizia "a empresa do meu filho", agora digo o mesmo, a Arnett não me pertence mais, pertence a esse bebê. Seu filho, lutar por ele é o que as mães fazem.

— Não muda nada, Seth. Você ainda vai demitir vinte pessoas e vai fazer isso antes da noite de Natal. Eles vão olhar para os filhos e vão estar infelizes, preocupados e com medo do futuro.

— Bem, é simples, me apresente outra solução. — De novo ela ergue a cabeça e me olha nos olhos. — Já disse a você mais de uma vez que estou sempre aberto para opiniões e ideias, então me apresente um plano diferente e se for bom, coloco em prática.

— Vou pensar sobre isso. Obrigada! — Afasto seus cabelos, ela sorri para mim. — Melhor eu voltar para minha cama.

— Se tiver outro pesadelo pode voltar, talvez tenha, está meio ansiosa, mas estou aqui, só me chamar. Se quiser ficar aqui, não tem problema. — Ela parece pensar um instante.

— Acho que vou ficar aqui mesmo, logo vai amanhecer.

— Isso. Bom plano. — Beijo levemente seus lábios, talvez mostrar que ela está segura aqui sem correr riscos de uma investida seja uma boa ideia.

— Boa noite! — Fecho os olhos deixando claro que ela está segura, Angie faz o mesmo, relaxa.

— Seth! — Ela vai me buscar lá na escuridão, naquele instante perfeito que antecede o sono profundo.

— Sim.

— Você dormiu. Não agora, antes, quando foi atrás de mim e eu estava brava, voltou e simplesmente dormiu.

— Sim, você não quis conversar e me mandou embora, então eu dormi.

— Não ficou pensando em um jeito de conversar comigo? Resolver?

— Fiquei, passei cinco minutos pensando nisso e decide que o melhor era esperar o dia seguinte e você também dormiu, teve até pesadelo. — Ela ri, começa com um sorriso e depois vira uma crise de riso.

— Desculpe! — ela pede cobrindo o rosto enquanto tenta se conter. — É sério, eu tive tanto medo de você quando chegou em Churchill, agora fico pensando que muita gente deve se assustar, mas é que você é antes de tudo prático, você só segue em frente, é analítico e isso... Agora acho mais engraçado do que assustador.

— Ótimo! Eu não gostaria que sentisse medo de mim. Não você.

— Não sinto. O bebê tem me mudado mais do que qualquer coisa ou pessoa que tenha cruzado meu caminho. Ele me obriga a reagir e ser forte, ainda tenho tanto que mudar, mas não sou mais a mesma.

— Não, você não é — digo apenas para incentivá-la, mas para mim, ela não mudou nada, Angie sempre foi capaz de lutar mesmo quando não tinha ideia disso, foi assim no instante em que cheguei e ela desafiou meu olhar, não se rendeu. Também sempre enxerguei esse lado benevolente e doce, a força para lutar pelo que acredita e ama. Por qual outra razão ela teria passado tantos anos naquela casa se não pelo amor que sentia pelo garotinho?

— Boa noite, Seth!

— Boa noite! — digo sem fechar os olhos, desisto de tentar dormir antes dela, não tenho qualquer certeza sobre se vai mesmo dormir ou me acusar de alguma coisa e me despertar.

Eu fico a olhar para ela, a coisa mais linda adormecendo suavemente depois de me deixar meio maluco. Acho que nunca soube apreciar a beleza de uma mulher, ou nenhuma me tocou a esse ponto, mas Angelina tem qualquer coisa de magia em si que me move sempre para sua direção, que me traz leveza e riso, eu sim mudei, eu sim quero todos os dias ser melhor e ganhar seu respeito e sua admiração.

Fecho meus olhos para tentar pouco mais de uma hora de sono até ter que me levantar para ir ao trabalho.

Acordo quando passa das sete e meia, não da mais tempo de me exercitar como gosto, mas consigo tomar um banho e me vestir sem despertá-la. Não tem outro lugar para Angelina senão essa cama, é aqui que ela tem que amanhecer todos os dias, em meus braços, mesmo que isso signifique nunca mais chegar no escritório no horário.

Thea está ligando o aspirador quando chego a sala pouco depois das oito da manhã, eu já devia estar chegando ao trabalho.

— Nem pensar. — Ela ergue os olhos antes de apertar o botão. — Angie teve uma péssima noite e está dormindo, não quero que a acorde com esse monstro.

— Passei no quarto dela e não a vi, pensei que ela tivesse saído cedo. Ela está no seu quarto? — Thea sorri.

— Embora não seja da sua conta, sim, ela está no meu quarto.

— Entendo, vou... achar outra coisa para fazer.

— Bom dia! — digo deixando o apartamento, antes que chegue a garagem minha mãe já vai saber da novidade.

Meu pai está no escritório, conversa com Viviane na minha antessala quando chego.

— Bom dia! — Ele usa um tom cheio de insinuações, se soubesse o que foi a minha noite, não daria esse sorrisinho

— Bom dia, pai! Achei que já estaria em um avião para casa.

— Conversei com a Francine, ela entendeu e concordou. Vamos ficar mais uns dias na cidade eu acho que você precisa de mais tempo em casa, talvez eu o ajude mais estando por aqui.

— Seria muito bom — digo quando entramos juntos em minha sala. — Tenho de fazer uma rápida viagem a Winnipeg e talvez Tracy me acompanhe, mas não devo perder mais que um dia fora, vou no primeiro voo e volto no fim do dia.

— Ir e voltar no mesmo dia? Cinco horas de viagem. O que vai fazer lá?

— Resolver umas coisas pessoais, papai. Tracy me acompanha para me garantir certas questões jurídicas, nada envolvendo a empresa, é sobre a Angelina e o antigo trabalho dela, mas é um segredo por enquanto.

— Está bem, quando vai?

— Amanhã, saio bem cedo e volto à noite, a menos que a Tracy tenha algo inadiável, ainda vamos conversar.

— Está bem, eu vou começar a ficar três ou quatro dias por semana aqui e o resto no Michigan, não é uma viagem longa, nada demais, depois quando seu filho nascer e você estiver mais livre, aí fico de vez no Michigan.

— Tinha certeza que poderia contar com você. Gostou dela? — É impossível não sorrir só de me lembrar de como foi bem durante o jantar. Angelina é tão inteligente, expansiva, é tímida, mas tem tanto a dizer que isso acaba vencendo sua timidez, foi tão bem com eles, não me lembro de ser mais agradável me reunir com eles.

— Francine chegou em casa totalmente encantada, ela acha que você encontrou seu par perfeito, vocês combinam, estou feliz por você e por meu neto, acho que ele terá uma mãe muito preparada.

— Totalmente.

— Espero que o casamento não demore.

— Eu também espero — conto a ele pensando que estamos dando nossos passos, não são longos, mas são constantes. Para quem nunca precisou lutar por nada. Acho que gosto que seja assim, tenho aprendido mais sobre mim do que sobre ela.

— Então vamos trabalhar — ele diz deixando minha sala.

Tracy aceita viajar comigo, acho que ter uma advogada ao meu lado para enfrentar os pais do garotinho é a melhor ideia. Não acho que vá ser um problema, estou praticamente presenteando essa gente e odeio isso, mas se é para fazer Angie feliz, então vai valer a pena.

Coloco o terno que mantenho no escritório junto com outra muda de roupa em uma maleta, Angie não pode saber que vou viajar. Preciso levar algo daqui, separo alguns papéis para ir estudando nas cinco horas de avião, ir e voltar no mesmo dia não é nada divertido, mas quero estar em casa na hora de dormir, não vou deixar Angie sozinha naquele apartamento e especialmente agora que estamos nos entendendo.

Depois de deixar tudo pronto com as passagens e a mala no carro, me despeço de Tracy combinando encontrá-la no aeroporto, volto para casa um pouco antes das seis. Sempre que entro no elevador penso naquele momento especial que dividimos, foi quente e ao mesmo tempo engraçado.

Essa parte de mim é um tanto nova. Não que eu tenha mudado, sou como sempre fui, mas por algum milagre, Angelina acha graça em meu cinismo. É uma das poucas capazes de rir da acidez do meu humor.

— Seth! — Angelina se aproxima tão ansiosa por me ver que me deixa até surpreso, ganho um abraço inesperado, a maleta vai para o chão no mesmo instante só para poder envolvê-la e aproveitar seu carinho. — Não te vi de manhã.

— Achei que merecia dormir um pouco mais. — É Angie a procurar meus lábios, um leve tocar que talvez não seja considerado um beijo, mas é carinhoso.

— Thea me disse, está com fome? Ela deixou o jantar, quer tomar um banho, eu pensei no que me disse, eu pensei o dia todo nisso.

— Hum, então acho melhor tomar um banho e me conta o que pensou, não demoro.

— Certo, eu vou servindo o jantar enquanto toma banho, pode ser?

— Pode, pode ser qualquer coisa — digo enquanto ela me segue até o quarto, não ligo se quiser entrar comigo no chuveiro, começo desfazendo o nó da gravata.

— Qualquer coisa não, trabalhou o dia todo, tem um jantar saudável. Agora tudo é meio saudável por conta do bebê — ela diz enquanto atiro os sapatos para o lado e tiro o terno. — Sam me acompanhou, aproveitei e fiz os exames de sangue que precisava. — Começo a desabotoar a camisa. — E... Eu... Ela... Esqueci. Espero você na copa. — Angie foge desconsertada enquanto me deixa rindo.

Eu a encontro arrumando o arranjo sobre a mesa, dessa vez tem os cabelos soltos, um sorriso que dança em seus lábios, linda, é um mundo de memórias, da primeira vez que a vi, depois quando voltei a Churchill, doente por ela e agora, nessa casa, esperando um bebê.

Tracy tem razão, foi um grande golpe de sorte ela estar grávida, trocamos um sorriso, não desviamos os olhos, nessa guerra de olhares nenhum sai vencedor.

— Então passou o dia todo ocupada? — pergunto quando nos acomodamos.

— Sim, fiquei pesquisando coisas — ela explica. — Quer vinho?

— Não, obrigado. Quem sabe quando você puder beber.

— Vai ter que me ensinar, eu não tenho prática. Acho que nunca... Seth, quando o bebê nascer e depois que ele não estiver mais mamando, quero tomar um porre! O que acha?

— Que... Tudo bem, vai odiar, mas fico de olho no bebê.

— E quem vai beber comigo?

— Ah! Eu? — Não sou bom nisso, nem quando era adolescente ou nos tempos de faculdade. — Certo, vamos tentar. — Aquela família tirou tudo dela.

Angie pergunta sobre meu dia, conta sobre os exames, o passeio com minha mãe, as conversas sem fim de Thea que também a põe louca. Por fim o jantar termina, mas não sua ansiedade.

— Por que não vamos para sala e me conta o que pesquisou o dia todo? — Ela aceita e seguimos lado a lado até o sofá.

— Estive pesquisando as grandes empresas... Não, vamos deixar mais claro, os gigantes. Você tem uma grande empresa, mas eu fui pesquisar os gigantes, descobrir o que tem em comum.

— Aposto que não é emprego vitalício! — Ela franze o nariz.

— Não. Primeiro, seus presidentes são jovens, assim como você, ou têm a mente jovial. Estão antenados com a época, nenhum deles é muito conservador, eles têm em comum ousadia, como você.

— Obrigado! — Ela sabe massagear meu ego.

— Todos conseguem incorporar a diversidade, os programas sociais. Todos têm os olhos voltados para a causa ambiental, entende? Ter o nome da sua empresa ligado a essas causas é importante e parece que lucrativo.

— Sim, eu sei, agora que assumi como presidente tenho começado a me envolver com isso, agendei reuniões. Quero mudar todo o marketing da empresa, buscar incentivar atividades de proteção ambiental, você está certa, meu pai sempre foi conservador e nunca quis mudanças, mas gosto de mudanças.

— Isso é incrível. — Ela sorri para mim emocionada.

— Mas não é isso que quer dizer, não é mesmo?

— Não. — Angie morde o lábio. — Plano de carreira. Você tem que pensar nisso, um plano de carreira para seus funcionários, diminuiria as demissões. Talvez não possa salvar esses vinte funcionários, mas outras máquinas virão, seria especial se eles acreditassem que tem chances de crescer, quando um cargo vaga, você não precisa buscar fora da empresa. Veja o Klaus...

— Já sei que o velho vai ganhar mil elogios.

— Não! Ele não pensou nisso, ele dirigiu a empresa a vida toda. Os filhos não queriam a vaga, mas se ele tivesse feito algo assim, com funcionários há tantos anos na empresa, então a essa hora, ele teria gente capacitada e totalmente apaixonada para ocupar seu lugar. Alguém que se sentisse parte de algo grande, especial. Alguém disposto a lutar pela empresa.

— Sim, está certa sobre isso — digo surpreso e confiante.

— Imagine aquele emprego mais simples, o operador de máquinas, ou melhor, aquele jovem que empacota as peças. Imagina ele sonhando e lutando para chegar até o seu lugar, pense nele se esforçando para ser o futuro CEO. As pessoas querem ser você, querem morar nesse apartamento, dirigir seu carro, querem sua vida, Seth e vão competir, se esforçar, crescer.

Como é que pode ser tão linda? Não é uma ideia original, mas é algo que eu já devia ter implantado na empresa, ela está certa, faz sentido e é um plano não só para os funcionários, mas para a empresa.

Puxo Angelina para meus braços, envolvo seu corpo e meus lábios descem suaves por seu pescoço.

— Meu apartamento — digo beijando o lóbulo da sua orelha. — Meu carro. — Meu nariz passa suave por sua pele aspirando seu perfume, seus dedos mergulham em meus cabelos enquanto eu a deito devagar no sofá. — Podem ficar com tudo, mas que fiquem longe da minha garota.

— Eles não têm chance — ela diz antes que minha boca tome a sua em um beijo cheio de paixão e saudade. Certas coisas têm limite, e esperar pelo momento certo acaba de alcançar o limite.

Ergo Angelina no colo, ela me envolve o pescoço enquanto caminho em direção ao quarto.

— Seth, o que está fazendo?

— Levando você para nossa cama, é sua chance de me dizer não. — Angie cala, trava os lábios em um sim mudo, de olhos que faíscam e sinto primeiro um alívio me percorrer o corpo, depois uma onda elétrica que se espalha por mim.

Angelina toca os botões da camisa, enquanto a coloco sobre a cama e minha boca procura a dela, seus dedos me ajudam a despir a peça.

— Devia ter flores, lareira, champanhe, talvez... — Minha boca cola de encontro à dela, é mais um beijo intenso. — Não importa, no fim terminaríamos aqui — digo olhando em seus olhos.

— Já tivemos lareira e aurora boreal e não acabou muito bem. — Tem um leve pesar em seus olhos. Logo ele vai embora. — Tolice, acabou muito bem — ela se corrige.

— Não acabou, Angie, está só começando.

Seus dedos correm por minha pele agora despida da camisa, minha boca procura caminho entre as peças que vou tirando de sua pele, dormir com ela em meus braços naquela camisola sensual e não poder nem mesmo pensar a respeito foi uma bela tortura.

— Senti sua falta, Seth.

— E eu a sua. Esse é seu lugar, Angelina, esse é o nosso lugar. — Ela toca meu rosto seus olhos procuram os meus, tem qualquer coisa de delicado mesmo em meio ao desejo, algo que me apazigua, me faz melhor.

Fecho meus olhos quando meus lábios encontram os seus e deixo finalmente meus instintos livres para me guiar. Tudo que foi contido agora pode renascer, posso sentir sua pele, me entregar ao desejo, viver esse instante por completo e quando ela se cola a mim e suas mãos me percorrem, eu sei que Angelina também esperou pelo mesmo e que como eu, está rendida a essa emoção.

CAPÍTULO 28

Seth

Se da primeira vez só pensei nela, dessa vez, pudemos viajar juntos, descobrir um pouco mais quem somos e como sentimos, descubro novidades sobre Angelina.

Essa linda garota que está em meus braços tem desejos, escolhas, ela está aprendendo a mostrar como se sente em todos os aspectos e me mostra seus caminhos, aprende sobre os meus.

Não consigo deixar de olhar para os lindos olhos que me observam cheios de amor. Eu não disse com todas as letras, ela não disse, mas sei o que sentimos, mostramos em cada olhar, beijo, conversa e agora na cama, perdidos no desejo, mesmo aqui foi esse sentimento que me guiou.

Eu jamais pensei que sentiria coisas como essa. Que deixaria meu coração me guiar dessa maneira tão intensa, nunca pensei em mim como um homem preso a uma família, sonhando em dividir a vida com alguém, planejando férias e esperando os domingos como se a vida se dividisse em duas partes exatas e perfeitas, trabalho, vida.

Não consigo parar de olhar para ela, para o rosto tão lindo que me encara cheio de amor, se refazendo dos longos momentos de prazer divididos.

— Tem um sorriso tão bonito! — Ela me surpreende e me dou conta que estou mesmo sorrindo. — Queria um porta-retratos desse sorriso na mesa do escritório.

— Vai ter que me pegar desprevenido, não tenho planos de posar para uma foto.

Ela passa os dedos por meu rosto, contorna meus lábios.

— Eu sei, vou ficar de olhos abertos e pegá-lo distraído. Você sorri muito mais do que percebe.

— Culpa sua. — Passo meu nariz por seu pescoço, me acomodo com ela em meus braços, Angie suspira. — Está bem?

— Perfeitamente bem, melhor impossível. — Ela descansa em meu peito, mas seus dedos caminham por minha pele. — Dessa vez foi diferente.

— Melhor ou pior? — pergunto rindo — Dei o meu melhor.

— Só diferente, especial, mas diferente, acho que eu não estava tão nervosa e foi diferente, sei lá, só isso. Acha que sempre é diferente?

— Talvez. Acho que depende do momento que estamos vivendo.

Ela balança a cabeça concordando. Fecho os olhos pensando na viagem que tenho que fazer logo cedo. Queria amanhecer sem pressa, aproveitar o dia com ela, sem pensar em trabalho, problemas, conversar sobre nossa vida, como nos sentimos, fazer planos.

— Seth! — Ela me chama. Se move e me olha nos olhos. — Adoro seus olhos, não tem nada de olhos de aço agora, eles são quentes e não gelados.

— Porque refletem os seus. — Enrugo a testa. — Que coisa mais brega de dizer.

— Shiu! — Ela ri. — Só segue em frente! Quando disser algo assim, emocionante e bonito, só continua como se nada tivesse acontecido.

— Bem pensado! — Pisco e ela se estica para me beijar os lábios, depois volta a se acomodar pronta para dormir. — Angie.

— Sim.

— Tenho um dia longo e cheio amanhã — minto a ela, mas é por uma boa causa, depois ela vai entender. — Muitas reuniões. Vou sair bem cedo, voltar bem tarde.

— Tudo bem.

— Não quero que relacione isso a essa noite, não é um tipo de fuga como foi em Churchill.

— Já me conhece um pouco. — Ela me olha com um ar desolado. — Eu faria isso, seria tola e criaria pensamentos ruins.

— Tão bonita! — Beijo seus lábios. — Talvez, por conta das reuniões, eu fique meio incomunicável, se precisar de qualquer coisa, liga para minha mãe.

— Ela quer sair para comprar presentes. Fazer compras de Natal, vamos passar o dia juntas.

— Perfeito! Assim não fico preocupado.

— Vou comprar um presente de Natal para você.

— Saiu um livro ótimo sobre economia depois eu te mando o nome, e estou precisando de uma gravata nova, se puder ser escura, um tom de azul marinho e chumbo, vão combinar...

— Seth! — Ela me corta em uma crise de riso. — Eu não vou te dar gravata nem livro, poderia ter pensado nisso, mas agora não posso mais, está estragando seu presente.

— Achei que estava ajudando! — conto a ela rindo muito mais da sua risada do que qualquer outra coisa. — É muito melhor quando você sabe o que vai agradar. Por exemplo, pode me dizer o que quer ganhar e eu compro.

— Ou pode me dar um cheque e eu mesma compro.

— Isso é ainda melhor! — Realmente perfeito e eu nem preciso entrar nessas lojas lotadas.

— Sabia que diria isso! — Ela nega. — Não tem graça assim, era uma ironia. — Angie puxa as cobertas, se encolhe me abraçando. Se fosse em qualquer outra época da minha vida, com qualquer outra mulher, eu já estaria correndo dessa cama e de dormir assim, grudados, mas é Angelina e tudo que quero é amanhecer exatamente assim, colado a ela.

— Ok! Vou pensar em algo. — Suspiro sabendo que não dá para colocar o garotinho dentro de uma caixa com laço, vou precisar de um presente do mesmo jeito. Quem sabe um lindo anel de noivado e um pedido de casamento?

Nunca mais esqueceria a data, ajudaria muito nas comemorações futuras. Fecho os olhos decidido a tentar dormir umas horas, quando voltar vamos conversar sobre nós, sobre ela realmente viver comigo, dividir a vida, o quarto. Tecnicamente seria um pedido de casamento, acho que preciso enrolar um pouco mais ou perco o presente de Natal e acabo tendo que pensar em mais de um.

— Podia me dar pelo menos uma dica. — Silêncio, ela já dormiu. Sem escolha, eu acabo pegando no sono também.

Acordo como queria, com Angie em meus braços, espalhada sobre mim. Levo pelo menos uns cinco minutos para deixar a cama sem despertá-la. Primeiro o braço, depois a perna, me arrasto para lateral e me sento, suspiro pelo esforço matinal, sorrio achando graça em quem tenho me tornado.

Tomo meu banho, mais um dia sem exercícios matinais. Vamos ver o que ela vai achar de mim em uns meses se continuar deixando os exercícios sempre para depois.

Ajeito a gravata ainda pensando que seria um ótimo presente. Angie ainda dorme, espalhada, agora abraçada ao meu travesseiro, não pode ser mais bonita.

Fico olhando o sono tranquilo, podia sair sem me despedir, deixar que dormisse já que ela vai passar o dia por aí caminhando entre lojas lotadas, mas vou entrar em um avião, passar dez horas entre ida e volta, odeio avião, não quero sair sem me despedir.

Me sento ao seu lado na cama, tiro os cabelos espalhados do rosto. Ela sorri, os lábios dobram suaves antes dos olhos abrirem, isso mexe com minhas emoções. Eu gosto dos detalhes dela, muito mais do que do todo, ou talvez por conta dele, o jeito como os lábios se dobram em um leve sorriso, quando faz uma caretinha e quando gargalha sobre algo que eu disse.

Nunca soube que eu era engraçado, tudo que o resto da humanidade acha que é cinismo, acidez, arrogância, ela vê como divertido.

— Bom dia! — digo quando ela abre os olhos e sorri para mim lindamente.

— Bom dia! Está bonito, perfumado. — Ela se espreguiça.

— Pensei em te trazer café na cama, mas você vomitaria em seguida. — Ela afirma apressada. — Tenho de ir. Quem sabe conversamos sobre o futuro quando eu chegar.

— Vou esperar você para jantar.

— Melhor não, devo chegar perto das nove da noite. Você precisa comer cedo.

— Está bem. Bom trabalho! — Ela me puxa pela gravata e me beija nos lábios. — Vou comprar uma gravata, mas não é presente.

— Sim, senhora. Descansa, não exagera por aí, descansa entre uma compra e outra.

— Prometo.

— Sobre a festa da empresa, não quero que organize duas festas.

— Desistiu da festa para os funcionários...

— Não desisti de nada. — Beijo Angie. — Vamos fazer uma festa só, misturar todo mundo. Quem sabe anunciar nosso plano de carreira para quem se interessar? — O sorriso dela é tão grande e verdadeiro que me faz sentir um homem melhor.

— Fico muito feliz, Seth.

— Eu sei que fica. Agora tenho que ir senão eu perco a hora. — Melhor eu ir antes que fale demais.

Deixo o quarto com vontade de simplesmente desfazer o nó da gravata e voltar para cama. Tracy me espera no portão de embarque, está vestida como se estivesse indo para o escritório, elegante, de salto, uma pasta e uma pequena maleta de viagem.

— Bom dia, chefe! — Ela sorri para mim. — Parece que teve uma ótima noite.

— Sim, a melhor que poderia.

— Parece que tivemos avanços — Tracy me provoca. — Reservei dois quartos em um hotel do lado do aeroporto, se a conversa for tão curta quanto imagino que vá ser, vamos estar de volta ao aeroporto cedo demais.

— Ótimo! Tudo que eu quero é resolver isso rápido e voltar para casa.

Embarcamos envolvidos no trabalho, cada um em seu celular, até que somos obrigados a desligar os dispositivos e guardo meu aparelho ao mesmo tempo em que ela guarda o dela.

— Pensei em levar café na cama para ela — desabafo.

— Ela teria gostado.

— Antes ou depois de vomitar? Ela enjoa toda manhã.

— Provavelmente antes, durante e depois, mulheres gostam de serem tratadas com amor, Seth.

— Sério? — pergunto, irônico. — Todo mundo gosta.

— Todo mundo até Seth Arnett? — Tracy ri e balanço a cabeça afirmando.

— Tenho descoberto muitas coisas sobre mim, coisas que desconhecia em minha personalidade. Parece que eu sou engraçado. — Tracy me encara cheia de surpresa. — Pois é. Angelina me acha divertido, talvez eu seja um pouco quando estou com ela.

— Está me escondendo dela?

— Não. Por que acha isso?

— Ainda não a conheci, até seu pai já a conheceu e eu não. Winnie acha que está com vergonha de nos apresentar.

— Por que sua noiva me odeia?

— Ela não te odeia, ela só odeia como somos parecidos, quando ela fica frente a frente com você ela se dá conta dos meus defeitos. — Tracy ri. — Mas ela tem razão, você não nos apresentou ainda.

— Porque eu quero conquistar a Angelina e não perdê-la — aviso a Tracy que faz uma careta. — Você é pior do que meus pais, vai listar meus defeitos, apontar minhas falhas, ela vai rever seus sentimentos e quem sabe descobrir que não sou assim tão bom partido.

— Claro que eu faria isso! Você fez quando conheceu a Winnie, se lembra?

— Eu era um garoto mal, agora sou um homem em construção.

— Continue repetindo, uma hora você acredita. Parece que ela tem dom para os negócios, é verdade? Seu pai me contou, ele está muito impressionado com ela.

— Ela tem, sim, mas no estilo Klaus, mais... humana.

— Entendi — conto a ela sobre a ideia de planos de carreira e a festa para os empregados, Tracy fica levemente pensativa.

— São boas ideias, no estilo Samantha. Gosto de gente com ideais, valores, são sempre fortes, lutar pelo que acredita é sempre inspirador.

— Ela é assim. Infelizmente ainda vamos demitir, mas acho que dá para esperar para depois das festas.

— Se fizer mesmo esse plano de carreira para os funcionários e rever aquelas duas vagas que abriram na gerência dá para demitir menos ainda.

— Estive pensando nisso, conversar com a diretoria, reorganizar alguns setores, iniciar o ano com outro olhar. Salvaríamos alguns empregos.

— Podia pensar em patrocinar uns cursos também, treinamento vai fazer parte do plano de carreira?

— Sim, estive pensando muito nisso, acho que é um novo passo, eu queria mudanças, vamos seguir nessa direção.

— Eu sempre gosto, não preciso entrar em atrito com os sindicatos, eles estão sempre caindo em cima de mim.

— Por isso é você a diretora do departamento jurídico. Eles morrem de medo de você. — Tracy faz careta e depois ri, ela gosta de ser durona.

— Gosto da pressão.

— Que acha de passarem o Natal conosco? Ao menos o jantar na véspera?

— Agora, sim, um homem fino e elegante — ela me provoca. — Nós vamos, depois almoçamos com a mãe da Winnie.

— Quando vai viajar para encontrar a sua família? — Tracy me encara surpresa. — O quê? Eu sei que tem um tempo que não vai visitá-los.

— E você nunca achou que eu devia fazer uma viagem longa para vê-los.

— Sou um humano em construção, não foi o que eu disse?

— Um humano em construção, agora vou ter de conviver com isso. Que ótimo! — Ela se ajeita na poltrona. — Vou dormir um pouco humano.

— Espera, vamos combinar a estratégia. Eu chego lá, ameaço, consigo o que quero e partimos.

— Ótima estratégia, Seth! Esse é o meu tipo de estratégia. Boa noite! — Ela fecha os olhos e não me resta escolha além de dormir um pouco também.

Aterrizamos em um dia congelante, com o céu pesado e o frio intenso. Estamos há poucos dias do Natal, só espero que no dia da viagem do garoto o tempo esteja bom.

— Alugou até um carro? — pergunto surpreso quando o funcionário da locadora de carro nos entrega as chaves.

— Sim, eu penso em tudo, Seth, está frio demais para não pensar nisso.

A família não mora muito distante do aeroporto, são quase um hora da tarde quando estacionamos diante da casa. Fico um tempo no carro olhando para o lugar onde Angie viveu tantos anos, cuidando de uma criança que não era sua e sendo chutada como se não fosse gente.

Minha mente analítica aceitaria que depois de alguns anos como babá de uma criança que cresceu, ela fosse demitida, mas para isso era preciso ter havido uma relação profissional, ela devia ter um salário, horas de descanso, férias, Angie devia ter tido uma vida.

— Pronto? — Tracy me pergunta pegando sua pasta no banco de trás.

— Vamos lá, tem certeza que eles vão estar em casa?

— Sim, pelo que apurei, ele trabalha três vezes por semana em casa.

— Se eu bater nele, perco a razão?

— Sim, mas eu não me preocupo com isso, esse estilo troglodita não é o seu. Você tem métodos muito mais sofisticados — ela brinca tocando a campainha na lateral da porta.

A porta se abre logo em seguida. Um homem surge vestindo camisa social e parece estranhar nossa presença.

— Kiefer Dobson?

— Sim, o senhor é...

— Seth Arnett e essa é Tracy McAdams, diretora do departamento jurídico da Arnett e minha advogada pessoal. — O homem parece ainda surpreso.

— Telefonei ontem avisando que o senhor Arnett queria uma reunião.

— Sim. Eu... Eu... confesso que imaginei que seria um tipo de piada de algum colega de trabalho — ele diz nos indicando a sala, eu e Tracy passamos pela porta. Uns segundos depois a esposa surge na sala com olhos arregalados de surpresa. É uma casa bem elegante como Angie chegou a me contar, eles têm bom gosto, mas nenhum caráter e tudo parece vulgar diante dos meus olhos.

— Querido...

— Elisha, esse é o senhor Arnett. — A mulher parece ainda mais surpresa. Tracy foi esperta em falar com eles, o casal pensa que venho em busca de seus serviços como engenheiro, isso é bem claro para mim pelo modo como se comportam.

— Por favor, sentem-se! Vou servir...

— Não queremos nada! — aviso, ríspido. Não aceitarei um copo de água nessa casa.

— Bem, eu vou deixá-los reunidos — a mulher diz pretendendo não atrapalhar a reunião.

— Gostaria que ficasse — aviso e a mulher simplesmente balança a cabeça, afirmando. O casal aponta o sofá, nos acomodamos e então o garotinho entra na sala um tanto desconfiado.

— Cory, volte para o quarto, eu vou em seguida — a mãe diz ao menino.

— Como vai, Cory? — pergunto e ele dá de ombros. — Angelina me disse que é um menino bastante inteligente. — Os olhos do garotinho brilham como raios, ele abre um largo sorriso. — Ela está com saudades. Sente sua falta. — Angelina gostaria que eu dissesse isso ao pequeno, ele balança a cabeça concordando. — Também está com saudade dela?

— Sim, Angelina era minha... melhor amiga — ele diz indeciso se deve ou não me contar. — Ela nunca mais veio aqui e nem me telefonou, pensei que ela tinha ido embora para sempre.

— Não, ela não foi embora para sempre. Logo vão se encontrar. — Ele dá um soquinho no ar em comemoração, o rostinho fica corado, é um rapazinho bem bonitinho.

— Acho que não estou entendendo o que está acontecendo. — Elisha parece começar a ficar ofendida.

— Cory, pode voltar para o seu quarto? Antes de partir eu gostaria de me despedir de você, mas agora tenho que conversar com seus pais.

O pequeno balança a cabeça e corre para dentro, escuto mais de uma porta bater, o casal troca olhares.

— Senhor Arnett, eu não entendo. Como conhece Angelina e o que ela tem a ver com sua vinda? Pelo que entendi, essa é uma visita profissional.

— Exatamente, uma visita profissional. Viemos falar sobre todos os anos em que minha noiva trabalhou aqui como uma escrava.

— Noiva? — Eles dizem juntos, como se isso fosse mais absurdo do que a palavra escrava.

— Sim, minha noiva. A mulher que viveu nessa casa, criando aquela criança por dez anos e foi chutada para fora como se não passasse de um bicho peçonhento.

— Eu não sei o que ela disse, mas não foi bem assim — Elisha diz mais assustada do que ofendida.

— Tracy. — Dou a palavra a ela.

— Temos leis rigorosas sobre trabalho nesse país, se não é verdade, por favor, me apresentem as provas. Tenho certeza que um casal bem educado e instruído deve ter documentos que comprovem os vínculos profissionais e em especial, os pagamentos ao longo dos anos. Um extrato bancário já seria suficiente.

Silêncio, o casal troca olhares. O homem está lívido, a mulher segura a mão do marido um tanto furiosa, mas controlando a irritação.

— Nós... a recebemos aqui quando o pai deixou o país, cuidamos dela como... parte da família. Ela ajudou, em contrapartida do trabalho que tivemos com ela, nos ajudou com o nosso filho.

— Trabalho escravo de menor de idade. Eu acho que isso só complica ainda mais a situação de vocês.

Tracy os lembra, o casal fica finalmente mudo, sem mais como rebater. O que me irrita é ainda tentarem desqualificar Angelina, isso realmente me irrita, dizer que ela não trabalhou educando a criança é mais do que ingratidão, é a mais completa falta de caráter.

— Cadeia é o melhor lugar para vocês, mas vocês têm o menino, então eu acho que não faria Angelina feliz colocando os pais do Cory na cadeira. Ainda que vocês não tenham se preocupado muito com os sentimentos do garotinho, ela se preocupa.

— Senhor Arnett, não sei o que dizer. Eu achei que era melhor manter os dois distantes, foi para proteger meu filho e para que ela também... seguisse seu caminho, como Angelina fez já que... está noiva.

— E grávida — digo sorrindo. — Vamos ter um filho, mas espero que não contem ao garoto, Angie vai contar pessoalmente na noite de Natal.

— Como? — Elisha agora parece realmente brava. O homem aperta sua mão pedindo controle.

— O carro de vocês é novo? — Os dois se olham diante da minha pergunta. — Essa é uma boa casa, mais o carro, quem sabe tudo que vocês têm na conta bancária. O que acha, Tracy? É uma boa indenização pelos anos de trabalho escravo?

— Um bom começo, talvez se essas poucas obras de arte de segunda linha estiverem no acordo pode ser que cheguemos a um bom acordo.

— Ok, então é isso — digo ficando de pé. — Tracy o envelope. — Ela abre a pasta e me entrega o envelope. — Vocês deviam estar na cadeia, Angelina merecia uma indenização milionária pelos anos de escravidão e vim com toda minha generosidade oferecer uma chance, uma única chance de esquecer tudo. — Os dois se olham, surpresos.

— Queremos ouvir a proposta — o homem diz com a voz titubeante.

— Não é uma proposta, não é como se pudéssemos discutir condições. Vocês têm passagens para Toronto, sim, pagas por mim. Uma reserva em um hotel para o casal, um hotel bem ruim, diga-se de passagem. Fiz questão de que não fosse um lugar luxuoso, mas podem escolher outro e pagar, é claro! Vão levar Cory para ver Angelina, mas não vão se aproximar. Eu vou pessoalmente pegar o garoto no hotel assim que chegarem, ele vai passar a noite de Natal e o dia de Natal com ela, no nosso apartamento e volta ao anoitecer para encontrar vocês e pegar o avião de volta.

— Temos planos para o Natal! — A mulher tenta.

— Nesse caso, acho que não temos o que discutir. Aproveitem muito o Natal, no próximo não terão muita chance de se divertir.

— Nós aceitamos! — Kiefer diz, ansioso e muito assustado.

— Essa é a primeira de muitas visitas que Cory vai fazer a Angelina, mas é a única que vão acompanhá-lo.

— Tudo que precisam para a viagem — Tracy diz deixando o envelope sobre a mesa. — Seth, temos de ir.

— Assim que me despedir do Cory.

Olho firme para o casal, a mulher não parece disposta a ajudar, mas o homem nos dá as costas para ir buscar o menino. A mulher evita meus olhos durante o pouco tempo em que esperamos.

Cory vem correndo, está risonho. Para diante de mim cheio de esperança.

— Cory, soube que Angie teve uma conversa séria com o Papai Noel e ele vai deixar o seu presente na nossa casa, estamos esperando você. O que acha?

O garoto me abraça, é um tanto desajeitado e eu levo um instante para reagir tentando abraçá-lo sem muita proximidade. Tracy está evitando rir, mas se durar muito, eu sinto que ela não vai aguentar.

— Seja um bom menino. Angie está ansiosa para vê-lo.

— Fala para ela que vou levar o livro. Não terminamos de ler e vou levar uns brinquedos que ela gosta, e umas roupas, vou ficar muitos dias?

— Dessa vez não, mas dá próxima quem sabe fica muitos dias. — Olho para Tracy. — Vamos? — convido, Kiefer estende a mão, eu não apertaria essa mão por nada no mundo, não a mão que maltratou Angelina e depois a atirou como se ela não passasse de lixo.

Dou as costas ao casal e partimos sem despedidas. Cory é um bom menino e não poderia ser diferente, foi criado por Angelina, ela vai ficar muito emocionada quando se encontrarem e se tudo der certo, esse garotinho vai estar sempre que possível por perto. Angie vai ser feliz e nada nem ninguém vai estragar isso.

CAPÍTULO 29

Angelina

Thea me segue com os olhos quando passo para cozinha sorrindo, depois do café. Quando retorno, ela me olha mais uma vez, de novo aceno sorrindo.

Passo um batom leve, pego a bolsa, encaro o espelho do meu quarto e sorrio gostando do que vejo. Amar é tão incrível, me sinto bonita, inteira, realizada, uma noite de amor muda tudo.

Volto para sala e Thea ainda está no mesmo móvel com seu paninho de limpeza.

— Quer dizer alguma coisa, não é? — pergunto achando tudo engraçado. Ela coloca o pano no bolso traseiro do seu jeans, cruza os braços e sorri para mim.

— Noite de amor — ela comenta. — Pela sua cara feliz para cima e para baixo. Não consegue nem guardar o sorriso.

— Você é muito intrometida e fofoqueira, Thea! — digo envolvendo Thea em um abraço. Estou tão feliz que preciso abraçar pessoas. — Sim, acho que estamos nos acertando.

— Fico bem feliz, Seth precisava disso, ele estava definhando, eu fiquei muito preocupada com ele no tempo que ele voltou de Churchill.

— Eu não sei se ele sabe disso, mas acho que ele está começando a me amar.

— Claro que sabe! — ela brinca quando me afasto dela.

— Vou sair para fazer compras com Sam, precisa de algo?

— Preciso do meu presente de Natal. — Ela pisca risonha, e franzo o nariz achando graça.

— Vai ter, sim, o seu presente de Natal.

— Se quiser me dar um cheque também serve, é o presente que o Seth me dá.

— Por que eu não me surpreendo? — rio enquanto aceno descendo para encontrar Sam na calçada.

O carro para na calçada, Sam me acena destravando a porta e me acomodo ao seu lado. Ela me observa um instante.

—Tudo bem?

—Tudo lindo! — conto a ela emocionada.

— Ah, o amor! — Ela ri colocando o carro em movimento. — Fiz uma lista de compras, para não esquecer nada — Sam me conta e penso em minha lista mental. Um presente para cada Arnett e um presente para Thea, é só isso, não conheço ninguém ainda, mas em breve terei uma vida e um círculo de amigos.

— Seth e eu tivemos uma noite linda. — Não consigo evitar contar a Sam, não sei se isso é confuso para ela já que é a mãe do Seth, mas eu preciso contar a alguém e ela é tudo que tenho.

— Como se esses olhos brilhantes não estivessem me contando tudo isso.

— Eu o amo e acho que começamos a nos entender realmente, ele foi tão carinhoso de manhã.

— Acho tão engraçado. Você descreve um Seth que só você conhece. — Isso é algo que me faz bem ouvir, porque eu sei o que vejo e o que sinto. Não estou imaginando coisas, não estou camuflando ou me enganando, Seth é mesmo carinhoso, romântico e muito generoso quando estamos sozinhos.

— Talvez ele seja mais livre comigo. — Sam sorri afirmando enquanto se concentra no trânsito. — Temos que falar sobre o meu salário, Sam, acho que deveria diminuir um pouco já que eu não faço mais as mesmas coisas.

— Você é a mãe do meu neto, Angelina, vai receber o que acho que merece e pronto. Nesse ponto, Seth não puxou ao pai, puxou a mim, não perco tempo com discussões inúteis.

Fico em silêncio, seu tom rigoroso me faz sentir saudade da minha mãe e me pergunto se algum dia serei capaz de ser firme assim com meu bebê.

Acho que sim, eu era rígida com Cory quando era preciso. Ele era um garotinho bem bonzinho, mas quando precisava eu brigava com ele. Sinto uma dor me cortar o peito, uma saudade que hoje parece maior e mais forte que todos os dias. É quase como me sentir culpada por ser assim tão feliz.

— Não estou brigando com você, Angie. — Sam parece notar minha tristeza.

— Eu sei, estava aqui me lembrando do Cory, às vezes eu tinha que ser rigorosa com ele e eu conseguia. Você fez me lembrar disso e me deu muita saudade.

— Quando seu bebê nascer, vamos eu e você bater na porta daqueles idiotas e exigir ver o Cory, agora acho que enfrentar aquela gente não te faria bem.

— Faria isso, Sam? — Seria mesmo corajoso ir até lá, eles são arrogantes e mesquinhos, mas Sam é uma mulher fina, rica e importante no mundo deles. Ela merece um tratamento diferente do que eu mereço e talvez ao lado dela, eles me permitissem ao menos ter notícias do Cory de vez em quando.

— Vamos fazer. Já sabe o que dar ao Seth?

— Sei o que não dar — aviso em uma careta. — Um livro e uma gravata. Foi o que ele pediu, ele já estava todo animado me dando dicas, qual a graça de comprar presente assim?

— Nenhuma.

Levamos metade do dia escolhendo meus presentes, paramos para almoçar. Ainda falta comprar um presente para Sam, mas esse compro quando ela não estiver comigo.

— Seth me disse que estaria bem ocupado hoje — digo enquanto tomo um gole de água assim que terminamos a refeição, ela dá um gole em seu café.

— Estamos bem perto dele — Sam me avisa apontando um grande edifício uns quarteirões de onde estamos. — A empresa fica vizinha aquele prédio, em um prédio um pouco mais baixo. Dá para ir até a pé.

— É um lugar bonito?

— Sim, eu mesma decorei — ela se vangloria me fazendo rir. — Stan tem um gosto muito duvidoso e Seth era muito jovem quando nos mudamos para esse prédio novo e mais moderno.

— Até a sala dele foi você que decorou?

— Principalmente a sala da presidência. Que tal fazermos uma surpresa?

— Ir até lá sem convite? — A ideia é tentadora, mas eu não sei se ele não sentiria como uma invasão. — Acho melhor não, quando ele estiver pronto para me mostrar seu escritório, então vai me convidar. Especialmente hoje, que ele me garantiu que teria muitas reuniões.

— Você tem toda razão. — Ela sorri para mim. — Vamos ligar e convidar o Seth para nos encontrar se ele tiver um tempinho. O que acha?

— Ele disse que talvez ficasse incomunicável. Até avisou que não vem jantar em casa — explico. Samantha me dá um meio sorriso que posso notar é forçado, por um segundo ela desvia os olhos e logo se refaz.

— Quer saber, vocês vão se vir de noite, vamos só continuar com nossas compras.

As coisas ficam diferentes, eu não consigo esquecer seu rosto um tanto confuso no instante em que disse que ele ficaria incomunicável. Eu vi que algo passou por sua mente, Samantha é transparente demais para me esconder coisas como essas.

No meio da tarde terminamos nossas compras, ainda olho em direção ao prédio que Sam me apontou mais cedo como referência para o escritório, ainda estamos razoavelmente perto.

Tenho ímpetos de ir até lá, mas não é certo, oficialmente não somos um casal, mesmo que fôssemos. Ele tem direito a espaço, invadir seu trabalho no dia em que ele diz que vai estar trabalhando demais seria desrespeito e desconfiança, não se pode começar nada desconfiando assim, domo a vontade de descobrir e seguimos para casa juntas.

— Vamos jantar lá em casa? Ainda não conhece meu apartamento e Angus vai gostar de te ver, disse que o Seth vai chegar mais tarde — Sam me convida e eu acho que é uma ótima ideia, assim não arranjo tempo para pensar tolices.

— Ótimo ideia! — digo fingindo estar feliz, mas sem esquecer seu olhar de preocupação.

A casa de Sam é linda, bem decorada, com muita luz, um apartamento até pequeno para todo dinheiro que eles têm; dois quartos, uma sala ampla, um pequeno ateliê e a cozinha, nada além. A sala divide espaço com uma mesa de jantar para quatro pessoas e mesmo assim, tudo aqui é a cara dela.

Do mesmo jeito que aquela linda mansão em Churchill tinha o toque de Sam em tudo.

— Que lugar lindo! — digo depois de um tour pela casa. Ficamos as duas no ateliê.

— Obrigada! O que acha dos quadros? — Olho um por um, caminhando entre eles, alguns eu vi quando começou, outros são totalmente novos.

— Esses são um conjunto, devem ser vendidos juntos, o maior no centro e os dois menores um de cada lado.

— Acho que vai ficar lindo. — Aponto um ainda coberto e ela balança a cabeça em negação.

— Esse é uma grande surpresa para todos. Só vai ver na exposição.

— Sabe como deixar uma mulher grávida curiosa.

— Que apelativa! — Ela ri me indicando o sofá. — Vou buscar um chá quentinho, enfrentamos todo o frio que conseguimos, você não pode ficar doente justo agora.

— Vivemos meses em Churchill, é quase como estarmos no verão! — Ela abana o ar erguendo as sobrancelhas.

— Exagerada. — Sam me deixa sozinha no ateliê, queria ter coragem de bisbilhotar o quadro, mas nunca faria isso, se ela diz ser segredo, então será.

Cálculo mentalmente o tamanho pensando na exposição, se ele é especial temos que achar um lugar de destaque e mexer na iluminação. Sigo atrás de Sam pensando em perguntar se ela acha que precisamos mudar a iluminação e colocá-lo em destaque, quem sabe na parede principal, eu tinha outra tela em mente, a maior de todas, também a mais cara, mas agora que ela resolveu fazer todo esse mistério. Deve ser especial.

— Viajando com a Tracy? Por isso ele disse que estaria incomunicável? — ela fala baixinho ao telefone e não preciso de mais nada para entender. É sobre Seth e alguém que ela conhece e talvez Stan ou a pessoa com quem ela está falando também, mas não eu, eu nunca ouvi esse nome.

É uma sensação de decepção, uma dor tão profunda, eu nem sei como volto para o ateliê e me sento outra vez no sofá, não sei o que pensar ou sentir, eu vi que Sam ficou surpresa com a informação.

Seth mentiu, está viajando. O que ele tem em mente? Ligar para mm mais tarde e dizer que está preso no escritório por isso não vai chegar a tempo? Talvez nem mesmo isso?

Me lembro da despedida pela manhã, tão delicado me acordar e dizer que estava partindo. Ele se deu ao trabalho de me pedir para não pensar tolices só porque sairia muito cedo e chegaria muito tarde, ele sabia que estava mentindo e por isso se preparou para o caso de uma desconfiança.

Meu estômago embrulha, uma onda de enjoo me invade, eu não quero pensar que fui uma tola, que fui enganada. Ele ficou triste, Thea me lembrou ainda pela manhã. Seth foi atrás de mim em Churchill, ele disse e eu... ele estava mesmo lá e vem tentando.

— Aqui. — Sam entra de volta na sala com uma bandeja. — Um chá bem... Tudo bem?

— Sim. — Tento mentir enquanto minha mente está completamente afastada da realidade e só tem Seth e sua mentira.

— Angie, está pálida. — Olho para Sam, respiro fundo e sorrio. Meu coração despedaçado, mas o sorriso no rosto, seja o que for é com Seth que tenho que resolver.

— Acho que o bebê está reclamando de toda a agitação — digo antes de travar a mandíbula na tentativa de conter as lágrimas. — O chá vai ajudar.

— Tome uns goles. — Ela me oferece a xícara, apressada. Minhas mãos tremem enquanto aceito a xícara e tomo uns goles.

— Obrigada, Sam! Acho que eu preciso...

— Deitar um pouco, tome o chá e vá deitar um pouco, eu preparo algo rápido para comermos mais tarde. Agora precisa descansar, sabia que estava exagerando devíamos ter voltado mais cedo para casa.

— Estou bem — aviso quando finalmente Angus decide aparecer, é um alívio. Ele vem elegante e miando em minha direção, muda o foco da conversa. — Angus, onde estava? — pergunto quando ele salta em meu colo. Afago seus pelos sentindo saudade de Churchill, dos dias antes de Seth, quando eu estava segura e com o coração sendo curado de uma dor anterior, agora é só mais dor, mais amor e o jeito que eu amo só pode ser errado, amor não devia doer, mas dói por Cory e se despedaça por Seth.

— Ele achou um cantinho embaixo da cômoda no meu closet, vive lá dormindo. Ainda está descobrindo a casa e se acostumando, acho que ele sente falta da vista, mas ele gosta de olhar o céu da janela da cozinha.

— Angus! — Afago seus pelos mais uma vez, ele se esfrega em mim, mia mais uma vez e minhas lágrimas começam a correr, eu não consigo associar as coisas que Samantha diz, só consigo pensar em Seth com alguém chamada Tracy em uma viagem.

— Angelina, está chorando? — Balanço a cabeça afirmando, tento sorrir.

— Saudade de Angus — minto deixando a xícara e abraçando o gato, Sam sorri achando engraçado.

— Eu era assim quando estava grávida, chorava por tudo. Leve o Angus com você e vá deitar por pelo menos meia hora — ela exige e eu não tenho mesmo condições de fingir por mais tempo, fico de pé com o gato no colo e o levo para cama de Sam.

Assim que me deito encostando a porta, tenho uma crise de choro, tento desesperadamente não sentir raiva dele, não duvidar, mas quem não se sentiria assim?

Depois de uma hora contendo o choro eu me sinto pronta para enfrentar Sam e fingir que nada aconteceu, devia perguntar a ela, mas não vou facilitar para ele. Sam pode avisá-lo e quero ouvir dele, olhar em seus olhos de aço que há muito são como o sol para mim e esperar pela verdade seja qual for. Lavo o rosto, respiro fundo. Uma parte de mim simplesmente não acredita que Seth esteja com outra mulher. É estranho, parece não ser ele, não combina com seu estilo, Seth não é o tipo canalha que vive em mentiras, ele é honesto demais com suas convicções, não liga nada para convenções, para socializar, ele simplesmente me diria, ele nem tem paciência para coisas como essa, para esses jogos amorosos.

Se não é um caso então o que pode ser? De qualquer maneira é uma mentira e machuca.

Quando encontro Sam, já é noite e a mesa está posta. Ela lê na sala, ergue os olhos o sorriso logo desaparece do seu rosto.

— Esteve chorando todo esse tempo? — Balanço a cabeça negando.

— É que eu dormi e por isso... — Não termino, ela parece acreditar e sorri.

— Que bom que dormiu, vamos comer. — Aceito o convite e me acomodo, preciso comer, mesmo triste, magoada e com medo, não importa. Meu filho depende de minha saúde para crescer saudável. Toco o ventre, falar com ele sempre parece especial, queria Seth conversando com a barriga, como os homens apaixonados dos romances, mas acho que ele não faria isso.

— Vovó vai alimentar essa mamãe! — Sam brinca tocando minha barriga com carinho. Nós duas perdemos um pouco o juízo e o carro está cheio de coisinhas de bebê, roupinhas, brinquedinhos. O meu plano era espalhar tudo para mostrar a Seth quando ele chegasse agora eu nem sei como olhar para ele.

Jantamos enquanto Sam tenta me distrair e eu finjo, acho que sou boa nisso. Ela não parece perceber nada, depois do jantar não me deixa ajudar com a louça.

— Vou te levar para casa — Sam me avisa e bem que queria ficar aqui, protegida e escondida da verdade que me espera. Ele vai dizer, se eu confrontá-lo ele vai dizer.

Ela me ajuda a colocar todas as sacolas no apartamento, me olha com um lindo sorriso de amor, um sorriso de mãe, eu a abraço longamente.

— Foi um dia lindo, Sam, eu estava com saudade. — Sam afasta meus cabelos com um sorriso carinhoso no rosto.

— Também sinto saudade. Vou terminar os quadros da exposição e vamos passar muito mais tempo juntas, mas sabe que sempre pode ir ficar comigo, sentar naquele meu sofá confortável e me assistir trabalhar.

— Talvez eu vá.

— Tenho de ir, me liga se precisar. — Ela leva meu rosto até seus lábios e me beija a testa. — Boa noite!

— Boa noite!

Não sei o que fazer quando fico sozinha, a frase que ouvi fica martelando em minha cabeça, uma mistura de mágoa e medo de ser injusta. Quando a porta se abre e um Seth risonho entra, eu não sei o que dizer ou fazer.

— Pensei que conseguiria chegar mais cedo, quase dez. — O sorriso dele morre, acho que começamos a nos conhecer melhor, ele tira o casaco enquanto me olha. — Você está bem? — Balanço a cabeça afirmando. — O bebê...

—Também — aviso assustada com o peso da minha voz. Ele corre os olhos pela sala, vê as sacolas de compras.

— Cansada? — pergunta se aproximando, mas eu não quero fingir, não vou aceitar seus braços assim, sem a verdade, dói, machuca em dobro vê-lo fingir.

— Quem é Tracy? — Atiro a pergunta tentando não parecer rude e conseguindo apenas o oposto disso. Seth ergue uma sobrancelha, seus lábios se curvam em um sorriso que logo desaparece, um mundo de coisas passam por seus olhos. Assisto quando os olhos se tornam de novo o aço frio e distante.

— Diretora jurídica da Arnett, minha advogada pessoal, amiga desde os tempos da faculdade.

— Viajou com ela hoje? Por isso estava incomunicável? — A palavra soa cheia de um desdém que eu não reconheço em mim. Não quero ser uma mulher amarga e ciumenta, nem sei se tenho direito de sentir ciúme dele.

— Sim, eu viajei com a Tracy hoje. — Não sei o que dizer, meus olhos marejam e eu não quero chorar na sua frente feito um bebê mimado e muito menos parecer uma mulher fraca e insegura, apesar de ser exatamente assim que me sinto.

— Mentiu. — Não é uma pergunta, é apenas uma constatação.

— Sim. Eu menti porque eu não queria contar que iria viajar. Ainda não vou dizer onde fui ou o que fui fazer. Pode confiar em mim ou não, é sua decisão.

— Sabia que se perguntasse me diria. — Ele balança a cabeça afirmando. — Agora não sei o que fazer com isso. — Desvio meus olhos tentando evitar que ele note minhas lágrimas.

— Como soube?

— Tolice, ouvi um pedaço de conversa da sua mãe com... Sei lá! Talvez seu pai. Ouvi que você tinha viajado com Tracy. Pelo tom, sua mãe também estava surpresa.

— Não contei a ela.

— Por que não pode dizer que foi uma viagem de trabalho? — pergunto sem conseguir conter o choro e me odiando por isso.

— Porque não foi uma viagem de trabalho — ele diz e quando olho para ele eu não sei o que vejo. Dor talvez, a mesma que a minha, angústia.

— Sempre tão honesto, menos nessa manhã, quando fingiu estar indo para o escritório enquanto estava indo viajar com Tracy.

— Eu sei, eu não queria preocupar você, achei mais fácil mentir já que não diria para onde viajei ou o que fui fazer.

— Comprei presentinhos para o bebê e queria te mostrar, passei o dia pensando em você, que nos veríamos a noite com saudade um do outro. Cada coisa que via lá fora me lembrava você.

— Estou aqui, Angie. — Sua voz soa mais suave. — Pode me mostrar o que comprou, eu não estou em nenhum outro lugar, nenhuma parte de mim está.

— Como é ela?

— Tracy? — Ele pergunta parecendo finalmente compreender. — Tracy e eu? — Seus olhos cintilam, talvez com raiva, surpresa. — Tracy é uma mulher linda, muito inteligente e determinada, venceu muitas coisas para ser quem é e estar onde está. Tenho muita admiração por ela, é das poucas pessoas que me conhecem de verdade e em quem confio completamente.

— Dói ouvir tanta... admiração, machuca — digo a ele, Seth não precisa ser sempre assim, certeiro, ele às vezes parece que não se importa em ferir.

— Por que machuca você?

— Porque eu nunca vou ser alguém assim, Seth! — digo perdendo um pouco o controle. — Mas foi bom, esclarece muitas coisas. Acho que chega de tudo isso, estou cansada, estou triste, eu vou para o meu quarto, você... Não é da minha conta. Vou deixá-lo em paz, Seth.

CAPÍTULO 30

Seth

— Paz? Tudo que eu não tenho em minha vida desde que chegou é paz. Você é uma multidão ensandecida, um turbilhão de emoções, você é... — Estou cansado de guardar tantas coisas, quero cuspir tudo que sinto de uma vez, ela não vai simplesmente me dar às costas sem ouvir tudo que tenho a dizer. — Era uma visita à minha mãe, uns dias no meio do gelo e do silêncio antes de assumir a maior responsabilidade da minha vida!

— E eu estraguei tudo.

— Eu não sei — admito. — Eu sei que era outra pessoa quando cheguei, eu sei que olhei para você arrumando umas flores em uma droga de vaso e tudo mudou. Nunca mais parei de pensar em você. Consome meus pensamentos, me arranca emoções que eu não queria sentir.

— Também tenho que lidar com essas emoções todas — Angie me conta e eu sei que sim, ainda mais emoções. Tem uma vida crescendo dentro dela e mudando tudo em seu corpo, eu sei que se alguém tem direito de ter uma crise de insegurança e medo é ela, mas não muda como tudo isso me afeta.

— Claro que tem, não estou justificando nada, estou só dizendo como me sinto. Como, para mim, não é nada fácil sentir coisas que não estavam nos planos e que eu não sei lidar e você me vem com essa de Tracy? Tracy nem gosta de homens, ou não gosta mais. Antes de mudar de ideia ela se envolveu com todos os meus amigos, me deu todo tipo de problemas e agora... ama Winnie e deve ser só porque a Winnie me odeia, ao menos vou poder devolver na mesma moeda. Espero que odeie a Tracy também.

— Não odeio ninguém, eu nem sei quem ela é.

— Mas tirou suas conclusões.

— Por que espera que eu confie em você cem por cento? — Angelina me questiona. — Só porque moro aqui agora? Porque dormimos juntos? Sua mãe ficou quase trinta anos com seu pai e acabou. Eu nem sei qual é o meu lugar na sua vida. Então você mente sem necessidade alguma, depois conta a verdade com um caminhão de elogios a uma mulher que sendo sua melhor amiga eu nunca ouvi falar e eu tenho que aceitar tudo.

— Eu não estou pedindo isso.

— Está, sim. Está furioso, está irritado comigo, com tudo. Por que Seth Arnett pode ter dificuldade de lidar com suas emoções e eu não posso? Teto, comida e carinho eu tinha morando com a sua mãe, Seth. Não foi isso que eu vim buscar aqui quando aceitei viver nessa casa com você.

Ficamos frente a frente, nos enfrentando, lutando um pelo outro, lutando para não sentir, os lindos olhos estão cheios de perguntas. Sou eu que preciso respondê-las.

Tenho medo de mostrar minhas emoções, medo do ridículo, medo de mim, de amar demais, de amar acima de tudo como amo agora, da dor que o amor traz. Ao mesmo tempo, não me resta mais nada, só tem Angelina em meu peito, em minha vida.

— O que veio buscar, Angelina? — pergunto com um gosto amargo a me tomar a boca, uma angústia a me consumir sem que saiba como aplacar essa dor sem ser em seus braços.

— Vim buscar a aurora boreal! — ela diz me olhando fixamente, queixo erguido, firme, então passa por mim, me deixando porque é mais forte que eu, porque não é mais apenas Angelina, é também mãe e precisa de mais do que beijos e noites de prazer.

— Angelina! — Meu tom é cheio de um desespero que eu não sabia poder sentir, me consome a alma pensar em perdê-la. Ela se volta atenta e assustada. — Uma vez minha mãe disse que eu acabaria de joelhos, mais de uma vez ela disse, é isso que precisa? — Angelina me olha perplexa. — Porque eu não sei viver sem você, fico perdido, fico doente. Amo você, Angie! Amo e se admitir não for o bastante, aqui estou. — Abro meus braços. — Rendido, de joelhos. Antes que termine de dobrar o joelho Angelina me para, corre até mim com as mãos espalmadas em meu peito, me impedindo.

— Não faz isso! Não pode fazer isso. É Seth Arnett com olhos de aço, o homem que eu amo não fica de joelhos, não se dobra e se fizer isso então não é mais você. Amo quem você é, do jeito que é.

Angelina me abraça, chora agora como não chorou quando brigamos, me aperta como se assim pudesse me impedir.

— Samantha estava errada. Olha para mim, Seth. — Suas mãos deixam de me envolver para espalmarem em meu rosto. — Se tem que se ajoelhar diante de mim, meu amor não é amor. Eu não preciso disso, eu não quero isso.

— Eu não sei lidar com isso, não sei o que fazer, como mostrar.

— Acaba de me dizer, Seth. É só isso, é só me dizer como se sente, eu amo você!

— Eu sei — digo a ela enquanto ela ainda segura meu rosto entre suas mãos. — Eu vejo.

— Tão pretensioso! — ela diz sorrindo e chorando enquanto eu estou atordoado demais para pensar direito. — Amo você!

Envolvo Angelina em meus braços, é como finalmente estar em casa, é como quando as luzes do Norte se espalham pelo céu e finalmente sinto os anjos dançarem.

— Você é a minha aurora boreal. Eu amo você, Angie! — Ela balança a cabeça aceitando, sorri enquanto suas lágrimas correm. Minha boca cobre a sua em um longo beijo cheio de entrega, finalmente estou inteiro, como se só pertencendo a Angelina é que minha vida voltasse a ser minha e ser inteira. Seus dedos mergulham em meus cabelos, meu corpo se cola ao dela, eu quis tanto isso e não sabia, não entendia meu coração, não entendia seu amor.

Ergo Angelina nos braços, ela me envolve o pescoço, minha boca não se separa da dela até que finalmente eu a coloco em nossa cama com cuidado, ela sorri quando encontra meus olhos.

— Nossa cama! — conto a ela para assistir o sorriso se ampliar. — Feita para o nosso amor. — junto as sobrancelhas e ela se curva em seu riso. — Vou tentar não ter tanto medo do ridículo.

— O amor é assim ridículo, Seth. — Balanço a cabeça concordando, ela tem dedos ágeis a me despir a camisa. — Vai me contar onde esteve?

— Não — digo calando Angelina com beijos quentes que se misturam a mãos curiosas e pele quente.

Angelina aprendeu rápido a brincar com meus nervos, me conduzir para o seu mundo, me levar para o paraíso em que vive. Seu corpo parece pronto para me levar ao limite, ela já conhece o caminho e não esconde a pressa, o desejo, me mostra em cada olhar e movimento, como é inteira comigo, como somos bons juntos.

Talvez porque quebramos todas as barreiras, agora tudo parece totalmente novo, ao mesmo tempo é como se sempre tivéssemos estado juntos, como se fossemos sempre a certeza um do outro.

É uma onda de urgência que logo é substituída por uma calmaria, pela paz que ela prometeu me dar e finalmente conseguiu, ainda assim, mesmo com meu corpo saciado, não consigo me afastar dela, não consigo deixar de beijar seus lábios e percorrer sua pele.

Suas mãos também passeiam por mim, enquanto os olhos bonitos me observam cheios de seu amor.

— Estou feliz! — Ela suspira enquanto meus lábios percorrem seu rosto e descem por seu pescoço, Angie fecha os olhos um longo momento. — Você me ama.

— Amo — digo a ela que gosta tanto de ouvir.

— Eu amo mais — ela brinca.

— Está bem! — Gosto de ver seu riso se espalhar pelo quarto, me ajeito ao seu lado enquanto ela tenta conter a risada.

— Seth, tinha que dizer que não, que você que ama mais.

— Seria uma discussão perdida, você diria que eu estou errado e ficaríamos nesse jogo romântico. — Ela tira os cabelos do rosto, se move para ficar me olhando nos olhos, o queixo apoiado em meu peito.

— Nunca vamos brincar de *"desliga você primeiro"*?

— Não conheço essa brincadeira, mas já odeio. — O riso dela volta a se espalhar, eu a trago mais para perto de mim. Seus cabelos se espalham em meu peito, a boca desenhada curvada em um sorriso. — Que acha de termos uma conversa?

— Estou aqui meio desocupada — ela brinca. — Mas acho que deve estar com fome.

— Então vamos ter uma conversa séria na cozinha. — Ela aceita, deixa a cama vestindo minha camisa, Angelina não sabe começar uma brincadeira, aposto que não faz ideia de que tipo de coisas me provoca.

— Vamos.

— Conversa séria, Angie. Não dá para ter uma conversa séria com você vestindo apenas minha camisa.

— Nesse caso, vamos só comer. Eu estou morta de fome, não jantei direito, estava sofrendo muito na hora do jantar.

Ela me puxa da cama, vou até o closet colocar uma calça de moletom, dessa vez ela não foge assustada, pelo contrário fica me olhando sem disfarçar o interesse.

— Acho que entendo o que quer dizer sobre não ser possível uma conversa séria.

— Sabe? — Eu puxo Angie para meus braços, suas mãos espalmam de novo em meu peito.

— Tenho de comer, Seth. É melhor não me provocar.

— Ok! Deixemos o amor para a sobremesa. — Alguém precisa me parar, já posso me ver dizendo um absurdo desses em público.

Angelina abre a geladeira, vestindo apenas a minha camisa, com um mísero botão fechado, a fome que eu sinto está muito longe de ser por comida.

Enquanto ela coloca um pote para aquecer no micro-ondas, vem para meus braços, tanto que temos a resolver, menos o pedido de casamento, esse fica para o Natal. Não vou ficar por aí tentando encontrar outro presente.

— Por que não perguntou a minha mãe quem era Tracy?

— Porque eu queria ouvir de você, sabia que diria a verdade e não é certo envolver ninguém nos nossos problemas, sua mãe ficaria constrangida.

— Aceitável. — Ela sorri. — Tracy é uma ótima amiga, amanhã vamos almoçar juntos e vai conhecê-la. Tem razão sobre eu nunca ter mencionado minha melhor amiga, eu devia ter dito algo, esse meu jeito fechado não ajuda muito.

— Não precisa me contar tudo, Seth. Todo mundo tem seus segredos e mistérios, não quero ser o tipo que fica perguntando tudo. Não vou ser a garota que controla a hora que chega e sai e com quem fala.

— Acho ótimo, eu teria dificuldade com isso.

— Qualquer um teria — ela diz deixando claro que não quero o mesmo para si.

— Vou me controlar para não invadir demais seu espaço, deixá-la livre para ter um pouco de vida além de Seth.

— Isso é bom.

— Mas o acordo só vale depois que o bebê nascer, até lá eu tenho todo direito de ter crises de preocupação e acompanhar seus passos, e nos primeiros anos dele, porque bebês... Sei lá! Não entendo nada de bebês.

— Não quero muito espaço, Seth. Quero... você, nosso filho, essas coisas simples da vida.

— Terá tudo isso.

— Como é ela? — Angie me pergunta deixando meus braços e começando a colocar a mesa, decido ajudá-la. — Sua amiga, como é ela?

— Minha versão feminina, talvez por isso sempre fomos muito amigos. Ela está noiva da Winnie.

— Gosto tanto disso em você, fico feliz que seja uma mulher a comandar tudo ao seu lado. Principalmente se é uma mulher que gosta de outra mulher — ela brinca para me provocar.

— Depois de destruir todas as minhas amizades ela muda de time.

— Então você era um irmãozinho ciumento?

— Talvez um pouco, ela era bem difícil, se envolvia com meus amigos e depois que terminava eu me dava mal. Tinha que ficar do lado dela, mesmo sabendo que em noventa por cento das vezes ela estava errada.

— Um bom amigo. Por que a Winnie não gosta de você?

— Sei lá, Tracy diz que gosta, mas não somos muito próximos. Você pode ficar amiga dela e odiar a Tracy, vai ser minha vingança.

— Não vou odiar sua melhor amiga, talvez apenas roube Tracy de você.

— O acordo é você ficar amiga da Winnie. Preciso ter a Tracy ao meu lado para reclamar de você.

— Parece um bom acordo. — Ela retira o pote do micro-ondas e nos serve, é uma massa bem temperada com muito molho, Thea está sempre imitando a culinária italiana. — Que cheiro incrível! Me deu mais fome.

— Acha essa comida adequada? — Angie me olha frustrada.

— Não e agora vou comer meio culpada.

— Amanhã compensa tomando um suco verde logo depois daquela sua visita ao banheiro.

— Sam disse que leva uns quatro meses para isso realmente acabar.

— Seremos pacientes. — Ela sorri para mim afirmando, começa a comer enquanto a assisto achando ainda mais bonita.

— Tantas coisas... Eu não queria duvidar de você, Seth, mas foi...

— Natural, eu faria o mesmo. Qualquer um com sangue nas veias faria o mesmo, mas foi madura, não explodiu, não se rendeu a isso, me esperou chegar e me confrontou pessoalmente. Acho que eu teria feito um pequeno escândalo.

— Não foi bem assim, eu chorei bastante, mas sua mãe não sabe que foi por conta do que eu ouvi sem querer, pensa que foi saudade do Angus.

— Você faria isso, choraria de saudade do gato. Esse gato é meu grande inimigo.

— Pobre Angus! — Faço uma careta em resposta.

— Estamos juntos, Angie — digo olhando em seus olhos. — Como um casal. É o que somos, um casal. — Ela balança a cabeça concordando. —

Vamos nos adaptar às nossas diferenças, vamos vencer as dificuldades e vamos aprender um com o outro.

— Você me ensina a ser mais forte e determinada.

— Você me ensina a ser menos frio, me humaniza. — Os olhos dela brilham.

— Está tudo aí em você, só que bem guardadinho, tive que caçar. — Me estico para beijar seus lábios. — Um ursinho polar.

— Quem foi que disse que amar alguém é bom? Quando foi que me tornei um ursinho polar? — Faço uma careta de desgosto que diverte Angelina.

— Acho que acabamos a conversa séria — ela me lembra e talvez seja mesmo só isso. Não há muito que conversar, apenas nos amarmos e irmos crescendo juntos.

— Vamos ser honestos um com o outro sempre.

— Você sempre é, menos quando viajar em segredo com sua amiga e não me conta o que foi fazer.

— Não vai me deixar esquecer isso, não é mesmo?

— Não! — ela confirma e agradeço o Natal estar chegando. — Podemos convidar sua amiga para almoçar aqui? Acho que é mais íntimo.

— Pode cuidar disso? — Ela balança a cabeça afirmando. — Não sei se a Winnie virá, ela é uma executiva como a Tracy e nem sempre tem horário.

— Tudo bem, pode ser outro dia se preferir.

— Nem pensar! Mas não fica dando ouvidos a tudo que a Tracy fala sobre mim, ela vai tentar me derrubar.

— Nem sua melhor amiga conhece você como eu conheço. Achou pretensioso?

— Pensei que eu era o pretensioso do casal!

— Você é, mas eu gosto. — Ela afasta o prato e faço o mesmo, acho que podemos deixar tudo de lado e voltar para cama. — Amanhã ajudo a Thea, hoje...

— Hoje você é minha! — digo ajudando Angelina a ficar de pé, ela me envolve o pescoço e beijo seus lábios. — Vai transferir suas roupas para o meu closet?

— Não! Vou transferir minhas roupas para o nosso closet e esmagar seus ternos em um cantinho porque preciso de muitas roupas bonitas para acompanhar você por aí.

— Muito bom! — digo enquanto seguimos abraçados para nosso quarto.

Quando nos deitamos ela se acomoda em meus braços, acho que posso viver toda uma vida assim, dormindo e acordando com Angelina, vivendo essa vida que vamos construir. Posso entender Klaus agora como nunca entendi antes.

— Não estava bravo com você — explico a ela que busca meus olhos. — Estava bravo comigo, com essa guerra que tem sido dentro de mim. Eu não gosto de me expor, tenho minhas convicções, falar sobre como me sinto não parecia nada fácil. Achei que bastava mostrar, ser gentil e carinhoso seria o bastante, estar aqui todos os dias na hora do jantar, mas entendo que dividir a vida com alguém é mais do que isso, que as pessoas não são iguais.

— Acho que eu sou o tipo que precisa ouvir, estive em um dilema, Seth. Não estava convencida que tinha um envolvimento com a Tracy, uma parte de mim não acreditava que você teria paciência para isso, mas acho que me deixei levar.

— Não dou conta do que sinto por você. — Ela faz bico. — Sim, você me consome por inteiro.

— É todo meu? — ela pergunta e admito que gosto disso, de ser amado assim, por inteiro.

— Sim. Todo seu e é bom começar a se aproveitar disso. — Angelina sorri de modo sensual, é tudo que preciso para envolvê-la em meus braços e esquecer do mundo girando.

Amanhecer com ela em meus braços, sem pressa, sem medo, cheio de verdades e mais nenhuma dúvida. Ela está com os olhos abertos a me olhar. Linda, feito a aurora boreal, Angelina em todas as suas cores.

Telefono convidando Tracy e Winnie, decidido a passar a manhã com Angie. Não me estendo muito com Tracy, em outro momento conto a ela o que nossa viagem gerou.

Acho que, no fim, isso era tudo que eu precisava. Perceber suas emoções, dar de cara com seus medos e misturá-los aos meus medos me fez reagir e finalmente demos um novo passo.

Me sinto meio idiota assistindo Angelina e Thea prepararem as coisas para o almoço, ela fica mais tempo com Thea do que comigo e mesmo assim. Gosto de estar em casa, de assistir Angie dividida entre as mil coisas que tem que fazer.

Thea vai embora assim que deixa tudo pronto. Angie está linda em um vestido leve que me obriga a deixar a casa mais quente, é isso, vamos ter que negociar o ar-condicionado.

Winnie vem com Tracy, sou eu a recebê-las enquanto Angie parece ansiosa e um tanto nervosa, com meu pai foi o mesmo e ela tirou de letra, ele está completamente encantado com Angelina como Tracy vai ficar.

— Chegamos! — Tracy diz passando por mim com um sorriso que vai direto para Angie, Winnie me sorri, ela tem sempre um olhar cheio de ironias.

— Ainda bem que não te conheci antes de saber da viagem — Angie diz quando as duas se abraçam. — Você é linda, eu teria ficado realmente assustada.

— Você não corre risco — ela brinca. — Já Seth... — Tracy olha para Winnie. — Desculpa, amor, mas eu não podia perder a piada, olha a cara dele.

— Não foi nada engraçado! — reclamo achando que o abraço está muito longo.

— Foi sim — Winnie concorda só para me irritar. — Você é linda, Angelina! Não posso dizer que é muito esperta já que se apaixonou pelos olhos de aço, mas sobre a beleza é inegável.

— Seth não é o que as pessoas pensam.

— Claro que não! Para isso ele teria que melhorar muito — Tracy provoca, eu sabia que ela faria esse tipo de coisa. — Adoro quando ele rosna. — Ela ri se afastando de Angie.

— Preparei uns drinks sem álcool, por conta do bebê e da hora, mas se quiserem...

— Sem álcool está ótimo! — Winnie aceita. — Voltamos para o trabalho. Tenho uma reunião às três da tarde.

Pego a bandeja para ajudar Angie, coloco sobre a mesinha de canto na sala. Depois de todos servidos, nos acomodamos no sofá, Angie ao meu lado. Passo meu braço por seu ombro e ela se encosta ao meu peito.

— Ai... Meu... Deus! Como é que vou me acostumar com isso? — Tracy diz, animada. — Que lindos!

— Estão fazendo parecer que Tracy tem um coração! — Winnie brinca.

— Ela me ama. — Tracy acha necessário avisar Angie, para o caso dela ter dúvidas.

— São um lindo casal. — Angie diz a elas.

— Ok, agora contem tudo — Tracy pede. — Melhor, Seth, vá arrumar algo para fazer e nos deixe a sós com a Angie.

— Jamais! — É a minha resposta. Angie me olha, carinhosa, beijo seus lábios. — Vê como não corria risco algum?

— Parem de namorico e me contem as novidades. Como é que tudo se resolveu, Seth implorou?

— Seth nunca vai ter que implorar — Angie diz me beijando. — Eu o amo! — É completamente novo ouvir, primeiro porque admiro sua capacidade de mostrar seus sentimentos mesmo para pessoas que mal conhece, mas, além disso, é a primeira vez que alguém diz isso sobre mim. Me sinto responsável por esse sentimento, pronto para protegê-lo, alimentá-lo e principalmente, merecê-lo.

CAPÍTULO 31

Angelina

— Já estão a caminho? — pergunto ansiosa enquanto confiro a mesa do jantar.

— Tracy esqueceu os presentes, estamos no carro.

— Ótimo! Sam também já saiu, mas tinha que passar em algum lugar para pegar os vinhos. Não demore, Winnie, por favor! — Eu me afasto um pouco para ir até a janela e não ser ouvida. — Stan e a Francine já chegaram e eu não consigo dar atenção a eles e cuidar da decoração.

— Seth ainda não chegou?

— Não. Primeiro ele inventa que tenho de providenciar bolo de chocolate e sorvete. Eu não fazia ideia de que ele tinha o paladar de um garotinho, mas consegui encomendar a tempo. Agora, um problema no trabalho de última hora. Quem tem problemas de trabalho no dia 24 de dezembro às sete horas da noite?

— Ah... Talvez...

— Winnie, eu sei que ele está mentindo, mas não se preocupe, não vou criar um clima. Deve ser meu presente, aposto que ele não comprou porque não vi um pacote diferente ou coisa assim, ele deve ter ido buscar.

— Com certeza é isso. Tracy chegou, em quinze minutos estamos aí.

— Ótimo!

— Angie, está tudo perfeito, não precisa ficar tão preocupada — Stan diz surgindo ao meu lado diante da grande e bem decorada mesa de jantar.

— Acha? — Ele passa seu braço por meu ombro e sorri encarando a mesa.

— Me faz lembrar quando o Seth era pequeno. Ele amava o Natal, agora faz pouco caso, mas ele gosta. — Sorrio pensando que já tinha desconfiado disso. — Você tem trazido de volta o Seth menino. Sou muito grato, já a Arnett... — Ele ri. — Estou brincando, ele é um ótimo líder e agora que não é só isso, está ainda melhor, gosto de saber que meu filho tem uma vida e é sempre o primeiro a deixar o escritório.

— Muito pontual. Ele está em casa às seis e quinze, todos os dias.

— Hoje eu entendo o quanto agi errado me deixando levar pelo trabalho e me esquecendo do que realmente importa: família.

— Acho que é mesmo só isso que importa.

— Mas as coisas são como são. Se eu fosse diferente talvez não tivesse construído um grande império que garante um bom futuro para todos vocês e as gerações futuras, nem teria encontrado Francine e talvez Seth não tivesse encontrado você. A vida segue sempre seu próprio curso, é tolice achar que as coisas podiam ser diferentes.

— Tem razão, vamos agradecer o que temos.

— E temos uma mesa perfeita. — Caprichei na decoração de Natal, está em todo canto, nada muito exagerado. O tom vermelho e um pouco de dourado e branco, uma decoração especial e carinhosa para receber as pessoas que me são mais preciosas e que eu aprendi a amar.

Escuto a porta e meu coração descompassa, me apresso para descobrir se é Seth, mas é Samantha chegando com uma sacola e Stan vai ajudá-la.

Achei que meu coração iria se aquietar depois da declaração, mas não, a cada dia ele fica mais e mais agitado, cada hora sem ele é uma agitação de saudade.

— Eu ajudo a colocar para gelar. — Francine segue para a cozinha com Sam.

— Posso servir uns drinks se quiserem — digo a Stan que nega.

— Muito cedo, vamos esperar para o jantar.

— Seth deve estar chegando — comento e ele sorri balançando a cabeça.

— Viajando com Tracy é que ele não está. — Stan ri de mim. Eu virei uma piada interna. Ao menos Winnie está do meu lado, a profecia de Seth não se realizou por completo, realmente me tornei muito amiga de Winnie, mas não odeio Tracy, pelo contrário, acho que ela é uma das pessoas mais divertidas que conheci na vida.

O toque na campainha anuncia que mais gente está chegando e que não é Seth. Stan vai abrir e Tracy e Winnie entram trazendo sobremesas e eu as ajudo a colocar na geladeira.

— Tem anos que não passamos uma noite de Natal assim, reunidos em um grupo tão familiar. — Tracy diz enquanto eu ajeito os petiscos sobre a bandeja.

— Acho que eu... Nem sei quando foi que tive um Natal assim, mamãe estava viva ainda, mas eu nem sinto tanta falta dos meus Natais na infância, sinto... — Um nó se forma na minha garganta e um silêncio mortal toma a cozinha onde o riso se espalhava. — Desculpem, é meu primeiro Natal sem Cory desde que ele nasceu e eu... Eu prometo não ficar chorando e estragando a festa. — Samantha seca meu rosto.

— Estragando a maquiagem, anjo. — Ela sorri. — Tenho certeza que Cory está bem, então não chore. — Balanço a cabeça prometendo, nessas horas Seth sempre sabe o que fazer. Ele tem um jeito de me acalmar, às vezes com riso, às vezes com carinho, até com a leve frieza racional que sempre me faz repensar e superar.

— Está, sim. Ele é um garotinho muito inteligente e vai achar uma maneira. — Sam me beija a testa.

— Bem, vamos começar essa festa sem o Seth — Stan diz pegando a bandeja com os petiscos, Francine e Samantha levam vinho e taças, eu e as garotas os seguimos e sinto os esforços de todos para tornar o ambiente alegre de novo.

Stanley olha para o relógio discretamente, acho que começa a se preocupar com a demora de Seth.

Sam pega o telefone e nos deixa um instante, realmente estão todos começando a se preocupar. Sorrio achando bonito e especialmente porque estão todos tentando me proteger, ou talvez porque dá última vez tivemos problemas. Mas foram os melhores problemas da minha vida, talvez o último.

Foi depois daquela mentira desnecessária é que tudo se resolveu e dissemos o que devíamos ter dito muito tempo antes.

— Acho que vou fazer umas imagens! — Sam diz quando volta para sala sorrindo. — Vamos guardar esses momentos, meu netinho vai gostar de ver como a mamãe estava em seu primeiro Natal. — Toco a barriga sorrindo.

Enquanto Sam filma todos nós mandando beijos para o celular, eu penso que não tem graça sem Seth aqui, ele odiaria e provavelmente daria uma explicação bem simples para não fazer parte disso.

Escuto a porta se abrir e finalmente só pode ser ele, me volto com um sorriso de saudade, mas não é Seth a primeira pessoa que vejo surgir na sala. É meu pequeno anjo de bochechas rosadas que tem olhinhos assustados e ansiosos até o instante em que me vê.

É um reboliço dentro de mim, primeiro parece sonho, depois a emoção me engole e um nó se forma para em seguida se tornar lágrimas. Leva um instante, segundos, um minuto, não importa! O tempo está paralisado.

— Angelina! — Ele grita abrindo os braços. Levo as mãos ao rosto enquanto Cory corre para meus braços e eu me ajoelho para recebê-lo.

É o cheirinho dele, a textura da pele, as dobrinhas que conheço todas, os cabelos. Meu pequeno enroscado em meu pescoço, torcendo uma mecha dos meus cabelos, como fazia desde bebê.

Meus soluços se misturam aos dele, saudade dói e matá-la é uma dor diferente, uma dor que alivia, quero esmagá-lo, não sei como nem o porquê, mas ele está aqui e meu amor por ele toma suas devidas proporções. O amor que sufoquei todos esses meses agora explode e não consigo soltá-lo, não consigo parar de chorar e nem consigo abrir meus olhos para vê-lo melhor, só quero meu pequeno em meus braços.

— Te amo! — digo o apertando ainda mais em meus braços. — Amo! Amo! Senti muita, muita saudade.

— Eu também. — Ele me conta em meio às lágrimas e são suas lágrimas que me obrigam a controlar as minhas e afastá-lo um instante. Seco seu rosto, beijo mais uma vez as bochechas lindas.

Meus olhos deixam os dele para procurar por Seth, não é preciso muito para entender que tudo veio dele. Seth está de pé, de braços cruzados e um sorriso no rosto.

— Surpresa! — ele brinca usando um tom desanimado. Deixo Cory um instante para correr para os braços do homem que muda minha vida todos os dias.

— Obrigada! — Ele me envolve o corpo e não preciso de mais nada para outra crise de choro, agora é alívio e gratidão.

— Está tudo bem, não precisa chorar. Está assustando as crianças. — Sorrio em meio às lágrimas, encontro seus olhos.

— Amo você, Seth! Eu nem sei como fez isso e vai me contar depois, mas não existe nada que se compare ao que me deu. — Ele se curva um pouco para me beijar os lábios, tem olhos felizes e saber que me fazer feliz o faz feliz é uma sensação incrível.

— Te amo!

— Que ursinho polar fofo! — Tracy comenta para quebrar o clima e nos fazer rir, embora eu ainda chore.

— E você ainda diz que me ama mais, como é possível depois de contar algo assim para Tracy.

— Desculpe, amor! — Eu não quis contar, apenas escapou em uma conversa e ela nunca mais esqueceu. Volto para Cory de pé no meio da sala com um sorriso lindo no rosto enquanto corre os olhos por tudo e por todos. — Me conta, bebê. Quero saber tudo — digo me sentando no sofá com ele ao meu lado.

— Você mora aqui? — Balanço a cabeça concordando. — Não vai mais morar comigo? — Passo meus dedos por seus cabelos, ele odeia pentear os cabelos e agora, por exemplo, está lindo e bagunçado.

— Não. Moro aqui agora, com Seth.

— Ele é legal, mas não joga videogame.

— Ninguém é perfeito — brinco e Cory balança a cabeça enquanto concorda meio desolado.

— Eu não terminei de ler o livro sem você. — Meus olhos marejam enquanto um novo nó se forma na minha garganta. — Eu trouxe, porque só falta um tiquinho assim. — Ele me mostra os dedos. — Li outro, meu pai lê comigo, a minha mãe não gosta, mas acho que ela não sabe ler, é isso.

— Como estão as notas?

— Mais ou menos — ele avisa e suspira. — É Natal, Angelina, o Papai Noel vai ouvir.

— Ah! Agora está preocupado com o Papai Noel? Quem foi que disse uns meses atrás que achava que ele não existia? — Cory tampa minha boca, acho que na noite do Natal ele não tem planos de desafiar o papai Noel.

Eu o aperto em meus braços, beijo mil vezes seu rostinho, quero saber tudo e mais ainda como ele chegou aqui, mas é Seth que tem que me contar. Acho que Cory nem sabe bem o que está acontecendo.

— Vou dormir aqui, trouxe uma mala, minha mãe falou que era muita coisa, mas se você quiser que eu fique um montão de dias, eu vou precisar. — Quem dera que ele pudesse ficar para sempre, mas eu nem sei se vou voltar a vê-lo, beijo seu rosto outra vez.

— Que acha de conhecer todo mundo? — Eu fico de pé e ele também.

— Seth eu conheço, ele foi me buscar — ele avisa e Seth apenas meneia a cabeça, queria tê-los visto juntos e sozinhos.

— Samantha é mãe do Seth e um pouquinho minha. — Sam sorri para ele e me abraça.

— Só um pouquinho não, muito! Vou ser avó duas vezes e por isso ter mais direito que o Stan.

— Ela sempre quer tudo! — Stan diz estendendo a mão para Cory que aperta se sentindo um rapaz. — Sou o Stanley, pai do Seth e sou bom em videogame.

— Ele está tentando — Francine avisa. — Meus sobrinhos amam e sempre que nos visitam eles jogam.

— Posso visitar eles, Angelina?

— Eles moram no Michigan, anjo. — Cory fica decepcionado. — Essas são a Tracy e a namorada dela a Winnie, são amigas do Seth e minhas amigas também.

— Menina pode namorar menina?

— Pode! — digo de modo simples e ele aceita. Olho para Seth.

— Não tem um paladar infantil, queria o bolo para ele. — Seth pisca em resposta e deixo Cory outra vez para ir beijá-lo.

— Você beija muito ele, Angelina! — Cory parece levemente enciumado e Seth simplesmente adora, me enlaça a cintura e volta a me beijar os lábios.

— Ela me ama muito — Seth brinca e balanço a cabeça afirmando. Finalmente a noite se transforma em uma festa, com riso, música, conversas, Cory a me seguir como sempre foi em um tempo que ele era todo o meu mundo. Os olhinhos brilham como se assim como eu, ele não pudesse acreditar que estamos juntos.

Nós nos acomodamos em torno da mesa de jantar, Seth na cabeceira, eu ao seu lado, sua mão se prende a minha um instante durante o jantar, enquanto olhamos Cory se deliciar com o peru assado e os acompanhamentos. Eu me preocupo com sua alimentação, coisa que seus pais nunca foram muito interessados.

— Um dia será o nosso bebê — digo a ele que balança a cabeça concordando.

— Um pouco mais magrinho — ele diz de modo simples, porque ele diz qualquer coisa com essa simplicidade cirúrgica.

— Seth! — reclamo um tanto feliz por Cory não ouvir. Ele não prolonga, apenas dá de ombros como se não alcançasse o problema no que disse, depois leva minha mão aos lábios, beija meus dedos e sinto saudade de estar em seus braços.

A festa segue até perto das dez da noite, Stan e Francine são os primeiros a partirem, viajam cedo para Michigan. Sam pega carona com Tracy e Winnie, recebo um longo abraço de cada uma delas, Cory segurando na minha saia como se temesse também ter que partir.

Sobramos nós três, depois do mutirão da limpeza, a cozinha e a sala estão em ordem, sob a árvore, alguns presentes com nomes deixados pelos convidados.

— Seth disse que o Papai Noel ficou de vir aqui deixar o meu presente. Acha que ele não vai esquecer?

— Seth disse? — pergunto a Cory olhando para Seth, eu sei que no fim, ele vai ter muito jeito com nosso filho ou filha, ainda não conseguimos saber. Ele não é o tipo que fica a conversar com a barriga, ainda quero ter esse momento com ele, mas ainda não aconteceu e não vou forçar.

— Disse e soube que o Papai Noel nunca falha. — Seth pisca me puxando para seu abraço.

— Comigo ele foi perfeito esse ano. — Seth beija meus lábios, depois meu pescoço, seus lábios colam em meus ouvidos.

— Papai Noel não teve nada a ver com isso — ele sussurra me fazendo arrepiar. — Eu que mereço sua gratidão.

— Mais tarde falamos disso. — Eu o empurro, o modo como ele me provoca é constrangedor, eu devia ser mais firme, mas basta seus lábios e seus sussurros e já perco o raciocínio.

— Vou esperar.

— Hora de dormir, Cory.

— Vai ler para mim? — ele me pede e balanço a cabeça afirmando.

— Claro que sim! Vamos saber o que acontece com Peter Pan e o Capitão Gancho.

— Quer ficar com a gente, Seth? — ele convida e vejo como isso mexe com Seth, ele sorri de modo espontâneo, dá de ombros em um sim do tipo que não parece ser nada importante.

— Vamos ver o que trouxe nessa mala — digo quando partimos para o quarto de hóspedes.

Eu o ajudo a separar o pijama, depois ajeito a cama enquanto ele toma banho e Seth folheia o livro de Peter Pan.

— Li com minha mãe na infância — ele me conta —, mas acho que era mais novo.

— Garotos adoram Peter Pan. Como foi que... Foi essa viagem que fez com a Tracy, não é? — Ele afirma e fico constrangida. — Que vergonha! Não sei como não mandou tudo para o inferno, eu o recebi cheia de inseguranças, cobrando coisas. Desculpe!

— Não tinha como saber, fui um péssimo mentiroso. — Isso foi mesmo, eu jamais teria ficado desconfiada se tivesse me dito que teria que fazer uma viagem rápida.

— Como foi com eles?

— Para mim, foi ótimo. Disse umas verdades, fiz umas ameaças, agora para eles deve ter sido péssimo.

— Angelina, eu posso lavar o cabelo? — Que saudade que senti disso, sorrio adorando ouvir.

— Pode!

— É assustador — Seth diz sério. — Todo esse poder sobre ele, sobre outra vida, nunca tinha pensado nisso, essa pergunta... Nunca sentiu medo?

— Todo tempo, medo de errar, medo de mudar a vida dele de modo ruim, mas acho que fui bem com ele e vamos ser bons com o nosso filho — digo tocando minha barriga. — Agora vou contar a ele.

— Ele parece meio ciumento — Seth comenta quando me sento em seu colo e ele coloca o livro sobre o móvel. — Quer você só para ele.

— Fui só dele por dez anos.

— Agora é minha também. — Ele me beija, me apoio em seu peito, ele envolve meu corpo e suspiro feliz. — Os pais dele estão em um hotel bem barato. Paguei a viagem porque o queria aqui com você, na próxima vez que ele vier vem sozinho, vamos até Winnipeg buscá-lo.

— Ele vem outras vezes? — Meu coração descompassa de felicidade. — Acha que vão deixá-lo me ver de vez em quando?

— Sempre, meu amor, sempre. — Ele afasta meus cabelos. — Mas dessa vez vai embora amanhã, achei que em uma primeira vez seria melhor assim, com ou sem ameaças são os pais dele, devem ganhar confiança que o menino está bem. Amanhã no fim do dia eu o levo de volta até eles.

— Obrigada, Seth! Isso foi... não tem ideia do que fez em meu coração. Parece que estou flutuando.

— Sabia que nunca seria feliz por completo com essa lacuna que ele deixou. Cory é um garotinho muito agradável, fez um ótimo trabalho. Viemos conversando no carro, ele está bem, passa muito tempo fora de casa, mas quando está lá, o pai o ajuda com o dever e lê para ele antes de dormir. A mãe é chata, nas palavras dele, mas leva ele ao parque aos domingos e o apanha na escola no fim da tarde.

— É um alívio saber, quero que ele seja feliz. É bom saber que eles estão ao menos tentando.

— Acho que sim.

— Chega de banho Cory! — Seth ri. — Vê como sou poderosa? — brinco quando escuto o chuveiro desligar. — Ele odeia entrar no banho, depois não quer sair.

Cory vem vestido em seu pijama, deixo o colo de Seth para me ajeitar ao seu lado na cama, ele se cobre me entregando o livro.

— Vamos ler até acabar?

— Vamos — digo ajeitando os cabelos meio úmidos. — Temos de esperar o cabelo secar, não é mesmo, rapazinho?

— Sim. Não pode dormir de cabelo molhado que fica doente — ele se lembra, Seth solta uma longa gargalhada e ganha nossa atenção.

— Por que toda mãe diz essas coisas? — Seth me pergunta e faço uma careta ofendida.

— É isso mesmo, prejudica o couro cabeludo e pode causar sim resfriado, Seth. Cory, não o escute.

— Tá bom! — ele responde obediente.

— Vou pesquisar — Seth diz abrindo o celular, faz caras e bocas até que finalmente guarda o celular. — Ok, você venceu! Vá em frente. — Ele ri.

— Cory, tenho uma coisa bem especial para te contar. — O garotinho me olha, curioso. — Amo você! Eu não queria ter ido embora, queria ficar para sempre com você.

— Eu também queria — ele diz me abraçando.

— Mas agora vamos ser amigos, você pode vir sempre e eu tenho uma coisa boa para contar, eu conheci o Seth quando sai da sua casa. — Ele balança a cabeça concordando. — Foi muito bom, porque eu o amo muito também. Amo você e amo o Seth.

— Eu sei, toda hora você beija o Seth.

— Cory, porque eu amo muito ele é que uma coisa bem bonita aconteceu comigo. — Ele parece ainda mais atendo. — Eu vou ter um bebezinho. Ele está aqui. — Toco a barriga, Cory fica de queixo caído um instante, olha para mim surpreso.

— Está grávida?

— Estou sim. — Cory toca minha barriga. — Nosso filho, meu e do Seth.

— Você nem casou.

— Cory! — digo meio chocada, crianças dizem coisas aleatórias, mas as vezes constrangem um pouco. Seth e eu estamos juntos e felizes, mas ele não me pediu e eu não me importo. No fim, somos felizes e isso é o que me importa. — Não precisa casar, somos felizes assim.

— E tem um bebê na sua barriga? Vai ter um filho, vai gostar mais dele do que de mim?

— Não consigo, vou gostar igual dos dois. — Ele não sabe se pode acreditar nisso. — Será que pode me ajudar a cuidar dele? Um bebezinho precisa de muito amor, muito cuidado, pensei que você poderia nos ajudar, faria isso?

— Como ele é?

— Ainda não sei — digo a ele emocionada por dividir com Cory esse momento.

— É porque minha mãe não deixa mais você cuidar de mim? Por isso que vai ter um bebê?

— Não. É porque eu amo o Seth, tanto, mais tanto, que nosso amor fez isso, um bebezinho.

— Menino ou menina?

— Não sei, Cory, mas não importa, não é mesmo? Quando ele crescer um pouco vou levar você e ele para o Norte e vão poder caçar aurora boreal. O que acha?

— Eu quero! — Ele comemora. Então fica um instante olhando para minha barriga, toca com cuidado, parece desconfiado. — Ele está bem pequeno ainda.

— Bem pequeno.

— Ele já escuta tudo?

— Sim, ele pode ouvir tudo. — Cory se encosta à minha barriga, olho para Seth. Talvez ele não tenha se dado conta disso e parece surpreso, emocionado também, com um meio sorriso no rosto assistindo enquanto Cory explora a notícia.

— Oi, bebê! — ele diz e depois ri. — Eu sou o Cory! Angelina, ele vai ser meu amigo e eu vou te ajudar, sim. Vou contar para meus amigos e a minha professora que você vai ter um bebê e eu vou te ajudar. Thomas tem um irmão de um ano e a Carol tem um irmão que é bebê, ela falou que ele tem uns dias só.

— Pode contar, sim. — Ele volta a se encostar à minha barriga depois me olha preocupado.

— Ele vai saber o fim da história? E agora?

— O coitado já chega ao mundo levando *spoiler* do Peter Pan — Seth brinca deixando a poltrona e vindo se deitar conosco, me envolve em seus braços enquanto Cory ainda tenta ouvir qualquer coisa.

— Lê baixinho, Angelina, para ele não ouvir. Fico com a cabeça na sua barriga tampando tudo — Cory decide. Seth sorri, algum dia será ele com a cabeça em minha barriga, ouvindo o filho sem medo de parecer ridículo.

— O seu garotinho é bem esperto. Ele demora a dormir? Você tem secador de cabelo, por que não usa? Ele está cansado, viajou muito.

— Sabe que vamos passar muitas noites acordados com nosso bebê? Melhor ir treinando — aviso a ele que não parece encarar como um problema.

—Treinar? Tudo bem, eu leio! — ele diz pegando o livro da minha mão. Acho ótimo, posso dar uns cochilos enquanto ele lê.

— Eu te mostro onde que a gente parou. Tem um marcador de página, bem aqui no finalzinho. Lê baixinho e devagar.

— Sim, senhor! — Seth faz uma mesura e Cory não entende a ironia, apenas volta a se deitar com a cabeça em minha barriga, fico a mexer em seus cabelos enquanto me encosto ao peito de Seth e escuto sua voz grave lendo pausadamente o livro infantil.

CAPÍTULO 32

Seth

Seus dedos correm por meu rosto, é uma ótima maneira de me desperta, sinto o peso de sua perna sobre a minha, os cabelos fazem cócegas em meu peito, seria perfeito se não fosse praticamente madrugada.

— Feliz Natal! — Ela diz em meu ouvido, sorrio sentindo meu corpo despertar e reagir.

— Está procurando encrenca — digo sem abrir os olhos.

— Estou procurando acordar meu... — Ela não termina, a verdade é que nós dois precisamos de rótulos. Eu não gostei nada de apresentá-la a alguns conhecidos outra noite sem dar a ela um título. Disse essa é Angelina, mas queria dizer minha Angelina, noiva, esposa... Sei lá! Não disse, porque não temos um rótulo.

— Seu? — Abro os olhos e me movo para ficar sobre ela, antes da manhã terminar ela terá um anel em seu dedo, um pedido formal e talvez eu terei meu sim.

— Meu e ponto! — Ela ri, beijo seus lábios. Depois desço beijando o pescoço.

— É Natal.

— É assim que se acorda a pessoa amada no Natal — brinco olhando para o relógio ao lado da cama. — Seis da manhã? Por que acordamos tão cedo?

— Shiu! Continua. — Ela aponta seu pescoço. — Estava indo bem.

— Eu estava, mas pensei que era ao menos oito.

— Detalhes! — Angelina ri. — Seth, tem um garotinho no outro quarto, às oito da manhã ele já vai estar enjoado dos presentes e pensando no que vai querer ano que vem, então sejamos mais focados.

— Tudo parte do meu treinamento de pai? — pergunto e ela afirma sorrindo, suspiro pensando que um homem como eu aproveita todas as oportunidades. Minha boca cobre a sua enquanto seus dedos deslizam suaves por minhas costas.

— Sério que em uma hora eles já enjoam? São muito voláteis.

— Acho que eu vou ter de fazer tudo sozinha — ela me provoca.

— É um jeito! — Brinco, Angelina passa a língua pelos lábios. — Ou eu posso ajudar, sim, ajudar é uma boa ideia.

— Ótima ideia!

Somos tão bons juntos que às vezes me pergunto se tudo que vivi antes realmente era bom, porque quando comparado não tem a menor importância.

Tem pequenas mudanças em seu corpo, ainda leves demais. Anúncios de como, ao longo dos meses, tudo será diferente. Fico ansioso e curioso, mas não preocupado. Não tem nada a ver com suas curvas, o desejo que sinto por ela vai muito além da sua aparência e essa é outra novidade em minha vida, jamais achei que as duas coisas andassem juntas como uma só.

Quando nos separamos, os olhos dela são luz, tão lindos e iluminados que me lembra da aurora boreal, sinto saudade de Churchill.

— Quanto tempo até podermos voltar a Churchill? — Ela sorri para mim.

— Sinto saudade dos momentos que não tivemos lá — Angie me conta e eu a compreendo perfeitamente. Tê-la em meus braços com esse amor exposto enquanto assistimos as luzes do Norte, amanhecer com ela em minha cama, aproveitar o calor da lareira em longas noites juntos, beijo seus lábios e assisto Angie se espreguiçar. — Acho que pelo menos um ano. É uma viagem longa, lá faz muito mais frio, para o bebê é perigoso essa mudança toda, então quando ele tiver pelo menos um aninho.

— Certo, vamos programar para uma semana depois do aniversário de um ano. Agora melhor irmos encontrar o seu garotinho, todo mundo dormiu e terminei Peter Pan sozinho, acho o final tão melancólico.

— Peter Pan não queria crescer, Seth. Era inevitável que Wendy deixasse sua vida e seguisse em frente.

— Se a fadinha fosse ao menos um pouco mais alta, ele podia ficar com ela.

— Seth!

— Todo mundo sempre casa no final feliz! — eu digo enquanto ligo o chuveiro, ela coloca pasta em sua escova de dente.

— Nem todo mundo, casamento é só... um papel! — Angelina coloca a escova na boca no instante em que a água fria cai sobre mim. É literalmente um banho de água fria.

— Fria!

— Eu? — ela pergunta me olhando através do espelho.

— A água! — Mudo a temperatura enquanto penso se vou acabar ouvindo um não. Será que nesse caso o anel vale como presente mesmo assim?

Angelina vem me encontrar no chuveiro, os olhos são cheios de seu amor. Não pode ser que ela pense mesmo isso, talvez esteja só... Não consigo pensar em nenhuma razão, mulheres são um mistério.

— Quer me dizer alguma coisa? — ela me pergunta e nego. — Está estranho.

— Água fria em plena manhã de Natal — digo a ela que começa a lavar os cabelos.

— Estou aqui pensando nas rabanadas que deixamos pronta, devem estar uma delícia.

— É sério? Estamos nus no chuveiro e está pensando em rabanadas?

— Natal! — Ela dá de ombros rindo enquanto deixo o chuveiro e me seco assistindo seu banho. — A que horas vai levar o Cory? Posso ir com você e jantamos em algum lugar. O que acha?

— Que volto aqui para pegar você depois de deixá-lo e jantamos fora se é isso que quer. Não quero que os encontre, não confio naquela gente e não consigo imaginar qual seria minha reação se eles...

— Tem razão — ela me corta. — Não faz sentido um encontro agora, eu nem sei como seria encará-los, quem sabe no futuro.

— Com toda certeza no futuro, assim pode se vingar um pouquinho. — Ela ri desligando o chuveiro, passa por mim se enrolando em uma toalha. Eu amo essa vida de dividir o banheiro com Angelina, assistir suas pegadas molhando todo nosso piso e o monte de produtos de beleza ocupando toda a bancada embora eu saiba que ela não usa nem um terço deles. Como é que juntou tanta coisa tão rápido? Chegou aqui com uma malinha de nada e agora ocupa tudo, não tem um espaço nesse quarto que não tenha qualquer coisa de Angie espalhada.

Começo a forrar a cama enquanto ela se veste, assisto o escovar dos cabelos, a gotinha do perfume nos pulsos e atrás das orelhas, o último olhar no espelho, a caretinha de desagrado porque não consegue enxergar o quanto é incrivelmente linda e então seu sorriso a espera do meu elogio; como se minha opinião fosse mais importante que a sua.

— Linda! Vestido novo? — pergunto todos os dias, não porque eu realmente queira saber, mas porque Tracy me garantiu que mulheres adoram quando notamos as pequenas mudanças.

— Sim, comprei com a Winnie.

— Ficou perfeita nele.

— Um número maior. Nem queria comprar porque achei caro e depois não vou usar, mas ela insistiu dizendo que ele ficou perfeito em mim.

— Tracy vai ficar com ciúme. Já odeia minha amiga?

— Não. Eu a amo! — Faço careta e ganho um beijo, são pouco mais de sete horas da manhã. — Vamos acordar o Cory e assisti-lo abrir o presente. Acreditei que estava enviando o presente pelo correio.

— De vez em quando minto bem. — Passo meu braço por seu ombro e deixamos o quarto. Cory não está na cama, Angie sorri, ela tinha razão sobre ele acordar cedo para receber seu presente.

Quando chegamos à sala o garotinho está de pijama, ajoelhado diante da árvore de Natal, nos sorri ansioso.

— Ele veio — Cory nos avisa.

— Claro que sim! Agora é só você encontrar os presentes com o seu nome — ela diz e o garotinho ataca a árvore de Natal, me afasto um instante sem que ela se dê conta para buscar o anel guardado na minha mala. Volto antes que me notem.

— Tem presentes para você, Angelina e para Seth.

Cory vai separando os presentes, os meus e os de Angelina e ainda fica com uma pequena pilha com meia dúzia de presentes. Tracy e meus pais também compraram presentes quando souberam que ele viria.

— Eles foram colocando os presentes sob a árvore e eu nem pensei que eram presentes demais. — Angelina diz abrindo um dos seus. — Olha, meu amor, uma roupinha para o bebê! — Ela fica emocionada.

Abro os meus, o livro que eu queria vindo do meu pai, a gravata em nome da Tracy e Winnie, mamãe me dá um perfume e um livro de arte. Angie ganha roupas, livros, também fica emocionada com todos os presentes e me estende o que ela comprou.

— Esse é o seu. — Abro o pacote bem feito, um álbum de família, "Família Arnett" em letras douradas na cama, na primeira página, uma foto dela, minha linda Angelina sorrindo, seu rosto e mais nada. Os grandes olhos ocupando espaço e me contando do seu amor, na página seguinte, uma foto minha roubada, uma em que estou sorrindo. — Disse que não posaria, então eu roubei um sorriso seu. — Olho para ela achando que é o presente mais especial que já recebi e agora faz sentido o que ela disse sobre não escolher. Viro mais uma folha e não tem nada, é uma página em branco, olho para Angelina que dá de ombros. — Vamos ter que contar o resto da história.

— O melhor presente que já ganhei na vida! — digo deixando o álbum de lado e envolvendo Angie, ela me abraça, os olhos sorriem. — Amo você!

— Eu amo muito mais!

— Tudo bem! — brinco só para ver seu riso se espalhar e então beijo seus lábios. Primeiro um beijo leve, depois um longo beijo cheio do meu amor, me afasto dela fingindo olhar para debaixo da árvore. — Espere, meu amor, acho que faltou um presente escondidinho lá em baixo, deve ser do Cory.

Finjo retirar o presente debaixo da árvore e olho para caixinha com o nome dela em uma pequena e discreta etiqueta. Tudo muito bem organizado.

— É meu, Seth? — Cory questiona, animado.

— Não, esse é da Angie — eu aviso caminhando até Angelina que sorri para a caixinha.

— Que lindo! — ela diz olhando para caixinha. Nem desconfia quando desfaz o laço sem parar de sorrir.

— Ficaria de joelhos se permitisse, mas acha que o amor não se curva. O meu se rende. — Olhos lindos de surpresa e admiração, indecisos sobre olhar para a joia e para mim, um anel delicado de ouro branco com uma esmeralda envolvido em mínimas pedras de diamante. — Pensei nas luzes do Norte. Casa comigo, Angelina? Mesmo não se importando com casamento, casa comigo para sempre.

— Seth! — Ela fica surpresa.

— Eu amo você! É meu refúgio, minha aurora boreal, o riso da minha vida, meus sonhos. Eu sou doente sem você, sou confuso e me aceita do jeito que sou. E eu sou meio estranho, quero...

— Sim. — Ela me abraça. — Sim, do jeitinho que é, sim todos os dias. É o meu Norte, Seth. Não precisa dizer mais nada, amo você com tudo que tem e é. Amo justamente por isso. — Ela tira o anel da caixinha, me entrega e noto os dedos trêmulos.

— Tive medo que não aceitasse — conto quando ela estica a mão para receber o anel.

— Eu nunca diria não a você.

— Disse que casamento não importa.

— Porque meu amor é maior que tudo, porque não preciso de nada para saber que sempre vou amar você.

Deslizo o anel em seu dedo, fica perfeito. Angie está tão emocionada que seus olhos marejam, beijo sua mão com o anel, depois seus lábios, envolvo sua cintura e ela passa os braços por meu pescoço.

— Manhã de Natal — ela concorda enquanto uma lágrima corre por seu rosto e seus olhos se fecham. Meus lábios cobrem os seus, um beijo delicado, depois envolvente, cheio de nosso amor, dos sonhos que vamos tornar nossa realidade.

— Quem vai brincar comigo? — O garotinho que ficou esquecido decide nos lembrar de sua presença na melhor parte, me afasto um pouco dela, apenas o bastante para olhar em seus olhos.

— Nem pense em dizer que é treinamento. — Ela balança a cabeça afirmando, eu nego mais uma vez. O sorriso dela se abre.

— Vamos tomar café da manhã de Natal, Cory, depois o Seth vai brincar com você. — Lanço meu olhar furioso que tem o efeito desejado, um ataque de riso em Angelina. — Assim vou te chamar de ursinho...

— Não se atreva! — ameaço puxando Angie em direção a cozinha.

— Vou ter um vestido de noiva, buquê e uma grande festa?

— Não era você que não precisava de nada disso?

— Não disse que preciso, disse que quero. — Faz todo sentido eu balanço a cabeça afirmando.

— Não sei, é você quem decide. — Ela que vai fazer tudo que precisa ser feito.

— Ótimo! Você vai ficar lindo em um terno bem elegante e eu num lindo vestido. Seth! — Angie me olha como se lembrasse de algo importante. — Estou grávida!

— Sério? — Provoco e ela ri.

— Se está disposto a casar comigo é melhor se apressar, não vou esperar a barriga crescer, quero entrar no meu vestido de noiva.

— Ok! Amanhã estou livre, só falar com a Viviane e ela cancela uns compromissos.

— Ótimo! Você cuida dos papéis. Assim que ficar tudo pronto, casamos.

— Você manda! — digo beijando seu pescoço enquanto ela parece ocupada planejando o casamento, gerando um filho e colocando a mesa do café da manhã. Mulheres!

Cory se delicia com o café da manhã, eu fico meio perdido a cada vez que avisto a mão de Angelina. Ela disse sim e se esse garotinho não estivesse aqui o café da manhã seria na cama, depois de me perder em seu corpo, com Angelina vestindo apenas esmeralda e diamantes.

— Pensativo?

— Ah! Eu... estava pensando no... em... Nada demais. — O rosto dela cora ao entender, ela olha direto para o garotinho esfomeado.

— Você faz a melhor panqueca do mundo todo, Angelina.

— Obrigada, Cory!

— Vou dormir aqui hoje de novo?

— Não, meu anjo, você tem que ir, mas volta em breve. Quando o bebê nascer.

— Tudo bem! Eu posso ligar todo dia?

— Claro! — ela responde emocionada, eu gosto do menino, dá para ver que ele a ama de verdade e qualquer um capaz de amar Angelina tem meu respeito.

Angie admira o anel enquanto nos espera comer. Essa manhã o enjoo nos deixou em paz, nem quero pensar muito nisso, vai que ele ataca, mesmo assim ela não come mais do que o necessário. Uma rabanada que eu nem acho que é muito saudável, mas ela parecia bem interessada.

— A melhor manhã de Natal de todos os tempos — diz não para mim, mas para o anel. — Estou noiva! — Seu sorriso agora é meu e me lembro de como quis ser dono de ao menos um de seus sorrisos e como fiquei doente e infeliz sem ela, como a vida ganha sentido ao seu lado. — Melhor presente de Natal nem podia sonhar que ganharia algo tão especial.

— Um anel? — pergunto para vê-la negar.

— Um marido. — Ela ri. — Vamos fazer um jantar e convidar todos para anunciar, se quiser pode pedir minha mão para sua mãe.

— Não vou arriscar, pode ser que ela diga não, acho que mamãe pensa que nenhum homem é bom o bastante para o amor da vida dela.

— Sempre achei que era o Angus — ela me provoca.

— Ele ficou em segundo plano. — Puxo sua mão para outro beijo no anel, é como reverenciar nosso amor. — Mamãe tem razão, ninguém é bom o bastante para você, mas tem o único que vai tentar mais do que tudo.

— Isso foi romântico, não tente negar — ela me provoca deixando seu lugar para sentar no meu colo.

— Apenas fatos — respondo beijando seus lábios. Olhamos para Cory e ele está no meio de uma careta.

— Vocês gostam de namorar, hein? — ele diz finalmente terminando o café da manhã. — Vamos brincar, Seth?

Angelina deixa meu colo, indica a porta com um sorriso cínico e debochado no rosto, afasto a cadeira depois de um suspiro.

— Vamos, Cory! — O garotinho corre na frente. — Treinamento, Seth, tudo treinamento! — digo tentando me convencer que não é tão ruim. — Olhos de aço, senhor do caos, é bem difícil manter alguma má reputação quando se está apaixonado. — Deixo a cozinha ainda ouvindo o riso de Angelina e me ajoelho no chão para brincar com o garotinho.

Não demora e Angie está conosco. Vou me casar com ela, com essa mulher linda, inteligente e cheia de riso e coragem, eu tive sorte, muita sorte que eu nem sei se merecia.

Seu celular toca, ela deixa a brincadeira um instante para atender.

— Sammy! — Olho para ela, chocado. — Feliz Natal para você também! Que bom falar com você, mal nos despedimos quando deixei Churchill. — Angie sorri para mim sentada no sofá, eu no chão, com carrinhos na mão enquanto ela fala com aquele projeto de homem.

Nem todo mundo capaz de amar Angelina tem meu respeito. Aponto seu anel. Ela balança a cabeça afirmando.

— Ele está bem — ela diz sorrindo. Aponto para mim mesmo, talvez ele esteja perguntando por mim, Angie balança a cabeça negando, toca a barriga. Sammy sabe disso? — Crescendo. Como está sua namorada? — Ela enfatiza o *"namorada"* olhando firme em meus olhos e sorrio. — Que bom Sammy. Fico muito feliz. Um feliz Natal para vocês!

— Não vai contar do noivado? — digo indignado, ela nega e meu queixo cai.

— Sim, em férias quem sabe. Até. Abraços. — Ela desliga e me olha, chocada. — Depois de tudo que sua mãe fez por mim quer que o Sammy seja o primeiro a saber de uma notícia especial como essa?

— Quero — digo sem qualquer receio. — Minha mãe não está no meu caminho.

— Nem Sammy! — ela diz entre brava e nada, ela está só brava mesmo.

— Ele sabe que está grávida.

— Porque ele comprou o teste. — Agora, sim, isso me atinge. Faço careta e ela revira os olhos, deixa o telefone jogado no sofá e vem se sentar no chão comigo, Cory está distraído com seus carrinhos. — Amo você, Seth, sabe disso e o Sammy foi um bom amigo. Eu estava com medo e não podia contar com ninguém.

— Desculpe, já me sinto culpado. Pode me perdoar?

— Posso! Já perdoei, é ciumento e entendo isso, um pobre homem inseguro. Um ursinho...

— Não faz isso! — Ela sorri.

— Quando me provocar, vou fazer.

— Certo, nunca mais sinto ciúme do Sammy, só quando estivermos em Churchill.

Ela ri, se acomoda em meus braços, o resto do dia corre lento, toda vez que eu a percebo admirando o anel meu coração se aquece. Minha Angelina, a garota que mudou minha vida.

Na hora de levar Cory, a emoção dos dois volta a me tocar. O garotinho a abraça apertado, ela o aperta como se assim, guardasse um pouco dele para si.

— Te amo! Estuda direitinho, capricha nas provas, se for bem, vai poder voltar, então fica focado nisso.

— Você vai me buscar quando o bebê nascer?

— Claro!

— Vou dormir muitos dias aqui? — Ela balança a cabeça concordando. — Você ainda gosta muito de mim?

— Amo muito! — Angie beija seu rosto e me olha. — Melhor você ir logo. — Ela luta contra as lágrimas e me abraça. — Volta logo também.

— Correndo! — prometo.

— Metaforicamente, não em alta velocidade, por favor!

— Sim, minha noiva. — Ela sorri e dá mais um abraço no garotinho, eu passo meu braço pelo ombro dele e o levo até o elevador. A porta fecha e ele me olha ainda triste. — Você vai me buscar mesmo?

— Prometi e vou cumprir. — Ele acredita, encosta a cabeça na parede do elevador.

— Toronto é mais legal que Winnipeg.

— Até encontrar uma namoradinha na escola, aí vai preferir Winnipeg.

— Não vou namorar, vou ser só motorista de trem!

— Que ambicioso! — Ele sorri achando que acaba de ser elogiado.

No caminho para o hotel, ele fica distraído com os brinquedos que leva na mão e eu pensando em meu casamento, e que amanhã vou ter o dia todo com Angelina, só nós dois, fazendo planos.

— Fui bem nas brincadeiras? — pergunto ao garotinho que balança a cabeça afirmando. Tenho que ter alguma noção se vou ter jeito com meu filho, no momento eu não pareço saber muito bem o que fazer. — Ótimo! Você também foi muito bem. — Ele não me dá muita atenção, a verdade é que está caindo de sono. — Não dorme que estamos chegando, liga para o seu pai e manda ele nos esperar na portaria.

— Vai se lembrar de falar para ele que eu vou voltar sempre?

— Conte com isso. — Angie nunca esteve mais feliz e isso é tudo que me importa, pensar que todos os meus sonhos se resumiam a substituir meu pai. Que mundo pequeno e frívolo eu vivia antes dela.

CAPÍTULO 33

Angelina

Seth segura minha mão enquanto minhas lágrimas correm, acho que vou chorar de emoção em todo ultrassom. Ele observa a televisão, vidrado como ficou da outra vez.

— Então doutor? — pergunto ansiosa.

— Está ótima! Tamanho certo, os exames todos estão muito bons. Continue com as vitaminas, a boa alimentação e o repouso.

— Quem disse que ela faz repouso? — Seth me denuncia. — Ela está produzindo o casamento do século. O Canadá está prestes a decretar feriado nacional.

— Ele está exagerando — eu reclamo. — O casamento é amanhã, e esses últimos dias foram intensos, porque... Bem, é um casamento às pressas.

— Porque voltamos ao século dezoito e ninguém pode saber que ela está grávida — ele continua me fazendo rir do seu humor.

— Porque eu quero caber no vestido. Já alarguei duas vezes — aviso ao médico um tanto atordoado com nossa pequena discussão. Seth sorri. Por qualquer razão que desconheço, ele ama saber que estou engordando e deixando de caber nas minhas velhas roupas.

— Bem, eu... Eu creio que vão chegar a um bom acordo — o médico diz sem saber como resolver a questão.

— Nem posso ver o vestido para opinar. Mal pude escolher meu terno — ele continua e aperto sua mão.

— Seth. Nosso bebê, doutor estou chorando de emoção, não é culpa dele — aviso com medo do médico entender tudo errado.

— Ah, é culpa minha, sim, que não fez sozinha esse pequeno — ele diz sorrindo para a tela. — Estou vendo direitinho, eu podia analisar ultrassons, tenho ótima visão. — Seth pisca para mim. — Olhos de Aço! — Ele se curva e beija meus lábios. — Amo você! Podemos saber o que é?

— Sim — digo quando ele seca uma de minhas lágrimas.

— Estamos prontos para saber, doutor. Menino ou menina?

— Se estão decididos, muitos casais preferem descobrir na hora ou fazer aqueles eventos em que uma coisa qualquer explode revelando uma cor.

— Somos elegantes, doutor, e ainda não perdemos totalmente o senso do ridículo. Embora ela esteja empenhada em me fazer perder. Vá em frente. Revele!

— Será um menino! — ele diz para não receber qualquer reação, no fundo não importava e no momento não sabemos o que dizer ou pensar.

Seth solta minha mão para caminhar até a tela, apertar os olhos e observar com atenção. Leva um longo instante de silêncio e devoção, admirando a pequena vida que cresce em mim e que amamos mais do que nossa própria existência.

— Ela quer que ele se chame Luz do Norte, se ao menos fosse uma menina... — Seth me olha. — Pense em outro nome, como pai é meu dever proteger essa criança.

— Eu não quero colocar esse nome, eu sonhei com esse nome quando estava brava com você. Nem foi sonho, foi pesadelo e o doutor vai achar que esse casamento nem devia acontecer. Doutor, não estamos brigando.

— Entendo — ele diz apenas. Seth deixa a tela para vir até mim. Passa os dedos por meus cabelos, me beija os lábios, tem um lindo sorriso cheio de amor.

— Amo você, Angie! Amo esse menino lindo que vamos ter e nada nem ninguém vai obrigá-lo a ser o que não quiser ser. Ele nunca vai ouvir que deve fazer qualquer coisa. Prometo!

— Se algum dia ele se tornar o CEO da Arnett, será porque o pai o inspira — ela diz com as mãos em meu rosto. — Não é impossível, faz seu trabalho com tanto amor e dedicação. Talvez ele admire tanto isso que apenas deseje seguir seus passos.

— Mas não seremos nós a decidir, eu não quero que ele seja conhecido como olhos de aço, como alguém frio e sem coração, mas ele pode ter a cor dos meus olhos. As garotas adoram, mas eu não ligo mais para isso, porque tenho a minha garota, única e eterna. — Ele conserta e eu acredito, posso temer muitas coisas no futuro, mas jamais uma traição. Seth Arnett não tem talento para mentir ou ludibriar, com ele é sempre a verdade nua e crua, doa a quem doer.

— Um menininho! — digo emocionada. Acho que lá no fundo eu queria um menino, talvez por conta do meu amor por Cory, ou porque Seth me faz tão feliz que penso em um garotinho com a cara do papai.

— Na próxima vamos de menininha — Seth brinca me ajudando a sentar ao fim do ultrassom. — Quanto tempo até podermos ter outro bebê, doutor?

Era bom termos esse primeiro antes de pensar no próximo, mas eu gosto de vê-lo assim empolgado. Seth ainda luta com medo do ridículo, não brinca com a barriga como todos fazem, não fala com ela, mas eu sei que ama o filho e faz planos, muitos planos para nós três; quatro pelo que percebo, ele está sempre um longo passo à frente.

— Acho que seria importante ao menos um ano para o útero voltar ao normal, o bebê desmamar. Espero que tudo dê certo e, além disso, bem... Vocês podem mudar de ideia, umas noites em claro sempre são decisivas.

Seth e eu trocamos um olhar, eu sei o que são noites em claro com um bebê chorando com cólica ou dor de ouvido, mas ele ainda não sabe.

— Vamos aprender juntos a lidar com isso — ele diz se esquecendo por um instante que eu criei um bebê por anos.

— Vou providenciar a receita e os pedidos dos próximos exames enquanto se recompõe.

Ficamos sozinhos, Seth me ajudando a limpar a barriga e descer da maca. Visto-me com sua ajuda, então ele me envolve.

— Um menino! — Sorri emocionado. — Acho que ele vai gostar de Churchill, das aventuras na terra dos ursos e da aurora boreal. Ele é praticamente filho da aurora boreal e o gelo.

Nisso Seth está certo, aquele lugar remoto e pitoresco nos uniu de muitas maneiras. E o frio e a aurora têm grande responsabilidade. Não sei como teria sido aqui, acho que ainda nos amaríamos, mas levaria mais tempo.

— Já tenho um nome para ele.

— Qual? — ele pergunta colocando minha bolsa no ombro.

— North Hunter Arnett! — digo, emocionada com a escolha. Um nome precisa ter uma história, não pode ser apenas um nome bonito, ele tem que fazer sentido. Como o seu que foi escolhido por ser o nome de um Deus, porque era assim que seu pai o via, ou o meu por lembrar um anjo e era assim que minha mãe me via.

— North Hunter. — Ele sorri. — Um caçador do Norte, é um pouco isso, lembra nossas luzes do Norte e aquele lugar selvagem em que nos conhecemos. Eu gosto — ele admite. — Mas vou chamá-lo de Hunter. — Seth me puxa pela mão. — Também vou dizer que foi totalmente ideia sua.

— Talvez ele ame o nome. É nome de super herói, ao menos da adolescência ele vai gostar.

— Aí, dividimos as glórias. — Ele passa seu braço por meu ombro. — Hunter. É difícil não criar imagens, não criar expectativas, será uma longa luta para deixá-lo ser o que quiser.

— Desejar que seja apenas feliz. Não é mesmo fácil. — Ainda estou emocionada. Uma lágrima corre por meu rosto.

O médico nos entrega as receitas e os pedidos de novos exames, deixamos a clínica. Tenho de dormir cedo essa noite, amanhã o dia começa cheio de surpresas; massagem, cabelos, unhas, amor. Eu nem acredito que vamos nos casar. Que Seth e eu vamos ter um filho e nos casar.

Penso nos olhos de aço que me encararam cheios de arrogância e silêncio naquele dia perdido no tempo, os olhos de aço que eu me impressionei em um retrato e depois me observaram em uma pequena batalha. Não tinha ideia que aquele par de olhos algum dia seriam meus olhos de amor.

Vamos direto para casa, ainda resolvo um pequeno detalhe no meio do caminho e depois nada mais é preciso ser feito, tudo está pronto e só preciso relaxar.

Seth sorri para mim, orgulhoso. Ele gosta de me ver ativa, ele se orgulha, acho que eu não o encantaria tanto se fosse somente aquela garota que criou o Cory, tímida demais, frágil demais. Seu apoio e proteção me deram força para encontrar meu caminho e todos os dias eu descubro mais sobre mim.

— Enviei tudo para sua mãe, sobre a próxima reunião do conselho — digo ainda no carro, enquanto ele estaciona na garagem.

— Já disse e repito, tem uma vaga para você no conselho. Ou, se não for bem isso, pode encontrar espaço como executiva.

— Não, meu amor. Eu admiro o que faz, respeito, acho que aprendi muito, mas não nasci para isso. — Seth me leva pela mão até o sofá, me sento abraçada a ele. Está mais que na hora de falar sobre isso.

— Quer falar disso, não é? — Balanço a cabeça afirmando.

— Não salvei todos aqueles empregos como queria.

— Desculpe! Eu queria ter conseguido salvar todos eles, mas...

— Eu sei. Eu estive pensando sobre isso, sobre tudo que aprendi, entendo agora. Você vive a vida real naquela empresa e isso inclui demitir e admitir, inclui proteger o emprego de uma maioria às vezes, demitindo alguém, as máquinas ajudam e a empresa cresce e se alguém sai de cena, outros chegam em algum momento, esse plano de crescimento interno vai ajudar muita gente.

— E foi ideia sua. Klaus está ajudando a Tracy a preparar tudo e está sendo muito bom, só de saberem desse plano de carreira os trabalhadores já produzem mais e melhor.

— Vi os números — digo a ele que me trás para mais perto de si. Sinto seu perfume e me encosto ao seu peito sendo protegida. — Mesmo assim ainda me faz muito mal, eu ainda quero lutar feito uma maluca por eles. Eu seria ótima sindicalista e péssima diretora executiva, é bom reconhecer isso.

— Cada um com seus talentos. Talvez eu seja mais frio do que deveria.

— É frio na medida certa — aviso a ele que me beija os lábios. — Descobri o que gosto, sei o que quero. Ainda vou ajudar sua mãe, mas prefiro trabalhar com arte, com os artistas, vender arte, espalhar beleza. Outro artista me telefonou, ele gosta do modo como tenho cuidado das coisas de sua mãe e talvez esse seja meu caminho.

— Isso faz com excelência.

— Por isso não quero nenhuma vaga na Arnett, nem um lugar no conselho.

— Só me faz sentir orgulho de você, mais orgulho.

— Tanto orgulho que me faria uma massagem?

— Um pouco menos de orgulho! — ele brinca e beija meus lábios desfazendo minha careta. — Vamos, eu faço a massagem em troca quero...

— Temos que dormir cedo e guardar energia para o casamento e a noite de núpcias.

— Puxa, você lê pensamentos, então não sei o que negociar. — Ele me faz rir enquanto me puxa pela mão em direção ao quarto.

— Pode negociar o ar-condicionado. — Seth me encara, surpreso e levemente ofendido. — Você adora o ar gelado.

— Mas não quero deixar minha noiva resfriada um dia antes do meu casamento!

— Gosto quando cuida de mim. — Seth me ergue nos braços.

— Assim? — Balanço a cabeça concordando. — Amo você, Angie! Amo todos os dias.

— Ama e demonstra — digo quando ele me coloca lentamente na cama e sua boca cobre a minha. — Me seduz também, acho que a massagem pode ficar para mais tarde e sobre guardar energias... somos jovens. — Fecho meus olhos recebendo seus lábios.

Amanheço em seus braços, espalhada na cama. Foi uma boa e única despedida de solteiros, nós dois em nossa cama, ele está me olhando com seus grandes olhos cinza, que eu amei antes de entender que era amor.

— Sinto saudade da aurora boreal brilhando em seus olhos.

— Você é a minha aurora boreal — ele diz se apoiando no braço para me olhar, corro os dedos pelo peito nu.

— Tem tanta vida e amor em você, não tem mais nada de frio e calculista.

— Culpa sua. — Ele me beija. — O que eu faço com meu dia? Quero ficar assim até a hora de ir para a igreja.

— Devia ter me parado quando teve a chance. Podíamos estar casando em uma praia qualquer, apenas nós dois, com os pés descalços e areia pelo corpo.

— Que bom que não te parei, eu detestaria um casamento assim. — Ele faz careta me arrancando uma boa gargalhada. — Odeio praia.

— Sei tudo que odeia, Seth Arnett, mas só me interesso pelo que ama.

— Amo você, amo meu filho, meu trabalho e essa vida que vamos dividir. — Ele me beija os lábios. — Meu pai deve estar chegando com Cory, tenho que te deixar na casa da mamãe e passar o dia sozinho com o garoto. Acha que Francine pode ajudar? Não vou ajudar o menino a se vestir e pentear para o casamento. Nem pensar, já vou ter de inventar coisas para distraí-lo no casamento.

— Meu amor, você comprou um videogame. Basta entregar o controle para ele, o resto é com ele.

— Ótimo!

— Ele também se arruma sozinho, só mandá-lo entrar no chuveiro e depois sair do chuveiro. Deixei a roupa pronta sobre a cama, dá qualquer coisa para ele almoçar. Pede algo, não sai por aí com ele.

— Tem medo que eu perca Cory? — Ele ri, balanço a cabeça negando.

— Tenho medo que perca a hora, cinco horas na igreja.

— E você, vai chegar às cinco horas também? Cinco e um. O que acha?

— Cinco e dois! — brinco mostrando dois dedos, ele beija minha mão. — Te amo! Tenho de sair daqui.

Seth e eu deixamos a cama. Sam queria que tivesse ido dormir em sua casa, mas eu simplesmente não sei mais dormir sem meu amor.

Seth me deixa na frente do prédio da sua mãe, é tão difícil me despedir dele. Fico me perguntando se em algum momento essa paixão que não nos deixa tirar as mãos um do outro vai diminuir. Sinto que talvez quando North Hunter nascer. Sorrio pensando no meu filho, no amor que ele me faz sentir, em como ele parece que me torna maior e melhor.

Sam me espera com um café da manhã de rainha. Olho com desgosto para toda a comida sobre a mesa.

— Sam!

— Não me venha com essa de caber no vestido, temos um dia cheio. — Balanço a cabeça afirmando. — Tem que estar alimentada. Quer desmaiar na igreja? — Nego apressada. — Então coma tudo.

Eu faço o que me pede e nem é tão difícil, depois do fim dos enjoos eu não consigo mais parar de comer.

O dia voa, eu planejei tantos detalhes, não tinha ideia que queria um casamento com todas as tradições até começar a organizar. O vestido estendido na cama é prova de como eu gosto das tradições, ele é um tradicional e elegante vestido branco, com mangas longas, detalhes em renda, cintura marcada. É discreto também, sem decotes, perfeito para nosso clima, é no buquê que está toda a cor e a luz que busquei. É nele que se encontra minha aurora boreal, do vermelho ao azul, todas as cores em flores lindas que se combinam e contrastam, enchendo de vida e beleza.

— Clássica, elegante e linda! — Sam diz passando seu braço por minha cintura e tocando com a mão livre minha barriga. — Mamãe nasceu elegante, pequeno.

— Menino, Sam! — digo emociona. — É um menino. — Os olhos dela cintilam em lágrimas de emoção. — Seth já está sonhando com uma menininha para depois dele. — Rio enquanto choro e felizmente a maquiagem é a prova d'água.

— Um menino! — Ela diz se curvando e beijando minha barriga. — Um anjinho.

— North Hunter Arnett! — Ela ergue uma sobrancelha. — Sam, nomes tem que ter significado.

— Stanley vai adorar — Samantha brinca. — Vou chamar de Hunter!

— Tal mãe, tal filho! — brinco com Sam.

— Hunter, vamos vestir a mamãe e partir para a igreja. — Samantha se afasta indo em direção a cama.

— Sam! — Ela se volta segurando o vestido. — Eu amo você!

— Meu anjo — ela diz sorrindo.

— Eu sei que sem você teria morrido congelada no meio do nada, ou teria sido devorada por um urso polar que é bem mais rápido, a menos que ele comece pelos pés. — Ela junta as sobrancelhas enquanto sorrio me lembrando de Seth. — Mas não é por isso que eu a amo, amo porque me lembra minha mãe, porque é uma artista incrível e me deu mais do que um teto e segurança, me deu um lar e uma família.

— Estamos oficialmente chorando — ela diz deixando o vestido e me abraçando. — Vamos logo retocar a maquiagem, nos vestir e encontrar aquele par de olhos de aço que agora estão cheios de amor.

Uma última olhada no espelho e estou pronta. A cerimônia será na catedral mais elegante da cidade, depois vamos de carro para o salão mais incrível que já vi para uma festa linda com uma orquestra, valsa, um bolo de cinco andares e uma decoração impecável. Fiz tudo isso em pouco mais de um mês e agora nada disso importa, só importa meu coração batendo por ele, a saudade de seus braços e o amor que dividimos e multiplicamos. Toco minha barriga, o meu bebê começa a aparecer e acho que fico ainda mais bonita dentro do vestido de noiva.

Samantha vai comigo até a igreja, de mãos dadas dentro de um carro de luxo preto e espaçoso. Na porta, ela me beija a testa, me entrega o buquê e me deixa à espera de Cory, meu garotinho vai entrar comigo, seus pais não foram convidados, Stanley fez uma conexão em Winnipeg para apanhá-lo e vai levá-lo de volta amanhã.

— Você está linda! — ele diz surgindo na janela do carro. — Parece uma princesa.

— Estou? — Meus olhos marejam.

— Hunter está aí dentro aparecendo um pouco. Seth diz que ele não tem culpa de chamar North, mas nós dois podemos chamá-lo de Hunter.

— Seth disse? — Meu riso se mistura as minhas lágrimas, deixo o carro, Cory me olha surpreso e feliz, ofereço minha mão a ele que segura, ansioso. — Que acha de me levar até ele?

— Acho que é legal.

— Vamos? — Ele balança a cabeça afirmando, trocamos um sorriso e as grandes portas da igreja se abrem quando um órgão começa a tocar a marcha nupcial.

CAPÍTULO 34

Seth

— Você tem que ir lá para fora esperar a Angie. — Cory me olha, surpreso, depois encara o corredor da igreja, todos os convidados sentados à espera da noiva.

— Sozinho?

— Cara, eu adoraria ir com você, acredite, mas se eu for é certo que vou ouvir um não e como estamos lutando por um sim, eu fico aqui e você vai.

— Angelina não gosta que eu ande sozinho por aí. Ela vai te dar uma bronca. — Ele usa um tom de alerta.

— Me dar uma bronca não, vai dar uma bronca em você. Você que não pode andar sozinho.

— Mas é você que está cuidando de mim.

— Eu não, meu pai, ele que foi te buscar.

— Eu levo o menino! — Tracy surge pegando a mão de Cory. — Que absurdo! Cinco minutos para Angelina entrar e vocês dois brigando.

— Ela é brava! — Pisco para Cory que balança a cabeça concordando.

— Se comporte, Seth! — Tracy diz levando Cory pela mão até a porta da igreja. O garoto estava me distraindo, agora só me resta esperar e ficar nervo. Não que eu duvide de sua vinda e do sim, ela não montaria todo esse espetáculo para me deixar na mão, tem um bolo de cinco andares e uma lista de convidados de dar inveja a reis.

Winnie me faz um sinal para ajeitar a gravata. Eu obedeço, meu pai está meio que rindo de mim no altar, ele adora o que Angie faz comigo, como me tira da zona de conforto e me obriga a estar sempre alerta e atento.

Tracy volta sorrindo, meu coração acelera por completo, é como anunciar que Angie chegou, eu não consigo parar de pensar no vestido.

Ela é linda e tem muito bom gosto, aposto que vai estar deslumbrante e eu nunca mais vou esquecer esse instante.

A marcha nupcial soa sem ninguém me avisar, as portas se abrem e ela surge feito uma deusa em seu vestido branco, com um buquê que lembra nossas noites sob o céu mágico de Churchill, a doçura fica pelas mãos dadas com Cory, e o sorriso do pequeno se sentindo orgulhoso por acompanhar a noiva.

Volto a encarar Angie, sua elegância e beleza, os olhos firmes, os passos decididos, ela está vindo aqui me dizer sim para toda uma vida. É inacreditável que me escolheu. Que sorte a minha!

Angelina já era uma mulher maravilhosa quando a conheci em Churchill, mas agora, que aprendeu tanto, que está tão decidida ela é ainda mais especial e interessante, eu tive sorte de ser escolhido.

Não estou mais nervoso, não tenho mais dúvidas, eu sei o que sinto. Sei como nosso amor transcende. Ela carrega nosso filho, nossos objetivos e está mesmo linda.

Seu sorriso encontra o meu e Angelina também não está nervosa, estamos os dois felizes, talvez um pouco ansiosos, mas não tensos, ou com medo, seria tolice sentir algo assim quando temos tanta certeza.

Cory me estende a mão quando os dois finalmente chegam até mim. Aperto sua mão de modo formal. Tentando não rir da graça que é recebê-la de suas mãos.

O garotinho lança um olhar especial para Angelina, ela sorri para ele e então ganho seus olhos enquanto Cory se afasta.

— Sabia que estaria linda, mas não tinha ideia de que estaria deslumbrante. Quer casar comigo?

— Ainda estou meio na dúvida. — Ela brinca prendendo sua mão na minha. Tracy resgata o buquê. — Aurora boreal — ela diz baixinho. — Foi o nome que dei ao buquê.

— Entendi a referência, ele é colorido. Vai dizer sim na hora certa? — Ela não responde. — Não tem a menor graça — resmungo entre dentes e ela sorri.

— Está seguro demais. Ao menos finja que está nervoso, olhos de aço.

— Estou determinado a fazê-la feliz, por isso não estou nervoso. Tenho certeza do que quero. — Jogo baixo. Assisto o calor surgir em seus olhos, o rosto corar, ela se derreter, Angie me beija levemente os lábios.

— Conseguiu o seu sim — ela brinca baixinho quando finalmente nos viramos para o padre e ele começa a cerimônia.

Angelina queria um casamento tradicional, isso inclui um longo e enfadonho discurso de amor e união, mas congelo um sorriso enquanto viajo pelo passado pensando em tudo que fui e tudo que sou hoje com ela em minha vida.

Um amor pode sim mudar alguém, ou pelo menos, evidenciar as qualidades e suprimir os defeitos. Sou melhor com ela, um ser humano em construção, aprendendo todos os dias, ela gosta de como eu sigo me transformando.

Já Angelina apenas acentuou tudo que sempre foi, ganhou mais coragem, mas sempre a teve. É preciso coragem para deixar tudo que deixou e se arriscar indo tão longe como fez indo para Churchill, ou quando aceitou morar comigo, enfrentou o gelo, enfrentou minha partida. Eu a deixei, fiz isso e todos os dias me arrependo, mas Angie soube perdoar, superar, ela nem se lembra mais disso. Eu é que gosto de me torturar com a lembrança do que fiz. Acho que me ensina muito, porque a dor que senti, o modo como tudo aquilo me afetou e me tornou quase um esboço de gente, me fez perceber o quanto a amo e me importo.

Por isso estamos aqui, prontos para essa vida que vamos ter juntos, com nossas pequenas rusguinhas, com o amor. Especialmente com nosso filho que vai ensinar tanto, sei que podia ser diferente.

Meus pensamentos voam longe, mas retornam a tempo de ouvir as palavras finais, quando o padre chega finalmente na parte que importa, onde dizemos sim.

— Angelina Page, aceita Seth Arnett como seu legítimo esposo? — Ela olha para mim um instante fazendo um leve suspense, depois sorri para mim cheia de seu amor.

— Sim, aceito.

— Seth Arnett, aceita Angelina Page como sua esposa? — Eu devia devolver a brincadeira, mas conheço minha garota, ela é cada dia mais firme e acabo é me enfiando em uma encrenca bem na noite de núpcias.

— Aceito!

— Repitam comigo...

— Tenho meus próprios votos, padre. — Tínhamos combinado seguir o protocolo e o tradicional, mas tem tanto que quero dizer a ela. Ao menos isso quero que seja algo nosso e não uma sucessão de frases feitas e repetidas por tantos e tantos.

— Por favor! — o padre diz enquanto ela ainda parece surpresa.

Seguro suas mãos entre as minhas, seus olhos são todos meus, seu sorriso é meu.

— Esse sorriso, eu já sonhei muito em ser dono de um sorriso seu. Pensei que jamais aconteceria, mas aqui está. Tenho meu sorriso, já disse que é minha aurora boreal, não o fenômeno óptico em decorrência do impacto das partículas do vento solar com a atmosfera da Terra, canalizadas pelo campo magnético. — Ela fecha os olhos um instante o sorriso se alarga. — É sério, amor. Estou falando da dança dos anjos, dessa aurora boreal, aquela que dividimos, e estou dizendo isso em público! — Beijo suas mãos. — Nunca fui bom com sentimentos, mas eles estão aqui, são todos seus e dessa família que vamos construir, com filhos, amigos e essa coisa toda provinciana. Amo você, quero viver tudo isso com você, aprender com você e oferecer o meu melhor. É isso.

— Seth! — Ela está emocionada, sempre que consigo alcançar suas emoções eu fico orgulhoso.

— Seus votos, Angelina — o padre incentiva.

— Tem um homem maravilhoso que mora dentro de você e está sempre encoberto por umas camadas que te fazem parecer duro e impiedoso. — Gosto de parecer impiedoso, é um bom adjetivo. Sorrio mostrando que gostei. — Muitas camadas — ela continua. — E eu amo cada uma delas e também o homem especial que é no fundo. Quando todos enxergam olhos de aço, eu vejo aurora boreal. — Estamos meio fixados nisso, mas até que é poético. — Amo você e essa família que quer construir comigo, com filhos, amigos, e um tanto provinciana como disse. A família que eu nunca tive e que você me deu, quando me deu também seu coração.

— E minha alma! — eu completo.

— As alianças — o padre continua. Cory se aproxima depois de um toque de incentivo de Tracy, tira do bolso do terno o par de alianças. Espero que ninguém obrigue meu Hunter a usar um terno infantil, o garoto até que está engraçadinho, mas devia estar vestido como uma criança.

— Recebe essa aliança como prova do meu amor — digo colocando o anel em seu dedo, ela faz o mesmo, coloca o anel em meu dedo. Dentro dele, em letras desenhadas estão a data e nossos nomes, nunca vou ter de me preocupar em esquecer o dia do nosso casamento. É só olhar a inscrição.

— Que o amor e o respeito sejam o leme dessa união. Os noivos podem se beijar.

Ela está emocionada, olho para minha Angelina depois do sim, com as alianças marcando nosso amor, com os sonhos que vamos construir e sinto paz, esperança, é diferente estar com ela. Angie me provoca emoções positivas.

Enlaço sua cintura, ela passa seus braços por meus ombros, os lindos olhos a sorrirem para mim, o amor da minha vida. Fecho meus olhos quando encontro seus lábios e beijo Angelina longamente.

A marcha volta a tocar, prendo sua mão junto a minha, ela pega seu buquê de volta e caminhamos de mãos dadas para o carro que nos espera.

Cory vai seguir com minha mãe. Angie está tão linda em seu vestido, tem um pouquinho da barriga começando a aparecer e eu espero todos os dias o crescimento da barriga, ansioso por ter nosso filho nos braços e ensiná-lo a ser igual a ela e nunca como eu.

Eu a ajudo a se acomodar no carro, me sento ao seu lado. As pessoas acenam na porta da igreja.

O carro parte em seguida, olho para ela ao meu lado, por um instante somos só nós dois, atravessando a cidade em direção a festa, ela sorri para mim tão linda e emocionada, depois olha para sua própria mão onde a aliança brilha.

— Fui bem? — pergunto a ela que desvia os olhos do anel para me sorrir.

— Foi você, então foi perfeito para mim.

— Está tão linda! Eu sabia que estaria, mas eu não pensei que seria assim, tão perfeita. Pensei na dança dos anjos que sempre dizia quando assistia a aurora boreal, era como se estivesse diante daquele espetáculo quando caminhou para mim.

— Seth! — Ela toca meu rosto com as duas mãos, me faz olhar para ela, beijo seus lábios; não resisto à aproximação. — Estou encantada com esse seu lado romântico e apaixonado.

— Estou ficando bom nisso — brinco beijando seus lábios e depois a mão com a aliança. — Se pedirmos ao motorista ele vira a próxima a esquerda e já pegamos o caminho de casa.

— Cinco andares, amor. Uma orquestra e um bolo de cinco andares, quinhentos convidados.

— Não conheço quinhentas pessoas.

— Seu pai conhece — ela brinca.

— Você puxou meu pai. Pensando em negócios até no nosso casamento — provoco Angelina. — Sou mais intimista como a minha mãe, teria convidado só a Tracy e meus pais.

— E a Winnie. — Ela me lembra e nego:

— De jeito nenhum, não convidaria ela só para perturbar a Tracy, ela anda merecendo, não para de tripudiar. Só porque agora ela é a única com mãos de ferro naquela empresa.

— Vou ensinar a Winnie a domar um coração de pedra — Angie brinca se acomodando em meus braços.

— Ele perdeu a entrada, o homem está meio perdido.

— Não está, saímos primeiro e temos que dar tempo de todos chegarem, os noivos chegam por último. Alguns aproveitam para fazer uma sessão de fotos, mas eu não o obrigaria a tal coisa.

— Seria vil de sua parte me obrigar a ficar posando para fotos na frente de fontes e monumentos.

— Vê como eu te amo? — Ela brinca olhando para a mão com a aliança. — Adoro essa aliança, é tão... Eu nunca pensei que um dia eu seria essa mulher.

— Sempre foi essa mulher, Angie, apenas estava escondida por camadas e mais camadas — eu provoco.

— Ah! Cory, que anjinho lindo que ele estava naquele terninho. Um amor com a aliança no bolso do terno.

— Vamos dizer para as pessoas que somos agnósticos. Assim ninguém convida nosso filho para fazer o que obrigamos o Cory a fazer.

— Seth, ele amou e estava lindo. Para de ser implicante.

— Um dia ele vai crescer e ter uma namorada. Ela vai ver as fotos dele no dia de hoje, aí quero só ver se ele vai se achar lindo.

— Bobagem! Vou colocar uma foto dele no porta-retrato do lado daquela sua que tenho no meu escritório.

Era meu escritório, depois era o nosso escritório e agora eu mal posso entrar lá. A vida e Angelina me dando muitas lições. Não se apegue a coisas materiais, um dia a garota certa chega e fica com tudo.

— Ele errou o caminho de novo.

— Não errou, Seth, ele vai rodar uns vinte minutos e depois segue para o salão.

— Vinte minutos? Angie, tinha dado tempo de irmos até em casa e você sabe. — Eu não quero entrar em detalhes na frente do motorista mesmo que ele seja meio silencioso e distante, acho que é treinado para não atrapalhar os recém-casados.

— Vinte minutos, Seth? — Ela se aproxima de mim e leva uma das mãos ao meu ouvido para falar baixinho: — Quer mesmo resumir nossa noite de núpcias a míseros vinte minutos?

— Estava pensando em uma pré-noite de núpcias.

— Parece tentador — Angelina brinca —, mas declino do convite.

O carro finalmente toma o rumo do salão de festas, está uma confusão de gente chegando e descendo de carros elegantes. Passamos direto pela movimentação, o carro nos leva a uma entrada lateral, ajudo Angie a descer do carro, ela ajeita o vestido, tem uma dezena de fotógrafos.

As pessoas nos surpreendem, mas esse lado dela é novo e interessante, eu gosto, ela tem talento para isso. Acabo de descobrir que Angie tem muito talento para receber pessoas e dar festas, algo que eu jamais sonhei.

A festa demora realmente começar a acontecer para nós dois, primeiro são fotos e apertos de mãos, sorrisos e cumprimentos, agradecer a presença dos convidados, os presentes que não abrimos, mas que daria para montar uma outra casa.

Uma hora depois, finalmente somos nós e as pessoas que gostamos de verdade, rindo, conversando. Cory está feliz e solto, ele conseguiu convencer aos pais de deixá-lo ficar todo verão conosco, sinto que ele será muito mais nosso do que deles, os pais não tem muito talento e depois do choque, acho que eles gostam da ideia de se verem livres dele.

Angie é completamente feliz quando ele está conosco e isso é tudo que preciso para aprender a gostar do pequeno.

— Feliz, filho? — Mamãe se junta a mim enquanto Angie está servindo Cory.

— Já viu noiva mais linda?

— Não, tenho de admitir que Angelina está incrível e que todos estão encantados com ela. Eu um pouco surpresa, ela tem muitos talentos.

— Muitos. Fico pensando que se não tivesse ficado presa aquela gente... Sei lá! Ela tinha conquistado o mundo e eu seria uma formiguinha insignificante, acho que posso ficar feliz por ter acontecido tudo como aconteceu. É errado?

— Um pouco, mas é a sua cara — minha mãe brinca. — Sempre soube que seriam perfeitos um para o outro, nem acredito que deu tudo certo e eu nem precisei fazer muito.

— Bastou olhar para ela. — Angie entrega o prato a Cory e ergue os olhos me procurando, sorri quando me vê ao lado da mamãe. — Adoro quando ela sorri, é tão especial. Mexe comigo vê-la feliz.

— O nome disso é amor. — Balanço a cabeça concordando.

— O quanto temos que ficar aqui? Quero que ela descanse. — Minha mãe passa seu braço pelo meu, se encosta ao meu ombro.

— É o noivo, seja sedutor e roube sua esposa da festa. Dou conta de tudo, ou melhor, seu pai faz isso, ele bom nessas coisas e a Francine também parece ser.

— Depois do bolo, ela não para de repetir que ele tem cinco andares.

— Ficam tão lindos juntos. — Angie chega e mamãe solta meu braço, eu envolvo minha esposa.

— Mamãe, deixe-me lhe apresentar minha esposa, senhora Angelina Arnett. — Angie estende a mão para mamãe que aperta sua mão depois a puxa para um abraço.

— Bem-vinda a família, meu anjo!

— Obrigada, Sam! Meus pés estão doendo, acho que podemos cortar o bolo. O que acham? Depois dançar a valsa e se meu marido for bem esperto, ele me rouba discretamente.

— Eu estava dizendo isso a ele agora mesmo.

— Nasci para isso, já roubei seu coração, posso levar o resto. — Angie ajeita minha gravata enquanto me olha nos olhos e está linda.

— Não roubou meu coração, eu o entreguei de bom grado! — ela responde antes de me beijar.

Reunimos os convidados para o bolo, tem toda aquela brincadeira de brindar e depois cortar o bolo e claro que Cory fica com o primeiro pedaço. Ele está adorando ser sempre prioridade quando está conosco e espero que não sinta ciúme quando o bebê nascer.

Eu a convido para a valsa, nunca estive tão aberto a novidades e mudanças, como dançar assim com ela em meus braços. Como se fosse um espetáculo para os convidados que nos assistem, mas é o mais formal dos casamentos e isso é importante para ela, então é importante para mim.

Angelina dança bem, é leve, desliza pela pista e me encanta. Me sinto bem dançando com ela. Realizando seus desejos nesse pequeno momento de princesa de contos de fadas.

— Minha mãe sonhava com meu casamento, ela queria que tudo fosse assim, vestido branco, valsa, bolo de cinco andares, meu pai não era muito romântico e eles não tiveram dinheiro para um casamento assim, eu era sua única filha e ela sonhava com o meu casamento.

— Agora tudo faz sentido — giro Angie pela pista de dança, ela fecha os olhos quando volta aos meus braços e beijo seus lábios quase no final da valsa. É assim que terminamos, em um longo beijo, então a pista é tomada por outros casais. É o momento perfeito para deixarmos a festa discretamente. Apenas Cory ganha um beijo na bochecha, mas ele fez amigos e está mais interessado em correr agora sem o paletó e a gravata.

Angelina leva o buquê. O motorista nos espera já no carro, uma fuga simples e sem planejamento, mas ainda assim, perfeita.

— Não tinha que jogar o buquê? — pergunto a ela quando o carro parte sem encontrar obstáculos.

— Esse tem dona.

— Tracy? — Angie nega me deixando curioso. — Quem?

— Samantha!

— Está querendo casar minha mãe?

— Apenas desejo devolver a gentileza — ela diz se encostando ao meu ombro. — Estou tão feliz! — Ela acaricia a barriga. — Estamos, não é bebê?

— Estamos — digo beijando sua mão.

— Tem que me carregar no colo assim que formos entrar no apartamento.

— Depois de uma longa viagem de elevador? — Ergo uma sobrancelha e ela nega.

— É um lindo vestido, mas não se engane, Seth, tem uns quilos de tecido aqui. Não é nada fácil, melhor não criar expectativas para o elevador, ainda não será dessa vez.

— Sou paciente — sussurro ao seu ouvido. Vejo seu corpo se arrepiar anunciando o que vem pela frente, a mais bela noite de amor, porque Angie merece e também sei fazer surpresas.

CAPÍTULO 35

Angelina

A porta do elevador se fecha e Seth faz aquele olhar sedutor, provocativo e muito engraçado, mas eu não digo a ele que acho graça, segredinhos do amor, seu ego não suportaria.

— Sua casa, senhora Arnett. — Balanço a cabeça concordando, tem tempo que já a vejo assim, como minha, com minhas coisas misturadas as dele e um leve toque meu. Ele abre a porta com cuidado, tento passar, mas Seth me impede segurando minha mão. — Eu a carrego, aposto que está incluso no pacote de casamento tradicional. — Balanço a cabeça concordando, me emocionei muitas vezes ao longo desses dias, nos preparativos e em especial na cerimônia, mas nada como nesse instante, sozinhos, na porta da nossa casa, a um passo do futuro.

Seth me ergue em seus braços, envolvo seu pescoço e assisto os olhos mudarem, eu não sei como puderam duvidar de que esses olhos antes de aço estavam repletos de amor. Os olhos transparentes de Seth Arnett, meu marido, são cheios de mensagens e histórias, eles contam todos os seus segredos.

— Eu amo você, Seth! — Seus lábios tocam os meus. Abro os meus em busca de um beijo, no instante em que cruzamos a porta do futuro. Nossa vida começa. Que seja uma vida de amor e realizações, que os dias difíceis sejam vencidos juntos e os fáceis sempre divididos.

Ele me coloca no chão sem parar de me beijar, me entrego ao sabor do seu beijo como da primeira vez, mas agora com a certeza de que nada vai nos afastar, que depois do beijo, não vão existir dúvidas e arrependimentos, só o nosso amor.

É Seth a me afastar lentamente, abro os olhos e sinto o perfume suave que se espalha pela casa, um aroma delicado e quando abro os olhos. A sala tem arranjos de flores espalhados e a iluminação está diferente e especial, baixa, com algumas velas aromáticas espalhadas.

— Seth! Que lindo! — Ando pela sala admirando as flores e o perfume especial. Um clique me faz olhar para ele, Seth tem uma câmera fotográfica especial.

— Toda noiva tem uma sessão de fotos! — ele diz me fotografando mais uma vez. — Que acha de namorar com a câmera, não é assim dizem.

— Quero namorar meu marido! — eu digo enquanto ele vai me clicando a cada passo que dou pela casa. — Seth!

— Linda! Uma deusa de branco. — Faço uma pose sensual, mando um beijo para ele que sorri atrás da câmera. Ele vai me clicando enquanto atravesso a sala e entro no quarto. — Essa ficou especial. — Cubro o rosto de vergonha. — Deixa eu te ver.

Desprendo o arranjo de cabelos, ele continua a clicar, lançando elogios.

— Amor, chega! — Ele nega.

— Olha nosso banheiro. — Entro erguendo o vestido, uma banheira de espuma, velas, pétalas de rosas e champanhe.

— Seth, isso...

— A noite mal começou, amor. Aposto que está com os pés doendo. — Balanço a cabeça concordando, ele o tempo todo me fotografando, ergo a saia do vestido e tiro os saltos, atiro longe enquanto ele me fotografa.

— Não vai parar? — Ele nega e caminho para ele, mil cliques até que finalmente começo a desabotoar sua camisa, ele vira a câmera e tira algumas fotos de nós dois juntos. Depois deixa a câmera sobre o móvel e finalmente é todo meu.

Sua boca procura a minha enquanto liberto sua pele da camisa branca, a gravata fica perdida muito antes, assim como o terno. Ele afasta meus cabelos, desce os lábios por meu pescoço, com cuidado. Vai desabotoando o vestido, a cada botão, beijos e carinhos, desafivelo seu cinto, desabotoo a calça, ele volta a se concentrar nos botões, sua mão correndo por minha pele.

— A noiva mais linda do Canadá!

— Só do Canadá? — brinco o fazendo sorrir.

— É um país grande — Seth me provoca, então com cuidado descendo as mãos por meus ombros, vai me despindo do vestido.

Quando o vestido está inteiro no chão, peço sua mão para pular o monte de tecido espalhado pelo chão.

— Angie... — Ele perde a fala por um instante ao notar a cinta-liga branca de renda. — Isso... Estou sem fala.

— Acho tão difícil tirá-las, se pudesse me ajudar... — Ele ergue a sobrancelha achando graça na voz sexy que imprimo na fala, se ajoelha diante de mim. Engulo em seco quando suas mãos correm suaves por minha perna, do calcanhar até a coxa onde ele solta a cinta-liga e puxa a meia fina suavemente libertando minha perna.

Seth repete o mesmo na outra perna, fecho meus olhos sem resistir a emoção que o gesto me causa, ele me liberta da última peça, então fica em pé, me ergue em seus braços e me carrega para a banheira. A água está perfeita e penso que alguém recebeu para vir preparar essa surpresa um pouco antes de chegarmos.

Assisto quando ele termina de se despir com os olhos em mim, ao mesmo tempo em que a água morna e a espuma relaxam meus músculos.

Seth se junta a mim, me beija os lábios e percorre meu corpo, sim, ele sabe ser sedutor e nessa noite está magnífico.

O champanhe fica esquecido, eu não posso beber de qualquer modo. Depois de um longo banho, cheio de provocações e carinho deixamos a água, Seth pega a toalha macia e branca, me envolve, massageia minhas costas, seca meus cabelos, corre a toalha por minha pele, está atencioso, sensual, me roubando suspiros e beijos, esperto como só ele.

Deixamos o banheiro entre beijos, nossa cama forrada com lençóis de seda brancos que brilham suaves e macios.

Seu corpo cobre o meu cheio do seu amor, com cuidado, suas mãos me passeiam, as minhas conhecem seus caminhos, sabem sem exigir muito, onde tocá-lo e como fazer Seth feliz e é o que eu faço.

É o que nós fazemos juntos, até nos perdermos de amor, felizes, entregues, apaixonados, dividindo a vida e o amor que sonhamos.

Uma linda noite de amor e entrega, com paixão e encantamento, lenta e delicada noite de amor, inesquecível.

Deixamos o tempo correr sem medo dele, apreciando um ao outro na noite mais romântica da minha vida, até amanhecermos entrelaçados, sonolentos, felizes.

— Vou ganhar café na cama? — pergunto sentindo suas mãos acariciarem meu braço enquanto despertamos no meio da manhã.

— Não — ele responde de modo simples, o jeito Seth de ser. — Mas posso inventar algo se estiver se sentindo muito cansada para irmos até a cozinha. — Não consigo guardar o riso, me movo para olhar para ele. — Eu fiz uma bela surpresa, admita.

— Admito. — Beijo seus lábios. — Quais os planos para a manhã de casados?

— Estava mais concentrado na noite, devo confessar que não pensei muito sobre o resto da vida. — Ele se move, seu corpo vem de encontro ao meu. — Mas posso improvisar qualquer coisa. Está interessada?

—Totalmente — aviso antes de receber seus lábios em um beijo que eu acabo por terminar me afastando. — Mas depois do café da manhã.

— Esposa faminta. — Seth afasta as cobertas. — Cuido disso.

— Vai preparar nosso desjejum?

— Não, mas algum restaurante vai, eu tenho um telefone e um aplicativo. — Ele pisca pegando o telefone enquanto caminha para o banheiro.

Pode não ser muito romântico, mas com certeza será mais prático e muito mais saboroso.

Escuto o chuveiro e afasto as cobertas gostando da ideia de um banho, ele empurra a porta de vidro do boxe.

— Já estava aqui pensando que não tinha entendido o recado. — Entro no chuveiro com ele. — Temos meia hora antes de a comida chegar.

— Aposto que sabe como aproveitar esse tempo.

— Acredite, eu sei — ele diz antes de afastar meus cabelos e beijar meu pescoço.

O café é realmente um espetáculo, Seth recebe meia dúzia de sacolas e eu o ajudo a colocar uma mesa de café. Não deixo transparecer a emoção e a graça quando ele coloca um dos arranjos de flores para enfeitar a mesa.

Um longo dia cheio de amor, horas lânguidas, beijos, cama, dividimos amor e nem notamos o tempo passar. Quando o céu escurece e as estrelas brilham, voltamos a nos perder de paixão.

— Queria levar você para aquela praia de areia irritante e sol quente, com gente suada e meio bêbada para...

— Me conta algo bom dessa praia antes que eu desista até mesmo de sonhar.

— Tem um quarto com ar-condicionado e nossos corpos nus e beijos longos, mãos deslizantes...

— O mesmo que temos aqui.

— É o que eu sempre digo, para que irmos a uma praia se a parte boa é sair dela?

— Um dia, Seth Arnett, vai estar sentadinho na areia, construindo castelos para seu filho e vai carregá-lo para o carro depois. Ele todo sujo de areia e grudento, chorando porque ficou tempo demais brincando e está esgotado, quando se acomodar ao volante, terá areia por todos os lados do seu carro caro e você vai estar explodindo de felicidade mesmo assim.

— Você torna a paternidade um tormento! — Ele me faz explodir em riso. — Que bom que te faço rir, porque você acaba de quase me fazer chorar com essas imagens que me fez produzir.

— Homem bobo — suspiro me acomodando em seu abraço. — Teremos muitas viagens e fins de semana românticos ao longo da nossa vida, mas também muitos dias a três, com areia, brinquedos, sorvete e sol, riso e lágrimas, pequenos gritinhos, não importa, Seth, ainda seremos felizes.

— Disso não tenho dúvidas. Eu devia ter planejado uma lua de mel, ao menos ficar em casa mais uns dias.

— Quando North completar um ano nós vamos levá-lo para Churchill e lá, com vovó Sam para ajudar, vamos ter ótimos momentos só nós dois. Na volta, ela fica uns dias com ele e vamos os dois para essa praia que não quer me levar de jeito nenhum.

— Perfeito! O que vai fazer amanhã?

— Resolver umas coisinhas da exposição e depois começar a pensar na decoração do North.

— Hunter vai ser um garoto bem aventureiro, pense em heróis para a decoração.

— Vamos deixar os heróis para quando ele for um rapazinho e nos concentrar em cores suaves e brinquedos lúdicos.

— Tudo chato, você quer dizer.

— Sei o que estou dizendo, meu amor, queremos nosso bebê calmo.

Seth não discute, ele sabe que tenho mais experiência que ele. Penso em Cory, ele vai amar ter seu espaço também. Vou aproveitar e comprar umas coisas que ele gosta para o quarto de hóspedes, na próxima visita, ele vai ficar feliz. Meu garotinho estava tão lindo ao meu lado, me levando ao altar.

Nem nos sonhos mais loucos e românticos da minha vida pude pensar em um momento tão feliz e completo. Consegui reunir naquela igreja todas as pessoas que me importam. Foi perfeito.

Uma nova manhã surge com a vida acontecendo em uma rotina, me despedir de Seth pela manhã, resolver coisas ao telefone no meu escritório enquanto olho para a foto dele risonho que sempre quis e consegui em uma distração dele.

Depois deixo Thea cuidando de seus afazeres e vou encontrar Sam, levar para ela meu presente especial, o buquê que coloco em uma caixa delicada. Ela me espera em seu avental todo pintado e colorido, com um largo sorriso quando me vê.

— Está na cara que você está feliz, escrito em seus olhos. — Sam me puxa para dentro sem esconder o sorriso.

— Muito feliz, não tivemos dias e dias de lua de mel, mas foi especial. — Meu suspiro só confirma a verdade, as memórias me assaltam sem aviso e acho que ela pode notar que foi especial.

— Não é bom ficar viajando nesses primeiros meses. — Ela me abraça. — Estou quase pronta, só vou tirar o avental e podemos ir. Já sabe o que quer?

— Sim, falar com o decorador para pintar o quarto e colocar as prateleiras, depois sair um pouco para escolher os móveis.

— Perfeito! Paramos para almoçar em algum lugar, depois te deixo em casa.

— Melhor assim. Thea vai deixar o jantar pronto, mas avisei que não almoçaria. Ela está tão feliz com o casamento, soube que o netinho dela fez amizade com Cory.

— Depois que deixaram a festa, foi que ela realmente começou. — Sam me conta tirando o avental. — Todo mundo se divertiu demais, adorei as matérias em todos os jornais. Até nos sites de fofocas e Instagrams de celebridades tinha fotos suas, todos elogiando o vestido e a elegância da festa.

— É sério? Eu fico feliz, mas não esperava.

— Foi lindo. Klaus ficou até o final com a esposa, eu o filmei dançando com ela. Achei tão lindo, o casal abraçadinho dançando. Sinto que você e Seth serão assim. Vão envelhecer juntos.

— Tenho certeza disso, nos completamos.

— Sem dúvida. — Ela pega a bolsa.

— Sam. — Ela para antes de chegar à porta. — Trouxe um presente. — Aponto a caixa sobre o sofá.

— É para mim? — ela pergunta, surpresa. — Achei mesmo estranho chegar com a caixa, pensei que tinha feito compras pelo caminho. Posso abrir?

— Sim, por favor! — Ela abre a tampa da caixa e me olha de queixo caído.

— Seu buquê? Achei que queria guardá-lo. É tão lindo.

— Acho que ele deve ficar com alguém que ama arte e a beleza. É um símbolo especial do meu amor por Seth, de tudo que vivemos e você é uma artista. Pode transformá-lo em arte e guardar e quem sabe...

— Não me venha com essa.

— Samantha, você tem muito tempo ainda pela frente. Pode aproveitá-lo com um novo amor, se deixar alguém entrar na sua vida.

— Amo você, mas não tenho planos para um novo amor. Já para esse buquê... — Ela sorri tirando o presente da caixa e olhando em detalhes. — Nem acredito. Vou preparar uma coisa linda com essa obra de arte, talvez um quadro, ele vai se eternizar como o amor de vocês.

— Sabia que gostaria.

— Amei! — ela diz me abraçando, depois se curva com as mãos em minha barriga. — Sua mãe é muito sedutora, pequeno Hunter. Pode não saber escolher nome, mas sabe dar presentes especiais.

— Sam! — gemo reclamando das piadas com o nome dele. — Todo nome tem que contar histórias e ele será um menino muito feliz quando conhecer a história de como me apaixonei pelo pai dele.

— Tenho certeza de que sim — ela brinca passando o braço pelo meu. — Agora vamos às compras.

— Vamos. Quer dizer que a festa ficou melhor depois que partimos? Conte tudo.

Sam me conta detalhes da festa, fazemos compras e comemos em um pequeno restaurante no shopping. Quando ela me deixa na porta de casa, Thea já foi e aproveito o tempo solitário para me arrumar e quem sabe fazer uma surpresa romântica para Seth, ainda é nossa lua de mel.

Uma mesa de jantar bonita, uma camisola sexy. Apronto tudo e depois do banho e de secar o cabelo, visto a camisola e encaro o espelho. Fico de lado para olhar a barriga, já começa a despontar e agora que não penso mais no vestido, é quase como se ela tivesse crescido da noite para o dia.

Aliso a camisola e penso como vai ser emocionante quando ele se mexer dentro de mim, espero por esse dia. Talvez assim Seth comece a realmente encarar a barriga como um pedacinho da nossa vida, como o bebê.

Tantas literaturas sobre o tema, sobre como os bebês estão atentos às emoções dos pais, escutam a voz, gostam de carinho e são mais saudáveis quando a gravidez é vivida com plenitude. A única coisa que sinto falta é dele interagindo com a minha barriga por mais idiota que isso seja.

Seth morre de medo do ridículo, mas acho que em algum momento ele desperta para isso e vamos curtir momentos fofos juntos.

— Não é, meu bebê? — Sorrio para meu reflexo no espelho, nunca me senti tão feminina e bonita como me sinto agora, mesmo as mudanças sendo tão claras no meu corpo e rosto.

Passo uma gota de perfume e vou para sala esperá-lo. Escuto a porta e me acomodo na poltrona cruzando as pernas e deixando o decote de renda à mostra.

— Angie! — Ele me chama antes de me notar, deixa a mala sobre o móvel e começa a desfazer o nó da gravata. — Amor, eu... cheguei. — Ele paralisa diante da imagem.

— Senti sua falta — digo mexendo os cabelos.

— Você casou com um idiota — ele diz tirando o paletó enquanto caminha para mim. — O que diabos eu fui fazer no escritório hoje? Tem dois dias que é minha esposa.

Fico de pé e ele ergue a sobrancelha, ainda mais surpreso.

— Temos a vida toda juntos, meu amor. Se quiser começamos agora mesmo, mas o jantar está divino.

— Minha fome é outra — Seth sussurra ao meu ouvido me erguendo nos braços enquanto caminha para o quarto e aceno para a linda mesa de jantar prometendo que voltamos em algum momento entre agora e o café da manhã. Talvez mais perto do café da manhã.

Ele me faz feliz de todos os modos, quando estou em seus braços sou feliz e completa. Parece tolice, mas Seth me transforma, sou a minha melhor versão com ele.

— Amanhã não vou fazer nada, vou ligar para o meu pai e mandá-lo voltar para Toronto. Ele que assuma a presidência da empresa que ele criou.

— Acho ótimo! — brinco beijando seu peito. — Agora você precisa alimentar sua esposa grávida e a comida já está gelada, as velas devem ter se apagado.

— Eu cuido disso. Me promete que vai me receber assim uma vez por semana.

— Espertinho, me promete que vai inventar umas surpresas como a da noite de núpcias.

— Prometo, mas quando o Hunter for maiorzinho vamos abolir as velas. Não queremos um incêndio.

— Ótimo plano! Adoro como você pensa em tudo — brinco enquanto ele me leva pela mão para a sala de jantar.

— Fiz tanta coisa hoje. Como foi o seu dia?

— Encontrei sua mãe e fiz umas compras, resolvi umas coisas da exposição, nada demais. Como está a Tracy?

— Feliz, depois da festa ela está decidida a marcar a data do casamento.

— Finalmente! Soube que o Klaus adorou e dançou muito com a esposa, quero convidá-lo para um jantar. O que acha?

— Acho ótimo. Ele é bom conselheiro e vai gostar de ver como é nossa vida, aprendi muito com ele, graças a você — Seth diz me ajudando a sentar.

— Eu?

— Quando deu a ideia de mantê-lo conosco para ajudar com os funcionários, se lembra? — Balanço a cabeça afirmando. — Me mudou muito tê-lo por perto, me fez mais humano e ele é muito sábio. Gosto de ouvi-lo falar sobre amor e família, eu o invejei algumas vezes, no tempo em que ainda lutava contra isso, como é que pude lutar contra o amor, contra você. Isso que vivemos é tão intenso, perfeito, eu não sei como pode haver felicidade maior.

— Eu não conheço — digo quando ele serve meu prato. — Seth não é melhor esquentarmos e comermos na cozinha mesmo?

— Nada disso, vamos ter um jantar romântico, vou aquecer e volto. Enquanto isso — ele grita da cozinha —, não quer me dar o endereço daquela loja em que comprou a cinta-liga? Estou querendo te dar um presente.

— Para mim ou para você? — grito de volta. Seth volta com um isqueiro para acender a vela.

— Para o nosso amor — ele diz se curvando para beijar meus lábios e eu acredito, sou mesmo uma apaixonada e muito feliz.

CAPÍTULO 36

Seth

— Seth! — Me volto deixando a janela e Tracy está me olhando com ar de interrogação. — Está em outro mundo? Estou te chamando tem um tempo.

— Desculpe, não notei.

— Tão difícil me acostumar com Seth que pede desculpas — ela diz puxando a cadeira e se acomodando. Faço o mesmo.

— O que você tem, está confuso?

— Não, eu estava... reflexivo.

— Problemas no paraíso? — Ela lança um olhar preocupado.

— Não. Certezas, refletindo sobre minhas certezas, é só... Estava só analisando.

— Fiquei curiosa — Tracy diz deixando os papeis sobre a mesa em um claro aviso que prefere conversar a trabalhar.

— Todos esses anos a minha bancada do banheiro sempre foi a mesma. Limpa, com apenas o meu perfume e um sabonete líquido; completamente vazia e organizada.

— Puxa, isso é uma grande questão! — Tracy ironiza.

— Menos de uma semana depois que ela se mudou para o meu quarto isso acabou. Um mundo de pequenas coisas invadiu a bancada, todo tipo de maquiagem, chumaços de algodão, os lenços umedecidos que ela nunca consegue puxar um só então fica sempre mais um meio que pendurado.

— Quem consegue puxar um só?

— Eu consigo, Tracy. Angie não. Tem o pincel que ela passa pó, ele fica ali sobre a bancada, deixando em torno uma pequena camada de poeira bege, e o perfume dela. O vidro do perfume da Angelina é praticamente igual ao meu e ela os deixa lado a lado, agarrados como se fossem um casal.

— Que romântico!

— Tenho que prestar atenção para não acabar usando o dela, outro dia fiz isso e como se não bastasse pensar nela o dia todo. Ainda fiquei com o cheiro dela e acabei indo para casa mais cedo.

— Sinto até pena!

— Eu fico tomando banho e assistindo ela bagunçar tudo enquanto se arruma sempre atrasada para algo e quando estou vestido, ela deixa cair a tarraxa de um brinco. Você sabe o quanto são pequenas?

— Ah, eu sei! — Tracy ri.

— Fico todo amassado porque preciso me ajoelhar no chão para caçar uma tarraxa de brinco. Quando entrego a ela e ganho um sorriso, me sinto um idiota herói. Soa ridículo o bastante para você?

— Soa — ela admite rindo.

— Mas tem outra coisa, Angie tem picos de energia, como nessa manhã. Quando acordei, ela já estava pronta e quando saí do banho e me deparei com a bancada do banheiro, era como no tempo em que Angelina não existia na minha vida. Impecável, apenas meu sabonete líquido e o perfume.

— Que bom? — ela pergunta tentando alcançar minha linha de raciocínio.

— Não! Aí é que está, gosto da certeza e da rotina de encontrar tudo bagunçado. Olhei para aquela bancada e compreendi como eu amo Angelina e como a minha vida era terrível sem ela.

— Faz sentido.

— Tive ímpetos de ir perguntar a ela se não me amava mais. Estava aqui refletindo sobre como tudo isso é tão certo em minha vida. O caos que é viver com alguém que é meu oposto e ao mesmo tempo me completa.

— Talvez essa seja a receita do sucesso.

— Pode ser. Ela gosta de dias ensolarados e eu de noites geladas, ela é cheia de dúvidas e eu de certezas. Angie é doce e emocional, eu sou bruto e racional e no fim, tudo que quero e a bancada desorganizada.

— É assim que o amor funciona. Você acaba amando as imperfeições tanto quanto ama o resto.

— Eu não tinha ideia de que podia amar assim. Estava aqui refletindo sobre isso, como é certo viver com ela, nosso casamento e o filho que vamos ter, os outros que pretendo ter.

— Aí está uma novidade, quer mais filhos?

— Quero. Cory está lá em férias, vai ficar duas semanas. Ele é um ótimo menino, ama a Angelina e me ensina muito sobre ter uma criança em casa. Penso que uma criança precisa de um irmão, eu acho que teria crescido diferente se tivesse um e vejo como Cory me parece sempre desprotegido e solitário, um irmão o ajudaria a enfrentar isso.

— Bem, eu tenho dois irmãos, um mais velho e uma mais nova. Você sabe, posso garantir que é insuportavelmente bom.

— É isso, mesmo com brigas e competições, irmãos nos preparam para o mundo lá fora.

— Tem muito do Seth que conheci em você, e muito do que só conseguiu revelar na companhia dela. Isso é bom.

— Você também se tornou quase humana depois que Winnie entrou em sua vida.

— Quase! — ela frisa rindo. — Seth, esse seu casamento só me trouxe problemas, mas é bom vê-lo feliz e vivendo em meio ao caos de uma garota, lá em casa somos duas. Acho que pode imaginar como é a bancada de maquiagem.

— Não e nem quero — digo em meio a um arrepio de pavor. — Por que meu casamento te trouxe problemas?

— Não me resta alternativa senão marcar a data do meu e, além disso, temos pequenas e marcantes comparações. Seth chega todos os dias antes das seis em casa, já você, nunca chega antes das nove. Porque sua linda esposa é agora a melhor amiga da minha garota e elas trocam confidências. Custa você ficar preso no trabalho de vez em quando?

— Custa! Eu não consigo — admito fazendo Tracy revirar os olhos e suspirar.

— Eu imaginei. Na verdade, não vim saber da sua vida embora seja bem divertido, eu vim mesmo para entregar essa pasta e avisar que o Klaus te espera para uma reunião. Se possível, hoje. É o plano de carreira que preparamos, fiz a consultoria legal para o Klaus, usamos suas ideias e dicas, acho que está perfeito, tem meses que os funcionários esperam por isso, então se puder encontrar o Klaus e conversar sobre isso, liberamos para começar a partir do primeiro dia do mês.

— Vou ler agora e depois procuro por ele. Obrigado, Tracy! Sei que se dedicou a isso.

— É meu trabalho, eu detesto quando fica assim todo agradecido.

— Nos faz parecer boas pessoas — brinco com ela que concorda em um tom de humor. — Marca logo essa data.

— Vamos marcar para quando o Hunter tiver pelo menos um mês de vida. O que acha? Ele já vai poder sair de casa para um evento social e queremos algo bem íntimo, família, poucos e bons amigos.

— Acho que está ótimo! Angie pode ajudar, ela tem muito talento para recepções.

— As duas já têm toda uma programação. Só preciso escolher a roupa, pensei em um terninho branco ou num vestido do jeito que ela quer. Ou estaremos as duas de vestido ou as duas de terninho branco. O que acha?

— Acho que você é bonita demais para se preocupar com isso, ficará linda de qualquer modo.

— Seth, você está assustador. Eu vou trabalhar. Sempre foi péssimo de conselhos.

— Então eu não mudei nada! — constato e ela meneia a cabeça antes de acenar para mim e deixar minha sala.

Curioso sobre o trabalho deles, eu abro a pasta, passo mais de uma hora fazendo anotações e lendo o trabalho. Viviane abre minha porta, coloca um sanduíche sobre minha mesa e um copo de suco de frutas, sorri para mim sem que eu entenda bem o que está acontece.

— Angelina pediu para trazer. Ela telefonou e disse que ainda não tinha saído para almoçar, ela encomendou.

— Obrigado, Viviane! — Me dou conta que estava mesmo com fome, é um sanduíche saudável, tomo uns goles do suco e como enquanto termino de ler o material.

Quando ligo para Angie para agradecer. Só de ouvir sua voz, já sinto vontade de correr para casa, mas não posso viver para o amor e tenho que domar meus instintos e trabalhar.

No meio da tarde, logo depois das quatro, Klaus entra na minha sala como marcamos.

— O dia está uma loucura — ele diz encarando seu relógio de pulso.

— Sim, está mesmo, tem algum compromisso? Quer deixar a reunião para outro dia?

— De jeito nenhum! — ele nega quando indico a cadeira e Klaus se acomoda.

— Ótimo! Passei a manhã lendo o material, está tudo muito bom. Fiz umas anotações como pode acompanhar na cópia que te enviei. — Klaus abre o documento e por uma hora ficamos a discutir o plano, ele é duro na queda, não é fácil vencer Klaus, mas eu ainda sou Seth Arnett, apaixonado ou não, meu trabalho ainda me instiga e não perdi a mão de negociações, por fim, tudo fica do jeito que quero e ele ainda fica satisfeito.

— Então é isso, vou mandar imprimir e enviar aos funcionários. Acho que é importante todos terem acesso a esse material, pode ficar responsável por responder as dúvidas e atender a todos? — pergunto a ele que balança a cabeça concordando.

— Lidar com os funcionários sempre foi a melhor parte do trabalho. — Meu oposto, eu nunca tive jeito impositivo demais para ser bem visto pelos meus funcionários.

— Ótimo! É isso, plano de carreira e desenvolvimento dos funcionários resolvido e posto em prática.

— Sua esposa vai ficar muito feliz. Afinal, foi ideia dela. — Sorrio concordando.

— Você a conheceu, viu como é determinada e sabe vencer uma batalha.

— Digo que Angelina venceu a guerra — ele brinca. — O jantar em sua casa aquele dia foi um espetáculo. Até achei que ela ficaria conosco, como membro do conselho. Eu sei que não é da minha conta, mas as opiniões dela são fortes e corajosas, é sempre bom ter alguém igual a ela.

— Klaus, acredite, eu adoraria. Não fui eu que a dissuadir da ideia, pelo contrário, estava contando com ela integrando nossa equipe, mas Angie não quer.

— Que pena!

— Ela não tem frieza alguma, disse que sofreria nas batalhas perdidas e depois de todos esses anos, você deve saber que sempre algumas são perdidas.

— Sim, com toda certeza. Muitas — ele diz me fazendo lembrar que perder a maior de todas para mim e hoje não parece mais tão grandioso o que fiz.

— Depois que o bebê nascer ela vai agenciar artistas como minha mãe. Até já recebeu uns convites, mas no momento cuida só da minha mãe, está dedicada ao nosso filho.

— Isso é importante, pouco estresse e algum repouso é sempre bom durante a gravidez. Eu tenho ótimas recordações das vezes em que minha esposa esteve grávida.

— É um momento especial e delicado.

— Hormônios à flor da pele. — Ele ri. — Minha esposa ia de furiosa às lágrimas em segundos e eu ficava sempre pisando em ovos, mas era bonito e emocionante ver a criança crescendo dentro da mãe. As mudanças no corpo, perdíamos horas falando com o bebê. Sabe que acho que os meninos nasceram todos reconhecendo minha voz? Lembro que quando choravam bastava que eu conversasse com eles e logo se acalmavam.

— Entendo — respondo pensando que ridículo ou não, falar com o bebê ainda dentro do útero deve servir para alguma coisa mesmo. Não é possível que se passe esse ridículo à toa. — Acha que tem algum estudo científico sobre isso?

— Talvez. — Ele ri de mim, fecha sua pasta e me olha atento. — Cético, Seth!

— Não é isso — digo meio envergonhado do tema. — Mas falar com a barriga.

— Nunca fez isso? — ele me pergunta surpreso de um modo bem negativo. Eu dou de ombros e depois nego. — E eu inocente e orgulhoso achando que você tinha tomado jeito. Seth! Se não é importante para o bebê, mesmo que ele não escute ou se lembre depois da sua voz, que isso seja só uma tolice de pais que querem ser parte desse momento, você precisa pensar em como isso afeta Angelina.

— Como assim?

— Ela está sensível, deve sentir falta disso. De você mais participativo nesse momento de gravidez.

— Eu sou. Pego as coisas para ela quando caem, chego cedo todo dia, deixei que ela desse um nome feio ao bebê. Participo bastante.

— Você finge que é corajoso, mas morre de medo de parecer ridículo.

— Não é todo mundo assim? Quem é que gosta de parecer ridículo?

— Não digo gostar, mas a maioria não se importa muito se isso for sinônimo de felicidade e conversar com seu filho ainda na barriga da mãe é sinônimo de felicidade para ela e vai ser para você também.

— Acha que todo velho fica sábio? — pergunto a ele que solta uma longa gargalhada negando.

— Acho que não, mas acredito que todo sábio fique velho. — Klaus se levanta. — Vou trabalhar, Seth. Vejo você por aí.

— E eu vou para casa — digo antes que ele deixe minha sala, fecho meu computador, junto minhas coisas e deixo o escritório pouco depois das cinco. Se tiver trânsito chego em cima da hora.

Não quero preocupar Angelina com atrasos. A casa está quieta, ando pelos cômodos atrás de Angelina e a encontro sozinha, no nosso quarto;

deitada apenas com as peças íntimas enquanto parece envolvida em ler um livro.

Está cada dia mais linda, a barriga redonda e bem desenhada, os cabelos soltos, os seios maiores. Às vezes os pés também incham um pouco, mas no geral ela está cheia de energia. Faz exercícios diários, se alimenta bem e briga ao telefone com o marchand uma vez ao dia.

Sua mão corre pela barriga enquanto ela sorri para o livro, está gostando do que lê. Nem me viu chegando.

— Oi — digo despertando Angie que sorri para mim deixando o livro imediatamente de lado.

— Que bom que chegou! Vim deitar um pouco, estava tão cansada.

— Cadê Cory? — pergunto desfazendo o nó da gravata e tirando os sapatos ao mesmo tempo.

— Com Sam. Foram ao cinema, depois jantar. Ele vai dormir com ela porque vão pintar juntos e ele está apegado demais ao Angus. — Faço careta enquanto atiro a gravata e o paletó para me juntar a ela na cama. Beijo seus lábios, ela passa os dedos por meus cabelos. — Tudo bem no trabalho?

— Sim, o plano de carreira para os funcionários ficou pronto. Vamos implantar a partir do próximo mês.

— Isso é maravilhoso! — ela diz animada, me beija os lábios. — Obrigada por me ouvir, meu amor!

— Obrigado pelas boas ideias! Klaus vai cuidar disso pessoalmente, está bem feliz. O que está lendo?

— É um livro sobre gravidez. Mitos e verdades, essas coisas... — Ela mostra a capa do livro e depois o deixa sobre o móvel. — Comecei o dia animada e depois cansei.

— Está bem? Quer ir ao médico? — Angie nega:

— Não, eu estou bem. Thea foi embora não faz nem uma hora, ficou aqui comigo.

— Com ela em casa não tem silêncio, vamos ter de trancar o bebê no quarto ou ela vai aspirar o menino no berço. Se o aspirador quebrar ela pede demissão.

— Ela realmente ama o aspirador, mas gosto de tê-la comigo. Amanhã ela vai trazer o netinho para brincar com Cory. — Mordo o lábio evitando a careta, mas não é o bastante para Angie não perceber. — Eles vão se comportar e não vão mexer nas suas coisas, estou deixando isso para o seu filho.

— Ah! Agora é meu filho? Quando faz bagunça? — Angie ri enquanto balança a cabeça afirmando. Olho para sua barriga. Toco com cuidado acariciando. — Está ouvindo sua mãe, filho? — Sinto algo se mover, Angie também sente porque arregala os olhos e deixa o queixo cair. — Mexeu?

— Sim — ela diz chocada e emocionada. — É a primeira vez que sinto.

— Oi, filho, é o papai! — Fico mudando a mão de lugar para ver se sinto de novo.

— Aqui, amor! — Angie leva minha mão até a lateral da barriga. — Sentiu? — Ela chora e ri enquanto eu pareço sair de mim, não consigo acreditar que está mesmo acontecendo, que é meu filho com forma e movimento se movendo dentro da mãe. — Fala com o papai, North.

Agora eu sinto outra vez um leve movimento, é a coisa mais complexa que existe, uma mistura de todo amor do mundo com todo o medo que carrego em mim.

— Tem certeza de que é ele? Pode ser só um movimento peristáltico.

— Seth! — As lágrimas dão lugar ao riso. — Vai se acostumando com seu pai, é assim que ele age.

— Eu tinha que perguntar — aviso encostando o ouvido em sua barriga para ver se escuto algo, sinto outro pequeno movimento, quase mínimo, ainda não consigo acreditar. — Está se mexendo? É você que está fazendo isso?

— Não, Seth, é ele.

— Oi, filho! — digo sem me sentir completamente idiota, talvez um pouco idiota, mas nada que manche minha imagem de olhos de aço. — Hunter, sou eu. — Sinto com perfeição um movimento e me afasto para olhar para Angelina chocado, bobo, feliz, pai. — É um aviso, ele quer falar sobre o nome dele.

— Não quer, ele ama o nome dele — ela diz rindo com uma das mãos no meu rosto.

Toco sua barriga mais uma vez, acho que Klaus estava mesmo certo, talvez ele me escute e algum dia, quando estivermos juntos, vai ter algum tipo de lembrança da minha voz.

— Não tive culpa, bebê, eu tentei. — Beijo a barriga de Angie e depois seus lábios. — Amo você, obrigado por isso! Estive meio que... sendo bobo eu acho, mas... só estamos nós aqui, ele parece gostar da conversa.

— Ele gosta de ouvir o pai.

— Por enquanto, quero ver quando for um adolescente. — Um dia esse bebê vai crescer a ponto de construir a própria família. Parece natural e comum, mas me dar conta disso é avassalador, essa criança parece me tornar imortal, agora tem algo de mim se perpetuando. — Quero que ele seja como você — digo a ela que balança a cabeça negando.

— Espero que ele seja como o pai. Forte e corajoso, que sabe o que quer, capaz de ouvir, mudar de ideia, sem preconceitos. Você tem mais qualidades que defeitos, Seth. Seu filho vai saber disso.

— Ele pode ser bonito como o papai, quem sabe assim compensa o nome. — Ela faz bico, beijo seus lábios, depois sua barriga. — Estou brincando, Angie, eu amo esse nome que escolheu, é sobre como nos apaixonamos e a família que criamos a partir desse amor.

— Tem razão.

— Mas é um nome feio — digo fazendo Angie rir. — Temos de ser honestos, tanta gente tem nome feio por aí, não é nada demais. Importa o coração.

— Seu pai adorou o nome! — ela me lembra.

— Claro que o papai adorou, ele escolheu meu nome! — digo rindo. — Filho, algum dia vamos ter de conversar sobre o seu avô. Não quero levar problemas para você, mas tem que ficar de olhos abertos, digo que ele não faça planos, mas secretamente ele já está lá maquinando seu futuro. Vamos cuidar disso, está bem? Vovô ama você, não se preocupe, é só um homem... — Olho para ela. — Acha que é cedo para essa conversa.

— Um pouco — Angie admite. — Mas o que importa é a sua voz, é isso que ele vai marcar.

— Então basta que fique aqui lendo meus relatórios em voz alta, ele vai pensar que é sobre ele e tudo bem? — Isso parece muito melhor do que tentar criar um diálogo.

— Tudo ótimo! Mas agora vou colocar uma roupa e vamos jantar, depois pode ler seus relatórios para ele. Seth, sabe que vai ficar comigo na sala de parto? — Balanço a cabeça afirmando. Nunca faltei a nenhuma consulta, estou a par de cada passo. — Vai ficar nervoso?

— Provavelmente não, mas posso fingir se preferir.

— Melhor não, estou contando com sua frieza.

— Eu também. Vamos comer e depois falamos mais sobre isso. — Ajudo Angie a levantar. — Como estão as coisas da exposição?

— Pronto! Tudo acertado, os quadros já estão posicionados e a iluminação montada, deu tudo certo e tudo a tempo.

— Claro! Todo mundo com medo de você. Mandona e exigente!

— Quanto amor! — ela brinca calçando os chinelos enquanto eu forro a cama mais uma vez. — Que acha de passar o dia comigo amanhã? — Ela pede quando caminhamos para cozinha.

— Não. Vai ter um monte de criança aqui. — Angelina ri, pelo menos minha honestidade é engraçada para ela, isso só pode ser amor.

CAPÍTULO 37

Angelina

Cory me olha atencioso enquanto ajeito seus cabelos, está lindo, esticou um pouco. Onze anos, meu bebê cresceu e ficou ainda mais esperto. Agora, por conta da minha ausência, tem aprendido a se virar sozinho e toda visita tem uma história nova de alguma aventura.

— Está lindo! — digo sorrindo enquanto corro os olhos para ver se tem algo fora do lugar. Calça jeans, tênis e uma camiseta nova que comprei para o evento. Queria comprar algo mais social, mas dessa vez, Seth ganhou, ele me convenceu que Cory é um menininho apenas, que não precisa andar como um mini adulto e está certo. Ele fica mais feliz vestido assim.

— Sam me explicou que é igual a um museu, os quadros ficam lá nas paredes e vamos passando e olhando. Aí tem umas coisas para comer e beber e acabou.

— É um jeito de ver as coisas. — Rio da simplicidade da descrição.

— Falei para minha professora de Ciências que eu ia a uma exposição em Toronto, ela falou que eu estava muito elegante — ele diz bagunçando o cabelo que acabo de arrumar, suspiro desistindo do trabalho. — Posso tirar umas fotos para mostrar para ela quando eu voltar para casa?

— Não pode tirar fotos no local, mas abro uma exceção para você. Pode, sim. — Ele sorri para mim e ganho um abraço. — Agora eu vou me vestir e você tenta não sujar a roupa, pode ser? — Cory balança a cabeça concordando.

— Minha mãe... — ele cala. Puxo Cory pela mão para se sentar ao meu lado na sua cama, o quarto é cheio de coisas suas e não chamamos mais de quarto de hóspedes, dizemos o quarto do Cory.

— Sei que sua mãe não gosta de mim, meu anjo. Não tem problema, ela pode dizer o que quiser. Só me importo que venha sempre me ver e me ajude a cuidar do bebê quando ele chegar, que seja como um irmão mais velho.

— Papai disse em segredo que ela está com inveja de você, que você ficou rica e casou com um homem importante e bonitão — ele diz baixinho como se os pais pudessem ouvir.

— É um pouco verdade, meu marido é bem bonitão. — Cory sorri percebendo que não fiquei chateada. — E ele é rico, então eu acho que fiquei mesmo rica. Somos uma família, não tem problema nada disso. — De todas as coisas, acho que essa foi a única que não me afetou ou a ele jamais, Seth é tudo, menos esnobe e isso me deixou sempre relaxada sobre a situação financeira.

— É verdade.

— O que importa mesmo é que nos amamos, somos uma linda família; Seth, você, eu e esse bebezinho lindo. — Acaricio a barriga de seis meses e ele faz o mesmo. — Grandão! — Brinco fazendo Cory sorrir de novo. — Temos Sam, Stan e Francine.

— E tia Tracy e tia Winnie.

— Sim, temos elas também. Isso é mais importante do que ter dinheiro e o Seth ser bem lindo.

— Você acha ele o mais bonito do mundo, hein?

— Eu o acho perfeito!

— Angelina! — Ele ajeita a roupa e me olha. — Acha que todo mundo que casar no mundo vai me chamar para ir à frente de pajem?

— Tem chances, você é um ótimo pajem.

— Estou com vergonha de entrar com essa menina que nem conheço no casamento das tias.

— Bobagem! A sobrinha da Winnie tem nove anos, é uma garotinha, só precisa segurar a mão dela para a menininha não se atrapalhar e caminhar até o altar. Vai ser em uma casa bem bonita, leva só uns minutinhos e você é um menino muito corajoso, vai ser fácil para você. — Ele balança a cabeça concordando sem muita certeza.

— É, eu vou conseguir. Seth disse que talvez o Hunter chore na hora do casamento.

— Vamos torcer para North ser um garotinho tão bonzinho quanto você.

— Você se lembra das coisas de quando eu era um bebê? Minha mãe não lembra muito. — Sorrio tentando não mostrar minha tristeza. Ela não se lembra porque estava sempre fugindo dele.

— Muito bem! — Pisco para ele e então fico de pé. — Você era um bebezinho ótimo, só chorava quando sentia fome, o problema é que vivia com fome. — Faço cócegas nele que se contorce rindo. — Vou colocar meu vestido lindo e me maquiar, não se suja.

— Tá bom! Vou chamar Seth para. — Adoro a ideia, apenas Seth vai odiar, mas ele se esforça e eu sei que na sua cabeça, é tudo um treinamento para ser pai, ele nem se envergonha de usar o pobre Cory como cobaia.

A verdade é que Cory também não se importa nem um pouco, pelo contrário, os dois até que se divertem muito brincando juntos. Seth não é lá muito leal, ele pesquisa métodos para ganhar, treina escondido, trapaceia levemente, mesmo assim, Cory tem longos ataques de riso quando os dois estão debruçados em algum jogo, videogame ou tabuleiro, eles estão sempre brincando, as bolas me irritam um pouco, Seth já quebrou um vaso e um porta-retratos, mas é teimoso e não desiste de jogar pela casa e ainda colocar a culpa no pobre Cory.

O vestido elegante está sobre a cama, dois tons de azul que não vão esconder a barriga. Pelo contrário, foi desenhado para ela, fiquei tão encantada com o modelo que não resisti. Seth adorou, mas ainda não me viu nele.

— Estou pronto! — ele diz quando entro no quarto, lindo em um terno escuro e a gravata que dei a ele de presente.

— Está lindo!

— Obrigado! Esse seu vestido é lindo, vou esperar você aqui, para ver como fica.

— Cory tinha esperança que brincasse com ele.

— Cory é esperançoso demais — ele diz se acomodando na cama, cruza os pés e coloca as mãos atrás da cabeça.

— Amor, eu vou me maquiar primeiro e está amassando meu vestido. — Ele faz careta. Escutamos uma leve batida na porta e a careta se amplia.

— Diga que está nua e que eu estou doente — ele me pede e ergo as sobrancelhas. — Entre, Cory! — ele diz a contragosto, o garotinho entra tímido, sorri para mim e para diante dele.

— Quer brincar um pouco enquanto ela se arruma?

— Não! — Seth não consegue mentir, é algum tipo de distúrbio. Tenho certeza que existe até tratamento e nomenclatura para isso, ele passa feito trator sobre tudo; é seu melhor e pior. Não existe medo de ser enganada por ele, ao mesmo tempo, nem sempre é fácil ouvir a verdade.

— Só um pouquinho! — Cory não tem medo de se humilhar e insiste.

— Certo, meia hora! Temos de chegar cedo ao grande evento. Sabe que foi a Angie que organizou tudo?

— Sei, ela é muito boa, faz as coisas até grávida.

— Muito boa. — Os dois deixam o quarto me elogiando, fico com um sorriso bobo no rosto enquanto acerto a maquiagem, Winnie me ensinou algumas coisas sobre maquiagem. Tenho aprendido um pouco sobre tudo, com todos que me cercam e isso me melhora, já não sou mais a garota tola que foi chutada para fora daquela casa sem destino, nem a idiota que confia em estranhas mostrando onde guarda seu pouco dinheiro.

Como é irônico que encontrei duas garotas realmente especiais e que agora são como parte da minha família, confiaria minha vida a Tracy e Winnie e dessa vez, sei o que estou fazendo.

Depois da maquiagem pronta, coloco o vestido e o sapato, ficaria muito melhor com um salto, mas não quero ficar de pés inchados com meia hora de evento. É um momento especial para Sam e quero estar o tempo todo ao seu lado.

Deixo o quarto feliz com o resultado. Seth e Cory estão na sala e caminho ao encontro deles já começando a me preocupar com a hora.

— Estou pronta! — aviso para os dois garotos focados na tela da televisão apertando botões freneticamente de controles que levam nas mãos.

— Já va... — Seth se volta um instante, mas seus olhos se prendem em mim, acho que ele gosta do resultado.

— Ganhei! — Cory comemora a vitória totalmente embasada na distração de Seth, mas ele não se importa, larga o controle e vem até mim com um sorriso deslumbrante.

— É a mulher mais linda do mundo! — ele diz me envolvendo, beija meus lábios e me olha mais uma vez sem acreditar. — Como é que faz isso?

— Ela já nasceu bonita assim. — Cory dá sua versão e Seth entorta a boca.

— Galanteador e esperto! — Beijo os lábios do meu marido, acaricio seu rosto em gratidão.

— Obrigada, amor! Podemos ir?

— Sim. Filho, olhos abertos nesse evento. Teremos muita competição — ele brinca acariciando minha barriga, levou tempo para começar, mas agora é sua maior diversão, horas de conversas e carinho enquanto aproveito para ler e rir dos assuntos absurdos que ele arruma para falar com o bebê.

— Vamos. Vem Cory.

Seth dirige com cuidado. Não que antes fosse desatento, mas agora ele é tomado por um excesso de preocupação que até cansa.

O local está pronto, mas ainda sem convidados, Stan e Francine estão descendo do carro logo a nossa frente, Samantha já chegou pela mensagem que me enviou.

— Gostei da iluminação, isso está muito elegante. — Seth sorri para mim. — Parabéns!

— Ainda nem entrou.

— Mas já sei que está lindo.

— Eu também sei — Cory continua a onda de elogios.

— Cadê esse meu netinho lindo? Ele está bem? — Stan pergunta ignorando todo o resto, com as duas mãos sobre a minha barriga. Tem umas semanas que ganhamos essa intimidade quando Seth quis mostrar ao pai o filho chutando. — North, é o vovô, diga oi.

— Ele está muito bonzinho hoje — aviso ao vovô todo animado, então ele se dá ao direito de cumprimentar o filho e Cory, entramos todos juntos, os garçons estão a postos com champanhe e vinho.

Samantha vem nos receber ainda no hall. Está linda, elegante, feliz. Posso ver o orgulho pelo trabalho realizado. George está com ela e tenho que admitir que formamos uma boa dupla.

— Está linda, Angelina! — Sam me abraça. — Obrigada pelos seus esforços! Eu não quis vir aqui e agora... acho que não vou conseguir ir embora. Está maravilhoso, até gosto mais dos meus quadros do que gostava antes.

— Bobagem! É apenas a luz certa, mas foi o George quem me ensinou isso. — Ele aperta minha mão, orgulhoso.

— E assim que aprendeu me passou a perna e fez muito melhor.

— Quando foi que vocês dois se tornaram amigos? — Seth pergunta, surpreso. — Só os vejo brigando.

— Temos opiniões fortes — George responde por mim —, mas Angelina sempre vence. O trabalho está incrível.

Sam cumprimenta todos, dá a mão ao Cory e entramos para ver o salão. Está mesmo lindo, é emocionante. Eu fiz parte disso, é algo real, palpável, eu realizei esforços para que esse lugar e esse evento fossem perfeitos.

Meu coração se enche de um tipo de orgulho, não saberia explicar a emoção de encontrar tudo como idealizei.

Seth envolve minha cintura, seus olhos encontram os meus e sorrio tão feliz que nem saberia explicar, isso também vem dele, desse amor todo que dividimos e me faz forte, corajosa e tão feliz.

— Parabéns! Tenho muito orgulho de você. — Ele me beija levemente, o riso em seus olhos é quase tão grande quanto o de seus lábios.

— Mal começou. Vamos ver amanhã se foi mesmo um sucesso.

— Tenho certeza de que sim — ele garante e quero acreditar, torço para isso.

— Os jornalistas vão entrar primeiro para entrevistar a Sam, depois ficam para escrever sobre o evento, vão conversar com algumas pessoas.

— Muito bom! A mídia ajuda muito nesse sentido, coloca minha mãe no circuito das artes. — Balanço a cabeça confirmando. — E aquele quadro coberto? — ele me pergunta e olho para a parede principal com a obra que Sam pediu segredo e nem mesmo eu vi.

— Essa parte só o George pode dizer, ele cuidou desse, era surpresa para a família.

— E vão poder apreciar agora — Sam avisa e nos reunimos diante do quadro na parede principal da exposição. — Não está à venda, é um presente e não deve ficar sozinho, ele tem uma obra que é conjunta a essa.

Olho para Seth meio surpresa. Nenhum dos dois sabe muito o que pensar e apenas esperamos.

— Deve ser colocado sempre ao lado daquele que temos em Churchill e que eu mandei vir e está à espera de vocês dois, como um presente — Sam nos avisa e sorrio pensando que amo aquele quadro. — O primeiro era sobre como meu filho me inspirava e o que via nele.

— Aquela tempestade gelada — Seth brinca, ele nunca ligou muito para essa comparação, acho até que gostava um pouco.

— Este é seu complemento, é o novo Seth, um que não está mais sozinho, meu filho e toda a luz que ele emana agora. A luz do Norte que se expressa na vida do meu netinho! — Ela sorri para nós tão emocionada e nos emocionando. — Esse é como eu os vejo, como família e como futuro. George. — Ela toca o braço de seu amigo e marchand, ele puxa com cuidado o tecido que cobre o quadro e o que vemos é uma explosão de luz e cor, eu posso imaginar como a dupla de quadros vai ficar perfeita em uma só parede.

Nem sei o que dizer tamanha minha emoção, é uma linda obra de arte e me deixa muda. Seth aperta minha mão, os olhos compenetrados em admirar o trabalho, os poucos convidados presentes, nossa família, Tracy e Winnie e uns poucos amigos presentes aplaudem a obra. Seth e eu trocamos um olhar. É mesmo assim que somos, assim que nos sentimos, luz, cor e a terra do Norte, que nos trouxe amor, família e um futuro que jamais sonhamos.

Eu abraço Samantha, emocionada demais para expor em palavras minha gratidão por seu trabalho.

— É minha gratidão pela pessoa especial que é e a importância que tem em minha vida.

— É lindo, Sam! Eu estou... tonta de emoção e gratidão. Obrigada! — Beijo seu rosto, abraço Sam mais uma vez antes de dar lugar a Seth, ele abraça a mãe e beija seu rosto.

— É um quadro lindo, mamãe! Vamos ter que comprar uma casa, não tenho uma parede adequada para ele.

— Isso seria mesmo perfeito. Jardim e cachorros são ótimos para criar filhos — ela brinca e Seth me olha, pensativo. Talvez em um ou dois anos, uma mudança agora seria loucura.

— Te amo! — ele sussurra de longe, leio seus lábios e balanço a cabeça em uma afirmação.

— Agora ficou difícil para você, Stan! — Tracy provoca o velho amigo e chefe.

— Entreguei meu cargo de CEO para ele. Devia ser o bastante para entrar nessa briga, mas ele está quase me devolvendo — Stan brinca. Seth gosta do que faz, é o melhor para a função, mas sim, eu acho que ele gostaria de não ser o CEO e ter ainda mais tempo para nossa vida.

Tracy ergue um brinde ao sucesso de Samantha e nosso presente. Tocamos taças, infelizmente eu não posso beber com eles. Nunca tive a experiência de tomar um "porre", algum dia quero provar isso. Molho a boca com o champanhe porque dizem que não se pode brindar e não beber.

O grupo mais íntimo se dispersa indo passear pelo espaço em busca de apreciar as obras.

Deixo o grupo um instante para conversar com os funcionários. O grupo de jornalistas está reunido à espera de liberação. Eu os convido a entrar, depois de apertar algumas mãos e explicar sobre a exposição e Samantha, o grupo fica livre para passear e ver as obras.

Sam os recebe para as entrevistas, os convidados começam a chegar antes do fim das entrevistas e isso é proposital, para que os repórteres vejam gente rica e influente circulando pelo lugar.

Logo o local está cheio de admiradores e clientes em potencial, eu caminho por entre as obras sem acreditar que sou parte disso. Procuro por Cory e Seth, os dois estão juntos. Seth segura a mão de Cory enquanto o pequeno mastiga um canapé muito animado, tem migalhas em sua camiseta e acho graça na dupla.

Eu os amo. Toco minha barriga enquanto os admiro, meu bebê parece sentir meu amor e se move dentro de mim. Seth ergue os olhos e me encontra, nos amamos. Seu amor explode nos olhos de aço que já foram silêncio impenetrável e agora é riso e paixão.

Ele vem ao meu encontro, para um instante para Cory se servir de mais um canapé. Sorrio para a cena. Seth não larga um instante a mão do pequeno, isso demonstra o quão cuidadoso ele será com nosso filho e como isso é especial e importante para mim.

— Oi, você é incrível! — ele diz me beijando — Ainda mais incrível dentro desse vestido.

— Obrigada! — Ele me beija os lábios.

— Minha mãe está linda e muito feliz. Eu já estive em uma exposição dela e não foi nem perto disso. Parabéns! Tem muito talento, precisa se dedicar mais a isso.

— Sabe que eu amo isso em você. Não me quer em casa a sua espera. Me quer no mundo, não que seja um favor, vamos esclarecer isso — brinco o fazendo me envolver ainda mais. — Mas é importante ter seu apoio, não precisar brigar por esse direito.

— Sempre vou te apoiar em tudo.

— Eu também — Cory se pronuncia, aproveito para limpar um pouco sua blusa.

— Hunter está de regime — Seth sussurra. — Não podemos deixá-lo como Cory, o garoto só pensa em comer.

— É uma exposição, não tem mais nada para ele fazer — eu digo ao seu ouvido.

— Senhora Arnett! — Um homem elegante e grisalho se aproxima. Não o conheço, mas é um homem bonito e muito bem vestido. Seth segura minha mão. — Estou impressionado com o trabalho da artista e soube que você organizou tudo.

— Sim, não sozinha, mas...

— Ela é totalmente responsável pelo evento — Seth me corta.

— Eu sou Hadrian Hoffmann, um colecionador de arte e admirador de novos talentos.

— É um prazer, senhor Hoffmann. — Apertamos as mãos. — Este é meu marido, Seth Arnett.

Os dois apertam as mãos. O homem não fixa muito tempo os olhos na conversa, o tempo todo parece deixar os olhos seguirem em outra direção e quando sigo seus olhos. Encontro Sam em uma pequena roda de convidados conversando, deslumbrante e muito risonha. Olho para a mão do homem, nenhuma aliança.

— Eu reservei uma das obras, tenho um lugar especial para ela em minha casa aqui em Toronto e estou inclinado a levar outra para meu apartamento em Nova York.

— Gostaria de conhecer a artista? — pergunto achando que Sam vai ficar lisonjeada e quem sabe eles não se dão realmente bem. Ela tinha fé que Seth e eu daríamos certo e esse homem elegante é no mínimo alguém com muito em comum com ela.

— Estava esperançoso que nos apresentasse, quero entender melhor de onde vem a inspiração e porque uma mulher igual a ela só apareceu agora.

— Amor, me acompanha para apresentar o senhor Hoffmann a sua mãe?

— Ela parece envolvida em uma boa conversa. — Aperto forte a mão de Seth. — Mas tenho certeza que vai adorar ter a chance de conhecer um admirador do seu trabalho — ele conserta.

— Sua mãe? — o homem pergunta, surpreso.

— Sim. Filho único! — Seth tenta sorrir.

— Impossível! Ela é tão jovem! — É difícil conter a vontade de rir do choque de Seth, mas ele lida bem com isso, parece finalmente entender e apenas sorri.

— Acho que tem razão, ela tem a mente e o coração de uma jovem sonhadora. O que você faz? — Seth pergunta assim que começamos a caminhar.

— Sou um investidor que trabalhou muito e hoje encontra mais tempo para viver. Um aposentado que deixou tudo na responsabilidade de outros e agora vive em busca de conhecer, pessoas, lugares e beleza. Apreciador de obras de arte.

—Sam! — eu a convido, Sam se desculpa com o grupo e se aproxima. — Quero que conheça o senhor Hadrian Hoffmann, um apreciador do seu trabalho.

— E aposentado — Seth completa para meu desespero. Sam parece primeiro um pouco surpresa, depois dá para ver que ela fica interessada, ao menos curiosa.

— Senhora...

— Apenas Samantha — Sam se apressa em corrigir.

— Samantha. Estou bastante impressionado com a originalidade do seu trabalho, reservei um de seus quadros e adoraria discutir mais sobre suas inspirações.

— Claro! Por que não me mostra o quadro reservado? — Ele indica o caminho, os dois se afastam e uns passos depois ele está com a mão em suas costas, guiando Sam por entre os convidados.

— Sei bem que obra de arte ele está apreciando! — Seth comenta me fazendo rir.

— Está com ciúme?

— Claro! — ele avisa sem qualquer constrangimento, abre o celular com a única mão livre. — Segura a mão do Cory. — Ele me entrega a mão do pequeno suada de tanto que ficaram de mãos dadas.

— Seth, Cory tem onze anos, ele não vai fugir. — Acho engraçada a preocupação dele. Cory parece totalmente aliviado ao ter a mão livre e passa na camisa, para grudar o suor nas migalhas.

— Nunca se sabe. Ele é pequeno, se perde no meio dessa gente toda. Achei — ele diz me mostrando o celular. — O homem existe, é rico e conhecido apreciador de arte, comprou uma obra importante em um leilão há quatro meses, pagou um milhão. Vendeu o quadro da minha mãe por quanto?

— Bem menos que isso! — digo rindo. — Muito menos.

— Sério? Acho que eu vou começar a colocar preço nas obras.

— Não é assim que funciona, Seth — digo rindo.

Klaus e a esposa se aproximam, eu tenho tanto carinho por esse casal, me sinto tão parecida com eles. Seth é obrigado a guardar o celular, nos distraímos em um novo tema de conversa, logo Tracy e Winnie se juntam a nós e até o fim da noite. Não vemos mais Sam e Hadrian separados, Sam ri bastante, mexe nos cabelos, parece jogar charme e não sei se é de propósito ou inconsciente, mas os olhos dela brilham e o charme é evidente. Fico torcendo de modo discreto, seria até mais discreto se Tracy e Winnie não estivessem apostando quanto tempo até Sam e o homem começarem uma relação.

— Acho que meu limite chegou — aviso quando meus pés começam a latejar. — George pode encerrar a noite e Sam parece em ótima companhia.

— Vou pedir o carro — Seth diz prestativo.

— Nós vamos ficar até o final, queremos saber se a Sam vai para casa com o bonitão ou sozinha — Tracy avisa rindo de Seth.

Ele não se dá ao trabalho de responder, está no modo protetor, interessado em me levar para casa, Cory está com ele nessa, desesperado para ir para casa.

Foi uma noite memorável, todas as obras vendidas, nosso presente especial que olho uma última vez antes de deixar a exposição, feliz e realizada. Uma vida de sonhos que jamais pensei ser possível, mas que é real. É minha e vou lutar para manter.

CAPÍTULO 38

Seth

O cheirinho que tem no quarto dele é algo incrível, Hunter ainda não chegou e já sinto seu perfume em cada objeto. Basta abrir a porta do quarto e uma onda de perfume de bebê me invade trazendo paz e alegria.

Angie coloca o novo brinquedinho já higienizado e perfumado sobre o travesseiro, sorri para o berço como se pudesse vê-lo ali, balançando bracinhos e pezinhos com um sorriso desdentado.

Seus olhos encontram os meus e ela tem o sorriso mais lindo que existe. Seus sorrisos são sempre os mais belos, os sorrisos que cacei feito os caçadores de aurora, porque tem uma luz mágica neles, mas esse sorriso não é meu. Esse sorriso tem um novo dono, é o sorriso do nosso filho e curiosamente, eu consigo amar esse sorriso ainda mais.

— Tudo absolutamente pronto — ela diz emocionada, corre os olhos pelo quarto até a maleta do bebê deixada estrategicamente sobre a cômoda, próximo da porta. — Não esquece...

— A mala do bebê aqui e a sua ao lado da nossa cama. Eu sei, tropeço na sua mala todo dia. Eu disse que o mais prático era deixar no porta-malas do carro.

— Não quero que fique com cheiro. — Balanço a cabeça afirmando. Ela está linda e quando caminha para mim feito um pato eu sorrio. — Não ando feito um pato Seth! — Agora ela aprendeu a ler pensamentos. Prefiro o silêncio já que não posso dizer que não estava nem pensando nisso. Estendo a mão e ela entrelaça seus dedos aos meus.

— Está se sentindo bem?

— Muito bem.

— Aquela dorzinha chata passou?

— Sim, não senti mais desde o almoço — ela me conta enquanto deixamos o quarto seguindo para sala. Gosto desse apartamento, mas a melhor coisa que fiz foi comprar a casa. Daqui uns meses, quando as reformas terminarem e nos mudarmos, teremos tudo que precisamos para uma vida feliz.

Quarto para Cory, para o bebê e mais dois para os irmãos, piscina aquecida, jardim de inverno, um lindo escritório para ela e espaço ao ar livre. Angie da muito valor aos objetos da casa, nunca pensei que ela seria tão materialista e se preocuparia com um vaso quebrado ou coisa do tipo.

Cory precisa gastar energia e moramos em um apartamento, o que ela esperava que fosse acontecer? Uma coisa ou outra acaba quebrando mesmo. Ele é péssimo receptor.

— Quer ajuda? — pergunto quando chegamos ao sofá, ela nega, apesar da barriga imensa, Angie tem muita mobilidade, a ioga ajuda muito, nem fico perto de angustiado que fico toda vez que a professora vem se exercitar com ela e minha mãe.

Eu me acomodo ao seu lado no sofá, entrego o controle remoto a ela. Possivelmente vamos acabar em algum filme terrivelmente chato em que alguém encontra o amor e um final feliz, parece a minha vida. Só que sem muita graça.

— Acha que minha mãe demora?

— Não. Hadrian e ela vêm para jantar. — Mamãe está conosco há dois dias, decidiu estar aqui para fazer companhia a Angie quando estou no trabalho e Thea vai embora, e para o grande momento quando tivermos que correr para o hospital. — Thea deixou tudo pronto, só precisa colocar a mesa quando chegarem. Está com fome? Podemos esperá-los.

— Que tempos! Eu aqui, olhando para o relógio para saber que horas a mocinha chega com o namorado. Achou certo ele dormir aqui ontem?

— Eles são namorados, sim, eu achei natural. Estão quase morando juntos.

— Você é muito moderna, Angelina.

— Ah, eu sou mesmo! Conheci um cara uma vez e uma semana depois ele foi embora me deixando grávida.

— Nunca atira para ferir, sempre para matar! — reclamo puxando Angelina para meus braços. — Voltei correndo, perdido de amor, doente, magro, barbudo, no fundo do poço, implorando perdão. Com o olhar é claro, ainda assim, implorando. Eu quase fiquei de joelhos, madame! Você que não deixou.

— Devia ter deixado — ela brinca rindo. — Agora fica de joelhos todo dia para me calçar. — Angie me beija. — Que situação!

— Você está ótima, nunca vi uma grávida com tanta mobilidade. Mamãe diz que vivia com dor nas costas e que não dormia direito. Você parece uma pedra dormindo. Se fosse Halloween poderia se fantasiar de paralelepípedo.

O riso dela até me assusta, ela explode em gargalhadas e me dá tapinhas no ombro.

— Para! Meu bebê vai nascer no meio de um desses ataques de riso que me provoca.

— Eu não tento ser engraçado, Angie. Eu juro. — É a mais pura verdade, é só ela que acha graça nas coisas que digo e é bem melhor assim. De outro modo, me odiaria.

Olho para o relógio mais uma vez; são quase nove horas. Vou colocar a mesa e vamos jantar sem o casalzinho. Eles estão demorando demais e Angie precisa descansar. Passou o dia resolvendo coisas do trabalho.

Hadrian trouxe para mamãe clientes e potenciais trabalhos. Quer expor o trabalho dela em Nova York e claro que Angie já está toda envolvida no processo. Também indicou clientes para Angelina e daqui a pouco eu acabo tendo que parar de trabalhar para cuidar das crianças enquanto ela fica por aí, expondo artistas pelo mundo. Cheia de talento essa garota.

— Fica aqui, vou ligar o forno e colocar a mesa. Mamãe e o namorado jantam quando quiserem.

— Eu te ajudo — ela diz levantando primeiro que eu.

— Fico feliz que ela tenha se oferecido para passar esse tempo conosco. Afinal, ela vai viajar em breve e quando voltar o Hunter vai ter uns cinco ou seis meses, já.

— Seth, sua mãe merece esse tempo. Ela sofreu muito com a separação, se fechou e agora encontrou alguém que a coloca em um lugar especial. Sam é o centro da vida do Hadrian e ela nunca foi isso para ninguém.

— Eu sei, estou feliz. Mais ainda porque ela dá uma provocada no papai. — Rio pensando no papai um tanto enciumado. — Ele bem que merece que ela encontrou alguém mais bonito, mais rico e mais jovem que ele.

— Seu pai ama Francine, mas é natural ficar balançado, ele sempre teve muito carinho por sua mãe e as coisas mudaram. Ele perdeu o controle, mas acho que ele e Hadrian até que se dão bem.

— São dois cavalheiros, natural se respeitarem. Eu esmagaria o meu rival com uma única mão e riria disso.

— Sammy que o diga — ela me provoca enquanto montamos a mesa de jantar, espalhando pratos e talheres. Faço uma careta de desgosto.

— Esse negócio de receber o namorado dela em casa é mais um problema. Por que não podemos comer na cozinha como todo dia?

— Porque temos visita, Seth! — Ela explica.

— Entendi! — respondo a ela pela quinta vez, toda refeição reclamo disso. Se o homem vai entrar para família devia ser tratado como tal e comer na cozinha. Mamãe vai partir em viagem pelo mundo com ele depois do casamento da Tracy, ficar meses por aí, se alimentando de arte e beleza igual ela diz. Quando voltarem, serão praticamente casados, eles podem comer na cozinha como todo mortal.

— Sam disse que amou os filhos dele — ela me conta. — Eles apóiam totalmente e disseram que ela pode contar com eles para tudo.

— Menos para cuidar do gato. Esse vem morar aqui — eu lembro Angelina que ri. — Eu não sei como será isso. Angus é mimado.

— Você também. Dou um jeito — ela brinca e eu a abraço.

— Amo você, Angie! Amo mais todos os dias, amo até receber o gato aqui, porque isso nos faz mais família. Vou fazer amizade com ele e, quando mamãe voltar, não vamos devolvê-lo. Será nossa vingança por nos obrigar a cuidar do bicho.

— Sua vingança por passar uns meses com o gato é ficar com ele para sempre?

— Sou terrível — brinco fazendo Angie rir. Angus passa por nós despreocupado, acho que ele tem gostado do apartamento. Não pode entrar no quarto do bebê, mas o resto da casa é toda sua e ele parece estar feliz com tanto espaço. — Senta, eu vou buscar a comida — convido e ela aceita, quando volto com o jantar em duas travessas quentes, minha mãe está chegando com Hadrian.

— Demoramos demais? — ela questiona afagando Angus que vem recebê-la. Hadrian parece gostar também de bichos e se ajoelha para brincar com o gato.

— Está tudo bem, Sam. Vamos jantar? Se preferirem comer mais tarde...

— Não, querida, vamos comer agora com você. Já passamos muito da hora do jantar.

Hadrian e mamãe deixam a sala de jantar um instante para lavar as mãos e quando retornam estão risonhos e trocando olhares.

— Decidimos começar pela Alemanha — Hadrian avisa. — Quero mostrar para Sam minha terra natal e alguns parentes que ainda vivem por lá, a casa da família que mantemos como um pequeno museu. A casa resistiu a primeira e a segunda guerra.

— Deve ser um lugar muito bonito.

— Incrível, Angie! Vão ter a oportunidade de visitar quando o bebê crescer um pouco.

— Estávamos pensando em futuramente reunir as duas famílias em uma grande festa — minha mãe avisa.

— A do seu casamento? — pergunto sendo chutado por debaixo da mesa.

— Não, Seth, eu já disse que não temos planos de um casamento formal — minha mãe rebate.

— Quero esclarecer que ela não tem planos, eu me casaria agora mesmo. — Hadrian beija minha mãe que está toda derretida e eu tenho que admitir que ele a faz feliz. É seu maior admirador e incentivador, tem se dedicado a ela nos últimos meses e os dois não se desgrudaram mais desde o dia em que Angie os apresentou.

— Não precisamos disso, meu querido. Somos felizes e temos de aproveitar o tempo juntos, conhecendo o mundo, nos divertindo. Seriam horas preciosas gastas preenchendo convites e escolhendo lembrancinhas quando podemos estar por aí, vivendo nossas vidas e sendo felizes.

— A Sam está certa — Angie concorda com ela. Talvez eu também concorde, mas não vou admitir, gosto de ser do contra.

— Vocês são jovens, acho que formar uma família e pensar em segurança financeira dos filhos é importante, mas há muito nós passamos dessa fase.

— Me sinto tão jovem quanto eles — Hadrian rebate. — Confesso que minha vida estava um tanto sem sentido, mas você mudou isso. Eu me apaixonei antes mesmo de conhecê-la, quando vi seu trabalho eu sabia que seria alguém incrível e que mudaria minha vida, mas não tinha ideia do tanto.

— O que pensou quando me viu, Seth? — Angie me pergunta.

— Eu? Bem, eu pensei... Minha mãe trouxe mesmo uma estranha para casa?

— Ele pensou, o pior é que foi isso que ele pensou — Angie diz sem problemas com isso. — Mas depois estava prestes a ficar de joelhos.

— Ainda estou pronto para ficar, basta pedir — digo beijando seus lábios. Seu sorriso desaparece, os olhos não escondem uma leve tensão. — Amor? Tudo bem?

— A bolsa estourou! — ela avisa com o rosto pálido.

— A bolsa estourou! — Hadrian grita saltando da cadeira. — Como é mesmo o esquema todo? — pergunta a mamãe que parece meio perdida como ele.

— Calma pessoal! Meu filho não vai escapulir sem aviso, temos tempo — digo o mais tranquilo que posso. Estudei muito, fiz um milhão de perguntas ao médico, fui incansável, eu sei que tudo vai dar certo e que temos tempo.

— É meu ursinho polar mesmo! — Angie diz um tanto nervosa. — Continue assim, calmo e me ajude a chegar ao carro.

— Primeiro as malas, não sai daí. Sabia que ele nasceria à noite, será noturno como o pai. — Eu nem sei como controlar a ansiedade e alegria, em algumas horas, vou ter meu bebê nos braços.

Corro para pegar as malas e entrego nas mãos de Hadrian. Estou exultante, bobo, feliz e com medo, muito medo, mas isso é entre mim e o universo. Não vou assustar Angelina nesse momento difícil, ela conta comigo.

— Mamãe, liga para o papai e avisa. Para Tracy também. Vou telefonar para o médico ir nos encontrar. — Me ajoelho diante de Angie sentada à mesa de jantar, com as mãos na barriga e muito medo nos olhos. — Está bem?

— Sim, tem uma dor meio que constante, mas não é forte. — Beijo sua barriga enquanto mantenho o telefone no ouvido esperando o médico atender.

— Fica bem, filho. Fica calmo e espera. Sem pressa.

— Alô!

— Vai nascer! A bolsa estourou e estamos indo para o hospital — aviso de uma vez.

— Ótimo! Não corra, temos tempo, estou indo também.

Desligo sem despedidas, não é momento para formalidades. Angie sorri para mim e suas lágrimas rolam pelo lindo rosto.

— Ele está a caminho e você precisa continuar assim, linda e forte. Lembra a respiração que treinou?

— Faço se fizer comigo. — Como é que ela acha tempo para me provocar em um momento como esse?

— Sabe que se depender de mim para isso ele vai morar aí dentro? — Ela ri e segura a barriga.

— Doeu. Me ajuda a ficar de pé? — Ajudo Angie. Minha mãe está ao telefone, Hadrian chamando o elevador e eu por um instante, desejo que meu pai estivesse conosco. — Não conta para o Cory até tudo estar bem e certo. — Angie me pede enquanto eu a apoio para se erguer. — Queria me trocar.

— Amor, eu queria um *transporter*. vida é cheia do que não podemos ter.

— Odeio seus filmes de ficção científica — ela diz caminhando vagarosa para o elevador.

— É uma série — digo quando a porta do elevador se abre. — Ah! Esse elevador, nunca usado para meus planos secretos, sempre...

— Seth! — ela reclama e sorrio.

— Relaxando. — Angie se encosta em mim, joga todo peso do corpo para que eu apoie e não demora está de novo caminhando até o carro. Eu nem imagino como é que alguém pode ter tanta força física e emocional para enfrentar algo como isso.

Minha mãe me lança um olhar de surpresa. Sorrio mostrando estar bem, a qualquer momento posso ter um apagão e largar tudo. Evito seus olhos me concentrando em ser útil ao menos uma vez ao longo desses meses em que ela fez todo trabalho sozinha.

Me acomodo com ela no banco de trás do carro, Hadrian vai dirigindo e mamãe ao seu lado.

— Seu pai já está no carro a caminho. Tracy e Winnie vão se encontrar e seguir para o hospital. Tracy ainda estava no escritório.

Quarenta minutos, esse é o tempo que leva da hora em que entramos no carro até eu estar com essa roupa ridícula segurando sua mão na sala de parto com o médico tranquilo calçando luvas e Angie chorando de pura ansiedade e alegria.

— Vai dar tudo certo, meu amor — ela me diz quando seco suas lágrimas. — Promete continuar assim?

— Prometo! — Meu corpo todo treme enquanto tento esconder a tensão. Angie optou por um parto natural, o médico disse que era o melhor em termos de recuperação e bastante seguro para o bebê. Eu só pude concordar mudo porque é totalmente sobre ela e seu corpo, eu pediria um sedativo que durasse uma semana, mas a natureza é muito esperta e obviamente sabia o que estava fazendo quando fez suas escolhas.

— Angelina, está indo muito bem. Pressão boa, coração forte, o bebê coroando, estamos com um tempo ótimo e está bem segura. Temos tudo sob controle, preparados para qualquer emergência — o médico diz com uma voz tranquila, é como mais um dia no escritório para ele. — Quando eu disser, você empurra, mas seu corpo vai dizer melhor do que eu quando. Deixe acontecer, está bem?

— Sim, doutor. Eu pensei que demoraria muito mais.

— É difícil saber. Algumas mulheres levam horas, outras, minutos. O importante é chegar aqui a tempo. Estão seguros.

Beijo os lábios de Angelina, ela sorri para mim encarando meu rosto. Eu nem sei se algum dia amei alguém como a amo nesse instante, é poderoso o tipo de amor que sinto, me faz um monstro forte até para enfrentar a situação mais apavorante da minha vida e me faz lembrar o menino que fui e que teve que se virar sozinho e fugir de um urso polar. Me lembro do medo que senti quando vi meu pai saindo de casa a minha procura e descubro que era um medo insignificante perto do que sinto agora.

— Está com os olhos de aurora boreal! — ela diz com uma das mãos no meu rosto.

— Eles não podiam estar de outro modo, refletem a aurora boreal que tenho diante de mim.

— Isso foi lindo! — ela diz em meio a uma careta de dor. — Mas acho que chega de conversa. — Angie morde o lábio. — Que dor horrível!

— Não morde o lábio, amor, vai se machucar. Aperta minha mão. Pode me machucar se quiser.

— Ah, eu quero! — ela diz rindo e chorando enquanto parece fazer toda a força possível. Depois se deixa cair de volta na maca com a testa suada e sem forças.

— Doutor, algo errado? O bebê não tinha que sair?

— Calma, Seth, ele está vindo. Ela vai continuar, na próxima ele vem.

— Nem me despedi da barriga! — Me dou conta fazendo Angie sorrir e suas lágrimas correm. — Depois que nos aproximamos... Sei lá! Vou sentir falta.

— Eu não! — ela diz apertando minha mão com toda força que existe nela. Angie é forte!

— Já? — Angelina afirma. — Então, vamos lá! Eu estou aqui, calmo e sereno, o homem frio e sem emoções. Pronto para ter a mão esmagada, então... — Não consigo nem falar, ela esmaga meus dedos enquanto eu apenas aguento firme e espero todo seu esforço.

— Isso, continua, Angelina! Continua! Ele está vindo, está saindo, força, não desiste — o médico pede e eu acho que ela não tem mais controle, parece que sua mente para de funcionar racionalmente. Seus olhos perdem o foco por um instante enquanto ela dá tudo de si, entrega a última gota de energia em um esforço incrível que termina no instante em que um choro de bebê ecoa pela sala e ela cai de volta na cama em uma crise de choro e emoção e não consigo desviar meus olhos dela. Do seu encantamento, da beleza precisa de uma mulher dando a vida.

— Seth! — ela diz aos soluços e balanço a cabeça afirmando, então me volto lentamente para assistir o lindo garoto que o médico tem nos braços. Ele berra exigente e confuso, tão corajoso quanto a mãe. Enfrenta pela primeira vez o mundo e por um instante, deve achar que está sozinho, não faz ideia do que moveria por ele. Não sabe que minha vida está em suas pequenas mãos.

O garotinho vem para os braços de Angie e assim que se acomoda em seu peito, com a boquinha no rosto dela, ainda sujo e cansado. Eu finalmente deixo tudo vir à tona, todo medo, todo amor, todo alívio. Eles estão bem, estão juntos e posso finalmente sentir.

Choro debruçado sobre eles, abraçado à minha família. Não sou mais o homem frio que gostava de ter olhos de aço, sou um pai e isso se torna a principal coisa sobre mim em um único segundo; o mais importante segundo da minha existência. O segundo em que ele chegou ao mundo e berrou exigente em sua apresentação cheia de força e coragem.

Minhas lágrimas e as dela molham nosso bebê que agora se acalma nos braços da mãe.

— Ele é lindo, meu amor, North! Seu nome é North, é nossa direção, sempre vamos seguir para você querido. — Pais de uma bússola, eu amo Angelina e sua simplicidade. — Sempre meu anjinho. Tem tanto que ver e aprender, tanto que vai provar de amor. Seth, nunca mais vamos parar de chorar.

Eu não sei, talvez não. Agora, isso não importa. Só quero decorar meu filho, dedinhos pequenos, unhas cor de rosa, orelhinhas desenhadas, uns poucos fios de cabelo grudados e melados, o queixo, cada pedacinho dele.

— Eu te amo, Angelina!

— Eu amo mais! — ela diz acariciando o filho.

— Tudo bem — digo perdido de amor por eles. Beijo os dedinhos do meu filho e os lábios da minha esposa e sinto falta de ter Cory aqui conosco. Aprendi a amar aquele garotinho também. Só quero estar em casa, com todos eles em torno de mim. Esperando quem sabe a menininha que vem depois, porque eu sinto que vou ser bom nisso. Muito bom!

CAPÍTULO 39

Angelina

— Obrigado, Angie, me deu um neto lindo! — Stan não desvia os olhos do meu anjo adormecido no bercinho em seu primeiro dia em casa. Estamos todos um tanto apaixonados e bobos, eu nem sei se essa onda de encantamento e fascinação vai passar algum dia. — Eu já o vejo como o futuro...

— Médico! — Seth corta o pai também olhando nosso bebê. — Ele tem cara de médico, não acha meu amor? — Balanço a cabeça negando.

— Não sei, acho que ele se parece mais com um professor.

— Artista. Ator. Está escrito, ele será um ator — Sam continua a brincadeira enquanto Stan vai se decepcionando.

— Eu já vejo um jogador de futebol! — Francine continua.

— Até você? — Stanley reclama com a esposa que pisca risonha.

— Ele tem cara de bebê, papai. Não vai ser coisa alguma, senão feliz.

— Eu já entendi que não devo escolher o futuro do menino e pressioná-lo, mas ele é um recém-nascido, não entende nada que eu falo. Me deixem sonhar! O menino tem um nome de líder, eu não escolhi esse nome, mas ele me leva a criar expectativas.

— Achamos uma culpada. Angelina! — Seth diz fingindo estar bravo. Eu me debruço sobre o berço querendo passar o resto dos meus dias assim, olhando minha obra de arte.

Minha mente me leva de volta aquele dia, o gelo cortando minha pele, a dor de mil facas a me perfurar, Seth surgindo com seus olhos de aço quando pensei que acabaria tudo ali, uma vida sem sentindo e curta. Mas ele me resgatou, me aqueceu, e naquele momento, me salvou de todos os modos, me trouxe até aqui.

Sob o calor da lareira, enrolados e perdidos em uma paixão que explodiu, nós fizemos North. Meus olhos marejam de emoção. Ainda fico feito uma boba, chorando a cada vez que olho para ele. Meu filho tão pequeno e tão amado, ninguém jamais vai me afastar dele. Não importa o quanto ele cresça, não importa que todos os dias ele se torne mais e mais independente, eu ainda serei sua mãe, seu porto-seguro, seu norte.

— Já passamos tempo demais aqui — Sam diz baixinho. — Nem devíamos estar todos reunidos assim. Ele está cansado e Angie também, vamos todos embora.

— Todos? E se ele chorar? — Seth pergunta um tanto assustado, eu sorrio.

— Seth, só tem uma pessoa inexperiente nesse quarto, é você — Sam o lembra que eu já criei um garotinho. Sei banhar, trocar fraldas e acalentar suas dores.

— Duas, Hunter não é nenhuma sumidade no assunto! — ele diz vitorioso. — No próximo vou saber de tudo — ele diz enquanto acompanha a família para fora e eu continuo imóvel a olhar para ele. Ainda sinto uma dorzinha chata e um pouco de cansaço, mas a noite no hospital me refez totalmente. Estou bem e pronta para noites em claro e dias de entrega.

Seth retorna um momento depois, me envolve e acaricia minha barriga enquanto olha para nosso filho.

— Estou tão acostumado a fazer carinho na barriga que esqueci que ele não está mais aí. Sente falta dele?

— Muita falta, ao mesmo tempo... é um alívio. Eu queria muito ver o rostinho dele.

— O que acha de eu levá-lo para o cestinho ao lado da cama e você se deita um pouco? Precisa descansar e não vamos deixá-lo aqui sozinho no quarto, ele pode se sentir abandonado.

— Acho ótimo. Tenho pelo menos uma hora antes da próxima amamentação.

— Faz uma hora que ele comeu, é assim até quando?

— Uns meses e depois vai espaçando o tempo até que ele durma uma noite toda.

— Meses. Hunter, estou anotando tudo — Seth diz erguendo o filho com todo cuidado, ele tem um tipo de talento instintivo, é bom com o pequeno, será um grande pai.

Seguimos para o quarto. North não acorda uma só vez, fica quietinho em seu sono tranquilo até a hora exata de comer, então se mexe um pouco e começa um chorinho baixo e doce que nos faz sorrir e eu sei que em algum momento esse chorinho vai ser enlouquecedor. Ainda me lembro do Cory aos berros e eu sozinha e assustada balançando o pequeno pela casa sem saber o que fazer enquanto sua mãe estava em intermináveis reuniões com clientes.

North não chora se não está com fome, dorme bem e engorda visivelmente na primeira semana. Meu garotinho conseguiu o que ninguém mais conseguiria: o papai em casa todos os dias por três semanas.

Não que ele não trabalhe, ele faz isso, mas de casa. Às vezes enquanto balança nosso filho nos braços e sempre me emociona.

Seth vai ficar em casa todo o primeiro mês do bebê, então vamos ao casamento da Tracy e depois ele volta a trabalhar enquanto ela viaja em lua de mel. Sam também vai viajar, Stan retorna para Michigan e seremos

Seth e eu com nosso filho. Apenas nós, e isso não me assusta. Ao contrário, é uma aventura que quero viver.

— Eles estão chegando! — Seth diz com um largo sorriso no rosto vindo me encontrar no quarto terminando de trocar uma fralda. — Quer ajuda? — Nego, ansiosa pelo encontro de Cory com North.

— Acha que eles vão se dar bem? — Seth dá de ombros.

— Eu li que é importante não deixar a criança mais velha meio de lado, para ele não se sentir rejeitado, então vai ter que me deixar quebrar umas coisas pela casa.

— Nem pensar! Se fizermos muito barulho o bebê se assusta — sussurro.

— Se fizermos silêncio demais o bebê vai pensar que é surdo — ele sussurra de volta e nem consigo mais terminar de abotoar o macacão em um pequeno ataque de riso, é impossível Seth não ter uma resposta para tudo. Ele vem me socorrer. — Papai faz isso.

Prende os últimos botões e enrola North em uma cobertinha amarela. Depois o ajeita nos braços.

— Você está muito rápido! — Ele sorri.

— Vamos, Hunter, conhecer Cory. Ele será meio que como um primo ou irmão mais velho, esperamos que ele seja bom com garotas para te dar umas aulas, mas caso não seja... — Seth me olha. — Pedimos ao vovô Stan. O papai não é nada bom nisso, nada bom!

— Foi muito bem comigo! — minto para fazê-lo feliz, ele foi péssimo. Eu é que fui boba demais e me apaixonei rápido, Seth não fez nada de especial até aquele dia em que salvou minha vida e foi perfeito e depois estragou tudo na manhã seguinte.

— Mente muito mal, senhora Arnett. — Ele me beija os lábios e caminhamos para sala. Seth não solta o bebê e sinto que quer ser ele a apresentá-lo ao Cory. Talvez seja mesmo bom o bebê estar com ele e não comigo quando Cory entrar.

Hadrian e Sam entram com Cory que vem correndo na frente. Primeiro me vê e os olhos brilham quando ele corre para me abraçar e o abraço é tão grande e tão apertado que chega a doer meu coração.

— Que saudade, meu amor!

— Eu também. Você não tem mais barriga.

— Há controvérsias — brinco sabendo que ainda tem um longo caminho até ser de novo a mesma e eu nem sei se quero ser de novo a mesma. — Cresceu! — Eu acaricio seu rosto, ele balança a cabeça concordando e então deixa meus braços para andar lentamente até o bebê.

— Oi, cara! — Seth diz tocando sua mão em um tipo de toque de amigos que os dois inventaram e juram que vão ensinar ao North.

— É o Hunter? — ele sussurra.

— Sim. O que acha?

— Ele é bonito, muito pequeno. Posso segurá-lo?

— Depois que lavar as mãos e trocar a camiseta. Veio de uma longa viagem de avião, pode ter bactérias. Estou curioso para saber como foi viajar sozinho. — Cory sorri, orgulhoso do seu feito.

— Já venho! — Ele corre para o seu quarto, já não carrega mais uma mochila grande quando vem. Tem tudo que precisa aqui e quando não está aqui, liga pelo menos uma vez ao dia.

— Deixe que eu dê um beijinho no meu netinho antes de irmos. — Sam pega o bebê dos braços do pai. Hadrian e ela ficam conversando com North, enchendo o garoto de mimos e beijos, contando histórias. Ele é bonzinho, só olha para os dois, atento. Olhos de aço como os do pai, o amor da minha vida.

— Ele está lindo! Já sorriu? Lembro até hoje a primeira vez que o meu mais velho sorriu, chorei horas — Hadrian conta fazendo Sam suspirar.

— Estamos discutindo isso. Eu acho que ele sorriu ontem, Angie acha que não, então não podemos provar que sorriu.

— Aqui está, papai! — Sam devolve o bebê a ele. — Temos que ir, nossa reserva é às sete horas e depois vamos encontrar uns amigos.

Eu os levo até a porta, quando retorno, Cory surge de cabelos úmidos e com outra roupa.

— Tomei banho para ele não pegar germes e nem bactérias ou fungos.

— Muito bom! — Beijo seu rosto, ele está tão lindo e crescido. — Vem.

Cory se acomoda no sofá ao lado de Seth, ansioso e curioso. Eu jamais sonhei que assistiria a essa cena, meu pequeno Cory carregando meu filho nos braços.

— Temos de tomar cuidado com o pescoço dele, então você nunca segura ele sem aviso, certo? — Seth pede a ele que balança a cabeça concordando. — Às vezes ele precisa de colo e estamos ocupados, então, se for bem, acho que pode ser o colo oficial.

— Eu posso — Cory avisa.

— Mas não dá para jogar videogame com ele no colo.

— Angelina também vai querer segurar ele um pouco.

— Rápido como um raio! — Seth brinca enquanto Cory encara o bebê em seus braços completamente imóvel.

— Ele é bem bonitinho. — Ele sorri. — Está muito feliz, Angelina?

— Muito, mas hoje eu estou completamente feliz. Tenho Seth e meus dois meninos aqui. Você e North.

— Hunter — ele me corrige, mas não ligo, estou feliz com essa família, com o nome que escolhi. Feliz com a saúde dele, seu jeitinho bonzinho.

— Ele gostou do seu colo! — Seth comenta e eu concordo, ele não achou ruim ficar no colo, mas já mamou, trocou a fralda, ele só quer umas horas de sono tranquilo. Devia estar no berço, mas é um momento especial.

— Hunter tem sorte — Cory pondera me emocionando.

— Nós é que temos. — Eu também o queria aqui, mas ele tem pais que do jeito estranho deles o amam. O pai ainda mais do que a mãe, essa casa sempre vai estar aberta para ele, mas sei que ele sempre vai estar meio que de partida. Beijo o topo de sua cabeça e ele sorri para mim.

— Acho que ele parece com Seth.

— Eu também acho. — Seth fica cheio de si.

— Meu pai disse que vou ficar até depois do casamento, não trouxe roupa de igreja.

— Tracy já providenciou. Lembra que ela tirou suas medidas?

— Lembro, mas eu emagreci, porque falei para minha mãe que não posso comer doce toda hora e nem muito hambúrguer, que tem que ser como é aqui.

— Muito bom! Se ficar largo, apertamos um pouco. Está com fome? Esperamos você para jantar.

Ele balança a cabeça concordando, Seth pega nosso bebê de seus braços.

— Vou colocá-lo no berço. Enquanto jantamos, me conta as novidades. — Ele segue Seth até o quarto e eu aproveito para colocar o jantar, nos reunimos em torno da mesa. Cory conta sobre o seu dia, sua semana, seu mês, estava com saudade.

Depois de amamentar meu bebê mais uma vez, eu o deixo no berço e vou colocar Cory na cama. Ele tem um livro nas mãos e sorri ao me ver entrar no quarto.

— Veio. Pensei que não podia vir porque tem o bebê.

— Vim ler com você como fazemos toda vez que está aqui. — Ele me dá espaço em sua cama e me acomodo. — Livro novo? — Ele balança a cabeça concordando.

— Sim. Eu que escolhi.

— Vamos ver se a história é boa.

— Doeu ter bebê?

— Um pouquinho.

— Ficou muitos dias no hospital?

— Só um, logo vim para casa. Uma pena não estar aqui. — Ele balança a cabeça. — Eu tinha contado ao North um pouquinho sobre você, disse que ele pode amar você como um irmão. O que acha disso?

— Que ele pode, eu vou ser irmão dele quando estiver aqui e quando não estiver... Eu não sei.

— Também vai ser, vão falar por telefone.

— Nas férias vou ficar o tempo todo aqui. Todinho.

— Que bom! — Beijo seu rosto e passo meu braço por seu ombro, ele me abraça. — Amo você, Cory! Como sempre te amei e sempre vou te amar, nada mudou.

— Só ficou bem melhor, foi o que Seth disse.

— Ele tem razão. Pronto? — pergunto abrindo o livro e ele balança a cabeça concordando.

Três páginas depois e ele está dormindo. Apago a luz e deixo o quarto feliz por todos estarem aqui comigo, que a semana corra lenta para que eu possa tê-lo mais tempo comigo.

Seth está encostado na porta do quarto do bebê, olhando para o berço enquanto sorri. Eu envolvo sua cintura e ele beija meus cabelos.

— É do tamanho certo. Essa família que temos é do tamanho certo.

— Totalmente certo.

Perfeita como sonhei que seria e ainda em construção, Seth quer tentar uma menina e todos os dias eu fico ainda mais empolgada com a ideia. Acho que podemos sim tentar em um ou dois anos.

É uma semana feliz e tranquila, Cory se revela um bom ajudante, atencioso e só um pouquinho ciumento. Natural ele ter algumas dúvidas, nem mesmo reclama do bebê. Fica talvez mais manhoso, pedindo atenção, querendo estar mais tempo com North e admiro como Seth consegue entender tudo isso e não se irrita ou chateia com nada disso. Tenho certeza de que, hoje, ele divide comigo os sentimentos por esse pequeno.

O dia do casamento de Tracy amanhece bonito e corrido. O casamento será às onze horas da manhã, depois um almoço com todos os amigos íntimos. Um total de trinta pessoas reunidas, apenas a família das duas e nós.

As duas viajam às duas horas da tarde e vão estar em uma linda praia ao anoitecer.

Seth fica responsável por North e eu por Cory. Às dez horas estamos todos prontos. Prometemos chegar um pouco mais cedo para um rápido ensaio.

— Prontos! — eu digo emocionada. Todos os três lindos. O carrinho do bebê já está no carro. A mala com tudo que ele precisa e uma muda de roupa para Cory.

— Acha que ele vai estranhar?

— Não sei, amor. Muito barulho, muita gente, mas não vamos ficar muito. É só a cerimônia e um almoço, perto da uma da tarde vamos estar de volta.

— O que eu faço quando me apresentarem a menina? — Cory questiona e olho para Seth.

— Eu? — ele pergunta, surpreso. — Ainda estou em treinamento? — Balançamos a cabeça em um sim. — Diz oi. — Ele dá de ombros. — Pede licença para pegar na mão dela quando for entrar para a cerimônia. Diz que está odiando tanto quanto ela e pronto, dois minutos e está livre.

— Meu amor, o que acha de ensiná-los a não serem assim tão honestos quando você?

— Ah! Sutileza? — Eu afirmo. — Vão ter que achar outro professor.

A viagem até a casa é uma aventura. O bebê vai preso a cadeirinha, Cory ao seu lado com os olhos vidrados nele, atento caso ele vomite a pedido de Seth, mas o bebê não estranha a meia hora que passa no carro.

Somos os primeiros a chegar. A decoração da casa está linda, o casamento será na sala, é um grande salão muito bem decorado, com lírios espalhados por todo canto. Queria ter podido ajudar mais, mas infelizmente o bebê me tomou todo tempo.

As duas estão se arrumando em quartos separados, a mãe de Tracy apresenta Cory à garotinha, ele fica corado, acena e é claro, reproduz exatamente a fala de Seth. Eu tinha de ter sido muito mais clara sobre não ser tão honesto. A menina não acha nada demais, mas a mãe de Tracy parece completamente chocada.

— Tem certeza que ele não é mesmo filho do Seth? — ela me pergunta e eu só dou de ombros. — Vá vê-las e tente apressar aquelas duas, estão cada uma em um quarto. Com medo dessa coisa de não poder ver a noiva antes. Duas noivas. — Ela sorri para mim e fico feliz que essas famílias lidam tão bem com isso.

Seth fica com os meninos e rezo para que os dois esqueçam um pouco essa coisa de honestidade a qualquer custo.

Tracy está deslumbrante diante do espelho quando entro. Usa um vestido branco de alça fina um pouco abaixo dos joelhos, um corte sensual e delicado. Muito sexy, como sempre é. Tem os cabelos presos e a maquiagem impecável.

— Como eu estou?

— Linda! Nervosa?

— Não, mas quando for ver a Winnie diga que estou muito nervosa e ansiosa. Tenho um buquê! — Ela balança me fazendo rir.

— Boa sorte! — Ela me abraça.

— Obrigada! — Deixo Tracy e entro no quarto ao lado. Winnie está incrível, seu vestido também branco e um pouco abaixo dos joelhos. Completamente diferente, mas o buquê é igual.

— Estou uma pilha! — ela diz me abraçando. — Você a viu? — Balanço a cabeça concordando. — Aposto que está tranquila, como se fosse um passeio no jardim.

— Ela está nervosa também, mas não muito. — Não sou boa em mentir. — Seth também não ficou.

— Aquele par de gêmeos. — Ela segura minhas mãos. — Você é feliz?

— Mais do que sonhei ser possível.

— Acha que eu vou ser feliz?

— Claro que sim! Vocês se amam e isso é tudo que importa. — Ela se emociona. — Não chora agora, deixa para chorar quando estiverem juntas.

— Conte com isso.

— Ela está pronta e eu... vou te deixar um instante sozinha. Os convidados estão chegando, Cory está pronto e a decoração está incrível. Seja feliz!

— Vou ser, obrigada!

Deixo o quarto, emocionada por elas. Seth está com o filho no colo, Cory ao seu lado e os convidados se espalhando pela casa.

— Eles querem ver o bebê a todo custo — Seth reclama. — Uma moça que nem conheço queria pegá-lo no colo. Claro que eu disse não!

— Melhor você ficar com ele, é melhor nisso que eu.

— Ah, eu sou! — Ele me beija os lábios. — Você está tão linda! Sinto saudade do nosso casamento.

— Duvido que sinta — brinco e ele me beija de novo.

— Sinto, sim. Estava linda e foi um ótimo casamento. — Nos acomodamos para assistir. Cory entra na frente, de mãos dadas com a garotinha em um vestidinho azul claro; os dois vermelhos igual a dois pimentões.

— Que lindo! — eu digo rindo.

— Quero fotos disso, em algum momento vou usá-las — Seth promete em um tipo de ameaça a pobre criança que nem sabe o que se passa.

Os pequenos ficam em posição e a música muda. Olhamos todos para as portas duplas, Tracy e Winnie surgem juntas, lindas, de mãos dadas, cada uma com seu buquê. Trocando olhares e sorrisos, então, para minha total surpresa e de todos os presentes é Tracy a chorar, não Winnie. Suas lágrimas correm, emocionando a mim e a todos.

— Também quero fotos disso, Tracy está chorando!

— Seth, quer ser menos... Seth! — Ele me rouba um beijo.

— Não consigo! — Seth ajeita North em seus braços. — Olha filho, grava essa cena, tia Tracy está chorando de amor. Não é linda? — ele brinca irônico e eu o amo também por isso, porque Seth é agora esse homem. Não mudou sua essência, melhorou como ser humano sem deixar de ser quem é e isso me faz amá-lo todos os dias um pouco mais. Encosto a cabeça em seu ombro e suspiro emocionada e feliz.

Se pudesse dizer algo à garota que foi expulsa daquela casa um pouco mais de um ano atrás. Diria que tivesse esperança, diria para não ter medo, diria que não era o fim, mas o começo da maior e mais incrível aventura de sua vida. Que viveria o maior amor do mundo.

EPÍLOGO

Seth

Observo a paisagem pela janela da minha sala ampla e elegante, o céu está cinzento, coberto por nuvens pesadas. Faço uma careta de desgosto pensando que em outros tempos, eu adoraria essa paisagem.

Eu não tinha um garotinho de dois anos cheio de energia a minha espera em casa, louco para brincar no jardim. Agora sei que dias de céu azul e sol são bênçãos.

Um sorriso se forma em meu rosto, por muito tempo. Tudo que quis foi estar nessa cadeira, comandando essa empresa multinacional de autopeças. Tinha planos mirabolantes de dominar o mundo e estou indo bem, nossa marca é a primeira opção em que se pensa ao precisar de peças automotivas, não apenas no Canadá, mas em boa parte do mundo.

Isso deveria ser o meu maior orgulho, ao menos naquela cabeça de três anos atrás. Seria, mas hoje isso é apenas o meu trabalho e de uma infinidade de pessoas que encontram na Arnett o sustento de suas famílias.

Família, essa sim é meu maior orgulho. Aprendi com a minha o valor de um lar feliz, comida sobre a mesa e dignidade, é isso que venho tentando oferecer aos meus funcionários. Eu não tinha coração, hoje ganhei um e com ele uma alma. Não penso mais em vencer sempre, não atropelo mais ninguém que esteja em meu caminho. Subjugar não é mais meu propósito, agregar, sim. Esse é o caminho e muita gente está envolvida nesse processo de mudança. Klaus, o homem me ensinou muito, seu exemplo está sempre me inspirando. Angie, minha aurora boreal, meus pais, Cory, o garotinho que enfrenta a difícil vida de ter o coração dividido entre duas famílias e que faz isso com tanta simplicidade, e meu pequeno Hunter, o dono absoluto da minha alma.

Meu sorriso se amplia quando penso no pequeno a me esperar, ansioso, correr para o meu colo e me envolver o pescoço. "Brincar, papai". É a voz mais doce que existe no universo, não importa quão difícil tenha sido o meu dia, tudo de ruim vai embora no mesmo instante. Hunter é meu remédio, elixir do riso.

Uma leve batida na porta me traz de volta a realidade. Klaus entra em seguida.

— De saída? — ele me pergunta e olho para o relógio.

—Tenho uns minutos ainda. Quer se sentar? — Indico a cadeira diante de mim. Ele se acomoda e sorri para mim.

— Você está mesmo muito diferente. Para melhor, é claro!

— Que bom.

— Estive pensando em sua proposta, Seth. Diminuir o ritmo parece ser um bom plano — ele explica. — Pensei em fazer uma viagem com minha esposa e meus filhos têm me pedido para ir mais devagar.

— Acho ótimo! — Ele balança a cabeça em um sim tranquilo.

— E você? Pronto para a viagem em férias?

— Em uma hora vamos estar a caminho do aeroporto.

— E ainda está aqui?

— Tinha de acertar umas coisas. Fico duas semanas em Churchill e depois uma semana na praia. — Faço uma careta. — Odeio praia, areia, sol, mas eles amam. Hunter ainda não teve umas férias completas, o plano era ir quando ele completasse um ano, mas mal tivemos tempo de comemorar o aniversário dele, Angie estava cheia de trabalho e eu também.

— Bem, fico aqui apoiando enquanto está fora e quando retornar. Acho que vou começar a vir menos, quem sabe três vezes por semana?

— Quem sabe duas vezes por semana? — Ele ri. — É para o seu bem.

— Eu sei, em outros tempos não entenderia assim, mas agora sei que é só isso. Obrigado, Seth!

Ficamos os dois de pé. Aperto sua mão, tenho muito respeito pelo homem que ele é.

— Eu é que tenho de agradecê-lo, me ensinou muito nesses anos em que estivemos próximos, mais do que pode imaginar.

— Aprendi um pouco com você também. — Ele ri enquanto deixamos a sala. Viviane me estende a pasta com passagens e passaportes organizados para a viagem.

— Boa viagem! — ela deseja sorrindo, provavelmente feliz por se livrar de mim uns dias. É pena que Tracy fique e ela não é muito melhor do que eu. Talvez seja um pouco pior.

— Obrigado, Viviane! — aperto mais uma vez a mão de Klaus, ele volta para sua sala e eu chamo o elevador.

— Ainda está aqui. Que bom! — Tracy surge correndo em um salto alto e terninho preto. Impecável como de costume.

— Descendo, não tenho tempo. Vou perder meu avião.

— Te acompanho até o carro — ela diz entrando comigo no elevador. — Prometo não incomodar muito você na viagem, mas temos uns acertos e preciso que leve essa pasta, leia e me responda assim que descer em Churchill.

— Por que não pode resolver isso com meu pai?

— Porque ele disse que não e eu quero um sim. — Ela sorri. — Então sei que com você, vamos avançar nessa ideia. — Ela pisca quando a porta do elevador se abre e caminhamos juntos em direção ao carro. — Não é nada demais, só um novo contrato com a Fórmula 1. Do tipo que vai nos render um bom dinheiro. Uma cláusula que pensei e que se mudarmos...

— Prometo ler assim que der. Tudo vai depender das crianças, Hunter sempre fica inquieto em aviões e Cory fica com um pouco de medo.

— Entendi. Crianças! — Ela suspira. — Por que não me impediu de entrar na fila de adoção?

— Eu? — digo rindo de Tracy que sempre espera que eu a impeça de avançar. — Com o casamento foi igual, enrolou meses e meses e no fim, está muito feliz.

— Tecnicamente não mudou nada, então isso me deixa muito feliz.

— Uma criança muda tudo, nem faz ideia.

— Mas você gosta — ela diz quando me acomodo dentro do carro e abro janela, deixo a pasta no banco do passageiro. — Gosta tanto que está tentando outro bebê.

— A graça toda é tentar — digo rindo. — Bem, te vejo na volta. Não atormente meus funcionários.

— Atormento, sim. — Ela ri. — Vivo para isso. Dá um beijo nas crianças por mim.

— Conte com isso.

— Boa viagem e não vai deixar essa pasta por aí! Se fizer isso mando tudo por e-mail, não vai se livrar de mim, Seth. — Aceno colocando o carro em movimento. Tracy está como sempre, viciada em seu trabalho.

Dirijo para casa, ansioso pela viagem. Sempre foi nosso plano voltar a Churchill, levar Cory e Hunter para assistir as luzes do Norte. Rever aquele lugar onde nosso amor nasceu e também floresceu, só nossa pequena família, com tempo para o riso e os sonhos.

— Papai! — Hunter corre para meus braços, com dois anos, ele não é lá muito ágil e vem aos tropeços. Ergo meu filho nos braços, beijo seu rosto, meia dúzia de malas nos esperam na sala. — Avião, papai.

— Sim, vamos pegar o avião bem grandão! — Eu beijo seu rosto e caminho até Angie que me espera com um dos meus sorrisos. Ela me beija os lábios.

— Tudo pronto? — Me pergunta e balanço a cabeça afirmando.

— Tudo. Cadê Cory?

— Última busca pelo quarto para ver se não esqueceu nada importante como algum jogo ou brinquedo. — Hunter se contorce em meus braços querendo ir atrás de Cory, mas eu não posso soltá-lo ou ele sai correndo e se machuca.

— Cory já vem, filho. — Entrego Hunter para Angie. — Amor, eu vou tomar um banho de dois minutos e podemos ir.

— Estamos dentro do tempo. Cadê as passagens?

— No carro, deixei a pasta no carro.

— Junto com a pasta da Tracy?

— Sabia que ela ligaria para você, vou levar a pasta. Não quero, mas vou fazer isso por ela — digo enquanto ela me segue até o quarto.

Uns minutos de banho e me vestir e estou pronto para nossas primeiras férias.

— Chegou! — Cory diz cruzando comigo no corredor. — Vi uns vídeos dos ursos na rua de Churchill. Vamos caçar uns ursos polares? Não para machucar, só para ver de perto?

— Não, mas eles nos caçam! — aviso o deixando assustado. Cory olha para Angie, mas ela tem mais medo que ele e o garotinho fica indeciso.

— Vai ficar tudo bem — aviso a ele. — Angus já está com minha mãe?

— Ela veio buscá-lo cedo. — O gato ficou, eu sabia que ficaria. Veio passar seis meses e nunca mais voltou, se apegou ao meu filho e minha mãe ficou sem ele. Agora é ela que será babá do gato, concordamos todos que seria uma viagem desnecessária ao pobre animal.

Partimos os quatro, rumo às férias. Me transformo em carregador oficial de malas, por sorte Cory está completando treze anos e pode muito bem ajudar a carregar ao menos as suas.

Hunter adormece com dez minutos de voo e isso significa que vai acordar antes de pousarmos e vai estar irritado e cansado. Teremos algumas lágrimas antes da terra firme.

Cory afunda no assento com um livro, sobramos Angie e eu. Entrelaço meus dedos aos dela e uma emoção diferente nasce.

— Voltar a Churchill — ela diz com os olhos cheios de seu amor. — Não tinha ideia que mexeria tanto comigo. Não fomos realmente felizes lá, mas ao mesmo tempo, tudo que temos começou naquele lugar, eu... eu estou emocionada o dia todo.

— Eu sei, me sinto assim. Acho que eles vão odiar a partir do segundo dia. — Ela ri concordando.

— Estamos levando dois garotos para ficarem presos em uma casa cercados por neve, frio e ursos polares por três semanas — digo surpreso com nossa estupidez. — Quem teve essa ideia?

— Um tal de olhos de aço! — ela brinca se encostando em meu ombro.

— Só podia mesmo ser coisa dele. — Aproveitamos as horas de paz para descansar. Adormeço no meio do caminho, é a mãozinha de Hunter apertando meu rosto que me desperta.

Ele está no colo de Cory e olho em torno à procura de Angelina.

— Foi ao banheiro. Acho que ela foi vomitar — Cory me conta e com essa comida que servem em avião, não é nada impossível.

— Papai. — Hunter quer atenção, eu olho para ele que me mostra o bonequinho de super-herói que ganhou de Cory no último aniversário e virou seu melhor amigo.

— Quer brincar um pouco? — Ele indaga, eu olho em direção a porta do banheiro e me tranquilizo quando Angie sai de lá sorrindo tranquila.

— Estou bem — ela diz assim que se acomoda ao meu lado enquanto eu finjo que o herói voa.

— Seth, esse é o Homem-Aranha, ele não voa — Cory explica.

— Não? — pergunto surpreso olhando para o bonequinho. — Que sem graça!

—Teias! — Cory diz levando os dedos indicadores aos pulsos.

— Ah, eu sei. — Hunter não se importa que ele voe, por isso eu apenas continuo com o trabalho de distrair Hunter.

O pequeno fica de colo em colo por duas longas horas até que finalmente é hora de apertar os cintos. Churchill está gelado como sabíamos que estaria.

Sammy nos espera em uma caminhonete, eu bem que queria chamar outra pessoa, admito que ele não é uma das minhas pessoas favoritas, mas Angie insistiu em rever o amigo.

No caminho, ela vai atrás com as crianças, mas os dois ficam conversando sobre a cidade, ele conta que acaba de ficar noivo. Rapazinho lento, todo esse tempo e ainda nem se casou. Fala de pessoas que nem conheço e outras que me lembro vagamente.

Quando Sammy estaciona e deixamos o carro, ele me estende a mão, me lembro do quanto fui grosseiro com ele. Esse seria um ótimo momento para me desculpar, mas eu não me arrependo, então não me desculpo. A vida pode ser simples.

— Obrigado pela carona! Nos vemos em três semanas. — Sim, eu deixo um recado explícito e Sammy talvez por ser agora um pouco mais maduro, apenas sorri entendendo o recado.

— Estarei aqui para levar sua família de volta ao aeroporto. Boas férias! — ele diz voltando para o carro enquanto Angelina já está na varanda correndo os olhos atentos pelo gelo em busca de algum urso perdido.

— Ali será que é? — Cory aponta. — Ali! Naquele outro lado. Seth, aquilo é um urso polar?

— Não, Cory, é um monte de gelo e neve! — Desanimo o garoto que faz uma careta de decepção, acho que ele esperava um desfile de ursos na frente da casa.

— Vamos entrar? — Angie pede apertando Hunter nos braços. — Meninos levam as malas e meninas levam o bebê — ela diz girando a maçaneta.

A casa está limpa e arrumada. Angie coloca Hunter no chão, deixo as malas perto da porta e prendo minha mão a dela enquanto corremos os olhos pela casa juntos. Na parede da escada, tinta nova para esconder as marcas do quadro que agora faz dupla com o nosso presente na sala principal da casa nova.

Olhamos os dois na direção dele, depois trocamos um sorriso. Ela solta minha mão para vir para os meus braços.

— Amo você, Seth! — ela diz antes de um longo beijo.

— Não pode, Hunter! — Cory nos desperta e separamos para ver Hunter tentando mexer em tudo que encontra pela frente.

A magia nos deixa. Duas crianças e muitas malas, não há tempo para namorar.

Apresentamos a casa, desfazemos malas e preparamos o jantar, tudo juntos, com dois garotos a nos seguir; um deles com um binóculo em tudo que é janela em busca de um urso polar o outro só nos perseguindo mesmo.

Quando adormecem no tapete em frente à lareira depois do jantar em algumas brincadeiras. Angie e eu ficamos abraçados sob o calor do fogo, revivendo o passado entre beijos.

— Era a garota mais linda que já vi.

— Era o homem mais insuportável do mundo! — Ela me beija. — Mesmo assim eu te amei.

— Amou, mas eu, burro e cego não vi isso. Senti, mas relutei, fui embora deixando meu coração, achei que não precisava dele. A vida provou que preciso.

— Veio buscar de volta o seu e acabou ficando com o meu também.

— E nessa briga de quem fica com o coração de quem, eles acabaram juntos batendo ali. — Aponto Hunter dormindo espalhado sobre o tapete, coberto com uma manta, bochechas rosadas, cabelos castanhos como os da mãe, olhos de aço como os do pai, mas um doce garotinho. Livre para ser quem quiser, livre para amar e não sentir medo, não fugir.

— Isso foi bonito e romântico.

— Não foi nada! — brinco puxando Angie para mais junto de mim.

— Foi, sim, muito romântico e eu te amo mais.

— Venceu! — Ergo seu braço como se apresentasse o vencedor em um ringue. Ela ri se libertando, depois volta a se acomodar em meu peito.

— Cory está um rapazinho — ela diz olhando para ele adormecido ao lado de Hunter.

— Temos de admitir que ele é um ótimo irmão mais velho — ela concorda. — Paciente com o Hunter.

— Sinto tanta pena deles quando precisam ficar separados, Hunter sente tanto a falta dele e ele fica tão tristinho de voltar.

— Acho que algum dia ele vem de uma vez e o pior, não acho que os pais vão impedir ou lutar contra. É triste.

— Muito! — Ela me olha nos olhos. — Estou tão feliz, não vamos pensar nisso.

— Certo, vamos colocar esses meninos na cama. Pelo visto não é essa noite que teremos as luzes do Norte.

— Talvez elas apareçam lá no nosso quarto.

— Sabe que é a primeira vez que essa casa nos recebe assim, casados, felizes, dividindo o quarto.

— Vamos aproveitar e colocar em prática o que sonhamos em fazer e não fizemos — ela diz tentando se erguer.

— Aonde vai? Como é que diz isso e vai embora? Me conta, que tipo de fantasias teve aqui?

— Não falei fantasias, falei sonhos! — ela me corrige rindo enquanto beijo seu pescoço e a prendo em meus braços. — Cozinhar para meu marido, dormir nos seus braços — Angelina brinca em uma provocação.

— Precisa exercitar mais essa sua imaginação, Angelina! — eu a provoco fazendo seu riso se espalhar.

— Shiu! Não queremos acordar as crianças.

— Ah, queremos sim, porque eu não vou carregar Cory escada acima.

— Você é mal, Seth Arnett. — Ela escapa indo pegar Hunter e quando me entrega meu bebê, vai despertar Cory. Os garotos mal acordam no caminho para cama e temos a primeira noite de amor sem nada a nos separar em Churchill. Sem o medo, sem as dúvidas, só nosso amor nas terras mágicas do Norte.

Durante o dia, os meninos se divertem explorando a casa. Jogamos, lemos, assistimos a filmes, comemos. Não penso em trabalho, não quero ir embora, não penso em nada além da paz que é viver cercado de amor.

Hunter adormece em meu colo, enquanto assistimos a uma chatice de desenho infantil. A noite está fria, mas o céu limpo e os primeiros raios coloridos chegam.

— As luzes! — Cory diz perto da meia noite, enquanto tentava em vão achar os ursos passeando pela noite. Sinto meu coração reagir no mesmo instante.

— Vem — convido Angelina para irmos até o lado de fora. Enrolamos Cory em um cobertor, ela ergue Hunter nos braços, eu nos enrolo em outra coberta de pelos pesada. — Estamos todos aqui — digo sem saber bem o que dizer diante da beleza dos raios luminosos. — Olha filho! — Hunter desperta coçando os olhinhos.

— Roxo! — Cory grita.

— "Oxo" — Hunter o imita.

— Rosa! Olha gente, quantas luzes. — Cory não acredita no que vê. — Eu quero vir todo ano. Olha!

— Como pode ser ainda mais bonito? — Angie tem os olhos marejados. Me emociona dividir esse momento com eles, mas são os olhos dela a me hipnotizar. Posso amar Angelina sob as luzes do Norte sem qualquer medo, com a certeza de que será para sempre.

— Amo você, Angie! É a minha aurora boreal. — Ela balança a cabeça concordando.

— Eu sei, posso ver a aurora refletir em seus olhos. Eles têm todas as cores. — Seus lábios encontram os meus, beijo minha mulher com o amor que se espalha em mim. Um longo beijo que Cory interrompe empolgado demais para respeitar nossas emoções.

— Por que acontece isso?

— É o impacto de partículas de vento solar com... — Não, isso é Ciência, não reflete a verdade do meu coração, do coração de Angelina. — São anjos dançando, Cory. Anjos dançando.

Angie se encosta ao meu peito. Um longo e emocionado silêncio nos toma enquanto apreciamos a beleza mais profunda do mundo.

— Estou grávida! — ela diz quebrando o silêncio, me surpreendendo, arrebatando. É um novo rebuliço em meu peito, uma onda de cor e luzes, um bebê, agora mais do que da primeira vez. Eu sei o que significa, sei o quanto o quero e o amo só por pensar em sua existência.

— Você... — Ela balança a cabeça sorrindo para minha surpresa, uma lágrima rola por seu rosto e seco com as pontas dos dedos enquanto Hunter está quietinho em seus braços, encantado com o espetáculo magnífico no céu.

— Trouxe um exame de farmácia, porque desconfiei. Fiz hoje cedo, queria contar aqui, sob as luzes do Norte. Talvez seja uma garotinha.

— Como é que faz isso? Torna o perfeito em incrível? — Beijo Angie, depois os cabelos de Hunter e pego o pequeno de seus braços. — Eu o carrego, mamãe, não pode levar peso. — Ela se encosta ao meu peito, divide espaço com Hunter, envolvo os dois. — É o momento mais completo e feliz de toda minha vida.

Cory tira fotos de seu celular, enrolado na coberta e encantado demais para se dar conta que nossa família aumentou. Há muito que ele sabe que tem seu lugar, que é nosso e vai amar outro bebê na família. O céu se colore de um verde vivo, que cria espirais longos em uma dança poderosa.

— Ela pode se chamar Valkiria, por conta da lenda das...

— Nem pensar, Angie! — Eu interrompo enquanto ela ri de mim.

— Amor, o nome tem de ter história e Valkiria...

— Um filho com nome feio por família, é a lei. Hunter já ficou com o nome feio. Vou lutar por minha bonequinha. — O riso dela se espalha.

— Pode ser Aurora! — Cory diz sem parar de fotografar, jurava que ele não estava ouvindo. — É mais bonito e podemos todos chamar pelo mesmo nome.

— Pode ser Aurora Valkiria! — Angie continua.

— Seus filhos vão te odiar, Angie e eu não vou poder impedir — provoco.

— Posso ficar aqui a noite toda? — Cory pede.

— Do seu quarto dá para ver, Cory. Aqui está frio, vamos entrar e aquecer nossos bebês! — digo pensando em meu bebê no ventre da mãe.

— Vou ficar a noite toda acordado — ele diz entrando na frente. Hunter já adormeceu novamente, depois de colocá-lo na cama e nos despedirmos de Cory. Vamos apreciar a aurora do nosso quarto, as luzes se espalham pela nossa cama, em um verde que dança em reflexos pelo quarto. As cortinas abertas, o quarto aquecido e minha mulher, linda a me olhar enquanto aproveita as luzes e a noite mágica para se despir lentamente; os cabelos soltos, os olhos quentes.

— Talvez eu tenha... sonhado com isso — ela diz passando a língua pelos lábios. — Eu, as luzes do Norte, no quarto dos olhos de aço, mas no sonho ele era mais participativo — ela me provoca e começo a me despir enquanto caminho para ela, ergo Angie nos braços e a coloco rindo sobre os lenços. As luzes criam formas pelo quarto e a cama.

Beijo seu ventre, subo beijando cada parte dela até encontrar seus lábios, um longo beijo que nos completa.

— Ainda vou ter longas conversas com essa garotinha — digo tocando sua barriga —, mas hoje só quero conversar com a mamãe.

— Gosto quando sussurra — ela diz ao meu ouvido, decidida a me arrebatar e é o que faz, me carrega com ela através de algum portal mágico onde só existe amor. — Também gosto de seus olhos sobre mim.

— Olhos de aço! — brinco e ela nega.

— Olhos de amor! — Angelina me corrige antes de nada mais além do amor existir.

AGRADECIMENTOS

Para Gabrielle

Começo agradecendo a Ler Editorial, em especial minha editora Catia Mourão, que não mediu esforços para este lindo trabalho que aqui apresento, por acreditar em mim, em meu potencial e me permitir sonhar. A cada leitor e leitora espalhados por aí, todos vocês que em algum momento da vida, vão doar um pouco de suas horas mergulhando nesta história e compartilhando comigo estes sonhos. Escrever me transporta e espero levar todos vocês comigo para este novo mundo.

Agradeço a toda equipe que vem trilhando comigo os passos em direção aos meus sonhos. Escrever me alimenta, publicar foi quase um sonho impossível e agora, é uma doce realidade. Vocês têm toda minha gratidão.